LOIN DE CHANDIGARH

Journaliste, critique littéraire et essayiste depuis plus de vingt-deux ans, Tarun J Tejpal est très admiré en Inde ; il est le fondateur de *Tehelka*, un courageux magazine d'investigation. En 2002, *BusinessWeek* distingua Tarun J Tejpal comme l'un des cinquante leaders du changement en Asie. *Loin de Chandigarh* est son premier roman. Il vit à New Delhi avec sa femme et leurs deux filles.

TARUN J TEJPAL

Loin de Chandigarh

ROMAN TRADUIT DE L'ANGLAIS (INDE) PAR ANNICK LE GOYAT

BUCHET / CHASTEL

Titre original :

THE ALCHEMY OF DESIRE
Picador, Londres, 2005.

À ma mère, Shakuntala ;
mon père, Inderjit ;
et à Geetan, toujours.

LIVRE I

Prema : amour

Un Froid Matinal

L'amour n'est pas le ciment le plus fort entre deux êtres. C'est le sexe.

Les lois de la physique nous apprennent qu'il est plus difficile de détacher deux corps accolés par leur centre que par l'une ou l'autre de leurs extrémités.

J'étais encore follement amoureux d'elle lorsque je la quittai, mais le désir était mort, et toutes nos années de complicité, de tendresse, de découvertes et de voyages ne purent m'empêcher de fuir.

Je déforme peut-être les faits.

Pour être exact, ce n'est pas moi qui suis parti. C'est Fizz.

Mais la vérité est qu'elle fit – comme toujours – ce que j'attendais d'elle, ce que je l'adjurais intérieurement de faire. Et si j'en suis arrivé à cela, c'est qu'alors mon corps s'était retourné contre le sien ; quiconque a déjà sondé et épuisé toutes les ressources du corps et de l'esprit vous dira que le corps, avec ses besoins multiples et tenaces, est le véritable moteur de la vie. L'esprit lui ouvre simplement la voie, ou le console avec ses sermons grandiloquents quand la voie demeure introuvable.

Les divagations des puritains et des moralistes sont les cris angoissés de ceux dont le corps n'a pu trouver le chemin de la félicité. Quand je vois le clergé – hindou, musulman, chrétien – vitupérer les instincts de la chair, je vois des hommes égarés, furieux et frustrés. Incapables de découvrir les glorieux exploits du corps, de discerner la route qui mène au plaisir suprême, ils s'emploient à désorienter les autres voyageurs. Impuissants à détecter leurs synapses sexuelles, ils déclenchent la guerre entre notre corps et notre esprit. Certes il existe des êtres purement spirituels, comme existe le rhinocéros à une corne, mais ils sont rares et aisément identifiables. Pour le reste d'entre nous, le corps est le temple.

La vérité est que le divin est tangible.

On peut le humer, le goûter, le pénétrer.

Le matin où je m'éveillai sans éprouver le désir urgent de parcourir le corps de Fizz, d'inhaler son musc, je compris que j'avais des problèmes.

Nous dormions dans la petite chambre donnant sur la vallée de Jeolikote, sur les lits de pin façonnés en un jour par les jeunes ouvriers fluets de Bideshi Lal. Des planches jaune délavé. Des lignes droites. Aucune fioriture. Durs, élémentaires, sans la moindre souplesse. Après avoir dormi des années sur des lits de corde tressée et de contreplaqué, la sensation de solidité qui s'en dégageait nous plaisait. Sur ces lits, nous avions moins l'impression d'être des citadins excentriques. Notre couche était ce que les menuisiers, ici, appellent un « kuveen bed », c'est-à-dire un lit d'une personne et demie. Nous aurions préféré un king-size, plus spacieux pour les ébats, mais la chambre était petite et, puisque nous dormions toujours corps contre corps, c'eût été superflu.

Comme chaque matin, les rideaux jaunes étaient tirés et l'uniformité des premières lueurs baignait doucement la pièce. Il n'y a qu'en montagne, lorsque toutes les fenêtres sont ouvertes, au petit jour, que l'on perçoit cet instant où la lumière est exactement la même à l'intérieur et à l'extérieur, où règne cette tranquillité parfaite d'un bocal quand le poisson reste immobile.

Le monde est fondu en une couleur unique. Il est à la fois fluide et figé.

Devant la fenêtre, sur le chêne noueux et terni, les bulbuls à joues blanches commençaient à s'agiter et à jacasser doucement. Adossé à un oreiller replié contre le rugueux mur de pierre, je regardais à travers la rangée de grandes fenêtres les montagnes ondoyantes qui me faisaient face. Une peau vert tendre toute fraîche poussait sur l'horrible balafre creusée par un éboulement de terrain deux ans auparavant. Amplifiée par les lourdes jumelles Minolta – dont la mise au point se faisait par lents et fastidieux ajustements –, cette peau cicatricielle avait la laideur du neuf.

Fougères, herbes, arbrisseaux cherchaient timidement à faire valoir leurs droits. Il n'y avait pas assez de terre, de profondeur. Comme les immeubles neufs, les meubles neufs, les vêtements neufs, les amants neufs, ils attendaient que le temps, l'histoire, les difficultés, les façonnent et les valorisent. Néanmoins, cette peau neuve permettait de contempler la montagne sans ciller. L'année précédente, l'éboulis attirait et repoussait le regard comme la plaie ouverte d'un mendiant. Deux saisons de pluie battante avaient cicatrisé la blessure.

Sans avoir à bouger les yeux, je distinguais les lacets de fumée grise qui montaient en volutes du fond de la vallée, à la manière des traits ondulés sur un dessin d'enfant. Et, en tournant très légèrement la tête, je voyais Fizz qui dormait, enroulée dans sa position fœtale habituelle.

Elle portait un tee-shirt ras du cou, dont le dos s'ornait d'un slogan sur la sauvegarde des arbres, tracé en caractères helvetica verts. Sous les lettres, un arbre stylisé déchiqueté se métamorphosait en crâne. Un de ces graphismes ingénieux. Le slogan proclamait : « Tuer un arbre c'est tuer un homme. » Parfois, quand je la chevauchais avec une lente ardeur et que le tee-shirt se repliait sur ses épaules, les mots se brouillaient jusqu'à ce que je ne lise plus que Tuer Tuer. Une exhortation au déchaînement, qui ajoutait à l'intensité de l'instant.

Le tee-shirt était remonté sous ses seins, et il me suffisait de soulever l'épaisse couette bleue pour admirer ses courbes généreuses. L'ample évasement partant de sa taille fine, la part la plus charnue de son corps, toujours capable d'éveiller mon désir dans la seconde.

Je la contemplai longuement, faisant une tente de la couette. Elle ne s'éveilla pas. Elle était habituée à mon voyeurisme ; je pouvais la regarder des heures, de nuit et de jour. Tel un chien qui cesse de guetter les pas des domestiques familiers, sa peau avait cessé de fourmiller sous mon regard. Il arrivait même parfois, au plus noir de la nuit, que j'investisse son corps de toutes les manières possibles sans qu'elle se réveille, ni qu'elle en ait conscience le matin venu. Et cela l'effrayait, ensuite, d'apprendre qu'elle avait participé à son insu.

Ses cheveux souples reposaient en masse sombre sur le drap blanc – elle n'utilisait jamais d'oreiller, alléguant une histoire d'angle de nuque et de risque de double menton. Elle avait des cheveux magnifiques et il fut une époque où le seul fait d'y enfouir mon visage me grisait. Il y a bien longtemps, à Chandigarh, alors qu'elle n'avait pas encore dix-huit ans et que nous venions de faire l'amour pour la première fois, elle s'était plantée devant le miroir crasseux au-dessus du lavabo de ma minuscule salle de bains pour s'examiner et scruter les marques d'un irrévocable rite de passage, et moi, venant derrière elle, j'avais plongé la tête dans sa luxuriante chevelure ; aussitôt, la senteur originale de son shampoing, ajoutée à la moiteur de sa peau, avait ranimé mon excitation, et nous avions à nouveau plongé sur le matelas, au milieu d'une flottille de livres éparpillés sur le sol de mosaïque.

La première fois n'avait été qu'une entrée en scène.

La seconde avait duré tout un acte.

Bien plus tard, quand il nous fut possible d'aborder le sujet, Fizz avait baptisé cela le « double dribble ». Je regardais un match de basket à la télévision et lui en expliquais les règles. Elle cueillit le terme dans mes commentaires et l'adopta d'emblée. « Tu te souviens de ton premier grand double dribble ? » me lança-t-elle.

Dès lors, l'expression lui servit quand elle voulait flirter avec moi. Et parfois, après l'amour, lorsque je reposais épuisé et qu'elle était encore d'humeur folâtre, elle m'offrait son sexe comme on offre un cadeau en murmurant : « Tu n'as pas envie de faire un double dribble ? » Bien entendu j'en avais toujours envie, et je m'exécutais.

Mais ce jour-là, en la regardant, je ne ressentis rien. La plupart des matins de ma vie auprès d'elle, je m'étais réveillé tout prêt à attiser ma dureté contre sa douceur. Le souvenir de ses odeurs m'emplissait tout au long de la journée, et je m'en abreuvais dès l'instant où j'ouvrais les yeux. Je parcourais son corps, humant, inhalant, aspirant, recherchant la source secrète, la pulsation qui enflait, s'accélérait, jusqu'à exploser dans un crescendo ; ensuite venait la paix du lent halètement et du jour à venir.

Or, ce matin-là, je n'éprouvai aucune émotion, sinon une vague tendresse à la vue des deux fossettes au bas des reins, lissées par l'étirement de sa position fœtale. Petites dépressions bordant l'épine dorsale, invite vers le sillon profond de son efflorescence. Je n'avais jamais pu regarder Fizz autrement que passionnément. Au commencement, pendant très longtemps, je lui avais voué un amour douloureux, informe. L'amour qui ne regarde pas.

Par la suite, après le jeu du double dribble sur le sol de ma chambre, j'avais éprouvé une soif insatiable, un désir sans cesse grandissant. Le désir qui ne voit pas.

Comme elle, j'étais nu sous mon tee-shirt, la nuit ayant dénoué mon lunghi. Du bout des doigts, je testai mon sexe. Rien. J'avais une nouvelle fois payé mon tribut à la nuit. J'étais rassasié, vidé d'énergie et de désir. Jusqu'alors, je n'avais éprouvé cette sensation que quelques minutes après des ébats épiques. Après avoir été consommé et consumé jusqu'au néant.

Fizz avait une expression pour désigner ces stades maniaques, où l'on escalade le tout dernier sommet avant de retomber de l'autre côté et de perdre connaissance. Abyssale satiété. L'état d'oubli du plaisir extrême.

La nuit précédente, la chose s'était produite sans sollicitation, et dans le vide. Je n'avais aucune idée du moment où je m'étais évanoui.

Fizz se retourna dans son sommeil et passa un bras autour de ma taille. Une envie me saisit de la repousser. Au lieu de cela, je posai la main sur ses cheveux et les ébouriffai lentement, soulevant les mèches noires et les laissant retomber. Ses cheveux, comme sa peau irréprochable, étaient vivants. Ils ondoyaient pour vous rendre vos caresses.

Chez Fizz, rien n'était terne. Tout en elle brillait. Le jour de notre rencontre, j'avais pensé que son sourire pouvait illuminer le monde.

Toucher ses cheveux lui envoya le mauvais message. C'était le genre de geste qui la stimulait. Sa main descendit plus bas. Elle me cherchait. Je n'étais pas là. Elle tenta de me donner vie. Ce qu'elle réussissait toujours. Mais la nuit m'avait anéanti, il ne restait rien à ressusciter.

« Je t'aime », murmura-t-elle dans son sommeil.

C'étaient nos premiers mots, chaque matin.

« Je t'aime aussi. »

Sa main devint plus pressante. Toujours rien. Je devinais l'étonnement croissant dans ses doigts, qui roulaient, étiraient, pelaient, tiraillaient. Mouvements familiers appelant une réponse familière.

« Mais lui ne m'aime pas, dit-elle.

– Si », répondis-je en lui caressant les cheveux.

Mon autre main reposait sur le carnet relié, près de mon oreiller. Le cuir fauve était lisse et tiède. Je dus réprimer l'élan qui me poussait à l'ouvrir pour y plonger.

Quelques respectables minutes plus tard, j'embrassai la joue de Fizz et balançai mes jambes nues hors du lit. J'exhumai mon lunghi de sous la couette et le nouai autour de ma taille.

« Reviens ici, marmonna Fizz. Laisse-moi lui montrer sa vraie place dans le monde.

– J'ai envie de pisser. »

Je sortis de la chambre et montai à la plus haute terrasse par le chemin de planches grinçantes. Planté au bord du parterre de fleurs où ne poussait aucune fleur, j'urinai sur les racines de mon chêne argenté préféré – déjà plus haut que moi –, et contemplai, en contrebas, la vallée qui s'éveillait.

Des autobus et des camions entamaient l'ascension des montagnes avec force changements de vitesses. Un grincement grave, une plainte stridente annonçaient la conquête d'un nouveau virage par un car Tata vieillissant. Dans le marché de Jeolikote, tout en bas, d'un côté à l'autre de la vallée, on percevait vaguement les premiers frémissements des boutiques ; les hommes commençaient à s'affairer et les feux à fumer. Sur la route N° 1 – qui suivait le Y de la vallée, un bras partant vers Nainital, l'autre venant vers nous, en direction d'Almora – la circulation était encore paresseuse : de temps en temps, une Maruti arrivant de Jeolikote s'arrêtait brièvement à l'embranchement du Y, avant de bifurquer vers Nainital ou de glisser vers nous.

La brume était encore figée. À cette époque de l'année, elle s'animait toujours lentement. Dans deux heures, elle s'élèverait peu à peu du fond de la vallée. D'abord sous forme de boules de coton denses et blanches, incroyablement pures, avant d'envahir la vallée entière. À neuf heures, elle atteindrait Beerbhatti, puis entamerait sa progression vers notre maison. Vers neuf heures et demie, elle nous couperait du monde, allant jusqu'à masquer notre propre portail. À ce moment, attablés devant des toasts et du miel, nous discuterions pour décider si nous allions lire ou jouer au Scrabble.

Soudain, je sentis le froid. J'étais sorti sans châle et la rosée m'avait mouillé les pieds. La lumière était plus vive et le monde se parait des premières nuances du jour. Derrière moi, l'autre vallée, la vallée de Bhumiadhar, aux pentes tapissées d'une épaisse fourrure de pins et de chênes, reposait dans une zone plus grise, plus immobile.

C'était l'une des vertus de la maison que d'être juchée sur un éperon séparant deux vallées très différentes. Deux mondes distincts. L'un vert, sauvage, silencieux, froid et sombre. L'autre ocre vert, civilisé, lisse, chaud et lumineux.

On pouvait choisir l'une ou l'autre vallée selon son humeur, mais le plus souvent nous options pour Jeolikote, au décor plus doux, plus clair, plus ordonné. De ce côté, quand on se tenait sur la terrasse, la montagne descendait en pente abrupte à nos pieds, dégageant avec largesse la vallée entière : les routes en lacet, les bungalows anciens aux toits rouges, les bâtisses en ciment qui poussaient comme des champignons, les échoppes bordant les routes dans le lointain, les installations gouvernementales peintes avec soin, les voitures qui avançaient au pas, les vergers de poiriers et de pêchers, les bosquets de pins, de chênes et de sapins argentés, qui nous tenaient compagnie mais à distance, qui nous donnaient du mouvement mais à distance.

De l'autre côté, la route d'Almora – qui longeait en contrebas le mur d'enceinte de la maison – nous séparait de la vallée de Bhumiadhar, gâtant à la fois la vue et notre intimité. Le panorama était obstrué, sombre, chargé de secrets. D'épaisses forêts de chênes et de pins se précipitaient vers des profondeurs invisibles ; les rares terrasses et habitations étaient tassées en aval de la route, hors de notre vue. C'était du cœur de cette vallée que les animaux sauvages, des panthères surtout, montaient à pas feutrés.

Là, le site vous aspirait, avec l'irrésistible mélancolie
d'une chanson de Mohammad Rafi. Son charme aurait
été immense sans le terrible éraillement de la bande
sonore : chaque fois que l'on commençait à se laisser
envoûter par les ténèbres ensorcelantes de la vallée, un
camion geignard et vrombissant gâtait la vue et l'atmosphère. Certains jours, juste après la pluie, quand
la brume éclatait en moutons, quand le soleil rasant
captait les reliefs, la vallée de Bhumiadhar surpassait
sa rivale en beauté. Mais c'était rare.

Je descendis de la terrasse à la cuisine par la rampe
de pierre, le corps glacé, secouai la porte de pin gauchie
jusqu'à ce que le loquet intérieur cède, entrai, allumai
le gaz et mis de l'eau à bouillir dans une casserole.
Bagheera approcha derrière moi à pas de loup. Ne s'attendant pas à nous voir levés si tôt, Rakshas n'était pas
encore monté des communs. Je m'en réjouis. Je n'étais
pas d'humeur à plaisanter, ni à l'écouter chanter ses
dévotions.

Je circulai dans les pièces condamnées de la maison,
m'arrêtai un instant dans la salle à manger pour accom-
moder ma vision, puis dans le salon décrépit, encore
plus sombre. Ensuite je gagnai l'escalier, marchant
précautionneusement sur les gravillons du sol inachevé. Je montai les cinq marches grinçantes, enjambai
la sixième, cassée, traversai sur la pointe des pieds le
vestibule du haut et la véranda, et ouvris doucement la
porte de notre petite chambre.

Le vieux coffre de cèdre, receleur de destin, reposait
près du mur d'en face, sombre, inamovible, son bois
splendide sanglé de courroies de cuivre, sa serrure étincelante pendant, béante, sur sa face.

Fizz dormait encore, engloutie sous la grande
couette. Seuls son front et son nez étaient visibles – le

reste n'étant qu'un enchevêtrement de cheveux et de drap. Dans cette chambre, le sol était en ciment brut, rugueux ; nous l'avions voulu ainsi afin de pouvoir faire ce que bon nous plaisait, à toute heure du jour ou de la nuit, sans avoir à nous soucier de lattes de plancher grinçantes et sonores.

Je me déplaçai sans bruit et déliai les cordelettes pour ouvrir les rideaux.

Fizz s'éveilla au moment où j'enfilais une veste. Tendant une main vers moi, elle me dit : « Où vas-tu ? Viens ici, s'il te plaît. »

J'approchai et déposai un baiser sur sa main.

« Je reviens dans une minute. Le thé est sur le feu. »

Mais je ne revins pas. Je me servis une grande tasse de thé fort et sucré, pris un paquet de biscuits au glucose et regagnai la terrasse par le chemin de pierre. J'éprouvais le besoin désespéré d'éclaircir mes idées. Ce qui m'arrivait était irréel. Si je ne parvenais pas à en comprendre la signification, ma vie allait voler en éclats. Une autre nuit comme la précédente et c'en serait fini de moi.

Soudain, il me fallait mettre davantage de distance entre Fizz et moi. Je rejoignis la terrasse supérieure, le point le plus élevé de la maison, où avait été installé un réservoir d'eau quatre-vingts ans plus tôt, et d'où l'on voyait les hauteurs de Nainital, les constructions improvisées qui s'étalaient jusqu'aux flèches dominantes et aux toits rouges de l'école Saint-Joseph. Après l'achat de la maison, nous y avions dressé un banc de pierre de Kota rouge. Assez large pour s'y allonger à deux et contempler le ciel. La rosée nocturne l'avait nappé ; je m'y accroupis, mes genoux serrés contre moi.

En quinze ans, jamais je ne m'étais senti si loin de Fizz. Même durant nos pires querelles, nos presque ruptures, la passion et le désir avaient survécu. La tension exaspérante ne nous avait pas abandonnés, nous maintenant comme des pétards non explosés l'un en face de l'autre. Même lorsque nous sombrions dans un silence chargé de ressentiment, nos corps se parlaient, et le moindre effleurement, au creux de la nuit, déclenchait une frénésie qui balayait le chancre.

Une fois, chez sa tante, après deux jours de silence hostile – les raisons étaient toujours floues et futiles –, nous nous étions rencontrés dans la salle de bains pour nous laver les mains avant le déjeuner. L'odeur de sa peau, un regard échangé dans le miroir, et nous étions tombés dans les bras l'un de l'autre. En une seconde, je l'avais plaquée contre la porte, une main cherchant le verrou, l'autre la fermeture Éclair de son jean, tandis qu'elle mordillait ma bouche avec son avidité effrénée habituelle. Comme toujours, nos corps s'étaient emboîtés telles les pièces d'un puzzle, moiteur et dureté, chair et poils, amour et désir.

Mais, à table, la tension était revenue, tranchante et affûtée comme le couteau avec lequel sa tante découpait les mangues. Nous étions rentrés chez nous très vite, sans un mot. Cette fois-là, le puzzle fut configuré et reconfiguré, ajusté et réajusté ; et chaque sommet escaladé jusqu'à la chute, sur l'autre versant. Abyssale satiété.

À présent, une chose se préparait qui me clouait sur les talons.

J'avais abordé ce voyage avec appréhension – voyage qui, pourtant, depuis deux ans, était mon préféré entre tous. En partant de Delhi, j'avais éprouvé un mélange de peur et d'envie. Les deux précédents séjours s'étaient

déroulés de façon étrange, si étrange que j'étais incapable de me l'expliquer, et moins encore d'en parler
à quiconque. Depuis la dernière fois, j'étais déchiré
entre le besoin impérieux d'y revenir et celui de m'en
tenir éloigné à jamais. Aussi avais-je laissé la décision
à Fizz.

J'avais été préoccupé durant tout le trajet. Lors d'une
halte à Bilaspur, pour le petit déjeuner, Fizz m'avait
demandé : « Quelque chose te tracasse ? »

J'avais répondu par une boutade : « Je crois que ma
queue est en train de mourir.

– Je vais lui parler.

– D'accord, mais en hindi. Parle-lui en hindi. C'est
la langue régionale.

– Elle ne comprend pas le hindi. »
Nous avions ri.

Pourtant je n'étais pas rassuré. À la tombée de la nuit,
la veille, le mélange de peur et d'envie qui m'étreignait
s'était accru. Fizz, occupée à soigner ses jeunes arbres,
n'avait rien remarqué, pas même lorsque nous étions
allés nous coucher, après deux whiskys chacun.

Nous étions fatigués. Il y avait eu un embouteillage
assommant à Moradabad, et nous étions restés bloqués
aux deux passages à niveau. Fizz se lova contre moi, sa
tête sur mon épaule gauche, son visage dans le creux
de mon cou.

Comme je ne la caressais pas, elle proposa : « Tu
veux que je lui dise deux mots ? Je peux lui parler en
hindi, tu sais ! »

Pour toute réponse, j'émis un grognement évasif,
et elle s'endormit aussitôt. Je demeurai éveillé un
moment, observant les dernières lueurs vaciller sur les
montagnes. Bientôt il ne resta plus que l'arc lumineux
de l'observatoire et les carrés de ciel découpés par les

fenêtres, envahis d'étoiles palpitantes. Par intervalles, le toc toc toc de l'engoulevent voisin montait des massifs de lantana blottis dans les anfractuosités de la terrasse, sous la maison. Un jour, j'avais passé des heures à explorer les buissons pour le localiser, mais l'engoulevent semblait nicher dans un endroit très profond.

Je dégageai mon bras prisonnier sous la tête de Fizz. Comme à son habitude, elle roula de l'autre côté et se recroquevilla.

Je m'assis, adossé au mur, et ouvris le carnet de cuir fauve. Bientôt mes yeux me brûlèrent, fatigués par l'écriture roulante, précipitée, dans la pâle lueur jaune de la lampe-tempête. Mais je persévérai, persuadé qu'en restant éveillé je parviendrais à éluder le problème, à y survivre. La chimère volerait en éclats, se dissiperait, et j'en aurais fini. Je dus m'assoupir dans cette position car, lorsque cela se produisit, j'étais encore assis. Cela dura jusqu'au milieu de la nuit. À la fin, des heures plus tard, j'avais chuté du haut de si nombreux sommets que je ne savais plus comment recouvrer mon équilibre.

Mes jambes commençaient à s'ankyloser et je dus me lever du banc pour les dégourdir. Je jetai les dernières gouttes de thé dans le ravin, où elles s'évanouirent sans laisser de trace, et contemplai le panorama dont j'étais tombé amoureux dès le premier regard.

Cette maison devait être notre salut, sceller à jamais notre amour et notre vie. Or, désormais, les signaux étaient de mauvais augure. Pour la première fois, je m'étais réveillé sans désir pour Fizz. Froid à son corps étendu près du mien.

Une chose terrible se préparait. Je le sentais dans mes os. Dans l'air.

Malgré le froid vif et piquant, je ne parvenais pas à mettre mes idées au clair. La douleur de ma dent de sagesse commença à battre. Certaines choses, au moins, n'avaient pas changé. Je fermai les yeux en attendant que les pulsations se muent en élancement régulier.

J'ignorais que ma vie d'alors, la seule qui ait jamais compté à mes yeux, était sur le point d'exploser.

Le soleil n'était encore qu'un rougeoiement avant-coureur, au-delà de l'observatoire, sur les cimes lointaines.

Bourrasques

Il avait plu à verse toute la journée et il pleuvait encore quand – six mois après ce matin froid – j'accompagnai Fizz au portail du bas pour attendre le bus de Bhowali qui la conduirait à Kathgodam, et peut-être loin de moi pour toujours.

Par une ironie du sort, le muret de pierres près duquel nous attendions le bus était celui sur lequel nous nous étions assis la première fois pour contempler la maison. Il se trouvait dans un virage de la route, un peu après le sanatorium en venant de Jeolikote, à l'endroit précis où la maison s'offrait à la vue. Placé en contrebas de celle-ci, à angle droit, il lui donnait un aspect particulièrement romantique.

Mais on ne pouvait plus s'y asseoir. Les bords étaient déchiquetés et instables, un camion fou l'ayant heurté de plein fouet un an auparavant. Les joints de ciment avaient éclaté et les pierres s'étaient descellées. Le camion était resté suspendu pendant plusieurs jours, une roue au-dessus de l'abîme, avant qu'une grue vienne de Haldwani pour le remorquer. Le propriétaire sikh, après avoir copieusement giflé le chauffeur et son aide, avait distribué des laddoo et proclamé que Dieu est bon. Le camion aurait aisément pu dégringoler au fond de la vallée.

Fizz et moi nous tenions côte à côte, nos épaules s'effleurant à peine, sous le grand parapluie J & B que l'on nous avait offert lors de l'unique match de polo auquel nous avions assisté à Delhi. D'habitude, en le déployant, nous prenions des poses et disions des choses comme : « Magnifique période jeu, n'est-ce pas ? *Dafedar iss pony ka gaand mein thoda jaldi daalo !* »

Mais, ce jour-là, nous étions descendus de la maison sans prononcer un mot. Fizz avait refusé toutes mes offres de la conduire à la gare. Signal dangereux et sans précédent, m'avertissant que j'avais poussé les choses trop loin et que je n'avais plus la prérogative de faire ou défaire notre relation. Le barrage avait rompu. L'eau allait recouvrer son niveau naturel. Mon contrôle sur les vannes n'avait plus aucun effet.

En quinze ans de vie à deux, jamais je n'avais manqué de conduire ou d'aller chercher Fizz à un arrêt de bus, une gare, un cinéma, un bureau, un hôpital, partout, toujours. Rite immuable, qui dépassait la simple prévenance et frisait la paranoïa. Je vivais dans la crainte qu'il ne lui arrive quelque chose ; mon instinct de conservation me disait que ma vie se briserait si Fizz en sortait.

La première année, alors que nous étions encore à l'université, elle avait dû se rendre à Nahan pour une fête de mariage dans sa famille, à trois heures de route de Chandigarh. Hors de question pour moi de la laisser partir seule. Nous avions pris un bus bringuebalant et, assis l'un contre l'autre, avions discuté sans interruption pendant tout le trajet, indifférents aux arrêts innombrables, à la boue charriée par la mousson précoce, aux insectes, à la poussière, aux regards inquisiteurs.

À un certain moment, l'itinéraire emprunta les petites routes endormies de l'État. Chemins de campagne déserts au pied des montagnes, à l'ombre des gommiers rouges, des margousiers et des banians, serpentant à travers des rizières miroitantes où patrouillaient de blanches aigrettes un peu trop zélées. Nous foncions sous un épais nuage gris, luttant pour rester sous son ventre gonflé ; un vent froid chargé de pluie se leva et s'engouffra par les vitres cassées du bus grinçant.

Le tapage qui régnait dans le véhicule bondé fut lessivé en une seconde, tel le sable sous un déluge, et une sueur mentholée perla sur les peaux frémissantes. Toutes les conversations cessèrent. Le bruit du moteur lui-même sembla s'estomper. Et, comme au signal d'un metteur en scène, tous les passagers levèrent le visage et fermèrent les yeux, s'offrant à la délivrance.

Pour un homme impie, ce fut un instant religieux. Tenant la main de Fizz dans la mienne, cachée sous son sac à main en cuir, j'admirai, submergé par un bonheur indicible, son demi-sourire étincelant, ses pommettes parfaites dégagées par ses épais cheveux sombres.

Bien entendu, en arrivant à Nahan, sur les contre-forts himalayens, je tins à l'accompagner aussi près que possible de sa destination. La déposer sur le pas de sa porte. Nous gravîmes la côte menant au bungalow gouvernemental qu'occupait sa tante, si absorbés par notre conversation que celle-ci surgit brusquement devant nous avant que Fizz l'eût aperçue.

« Oh, bonjour, massi ! » s'exclama Fizz.

Sans même marquer le pas, je tournai les talons et regagnai l'arrêt du bus, me gardant bien de jeter un coup d'œil en arrière. À cette époque, Fizz avait à peine dix-sept ans et je ne voulais pas lui causer d'ennuis avec sa famille. Les trois heures du voyage de retour me semblèrent une éternité. Il était tard lorsque je rentrai dans ma chambre d'étudiant. Dans la lumière du soir, les piles de livres entassées sur le sol étaient comme des reproches. Cette nuit-là, je ressentis une dévorante impression d'inachevé, comme si l'on m'avait arraché d'un cinéma avant la fin du film.

Le lendemain matin, j'étais à l'arrêt de bus de la Section 17 avant l'aube, après avoir laissé mon vélo sur le parking. Pendant tout le trajet, je rêvai de Fizz et d'écriture – mon unique occupation à cette époque. Sans elle à mes côtés, le paysage manquait de magie. Je gravis la côte. Au sommet, là où la montagne s'ouvrait sur des rangées de bâtisses, je m'attablai dans une maison de thé, commandai une omelette, et demandai au montagnard ratatiné qui faisait bouillir indéfiniment du thé dans une casserole étonnamment noire, où se trouvait la maison de l'oncle de Fizz.

Fluet comme un moineau, il psalmodiait « *Har Govinda Har Gopal ! Har Govinda Har Gopal !* »

« Le gros ingénieur du Service des eaux ? me répondit-il entre deux litanies. Si vous voulez rencontrer le gros ingénieur et sa grosse épouse, vous devrez attendre, car ils viennent de descendre au marché de gros acheter des légumes à bas prix. Ces gens du gouvernement veulent tout pour rien. Mais avant d'entreprendre quoi que ce soit, ils commencent toujours par lever des impôts.

– J'ai quelque chose à leur remettre. »

L'homme me regarda. Je lui montrai *L'Adieu aux armes* que j'étais en train de lire.

« Vous verrez un écriteau sur le portail, avec un chien méchant peint dessus. Vous n'aurez qu'à entrer. Le chien est comme eux. Gros, paresseux, et il ne mord que si on le paie. »

Je posai trois roupies sur la table de bois fendue.

« Vous n'aimez pas les gros ?

– Non, sahib. Les choses doivent s'harmoniser. Votre maison ne doit pas être plus grosse que votre cœur, votre lit pas plus grand que votre sommeil, et votre nourriture pas plus abondante que votre estomac. »

Il sauta de son perchoir près du fourneau chuintant avec la légèreté d'un oiseau, ramassa mes roupies, et poursuivit : « Les hommes ne devraient pas ajouter une once de poids supplémentaire à notre mère la terre. La terre est déjà surchargée. Surchargée de chair, surchargée de cupidité, surchargée de misère. Lorsque l'équilibre se rompra, ce sera l'apocalypse. Le monde est ce qu'il est parce que les hommes ont oublié la différence entre le bien et le mal. »

Il parlait sans me regarder et continuait de s'affairer, rinçant les petits verres, les assiettes de plastique rayées, ajoutant toujours davantage d'eau, de sucre et de lait dans la casserole en constante ébullition.

« Alors, marchez d'un pas léger, mon ami. Et écoutez votre cœur, non votre esprit. Le monde s'est gâté parce qu'il a trop écouté l'esprit. *Har Govinda Har Gopal !* »

Je trouvai la maison sans difficulté et ouvris hardiment le portail orné de l'horrible plaque en fer-blanc signalant la présence d'un berger allemand. Le vieux montagnard avait raison. Un labrador golden, gros et gras, somnolait sous une table en osier de la véranda, la tête sur les pattes. Le chien me jeta un regard inquisiteur sans bouger un muscle.

Je sonnai. La mélodie de *Jingle Bells* tinta longuement. Un garçon à l'air déluré ouvrit la porte. Il portait un short serré en Nylon rouge et un sweat-shirt délavé à l'effigie de Bruce Lee, barré de ces mots : « Roi du kung-fu. »

« Qu'est-ce que vous voulez ? me dit-il, tirant de sa bouche un chewing-gum pour l'allonger devant son nez épaté.

– J'aimerais voir Fizz.

– Pourquoi ? demanda le garçon, étirant davantage le chewing-gum.

– J'ai un livre à lui donner. »

Je lui montrai le livre ; la couverture représentait Catherine Barkley en uniforme d'infirmière, et une petite ambulance en arrière-plan.

« C'est un livre avec une histoire ? »

Je pointai l'ambulance.

« À ton avis, c'est quoi ? Ça parle de petits garçons qui ont avalé leur chewing-gum et de ce que leur font les médecins. »

Il me dévisagea sans bouger.

« Montre-moi ton nombril. »

Il souleva son tee-shirt Bruce Lee de sa main gauche et, de la droite, enfourna le chewing-gum dans sa bouche. Il avait un hideux nombril protubérant.

« Encore six mois comme cela, et on devra t'ouvrir les fesses pour récurer le chewing-gum. »

Son visage se décomposa.

« Cours vite prévenir Fiza. Ensuite je t'apprendrai un truc pour éviter l'opération. »

Fizz arriva, radieuse.

« J'ai ton livre », annonçai-je en brandissant l'ouvrage d'Hemingway.

Son sourire illumina le monde. Son sourire était toujours naturel, réponse directe à un stimulus, dénué de tout sens caché, de conspirations silencieuses ou d'instructions secrètes. Lorsqu'une chose la rendait heureuse, elle souriait et le monde s'éclairait.

« Tu es fou.

– Un méchant fou ou un gentil fou ?

– Un très gentil fou. »

C'était la deuxième fois que je la voyais ainsi : vêtue de l'ample pyjama kurta qu'elle portait pour dormir, les cheveux déliés sur les épaules, le teint éclatant. On l'aurait crue sortie de ces livres de contes somptueusement illustrés que nous lisions enfants – le kurta remplaçant la robe vaporeuse. Il n'y avait pas de mots pour chanter sa beauté.

« Où ? demandai-je.

– La maison est pleine de monde. Ils sont tous réveillés et ne vont pas tarder à descendre. »

Elle affichait un calme singulier. Un des traits de sa personnalité que je découvrirais au fil des années. Bien que ni radicale, ni frondeuse, ni insolente, elle opposait aux conventions et aux opinions d'autrui une indifférence sereine très personnelle.

« Il doit bien y avoir une pièce libre où je pourrais te parler du livre, insistai-je, glissant un regard vers le garçon.

– Et lui ? s'inquiéta Fizz.

– Viens ici, Bruce Lee. » J'entraînai le garçon dans un coin de la pièce. « Je vais t'expliquer le truc. Tu vas tout de suite t'asseoir sur le pot de chambre, tu t'enfonces un doigt dans chaque oreille, et tu cries Leeeeeeeee très fort cent une fois. Ensuite, vérifie. Si le chewing-gum n'est pas sorti, recommence. »

Le garçon décampa, le chewing-gum dans la bouche.

« Où l'as-tu envoyé ? me demanda Fizz.

– S'entraîner au kung-fu. »

Je regardai autour de moi. La pièce était encombrée du bric-à-brac typique de tous les salons indiens de la classe moyenne : fleurs en plastique, figurines de dieux en céramique, éléphants en bois de santal marchant à la queue leu leu, miteux mobilier clinquant, photos de famille dans des cadres grossiers. Je cherchai une issue. Il y avait trop de portes. Nous étions dans le puits central de la maison. Il fallait s'en éloigner. Je brûlais d'enlacer Fizz, de humer sa nuque.

« Où se trouve la chambre de ta tante ? »

La tension empourprait son visage. L'instant de basculement était proche. C'était toujours ainsi lorsque nous étions à proximité l'un de l'autre. La plupart du temps, nous pouvions à peine parler. Le besoin de nous toucher balayait tout le reste.

« Par ici », répondit-elle avec un geste vers le mur le plus éloigné.

Aussitôt entré dans la chambre, je verrouillai la porte et pris Fizz dans mes bras. La pièce était sombre et ma bouche était partout et le coton blanc qu'elle portait était mince et immaculé et j'étais dur et follement amoureux et elle humide et incroyablement belle et nos mains étaient des potiers et notre chair de l'argile. Il y avait des voix derrière la porte. Fizz était sur le bord du lit et je respirais son amour et je goûtais son amour et j'entendais son amour et mon amour se tendait vers son amour et j'arrivais là où était ma place, là où je voulais vivre et mourir et le monde était un bout de peau et le monde était deux bouts de peau et le monde n'était que bouts de peau et le monde était liquide et le monde était serré et le monde était un fourneau et le monde se mouvait et le monde glissait et le monde explosait et le monde finissait et le monde finissait et le monde cessa d'exister.

Quand les bruits extérieurs redevinrent audibles, quelqu'un appelait Fiza du salon. Quelques minutes à peine s'étaient écoulées.

« Sors par ici », me souffla-t-elle en ouvrant une fenêtre à treillis avec un large rebord.

Je sautai dehors et atterris dans un massif désordonné de roses rouges. D'un pas assuré, sans un regard en arrière, je marchai vers le portail. Au moment où je l'ouvrais, d'un angle de la maison, me parvint un cri déterminé. Leeeeeeeeeeeee…

En chemin, je croisai le gros ingénieur et sa grosse femme qui montaient péniblement la côte, chargés de paniers remplis de légumes. Ils ne me remarquèrent pas, moi qui volais sur la route, propulsé par un bonheur intense.

Près d'une heure s'était écoulée. Aucun signe du bus de Bhowali. La pluie tombait en rafales et le parapluie J & B nous protégeait mal. Nos pantalons étaient trempés jusqu'aux genoux. Le bus était en retard parce que nous étions dimanche soir et que la pluie le ralentissait probablement. Mais Fizz ne risquait pas de manquer le train de nuit pour Delhi : il ne quittait Kathgodam qu'à neuf heures. Bien qu'il fît prématurément sombre à cause de l'épais rideau de pluie, il était seulement six heures. Fizz avait insisté pour partir en avance.

Il n'y avait plus d'électricité – le courant était coupé dès les premières bourrasques – et la maison n'était plus qu'une silhouette sombre. Le tronc de Trishul, notre immense cèdre, dominait tout, plus noir que jamais. La vallée de Bhumiadhar était sinistre et résonnait du piétinement lourd de la pluie ; on s'attendait à voir apparaître un gigantesque animal préhistorique montant lentement ses chemins forestiers.

Pourtant, les pluies torrentielles ont une manière rassurante de pénétrer la végétation à flanc de montagne, et c'était davantage un sentiment de calme, d'immobilité et de profond silence qui prévalait.

Nous n'avions pas échangé un mot. J'aurais voulu dire quelque chose, quelque chose de conciliant, de banal, n'importe quoi, mais pas un son ne franchissait mes lèvres. Tant de sensations et de pensées confuses tournaient dans ma tête depuis si longtemps que mon esprit avait fini par se gripper et n'était plus capable de formuler une phrase cohérente.

Fizz avait le visage figé. Le menton délié, le nez fin, la bouche large au dessin parfait étaient aussi pétrifiés qu'une plaque de verre. Les yeux disaient tout. Rougis et gonflés par le manque de sommeil et l'excès de larmes.

Étrange. Depuis des années, je raillais son penchant de plus en plus marqué pour les pleurs, disant que ses larmes n'étaient vraiment authentiques que lorsqu'elles annonçaient la pluie. Or voilà qu'il pleuvait à verse depuis la veille au soir ; des pelotons de pluie défilaient au pas dans une clameur militaire sur le toit de fer et mitraillaient les fenêtres sans vitres, et elle n'avait pas cessé de pleurer.

Mais à rester trop longtemps sous le ciel en sanglots, je crois qu'elle avait fini par s'assécher.

C'est très long, vingt-quatre heures.

C'est très long, six mois.

Car six mois étaient passés depuis ce fameux matin froid où je m'étais éveillé dans notre chambre dominant la vallée de Jeolikote sans aucun désir en moi. Six mois depuis que je m'étais assis sur la terrasse, repu et effrayé par la nuit écoulée, craignant pour notre avenir.

Six mois terribles. Entre nous s'était creusée une distance que nous n'aurions jamais crue possible. Selon notre mythologie intime, notre couple ressemblait à un blouson douillettement fermé jusqu'au col, que nos querelles entrouvraient parfois à demi, ou, les très mauvais jours, entièrement, mais dont les pans restaient toujours retenus par l'attache du bas, et que nos réconciliations refermaient très vite et solidement. Or, au cours des six derniers mois, nous avions non seulement ouvert le blouson en grand, mais nous l'avions découpé en deux parties distinctes, aussi nettement qu'avec des ciseaux.

Soyons franc, la faute m'incombait entièrement.

Chaque jour, je me découvrais un homme différent ; chaque jour, mes sens olfactifs m'abandonnaient. Pendant quinze ans, les odeurs du corps de Fizz avaient déterminé ma vie. Les émanations d'un pli de sa peau suffisaient à m'animer et à me détourner de ce que j'étais en train de faire : lire, travailler, regarder la télévision, parler au téléphone.

Or, à notre retour de la montagne, après ce fameux matin, mon odorat avait commencé à s'enrayer. J'avais beau essayer de humer sa peau, sa nuque, ses aisselles, la courbe secrète et moite de ses seins, l'anfractuosité de son nombril, la fougère de son ventre, la ravine de ses cuisses, le vallon sombre de ses hanches, le creux de ses genoux, les petites meurtrières de ses orteils, rien ne se passait.

Mon odorat n'était pas seul en cause. Tous mes autres sens semblaient éteints. Jusqu'alors, sucer sa peau, n'importe quelle parcelle, me mettait en transe. Il m'était arrivé de chavirer simplement en léchant ses mollets. Maintenant, sa peau n'avait plus aucune saveur. Comme un chewing-gum devenu insipide. Mes yeux aussi défaillaient. Pendant toute ma vie adulte, matin et soir, la regarder se vêtir ou se dévêtir avait été mon passe-temps favori. La seule vue de sa taille ou d'une cuisse nue éveillait mon désir. Désormais, je gardais scrupuleusement la tête enfouie dans mes notes pendant qu'elle se déshabillait dans notre chambre, extrayait son slip de son jean et y flairait des odeurs indésirables avant de le jeter dans la corbeille de linge.

Nous n'avons pas cessé brutalement de faire l'amour. Ce fut plutôt comme une balançoire qui continue d'osciller longtemps après que l'enfant en est descendu : la dynamique acquise au cours des années continua de me pousser vers elle. Mais c'était des accouplements sans passion. Une caresse, un baiser, un va-et-vient.

Nous ne tombions d'aucun sommet. En fait, nous n'en gravissions aucun.

Au bout de quelques semaines, Fizz commença à s'inquiéter. Elle se surprit à prendre l'initiative, tandis que je ne faisais plus que suivre le mouvement. Nous avions joué à ce jeu par le passé, alternant les rôles, mais cette fois c'était différent. Jamais je n'avais pu rester de marbre quand sa bouche parcourait mon corps. Maintenant elle devait batailler pour me stimuler. Finalement, une nuit, elle retomba, exténuée, alors que j'assistais avec détachement à ses efforts. Dans la lumière tamisée de la lampe de chevet, sa bouche luisait, humide, mais ce furent ses yeux qui m'accrochèrent. Désorientés et chargés de ressentiment.

« Je suis désolé, dis-je sans la regarder.

— Que se passe-t-il ?

— Laisse faire les choses. Ça ira mieux. Nous irons mieux. »

Je ne pense pas qu'elle dormit cette nuit-là. Elle était ébranlée. Confrontée à une chose inconnue. Mon désir incessant d'elle était l'une des vérités majeures de

notre vie. Et ce qui l'ancrait à tout le reste – son travail,
ses amitiés, ses relations avec sa famille. Quand un
élément défaillait, elle pouvait revenir en toute sécurité
dans le cocon de mon désir infaillible. Je savais que
mon besoin passionné d'elle la rendait forte.

Mais le désir est chose impénétrable.

Je ne pense pas qu'elle dormit cette nuit-là. Moi,
oui. Je devenais dangereusement froid. J'étais de moins
en moins passionné, de moins en moins perturbé par
l'angoisse que je lui causais. J'étais bien trop occupé
à combattre les étranges démons qui tournoyaient dans
ma tête.

Peu de temps après, Fizz décida que tout rentrerait
dans l'ordre si nous passions quelques jours à la montagne. Bien entendu, ce projet me tentait autant qu'il
me rebutait. Qu'elle en prît l'initiative me facilita les
choses. Nous partîmes le samedi matin, avant l'aube,
sans échanger un mot de tout le trajet, bercés par l'interprétation exubérante des chansons de Mohammad
Rafi par Shammi Kapoor. J'ignore les pensées qui traversaient Fizz, mais, pour ma part, c'est à peine si je
songeai à nous. J'étais totalement concentré sur ce qui
nous attendait là-haut.

Notre escapade fut un désastre. Impossible de
retrouver la clé égarée de nos corps ; de plus, nous
semblions avoir également perdu celle de nos conversations. Fizz fit de nombreuses tentatives, lançant
quelques approches nouvelles sur les sujets qui nous
tenaient à cœur : les arbres, les oiseaux, les livres, le
sexe, les films, les amis, la musique. Je m'efforçais d'y
répondre, mais mon esprit était ailleurs. Le samedi soir,
la chose se reproduisit, avec une force surnaturelle.
À mon réveil, le dimanche matin, mon détachement
s'était encore accru.

J'atteignis le paroxysme du mutisme, n'émettant plus que des monosyllabes, comme notre engoulevent. Toc toc toc. Fizz se renfrogna ; mon rejet continuel éveillait sa colère.

Inévitablement, après le petit déjeuner, notre fureur se déchaîna dans la bergerie contre la qualité du bois employé pour les portes : du pin jeune qui commençait déjà à gauchir. Je lui reprochai d'avoir mal exposé nos exigences ; elle me traita de fainéant, d'abruti à l'esprit nébuleux. Je lui dis qu'elle était désinvolte, elle répondit que j'étais un querelleur égocentrique de la pire espèce.

Gênés, les menuisiers décidèrent de prendre leur pause plus tôt que prévu et s'éloignèrent hors de portée de voix. Le silence retomba, uniquement troublé par les chants de Rakshas qui travaillait près de la source.

Au lieu de rentrer le lundi matin, nous partîmes dès le dimanche soir. C'était aussi bien ; qui sait quel cataclysme aurait déclenché une autre nuit là-bas. Le retour fut encore plus silencieux que l'aller, bercé par des chansons larmoyantes de Rafi. Nous atteignîmes Delhi tard dans la nuit, après avoir affronté des chauffards, des routes traîtresses, des bus et des camions vrombissants. Une ou deux fois, je fus tenté de tout lâcher et de foncer droit dans des phares aveuglants.

C'eût été une fin plus glorieuse que cette détérioration qui commençait à nous ronger.

La situation continua d'empirer. Quand Fizz revenait de ses interviews dans l'après-midi, j'étais vautré sur le sofa de notre minuscule bureau, plongé dans les carnets, m'escrimant à déchiffrer les mots et prenant des notes. Elle allait dans la cuisine, nous préparait du thé,

laissait ma tasse sur la table de travail, et emportait la
sienne sur la terrasse, où elle s'occupait de ses plantes.

« Comment s'est passée l'entrevue ?

– Bien.

– Et ton déjeuner ?

– Je suis allée chez Maharani Bagh.

– Qu'est-ce qu'elle devient ?

– Rien de spécial. »

Toc toc toc. Cela suffisait à détruire toute relation.

Bien entendu, Fizz ne me questionnait pas sur mon
travail. Interdit. Elle attendait toujours que j'en parle le
premier. C'était une règle immuable. Une règle jamais
transgressée, ni dans les pics de la passion, ni dans les
grottes de l'intimité.

Mais je savais qu'elle savait que je ne produisais
plus rien. Un matin, en émergeant de la salle de bains,
je l'avais surprise cherchant sur ma table des traces
d'écrits récents. Je n'avais pas protesté. C'était sans
importance. Cela me laissait indifférent. Auparavant,
je serais entré dans une rage folle.

Les journées étaient gérables, mais les soirées et les
nuits difficiles. Le soir, nous faisions en sorte de ne pas
rester à la maison – nous allions au cinéma ou dînions
dehors avec des amis. Nous buvions beaucoup l'un et
l'autre. En général, Fizz avalait trois ou quatre whiskys
par soirée, et moi cinq ou six. Les conversations étaient
superficielles et, au retour, nous titubions littéralement
en nous brossant les dents et en nous déshabillant.

Cela me convenait parfaitement. J'étais incapable de
soutenir une conversation sérieuse ou, pis, une inquisition. Il en était toujours ainsi quand j'essayais de mener
un travail à bien : j'attendais que tout fût répertorié et
indexé dans mon esprit avant d'aborder le sujet avec
elle. Ensuite j'écoutais ses remarques pour tout ajuster

avec précision. Mais, désormais, je n'éprouvais que pur détachement. Son ombre traversait à peine ce qui emplissait mes pensées.

Ce fut une période étrange et triste, au cours de laquelle je me comportai très mal.

Elle fit de son mieux. Après quelques passages de bouderie, de repli et de colère – qui ne produisirent aucun effet sur moi car j'étais froid comme un poisson –, elle multiplia les tentatives. Elle essaya de rétablir le courant entre nous, de me faire plaisir, de me séduire, de comprendre ce qui se passait. Mais comment l'aurait-elle compris puisque je ne le savais pas moi-même ?

En fait, cela ne fit qu'aggraver les choses. Pour la première fois de ma vie, son désespoir, son désir nu me rebutaient. Après m'avoir laissé tranquille quelques mois et avoir attendu que je revienne à elle (ce que j'avais toujours fait au bout de quelques jours), sa résolution commença à vaciller. Je lui étais reconnaissant de ne pas m'importuner. Je l'entendais vaquer dans la maison. Cuisiner, épousseter, nettoyer la salle de bains, lessiver le sol, arroser ses plantes, écouter de la musique des années soixante.

La plupart du temps, la télévision était allumée, et les voix faussement dramatiques des journalistes me parvenaient. Toutes nos conversations tournant court, Fizz était rapidement devenue une droguée de l'information. Elle semblait combler les vides soudains de sa vie avec les incommensurables déchets de l'univers. Les chaînes d'actualités ont le pouvoir étrange de nous procurer un sentiment d'adéquation avec le monde moderne. Un tremblement de terre à Porto Rico donne un sens à notre vie. Un Américain fou qui abat des enfants dans une ville du Texas lui donne un contexte.

De pitoyables politiciens s'insultent devant une caméra, nous nous sentons concernés. La voix empreinte d'une urgence feinte des journalistes m'irritait au plus haut point. Et Fizz tentait d'utiliser les informations comme une volée de flèches pour transpercer mon armure.

Elle entrait brusquement dans le bureau pour m'annoncer : « On parle d'une guerre imminente avec le Pakistan. »

« L'Inde a gagné au cricket. »

« Le Premier ministre est accusé de corruption. »

« Lady Di s'envoie en l'air avec son garde du corps. »

« Superman est en train de passer devant ta fenêtre. »

« Demi Moore t'a téléphoné. »

Toc toc toc.

Toc toc toc.

Pas une flèche au monde n'aurait pu percer ma carapace. Parfois, en sortant prendre l'air sur la terrasse, je passais devant Fizz qui écoutait de la musique, les yeux dans le vague, affalée sur la causeuse du salon, et quelque chose en moi tressaillait. Mais dès qu'elle levait sur moi son regard éploré, mon attention s'évaporait et je passais mon chemin.

Sombrant dans le désespoir, elle tâtonna à la recherche des anciennes clés, de celle qui ouvrirait la porte.

Elle mit toutes sortes de musiques : les Beatles, les Doors, Dylan, Louis Armstrong, Ella Fitzgerald, Neil Diamond, Simon et Garfunkel, K.L. Saigal, S.D. Burman, Geeta Dutt, Kishore Kumar, Mukesh, Rafi, Asha Bhonsle. Du ragtime, des qawwalis, les *Concertos brandebourgeois*, la *Neuvième* de Beethoven, la *Symphonie n° 40* de Mozart.

Elle sortit les livres de la bibliothèque et les empila près du lit. Kafka, Joyce, Greene, Steinbeck, Miller, Naipaul, Pound, Eliot, Larkin, Auden. *Catch 22, All about H. Hatterr, Gatsby le Magnifique, L'Homme de gingembre, Zorba le Grec.*

Elle loua des films pour les passer sur le magnéto-scope de la chambre : *Vacances romaines, Le Voleur de bicyclette, La Corde, Chinatown, Amarcord, Ran, Les Envoûtés, Goopi Gayen Bagha Bayen, Aparajito, Pyaasa, Jaagte Raho, Abhimaan, Jaane Bhi Do Yaaro.*

Elle ressortit son pyjama kurta, le mit, dénoua ses cheveux.

Elle se promena et se pencha devant moi, vêtue de son seul tee-shirt.

Elle s'agenouilla sur le bord du lit, nue.

Elle s'accroupit devant son armoire, nue.

Elle lut Nancy Friday au lit, une main entre les cuisses.

Elle laissa sa culotte pendue au crochet derrière la porte de la chambre.

Elle fit bruisser les draps dans le noir.

Elle coupa les pointes de ses cheveux devant le miroir, où je pouvais la voir.

Elle laissa entrebâillée la porte de la salle de bains pour que je l'entende uriner.

Aucune clé ne tourna dans la serrure.

Peut-être n'en existait-il plus aucune.

Je serais injuste envers moi-même si je disais que je n'ai pas essayé. Je faisais des efforts, bien que peu sou-tenus. Mais le désir est une chose curieuse. S'il n'est pas là, il n'est pas là, et rien ne peut le faire apparaître. Pis : quand le désir commence à faire naufrage, tel un bateau qui a chaviré, il emporte à peu près tout avec lui. Je l'ai vérifié.

Dans notre cas, il emporta par le fond les conversa-tions, les rires, la complicité, la sollicitude, les rêves, et presque – le plus important, le plus important de

tout – l'affection. En peu de temps, mon désir en per-
dition avait tout entraîné avec lui dans les profondeurs
de l'océan. Seule l'affection surnageait, telle la main
ballottée par les flots d'un homme qui se noie, dangereusement suspendu entre la vie et la mort.

Plusieurs fois, Fizz guetta l'instant propice pour
aborder le problème. Tantôt avec un visage sévère,
tantôt avec un visage doux ; quand je déambulais sur
la terrasse ou quand j'étais absorbé par mon travail ;
le matin à la première heure ou avant l'extinction des
feux.

« Il faut qu'on parle.

– Oui.

– Tu veux discuter ?

– Bien sûr.

– Que se passe-t-il, chéri ?

– Je ne sais pas.

– Il y a quelqu'un d'autre ?

– Non.

– J'ai fait quelque chose ?

– Oh non !

– Alors quoi ?

– Je ne sais pas.

– Il y a une chose dont tu voudrais me parler ?

– Je ne sais pas.

– Comment ça, tu ne sais pas ?

– Je ne sais pas.

– Que veux-tu dire par je ne sais pas ?

– Je ne sais pas. C'est ce que je veux dire. Je ne sais
pas. »

Toc toc toc.

Et pendant tout ce temps, je m'efforçais de secourir
cette main qui ballottait entre deux eaux – la main de
l'affection –, de l'empêcher de disparaître. Il me semblait que si elle sombrait, il n'y aurait plus une seule

balise sur la mer démontée pour m'indiquer l'ancien emplacement de notre grand amour. Cette main de l'affection était un flotteur, une bouée, qui maintenait l'espoir de sauver un jour le navire naufragé. Si elle s'enfonçait, nos coordonnées s'effaceraient et nous ne saurions même plus où chercher.

Dans l'étrange état où je me trouvais, c'était une image d'une telle désolation que mon cœur se serrait douloureusement.

Pendant longtemps, à cause de l'immense fierté qu'elle avait d'elle, et de nous, Fizz ne chercha d'aide auprès de personne. Ni amis ni famille. Pendant trop longtemps, elle crut à une crise passagère. Or, à mesure que se succédaient les semaines, que s'accumulaient lentement les jours, l'horrible vérité commença à poindre. À ce stade, elle avait épuisé tous les jeux des rapports de couple : repli, bouderie, colère, séduction, inquisition, tendresse, menace.

Logique, amour, luxure.

Désormais, l'épitaphe se dessinait sous ses yeux. Résignation.

Bizarrement, je n'avais pas pris la peine de mesurer toutes les implications de la situation. Je savais que c'était un effroyable gâchis, mais je ne pense pas avoir admis que nous avions atteint une phase terminale. Dans cette sorte de fixité idiote qui scellait ma vie, une seule chose désormais comptait à mes yeux. Il se peut que, à un certain moment, j'aie songé que Fizz me laisserait en paix et réorganiserait son existence autour de moi et de mes nouvelles préoccupations. Mais, en vérité, je ne me souciais ni d'elle ni de ce qu'il lui arrivait, tant j'étais absorbé par ma nouvelle obsession.

Un soir, elle ne rentra pas. Je travaillai dans le bureau, épluchant les carnets, gribouillant des notes, et finis par m'endormir sur le sofa, dont le sommier défoncé permettait de s'affaler confortablement dans toutes sortes d'angles et de positions. Quand je la vis apparaître, le lendemain matin, je ne fis aucun commentaire. Je n'avais même pas remarqué son absence.

Fizz ne sortit pas de la journée. Elle s'enferma dans la chambre et pleura. Ses sanglots résonnèrent dans toute la maison à travers les minces cloisons de brique de notre barsati. Je l'appelai deux ou trois fois. Sans conviction.

« Ne fais pas ça, chérie. »

« Ouvre cette porte. »

« C'est vraiment stupide. Ça ne sert à rien. »

« Fizz. »

« Fizz ! »

« Fizz ? »

Ces formalités accomplies, je réintégrai le bureau. Au bout d'un temps, les sanglots se transformèrent pour moi en litanie, toc toc toc, et je cessai d'y prêter l'oreille. Je les distinguai de nouveau lorsque j'allai dans la cuisine me préparer à déjeuner. Je fis d'autres tentatives, tout aussi glacées, auxquelles Fizz s'abstint de répondre.

Beaucoup plus tard, à la nuit tombée, la porte de la chambre grinça. Je ne pris pas le risque de me montrer. Il y eut des bruits d'activité dans la salle de bains : brossage d'ongles, mouchage de nez, gargarismes, chasse d'eau, savonnage, lavage, rinçage, séchage de cheveux. Lorsque les deux occupants d'une maison se murent dans un silence imperméable, les sons du quotidien sont étonnamment amplifiés.

J'entendis la porte de la salle de bains s'ouvrir, puis celle de la chambre se fermer. Un peu plus tard, sous prétexte de prendre l'air sur la terrasse mais surtout par un dernier sursaut de curiosité, je sortis de ma tanière et vis Fizz émerger, superbement sexy, en pantalon noir et élégant chemisier blanc, les cheveux déliés et, chose inusitée chez elle, maquillée. Quelques mois plus tôt, le désir m'aurait terrassé et je l'aurais plaquée contre la porte pour me rassasier du parfum de son cou. Mais là, je n'éprouvai rien.

Je revins de la terrasse, lui offrant l'occasion de m'adresser la parole. Sous le mascara, son regard était maussade et irrité. Elle passa devant moi dans une bouffée de Madame Rochas, franchit la porte et descendit l'escalier, allumant successivement toutes les lumières.

Il était vingt et une heures trente. En quinze ans, jamais elle n'était sortie seule à pareille heure. Lorsque je réintégrai le bureau et m'affalai sur le sofa, je m'entendis respirer.

J'ignore à quelle heure elle rentra. Le lendemain matin, son haleine, sur l'oreiller voisin, exhalait une odeur de whisky éventé, ses vêtements froissés étaient éparpillés à travers la chambre, son soutien-gorge de dentelle accroché sur le côté d'une chaise tel un alpiniste à flanc de montagne.

Je ne lui posai aucune question. Elle ne prononça pas un mot. Le soir, elle s'habilla et sortit de nouveau. Le lendemain matin, même odeur de whisky et même soutien-gorge escaladant la chaise. Deux jours plus tard, je la découvris tout habillée sur le lit.

Je lui rappelai les dangers de la conduite en état d'ivresse.

Elle me jeta un regard tellement blessé que je détournai les yeux et regagnai le bureau. Je n'avais pas la moindre idée de ce qu'elle faisait lorsqu'elle sortait, et

je ne m'en souciais guère, mais je ne voulais pas qu'elle
soit malheureuse. En même temps, j'étais incapable
de faire quoi que ce soit qui pût la rendre heureuse.
J'espérais confusément qu'elle trouverait ailleurs, et en
dehors de moi, des ressources de bonheur. Telle est la
nature viciée de l'amour égoïste : se montrer charitable
uniquement lorsque l'on n'attend rien. Mais c'était plus
fort que moi.

Au bout de deux semaines, ses expéditions nocturnes
cessèrent. Juste au moment où je commençais à m'y
habituer, les relents de whisky s'évaporèrent. Les vêtements reprirent leur place derrière la porte de la salle de
bains ou dans la corbeille à linge.

Soudain, ses amies se mirent à venir à la maison, à
toute heure du jour. Ses amies, non les nôtres. Jaya,
Mini, Chaya. Des femmes assurées, endurcies, menant
une vie agressivement indépendante, pour qui Fizz
était une adorable curiosité, une sorte d'énigme. Elles
voyaient en elle à la fois son autonomie et sa dépendance, et, incapables de comprendre comment elle parvenait à harmoniser les deux, elles l'enviaient en même
temps qu'elles la raillaient. Leur présence envahissante
saturait notre petit barsati. L'atmosphère acquit un certain militantisme – une humeur revendicatrice –, qui
n'avait jusqu'alors jamais atteint notre espace de vie.

Je faisais en sorte de me cantonner dans le bureau
pour éviter la confrontation. Quand elles me croisaient,
elles me jetaient un regard accusateur, puis se regroupaient dans le salon et parlaient à voix basse.

Parfois elles sortaient les chaises d'osier sur la terrasse, sirotaient du rhum Coca et discutaient jusque très
tard dans la nuit parfumée de Delhi. Je n'éprouvais pas
le besoin d'épier leurs conversations mais leur façon
de réquisitionner la terrasse m'indignait. J'étais privé

de ma seule possibilité de m'aérer ; le soir, après une journée de travail dans le bureau, j'aimais marcher de long en large sur la terrasse pour m'éclaircir les idées.

Fizz semblait la moins loquace de la bande. Pourtant, sa décision de déclencher la bataille et de recruter des renforts extérieurs fut, là encore, une première. Depuis quinze ans, nous trouvions sacrilège d'offrir notre amour en pâture à l'examen, au jugement ou à la discussion de notre entourage. Nous n'avions jamais laissé à nos amis ni à notre famille le loisir de sonder aucune de nos querelles intimes, de nos chagrins amoureux, de nos tristesses.

Mais, alors, le désir n'était pas mort.

Parfois, lorsque, traversant le salon, je voyais la sculpturale Jaya se pencher vers Fizz pour lui parler d'un ton pressant, et Fizz, le menton dans les mains, me suivre des yeux, j'avais le sentiment d'assister à une mise en scène destinée à me torturer, qui consistait à souligner la détresse et la blessure de Fizz, et ma cruauté patente.

Jaya essaya même, à sa façon culottée – m'agitant son gros anneau de nez devant les yeux –, de m'acculer pour exiger des réponses. Je la snobai poliment. Je n'étais pas encore prêt à laisser pénétrer le monde extérieur dans ma vie, et cela principalement parce que j'ignorais ce que j'en attendais. C'était sans importance. Bientôt, la présence du trio Jaya-Mini-Chaya commença à s'alléger, puis s'effaça totalement. En même temps que l'atmosphère militante et revendicatrice. À nouveau, nous étions livrés à nous-mêmes.

Finalement, Fizz ravala sa fierté, son chagrin, et tenta de nouvelles ouvertures. Un soir, elle me proposa d'aller dîner dehors. J'acceptai. Elle suggéra Daitchi, dans South Ex, mais je ne voulais d'aucun endroit jonché de souvenirs. Nous optâmes donc pour une pizzeria chic qui venait d'ouvrir dans le quartier Defence Colony, et nous assîmes face à face à une table située près de la large vitrine.

Fizz paraissait petite, perdue, vulnérable.

Si, à cet instant, j'avais posé ma main sur la sienne, elle se serait effondrée de soulagement et tout aurait instantanément été balayé. Mais je ne pouvais m'y résoudre. La décoration froide et rutilante du restaurant – chromes impersonnels, verre et céramique – m'aida à garder mes distances. L'amour passionné ne peut s'exprimer dans de pareils lieux. Daitchi, en revanche, avec son décor suranné, ses tissus râpés, ses serveurs aux yeux bridés, ses fumets flottants, ses souvenirs cryptés, aurait pu un court instant briser mes défenses.

Nous mangeâmes nos pizzas en silence, écoutant les conversations des familles qui nous entouraient.

Enfin, Fizz me demanda : « Qu'est-ce que tu veux faire ?

– Je ne sais pas.

– Tu penses que tout est fini ?

– Je ne sais pas.

– Tu veux que je m'éloigne quelque temps ?

– Je ne sais pas.

– Je ne sais pas. Je ne sais pas. Je ne sais pas… »

Toc toc toc.

Je n'étais même pas capable de la regarder.

De retour chez nous, dès que nous fûmes couchés, Fizz me dit : « Viens ici, je t'en prie. »

J'éteignis toutes les lumières et, dans la lueur du réverbère brassée par le ventilateur, je dénouai mon lunghi et roulai sur elle.

Elle m'embrassa, se servit de sa langue et de ses dents, cherchant à rallumer une ancienne magie. Je détournai la bouche, lui offrit mon visage. Ses mains

étaient partout, cherchaient à tâtons les leçons du passé.
Je me calai sur le flanc et enfouis une main entre ses
cuisses. Mes doigts glissèrent sur son sexe empressé. Je
massai sa chair glissante. Ses hanches bougèrent. Elle
m'attira de nouveau sur elle. Je n'avais rien à lui offrir.
Ses hanches bougèrent encore. Je tentai de pousser, les
yeux fermés, en me concentrant. Mais toute la concentration du monde ne peut permettre de planter une
nouille dans un mur. Fizz s'immobilisa. Aucun de nous
ne faisait un mouvement. J'étais un poids mort sur son
corps. C'est à peine si elle respirait. Je m'affaissai sur
le côté. Elle n'eut aucune réaction. Je voyais ses yeux
grands ouverts, fixés sur la fausse galaxie plaquée au
plafond, qui perdait peu à peu son éclat.

« Je suis désolé. »

Silence.

« Ce n'est pas toi. Le problème vient de moi. »

Pas un mot. Pas un geste.

Je restai poliment allongé quelques minutes, puis me
levai pour aller dans la salle de bains. Je pris le savon et
lavai mes mains et mon corps de son odeur.

Quand je revins dans la chambre, Fizz n'avait pas
bougé. Elle gisait, le tee-shirt remonté autour de la
taille, les mains jointes derrière la nuque, les yeux au
plafond ; la faible lumière de la rue balayait la courbe
de son ventre et se noyait dans ses cheveux. Elle luttait
pour refouler le déluge ; désormais, elle ne s'avilirait
plus devant moi.

Je ne trouvai rien à dire. Je ramassai mon lunghi, le
nouai sur mes hanches, et me retirai dans le bureau.

À la fin de la semaine, je fourrai quelques affaires
dans un sac de toile, hélai un tricycle pour me rendre à

la gare de Old Delhi, et pris le premier train. Rakshas fut abasourdi de me voir descendre d'un taxi Maruti, et seul. C'était la première fois que je venais sans Fizz ; peut-être avait-elle commis une erreur en me laissant partir.

Une semaine plus tard, lorsqu'elle téléphona à l'épicerie-bazar du thakur, la distance entre nous s'était encore creusée. Je dus d'ailleurs lui apparaître comme un parfait étranger car elle ne trouva rien à dire, sinon me demander des nouvelles de Bagheera et de ses raids contre les lapins.

Elle arriva quatre jours après, au volant de la Gypsy.

Rakshas se montra plus courtois que jamais à son égard. Il percevait sa blessure.

Il fallut peu de temps à Fizz, je crois, pour s'apercevoir que je ne lui avais pas seulement semblé étranger au téléphone mais que j'en étais réellement devenu un. J'avais renvoyé Bideshi Lal et son troupeau de jeunes menuisiers, et la maison avait sombré dans un silence surnaturel qui amplifiait l'abîme entre nous.

Il n'y eut pas une caresse, à peine quelques mots échangés. Je passai la journée dans le bureau en chantier avec les carnets, assis sur le rebord de pierre de Jaisalmer, contemplant la vaste vallée. De son côté, vêtue d'un pantalon de jogging gris et armée de son sécateur à manche orange, elle s'affaira à tailler et à modeler ses plantes, escortée de Rakshas qui la suivait pas à pas, l'air inquiet, armé d'un sac d'engrais.

Les chênes argentés – de la hauteur d'un doigt quand nous les avions achetés un an plus tôt dans une pépinière mal entretenue sur la route de Ramgarh – avaient acquis la combativité des autochtones et poussaient rapidement, tandis que la plupart des autres jeunes arbres bataillaient encore.

Le kapokier, près du portail du bas, après une floraison estivale enthousiasmante, avait noirci pendant les gelées hivernales, puis crevé. Les six jeunes flamboyants et cassiers, achetés chez Jor Bagh à Delhi, ne promettaient rien, et témoignaient de leur loyauté à la chaleur des plaines en se desséchant rapidement.

Le pipal, près de l'entrée principale – transplanté d'un pot de notre terrasse de Delhi –, était suspendu à un fil : pousse vert vif torsadée qui annonçait ses intentions. Le banian, haut comme une main, lui aussi transplanté des pots de Fizz, était encore dans les limbes. Trop résistant pour mourir, trop fier pour se hâter. Le bambou chinois, trouvé dans une pépinière Hapur, buissonnait, faute de gagner en hauteur. Mais le jacaranda et l'arbre aux orchidées, rapportés des contreforts de Haldwani et plantés le long de l'allée qui menait à la maison, étaient verts de sève et d'espoir.

Le palissandre des Indes, ou sisso – autre enfant de Fizz – était lui aussi grand et feuillu, mais son tronc avait une minceur inquiétante. Nous nous demandions s'il tiendrait, une fois privé du tuteur de bambou qui l'étayait. Curieusement, une éruption de jeunes manguiers de Jeolikote s'était répandue dans le bas de la côte, dans un éclaboussement de feuilles vert sombre. Et puis il y avait la promesse d'un cèdre rouge, planté au hasard, et, étonnamment, un jamblon, sur le sentier derrière la maison.

L'arbre le plus remarquable était un saule pleureur. Fizz avait cueilli une brindille à Naukuchiyatal et l'avait mise en terre près du point d'eau, où elle s'était aussitôt affirmée.

Nous gardions nos distances et laissions Rakshas, désormais cuisinier-gardien-médiateur, concevoir les passerelles de repas qui nous permettaient de nous asseoir ensemble. Rakshas avait une soixantaine d'années et un seul bras. À l'âge de sept ans, alors qu'il ramassait du bois de chauffage dans la forêt avec ses sœurs, une panthère avait bondi sur lui et happé son bras gauche. Ses deux sœurs aînées avaient aussitôt agrippé la jambe et le bras droits du garçon, refusant de l'abandonner à la panthère.

Au moment où celle-ci projetait de le dévorer tout entier, sa sœur de quinze ans, Rampiari, avait poussé un cri à glacer le sang et lui avait enfoncé sa machette dans le crâne. Les yeux de la panthère lui étaient quasiment sortis de la tête, de surprise et de douleur, et elle avait reculé, saisie d'effroi, emportant dans sa gueule le bras du petit garçon. Mais ce n'en était pas encore terminé pour le fauve terrifié. Rampiari avait chargé une nouvelle fois en poussant un autre cri tout aussi effrayant. Atterrée, la panthère avait lâché le bras sanguinolent et détalé comme une flèche, la machette de Rampiari plantée dans sa tête comme la crête ondoyante d'un faisan Khaleej.

Le jeune Rakshak – son nom s'épelait alors avec un k final – survécut, avec un moignon effilé de quinze centimètres de chair luisante qu'il pouvait agiter et faire tourner énergiquement. Lorsqu'il parlait avec animation ou chantait, il tenait son bras droit le long du corps et brandissait son moignon à la manière d'une baguette de chef d'orchestre. Les gens du pays gloussaient en racontant que le moignon avait, au fil des années, procuré beaucoup de plaisir aux femmes du village.

La chose est plausible, car c'était un homme élancé au beau visage buriné de paysan. Mâchoire carrée, nez fort, teint inhabituellement clair et moustache fournie. À soixante ans, il n'avait pas la peau flétrie et marchait comme un soldat. Il savait tout faire, le ménage et la cuisine, couper du bois, réparer les robinets, changer les fusibles, clouer les portes et les fenêtres. Il possédait un don spectaculaire pour la construction et la géométrie : maçonnerie, fer, bois, plinthes, poutres, plomberie, canalisations, installation électrique. Chaque fois que les ouvriers rencontraient un obstacle, ils se tournaient instinctivement vers lui.

Et lui s'exclamait : « Maaderchod ! C'est toi, l'artisan, ou moi ? »

Apparemment, il avait été un sportif exceptionnel. Avant-centre dans les équipes scolaires de football et de hockey, il savait aussi lancer la balle et manier la batte au cricket avec une impressionnante férocité. L'âge ne lui avait rien ôté de sa force. Même à deux mains, je ne parvenais pas à le battre au bras de fer. Il n'avait pas poursuivi ses études au-delà de la classe de quatrième, mais l'école l'avait gardé de longues années dans ses rangs pour ses qualités d'athlète. Il était assez puissant pour mettre K.-O. n'importe qui d'un coup de poing, et devenait un véritable derviche dès qu'il s'échauffait. Un jour, à l'école, en hommage aux bras fantômes dont il semblait doté, on le surnomma Rakshas, le démon aux multiples membres.

D'ailleurs, Rakshas développa le tempérament d'un démon. La rage éclatait en lui à la manière d'une crue subite, et il se mettait alors à injurier – voire à agresser – ceux qui se trouvaient autour de lui. On pouvait le voir tranquillement accroupi en train de superviser le chantier et, l'instant d'après, se lever d'un bond, attraper par le cou un ouvrier fautif et l'envoyer valdinguer d'un coup sur l'oreille en l'agonissant d'injures : « *Maaderchod ! Gaandu !* Tu es grand comme un putain de chameau et même pas foutu de tracer une ligne droite ! »

Tout le monde acceptait ses éclats en raison de son âge, de sa réputation, et du fait qu'il avait presque toujours raison. Mais Rakshas avait aussi ses moments de tendresse, le soir, quand il enlaçait les épaules des ouvriers de son bras valide, leur offrait une bouffée de son chilom, une tasse de thé, et leur transmettait quelques paroles de sagesse.

Son dédain ne nous épargnait pas, Fizz et moi.

Devant nous, il se contentait de remarquer : « Vous ne trouverez pas ça dans les livres ! » Mais, derrière nous, il grommelait : « Ils s'essuient le cul avec du papier, ils essaient de comprendre le monde avec du papier. Comment peuvent-ils savoir le langage de la terre, connaître les secrets du sol qu'ils foulent ? Qui peut se torcher avec du papier ? Plutôt mourir que d'être si con ! »

Il nous critiquait toujours à travers nos détestables habitudes hygiéniques.

« Expliquez-moi un peu ! lançait-il aux ouvriers rassemblés autour de lui. Si vous vous asseyez pour chier, est-ce que vous vous videz complètement ? On s'assoit pour recevoir ses amis ou son beau-père, pour manger dans un restaurant, pour passer un examen. Mais peut-on s'asseoir pour chier ? Si on fait ça toute sa vie, on est voué à rester plein de merde ! Vous avez vu l'air constipé qu'ont tous ces citadins ? Les conneries que les Blancs ont laissées derrière eux ? »

S'il était en colère contre un ouvrier, il pestait : « Qu'est-ce qui cloche, chez toi ? Tu t'es torché le cul avec du papier, aujourd'hui ? »

Rakshas habitait dans la dépendance en ruine, près du portail. Seul, farouchement indépendant. Sa femme était morte depuis de nombreuses années, et bien que

ses belles-filles fussent installées dans les villages avoi-
sinants, il ne supportait de vivre avec aucune d'entre
elles. Ses quatre fils, tous militaires et baraqués, semblaient craindre davantage leur père que l'ennemi.

Homme résolument optimiste, Rakshas se laissa
pourtant gagner par l'atmosphère larmoyante créée par
Fizz et moi. Il commença à fredonner des chansons
tristes même pendant la journée. Car Rakshas avait un
rituel : des chants tristes et religieux à l'aube et au crépuscule, des chansons joyeuses de comédies musicales
indiennes des années cinquante et soixante le reste du
temps. Il n'avait pas une voix particulièrement douce,
mais ses fredonnements constants me plaisaient. Ils
cassaient la mélancolie de la maison.

Lorsqu'il ne suivait pas Fizz, Rakshas prenait place
près du point d'eau dominant les deux vallées, et chantait à pleine voix le ramdhum rendu célèbre par Gandhi
pendant la lutte pour la liberté.

Raghupati Raghav Raja Ram, Patit pawan Sita Ram,
Ishwar-Allah tere naam, Sabko sanmati de bhagwan.

Il entonnait l'hymne séculaire dans différents
registres, emplissant la vallée, nous envoyant un message, son moignon pivotant lentement. Mais ce chant
qui avait autrefois ému des millions de gens ne parvenait pas à me toucher. Quant à Fizz, elle n'avait nul
besoin que l'on aggrave son angoisse.

Cinq jours pénibles après son arrivée, un orage
violent éclata dans les montagnes. Peu après le lever du
soleil, un vent vif se mit à souffler et s'engouffra bientôt dans les pins et les chênes. Je lisais, assis sur une
vieille souche de cèdre, sur l'éperon rocheux. J'ignore

où était Fizz, mais j'apercevais Rakshas, en contrebas, sur le banc près du point d'eau. Des bribes de son chant flottaient jusqu'à moi depuis une heure.

Soudain, le seul son audible fut celui du vent qui courait à l'infini dans les branches, les feuillages, les prairies, propageant la nouvelle de ce qui s'annonçait. Les broussailles commencèrent à babiller une multitude de langues. Aucune musique hitchcockienne ne peut générer une tension aussi forte qu'un vent précurseur dans les montagnes.

Je me levai instinctivement et aperçus Rakshas, debout sur le banc, sa main droite en visière au-dessus des yeux qui scrutait les cimes. En suivant son regard, je vis les nuages anthracite musculeux qui s'amoncelaient, couche après couche, sur toute la vallée. Apocalyptiques par leur taille et la menace qu'ils présentaient. Bientôt ils se déverseraient sur les sommets et sur nous. Les montagnes s'assombrirent rapidement. Rakshas se tourna vers moi et cria. Le vent emporta ses paroles dans l'autre direction, mais les moulinets de son bras étaient explicites.

Je dévalai en courant le sentier escarpé couvert d'aiguilles de pin. Au moment où je me baissai pour passer sous le barbelé détendu, le vent s'était déjà chargé d'humidité. Comme ces embruns qui crachotent sur la plage avant une grosse vague.

Rakshas avait disparu, sans doute pour rentrer les chaises et le linge, et verrouiller portes et fenêtres. Bagheera tournait comme un bolide dans la cuisine, au paroxysme de la peur et de la méfiance, aboyant au vent hurlant et aux nuages lourds. Une fenêtre claquait de l'autre côté de la maison. Quelqu'un dut la fermer car le bruit cessa. Le toit, fait de plaques de tôle, se réveillait, s'étirait, grinçait et grognait. Bientôt il se mettrait à trottiner, les vents enragés se glisseraient sous sa peau et il partirait au galop dans toutes les directions. L'ouvrage de Bideshi Lal et de sa troupe d'ouvriers boutonneux ne tarderait pas à subir un test.

Le vent lubrifié, humide et implacable, me souffletait, emplissait ma chemise et me déséquilibrait. Je descendis en courant du point d'eau à la terrasse supérieure et cherchai un abri dans la salle de bains inachevée.

De là, le spectacle de la vallée était hallucinant, d'une beauté terrible. Une pénombre formidable s'était abattue ; les nuages noirs qui s'amassaient tuaient le jour. Les tempêtes d'été et de fin d'été n'étaient pas rares à Gethia, mais en général elles frappaient à midi, et sans pluie. Ce n'étaient que des rafales mugissantes, qui chaviraient tout et vous bousculaient. En plein jour, un orage sec n'est qu'un déchaînement chaotique ; quand le jour décline, accompagné de nuages tonnants, chargés de pluie et de vents hurleurs, c'est un phénomène effrayant et surnaturel.

Chaque arbre, chaque brin d'herbe était secoué de mouvements anarchiques. Ils ondoyaient, bruissaient, tanguaient, tournoyaient. Sans rien voir, on devinait que tous les êtres vivants dans cette vaste vallée étaient saisis d'une frénésie identique, se mettaient à l'abri, avec tout ce qui avait de la valeur, dans les maisons, dans les coins et recoins, partout où il était raisonnablement possible de résister au vent en maraude.

Chèvres, chiens, chevaux, vaches passeraient la nuit avec leurs maîtres. Les épais buissons de lantana, sous la maison, abriteraient des centaines d'oiseaux – l'engoulevent dormirait plume contre plume avec la grive et le bulbul. Des millions d'insectes se tapiraient dans les cavités des troncs d'arbres et se prépareraient à une nuit de jeûne. Des centaines de familles, recroquevil-

lées sous leurs couvertures humides, murmureraient
des prières machinales, dans l'espoir que leurs toits ne
les abandonneraient pas au milieu de la nuit, emportés
par les vents déchaînés.

Après s'être annoncée, la pluie frappa avec la fureur
d'un boxeur au premier round. Des gouttes énormes
s'abattirent comme une volée de coups, martelèrent le
toit de tôle, explosèrent sur la terrasse cimentée, me
cinglèrent le corps : dans les dix secondes qu'il me fallut pour traverser la terrasse jusqu'à la chambre, je fus
trempé jusqu'aux os.

Rakshas était en bas, accroupi dans la cuisine, occupé
à allumer les lampes-tempête. Le courant avait été
coupé dès la première bourrasque, bien avant la pluie.
Les techniciens de la centrale électrique prenaient cette
mesure préventive pour éviter de narguer les dieux de
la nature. Le lendemain matin, ils tenteraient de rétablir
le courant, n'y parviendraient pas, et parcourraient les
montagnes pour réparer les lignes.

Rakshas faisait chauffer du thé au gingembre, dont
l'arôme âcre était atténué par la puanteur du kérosène
des lanternes. Pour la première fois depuis plusieurs
jours, il chantait un air différent mais tout aussi populaire, manifestement inspiré par les éléments enragés.
La chanson parlait de l'ère du déclin, prophétisée par
Rama. La nôtre. Une époque où les cupides se réga-
leraient des libéralités de la terre, tandis que les bons
gratteraient le sol pour survivre.

Ram Chandra keh gaye Sia se, aisa Kaljug aayega ;
Hans chugega dana-tinka, Kauwa moti khaayega.

J'ouvris la chaise pliante en toile et m'assis pour
attendre le thé. Regarder Rakshas travailler était
toujours fascinant. D'une main adroite, il dévissa
le réservoir de la lanterne, coincée entre ses pieds, y

glissa l'entonnoir, versa le kérosène d'un jerrican en plastique, revissa, souleva le verre, tira sur la mèche, prit la bougie, alluma la mèche, remit le verre, l'essuya avec un chiffon sale, posa la lanterne éclairée de côté et en tira une autre entre ses pieds. Pendant toute l'opération, le bras fantôme battit magistralement le rythme du chant.

« À ton avis, le toit de Bideshi Lal va tenir ?

— Bien sûr, sahib, répondit-il avec son optimisme habituel. Ce n'est pas la pire tempête que cette maison a connu ou connaîtra.

— Le toit s'est déjà envolé ? »

Rakshas posa la troisième lanterne allumée près des deux autres, sortit un gros morceau de shit brun-vert de sa poche de chemise, en cassa un fragment, l'effrita du bout des doigts, le fourra dans son petit chilom et l'alluma avec la bougie. Une longue bouffée, et l'arôme entêtant commença à se répandre dans la pièce, chassant les odeurs de kérosène et de gingembre. Rakshas s'adossa contre le mur, ses traits puissants soulignés par la lueur jaune, captura la fumée dans le creux de sa main, et dit :

« Sahib, quand son heure viendra, rien ne pourra le retenir. Ni les plus grands charpentiers, ni les clous les plus longs, ni les courroies de fer les plus solides.

— Réponds-moi, le toit s'est-il déjà envolé ? »

Sans un mot, Rakshas se leva, remplit deux verres de thé bouillant, m'en donna un, puis retourna s'asseoir à la même place, dans la même position. Il tira une longue bouffée sonore du chilom, et, avec le visage grave d'un conteur de village, reprit :

« Écoutez, sahib, je vais vous parler de la première fois où le toit de cette maison a été arraché.

— Bien.

– L'Hindoustan n'était pas encore libre. L'homme blanc allait l'occuper de longues années encore, et la route de Nainital était un simple chemin muletier. La panthère régnait sur les montagnes, l'eau des lacs était pure comme le nectar. J'avais six ans et nous vivions près de Ramgarh, avec ma mère. Mon père était le plus souvent absent – il travaillait à Gethia. Nous étions venus rendre visite à la famille de mon oncle à Beerbhatti. Mon oncle était employé à la distillerie et, chaque week-end, il rapportait un bidon de bière que nous partagions. Son fils, dont tout le monde croyait qu'on l'avait pré-nommé Veer pour qu'il devienne brave, s'appelait en réalité Bir Bahadur Singh et tenait son nom de la bière des Anglais que nous sirotions tous. »

Je pouffai de rire, mais Rakshas garda son sérieux. Le vent et la pluie rugissaient, assaillaient portes et fenêtres, mitraillaient les vitres. Les encadrements, qui n'étaient pas encore peints, commençaient à faire eau.

Savourant le calme du cannabis, Rakshas ferma les yeux et poursuivit :

« C'était un soir d'été, semblable à celui-ci. Mon oncle venait juste de rentrer avec le bidon de bière. Nous étions tous assis dehors, devant notre cabane, en train de boire, lorsqu'il a brusquement dressé la tête pour scruter la vallée où la rivière coulait vers Kathgo-dam. Il s'est levé d'un bond et a crié : "Debout ! Vite ! Rentrez tout à l'intérieur !" Nous avons regardé dans la direction qu'il observait et aperçu, dans le lointain, de monstrueux nuages noirs qui fonçaient vers nous, fumant comme une locomotive à vapeur.

« Ma tante a poussé un cri plaintif et tout le monde s'est précipité pour traîner et porter à l'abri ce qui était dehors. En une minute, le village entier s'est mis à courir dans tous les sens et à brailler. Ce jour-là, qui sait quelle fureur s'est emparée de Celui qui est au ciel, mais il a décidé que ses sujets avaient besoin d'une bonne leçon. Entre ce soir-là et aujourd'hui, cinquante années se sont écoulées et je peux vous affirmer, sahib, que j'ai vu beaucoup de choses, mais jamais rien de pareil. Et jamais je n'ai éprouvé une telle frayeur, pas même quand la panthère m'a attrapé le bras. »

Je bus une gorgée de thé. Délicieux. C'était ce que nous appelons du surrrchai : très sucré, bouillant, et qui se boit bruyamment. Surrrrr…

Rakshas me répondit par un slurp et continua son récit.

« Quand la tempête a éclaté de toutes parts, je me suis agrippé à ma mère. Le vent hurlait si fort que, même en restant groupés, nous devions beugler pour nous entendre. Et la pluie ! Maaderchod, quelle pluie ! Ce n'étaient pas des gouttes. On aurait dit qu'on nous déversait un fleuve inépuisable sur la tête. Ensuite, dans la nuit, les toits ont commencé à décoller. »

Bagheera entra à pas feutrés et s'allongea à mes pieds. Je me penchai pour caresser son épaisse fourrure. Il était plus noir qu'une nuit sans lune, avec l'oreille gauche pliée qui ne se dressait jamais. Tibétain de pure race, il avait le caractère égal des montagnards ; il ne réclamait jamais à manger, n'aboyait jamais sans raison. Pourtant il était universellement redouté dans la région. Les gens des montagnes connaissent la férocité des chiens du Tibet, et savent que, à deux, dans un bon jour, ils peuvent s'attaquer à une panthère.

« Quand les toits ont commencé à s'agiter, reprit Rakshas, on a entendu des coups contre la porte et mon oncle s'est précipité pour ouvrir. Les bourrasques étaient si violentes que, une fois ouverte, il était impossible de refermer la porte. Nous nous y sommes mis à dix, y compris ma mère, ma tante et mes cousins, mais le vent s'était déjà engouffré à l'intérieur et tout volait. Bientôt les chevrons de pin se sont mis à vibrer, ensuite, les clous, les cordes et les courroies de serrage en acier se sont détachés. Le toit ébranlé a tressauté, puis un bruit de déchirure a retenti. Alors, nous avons levé les yeux sur un ciel sombre, orageux, chargé de pluie, stupidement agrippés à une porte qui ne servait plus à rien. »

Je me levai pour aller chercher un biscuit pour Bagheera. Il le prit doucement dans sa gueule, sans avidité.

« Avec de vieux saris, ma mère m'a attaché par la taille à mon cousin Bir. Puis elle a fait de même pour mes sœurs Chutki et Rampiari. Car si le vent pouvait soulever un toit, il pouvait également emporter des enfants. Autour de nous, tout était noir comme la mort, et il y avait un tel vacarme – le vent démoniaque, la pluie battante, les coups de tonnerre, le cliquetis des toits de tôle, le grincement des chevrons arrachés, les cris des gens, les glapissements des animaux, les pleurs des enfants –, que nul ne savait ce qui se passait. C'était comme la fin du monde. Soudain, quelqu'un a hurlé que la montagne commençait à glisser. Tout le monde s'est élancé vers l'aval à fond de train, ignorant où était le salut. Le sol ressemblait déjà à du gruau, les ruisseaux débordaient. Bir et moi courions, trébuchions, tombions, courions, trébuchions, tombions, et nous ne savions pas si le rugissement que nous entendions venait de la rivière, en bas, de la montagne, au-dessus de nous, ou du sang qui battait dans nos tempes. Finalement, nous avons trouvé un surplomb rocheux et nous y sommes tapis, accrochés l'un à l'autre.

– Vous n'étiez que tous les deux ?

– Oui. Nous ignorions où étaient les autres, et nous étions trop épuisés pour nous en inquiéter. Nous nous sommes endormis. À notre réveil, le jour était clair, le ciel bleu, le soleil étincelant, et nos vêtements avaient séché sur nous en plis boueux. Ce jour-là, si on regardait le ciel, le monde était parfait, mais, à terre, on aurait cru que Gengis Khan avait traversé la vallée et le village. Les forêts de pins et de chênes étaient déracinées. Il y avait plus d'arbres couchés que dressés vers le ciel. Des glissements de terrain s'étaient produits un peu partout, les sentiers étaient bloqués par la boue et des rochers. Dans notre village, il n'y avait plus un seul toit en place, et les pentes étaient jonchées d'objets et de débris : vêtements, ustensiles de cuisine, toits, meubles.

– Et cette maison ?

– Le toit reposait dans la vallée, comme une casquette géante. Oui, ce toit magnifique, le plus grand de la région à l'époque. Le bois était intact, la tôle était intacte. Rien n'était cassé. C'était comme si un démon avait pris la casquette de la maison pour la déposer doucement cinq cents mètres plus bas. On est tous descendus pour l'admirer, monter dessus, courir dessous. L'après-midi, la memsahib est arrivée, armée de son fusil. On s'est éloignés. Elle a tourné à pas lents autour de la casquette, puis elle a fait signe à Gaj Singh et s'en est allée. Le soir, Gaj est revenu avec une centaine d'hommes. Ils ont soulevé la casquette et l'ont remontée jusqu'à la maison. Le lendemain matin, le toit avait repris sa place, et une dizaine de charpentiers le clouaient et le ceinturaient. Évidemment, il nous a fallu des semaines, à nous autres, pour remettre nos toits. Et les villageois racontaient : "Que dire de la memsahib ? Ce qui est un toit pour nous est pour elle un simple chapeau. Nous, nous subissons le sort qui nous attend. Elle, elle le fait."

– Et ce toit n'a jamais bougé depuis ?

– Si loin que je me souvienne, non. Jusqu'à ce que vous le remplaciez par un neuf.

– Celui que nous avons enlevé était l'original ?

– Quoi, vous n'avez pas remarqué l'épaisseur de la tôle ? C'était du pur acier. Pourquoi croyez-vous que tout le monde, dans le village, vous en a réclamé un morceau ? Et vous, vous leur donniez, comme si vous étiez le gouverneur de Jagdevpur ! »

Je posai ma tasse thé et sortis sur la véranda de devant. L'odeur du cannabis me tournait un peu la tête. Rakshas tétait paisiblement son chilom.

La pluie déchiquetait le sol. Les coups de vent giflaient les arbres sans remords, comme un maître d'école enragé contre ses élèves. Seul notre cèdre, Trishul, semblait d'une solidité inébranlable.

À travers la fureur du vent et de la pluie, on distinguait faiblement quelques lumières sur le versant de Nainital, en contrebas de Saint-Joseph. En face de la maison, la montagne se dressait, masse sombre et sinistre, plus sombre que la pluie, plus sombre que la nuit. Pas même une tête d'épingle de lumière ne brillait dans le temple perché au sommet. Sur la véranda, deux étages au-dessous du toit, le cliquetis de la pluie sur la tôle était étouffé – ici, on entendait davantage le martèlement moins clinquant, plus sourd, de l'eau dure sur le sol tendre.

Je restai là un long moment avant de m'apercevoir subitement que je n'étais pas seul. Sur la première et unique marche de la véranda, enlaçant le pilier de pierre carré à l'extrême droite, était assise Fizz, le corps ruisselant, la peau et l'âme détrempées.

Elle ne bougeait pas, si intimement solidaire de l'épais pilier que je n'avais pas remarqué sa présence. On aurait cru la statue d'une dwarpal, une ancienne gardienne d'un palais en ruine. Ombre voluptueuse se protégeant de toutes les intrusions, humaines et spirituelles, ses cheveux souples maintenant raides, son profil classique gravé dans la nuit liquide, les avant-bras sur les genoux, les mains jointes.

Mon cœur fit un bond. Pendant tout ce temps, pas un instant je ne m'étais inquiété d'elle. Instinctivement, je tendis la main. Mais quelque chose me retint. Je savais que ce seul geste en entraînerait d'autres.

Je me contentai de dire : « Fizz, mets-toi à l'abri. Tu vas tomber malade. »

Elle ne répondit pas.

J'insistai. Plus fermement. « Fizz, ne sois pas stupide. Rentre. »

Elle demeura silencieuse. Ne réagit même pas à ma présence. Je restai là, vide de tout sentiment, indécis.

Je répétai vainement son nom. « Fizz ! »

Incapable de partir, incapable d'aller vers elle, je rentrai m'affaler sur le lourd fauteuil en fer forgé à motifs de dragon près de la porte.

« Va te coucher », dis-je à Rakshas lorsqu'il apporta le dîner.

La pluie ne faiblissait pas, nous ne bougions pas. Je m'assoupissais par instants, et, chaque fois que je rouvrais les yeux, la silhouette de Fizz était à la même place. Plus tard dans la nuit, ses épaules commencèrent à se soulever – secouées de tremblements ou de sanglots, je l'ignorais. Je ne me décidais pas à approcher. Je la regardais, je m'endormais. Et quand je m'éveillais, je la regardais encore.

Les premières lueurs de l'aube se levèrent, grises, maussades, luttant contre la pluie et les nuages pour se frayer un chemin. Bataille qu'elles ne gagneraient pas totalement au cours de ce jour misérable. Pourtant, peu à peu, les contours du monde émergèrent à nouveau ; arbres, montagnes, maisons lointaines, tout était détrempé et morne et dégoulinant. Bagheera rentra, s'ébroua vigoureusement au milieu de la véranda, projetant un million de gouttelettes froides en orbite.

Saisie par la lumière rampante, ne voulant plus être l'objet de mon regard scrutateur, sans doute trempée jusqu'à l'âme, sans doute arrivée au terme d'un voyage nocturne, Fizz bougea enfin. Une main sur le pilier, elle se leva – son pantalon et sa chemise coagulés sur elle en plaques mouillées –, puis, après plusieurs flexions précautionneuses des genoux, elle s'en alla sous la pluie torrentielle vers le portail.

Je vis son dos décroître dans la pente douce. Elle marchait comme une paysanne, d'un pas ferme, en contact étroit avec la terre.

Elle mit les avant-bras sur le vieux portail cassé, posa le menton dessus, et contempla l'obscure vallée de Bhumiadhar. De loin, à travers le rideau de pluie mouvant, il était impossible de distinguer son expression, mais je l'imaginai, la lèvre tremblante, errant dans la zone crépusculaire entre les larmes abjectes et l'orgueilleux désespoir.

Fizz demeura là, le regard fixe, silhouette solitaire et fantomatique. Un camion passa, grondant dans le virage, luttant contre la pente et perforant la pluie.

Après ce qui sembla une éternité, elle rompit la pose, se pencha pour examiner le pipal et le flamboyant qui flanquaient la grille, puis commença à longer lentement le mur de pierre, inspectant chacun des arbustes qu'elle avait plantés. Noyer, poirier, chêne argenté, kadam, bambou, rince-bouteilles, saule pleureur, arbre aux orchidées, jacaranda, chou frisé, savonnier, callistémon panaché – elle disparut de ma vue derrière la maison –, cèdre, cédrèle, sisso, pin indien, chêne gris, tilleul, jamblon, bougainvillée, goyavier, laurier des Indes, morpankhi, cyprès de l'Himalaya, manguier. Elle s'agenouillait devant chacun, caressait les feuilles, en humait certaines, en effleurait d'autres avec son visage. Moi, j'étais immobile, figé entre le détachement et les souvenirs.

De nombreuses minutes s'écoulèrent. Elle réapparut de l'autre côté de la maison, tenant un petit bouquet de feuilles différentes, et passa devant moi pour entrer dans la maison sans jeter un regard dans ma direction. Assis sans bouger, je ne savais où aller, ni où était ma vie.

Elle passa le reste de la journée dans le bureau, sur le rebord de la fenêtre en pierre de Jaisalmer, face à la vallée de Jeolikote et aux rafales de pluie. Dans la lumière dure du jour, je n'avais pas le courage d'être dans le même espace qu'elle. Je m'installai sur la véranda du haut, celle qui ceinturait la maison, écoutant la pluie et ne regardant rien. Je me sentais asséché de toute parole, de tout sentiment.

Tard, l'après-midi, j'entendis le plancher craquer. C'était le pas de Fizz, ferme, lourd. Elle entra dans notre chambre et quand, quelques minutes plus tard, je tournai légèrement la tête, elle fourrait des vêtements dans son sac de cuir.

Nous descendîmes ensemble. Rakshas et Bagheera attendaient sur la véranda. Elle caressa le chien sous le menton et répéta les instructions du vétérinaire pour les piqûres de tiques sur le poitrail.

Rakshas lui dit : « Revenez vite, didi. »

J'avais ouvert le grand parapluie J & B et j'attendais, à la lisière de la pluie. Fizz se mit à l'abri dessous, sans me toucher, et nous partîmes dans un rythme
parfait, d'un pas identique, répété au cours de milliers
de promenades depuis quinze ans. Au bas des vieilles
marches de pierre, nous tournâmes à droite, sous notre
cèdre vénérable, pour descendre jusqu'au vieux portail
déglingué que nous avions franchi le jour de notre première visite de la maison.

Il n'y avait plus de barrière, désormais, et je dus
écarter sur les côtés les deux rouleaux de barbelés. Instinctivement, Fizz prit la poignée du parapluie tandis
que je décrochais le fil de fer des clous tordus du pilier.
Je jetai un coup d'œil vers la silhouette manchote de
Rakshas, là-haut, debout sous l'avant-toit de la terrasse
ouverte, qui nous observait.

Nous traversâmes la route pour nous poster près
de l'ancien muret de pierres démoli. Là où nous nous
étions assis la première fois, sous le soleil glorieux et
le ciel bleu pastel, pour admirer la maison, convaincus
que c'était l'endroit que nous avions cherché toute notre
vie, celui où nous passerions le restant de nos jours.

Cette fois-là, dans la lumière vive qui faisait étince-
ler son teint, Fizz avait dit : « Nous avons de bonnes
vibrations avec ce lieu. »

À présent, nous attendions sous la pluie battante le
bus de Bhowali qui l'emmènerait à Kathgodam, et plus
loin. Il n'y avait pratiquement aucune circulation. Sous
le dais de pluie incessante, dans le soir qui tombait,
nous avions l'impression d'être cent ans en arrière –
avant l'électricité, avant les automobiles, avant Gandhi, avant l'Indépendance. Avant l'amour.

Mes parents, les parents de mes parents, ses parents
et les parents de ses parents, et bien d'autres avant eux,

ne comprenaient pas le concept de l'amour romantique ou sexuel. Ils comprenaient le mariage, l'argent, le devoir, la copulation, les enfants. Nous, nous pensions ne rien comprendre d'autre que l'amour. Mais là, sur le bord de cette route, nous étions avant l'électricité, avant les automobiles, avant l'Indépendance, avant l'amour, et je ne savais plus si je comprenais quoi que ce soit. Et si Fizz comprenait quelque chose, je n'avais aucun moyen de le deviner.

L'attente dura si longtemps que la protection du parapluie commença à faiblir. La pluie y pénétrait, fouettait nos flancs. Rakshas finit par descendre, enveloppé dans un lourd imperméable vert de l'armée, et suggéra à Fizz de reporter son départ au lendemain. C'était pure formalité ; il connaissait son caractère. Il remonta se poster sous l'avant-toit de la terrasse.

Il était plus de huit heures lorsque nous vîmes les gros yeux du bus balayer le flanc de la montagne. Lentement, gémissant sous la pluie, il amorça le dernier virage et apparut droit devant nous. Il ralentit. À son approche, il y eut un moment d'aveuglement total. Il s'arrêta, la porte avant juste devant nous, et l'aveuglement s'estompa. Comme la plupart des bus de montagne, il était vétuste et son moteur émettait un raclement maladif, comme si l'on avait jeté une poignée de billes dans ses rouages.

La porte s'ouvrit, manœuvrée par un jeune et mince receveur, vêtu d'un jean bleu moulant sous sa cape imperméable ouverte et arborant une guillerette moustache retroussée à l'ancienne mode. Fizz lui tendit son sac. Dans un mouvement fluide, il le balança sur le siège près de la porte. Fizz saisit la rampe métallique, il s'écarta, et elle se hissa dans le bus.

Je me penchai pour jeter un coup d'œil à l'intérieur. Il y avait à peine une douzaine de passagers, tous emmitouflés sous des capes rapiécées. Fizz s'installa derrière le conducteur. Le jeune receveur attendait que je monte à mon tour. Je repliai le parapluie et le lui remis. Il attendit, perplexe.

Je reculai et, la main levée, paume ouverte, je fis rapidement le tour du capot. Des cordes de pluie crevaient les phares. Le moteur hoquetant expulsait une chaleur enfumée qui fendait la pluie. Je tambourinai contre la vitre du conducteur et un vieux sardarji, vêtu d'une parka kaki élimée, entrebâilla sa portière.

Je lui dis : « Sahib sardar, s'il vous plaît, soyez prudent.

– Ne craignez rien, fils. » Et sa portière claqua sèchement.

Je reculai. Il emballa le moteur, lâchant un nuage de fumée grise, et enclencha une vitesse avec un grincement sonore.

Le bus démarra brusquement. Fizz était contre la vitre, ses cheveux tirés en arrière, son profil classique immobile. Je n'aurais pas su dire si l'eau sur son visage était de la pluie ou des larmes.

Bientôt je ne vis plus qu'une paire de feux arrière rougeoyants. Puis le bus s'engagea dans le virage suivant et disparut.

Je demeurai longtemps au milieu de la route, offert au ciel, laissant la pluie me pénétrer, jusqu'à ce que sa froidure initiale devienne tiède et confortable.

De retour à la maison et dans notre chambre, je me déshabillai et me sentis aussi nu et vide que le jour de ma naissance.

Les Héritiers

Peu de villes au monde sont plus anciennes que Delhi. Pendant des millénaires, aventuriers, demandeurs d'asile, maraudeurs, voyageurs, rois, érudits, soufis et mendiants ont franchi ses portes de façon mélodramatique à la poursuite de quêtes diverses.

Une nouvelle Delhi recouvre continuellement une Delhi plus ancienne.

L'unique constante est le dérèglement du pouvoir.

Fizz et moi déménageâmes dans la capitale au cours de l'hiver 1987. Avec armes et bagages. Pour y vivre, y planter nos racines. Nous avions commencé par une incursion préliminaire avec deux valises pour y jeter l'ancre. Puis, très vite, nous trouvâmes un toit : un barsati, et nous allâmes chercher le reste de nos affaires afin de nous installer pour de bon. Nous étions arrivés à la fin des dernières averses de mousson ; pendant cette première visite de deux mois, nous avions vu tomber les feuilles des arbres, l'automne passer et les jours diminuer. Dans les rues, la circulation s'était raréfiée et maintenant, après minuit, il n'y avait plus qu'un grincement de camion, de temps à autre, ou un éclair de phares. Des doigts de brume s'agrippaient à l'aube et au crépuscule. Bientôt le brouillard matinal enlacerait tout.

Nous nous déplacions vers l'épicentre de l'Inde. Et l'Inde avait perdu son innocence. Le terrorisme des

années quatre-vingt nous avait dépouillés de notre suffisance, et le lustre prestigieux que nous tirions depuis
trois décennies d'avoir expulsé les Anglais avec une
superbe dignité s'estompait rapidement.

Dans les années suivantes, tout allait disparaître :
services à thé et cache-théière, mères supérieures des
couvents de jeunes filles et chœurs d'anges, rédacteurs
en chef adjoints issus d'Oxford ou de Cambridge,
disciples de Gandhi coiffés de calots blancs dans les
lieux publics, dacoits vertueux ne volant que les riches,
mafieux contrebandiers mais pas assassins, code d'honneur dans le cricket et tonic dans le gin, bienséance de
caste et Constitution, responsabilité morale et matérielle, karma et dharma.

L'homme de pouvoir allait bientôt retrousser son
dhoti pour nous montrer son cul ; l'homme de la rue
baisser son pyjama pour nous montrer son cul ; et
nous, la classe moyenne, allions nous incliner devant
le miroir, baisser nos pantalons de prêt-à-porter et
regarder notre cul. Il y aurait des conférences d'érudits
éminents et des analyses journalistiques traitant des
forces subalternes, des reconstructions postcoloniales,
de la stagnation rurale, de l'entropie du tiers-monde,
de l'aube des dalits, du nationalisme culturel, et j'en
passe. Mais, pour finir, il ne resterait plus que nous
tous, exhibant notre cul.

Pour finir, il ne resterait qu'une confédération de
culs.

Ainsi que le père de ma mère le disait toujours, parlant de ses propres-à-rien de fils qui dilapidaient l'argent
à la poursuite de projets chimériques – du commerce
de boîtes de datuns de quinze centimètres censés sup-
planter les brosses à dents, à la vente de pantalons dotés
d'une fermeture arrière permettant de chier sans avoir

à se déculotter, en passant par le gavage de poules aux
stéroïdes pour les faire pondre toutes les huit heures
(jusqu'à ce qu'elles enflent et éclatent comme des ballons) –, il disait donc, devant le désastre d'un énième
projet, mettant son hookah en ébullition tant il fulmi-
nait : « Dans l'obscurité, même un cul peut ressembler
à un visage. »

En cet hiver 1987, l'Inde était envahie de projets
ayant mal tourné. Projets agricoles, politiques, économiques, éducatifs, religieux, projets visant à enrayer la
fraude fiscale, attirer les touristes blancs, rendre l'eau
potable, protéger les animaux, améliorer la condition
féminine, lutter contre le dépistage des fœtus femelles,
contre la malnutrition des enfants, étendre rapidement
la vasectomie, projets de nationalisation, projets de
privatisation, projets médicaux, culturels, scientifiques,
sportifs, sanitaires, projets de préservation de l'Inde
ancestrale, projets de développement de l'Inde nouvelle.

Nous avions assimilé l'art de la nomenclature de
l'homme blanc.

Des étiquettes prestigieuses masquaient des choses
impardonnables.

À travers le pays entier, des hommes et des femmes
à la mine sévère, vêtus d'amples vêtements flottants,
se réunissaient en comités et bureaux pour extraire
de leurs molles imaginations d'innombrables projets,
tous parés de noms éloquents, lesquels étaient ensuite
mâchés par les dents en perpétuelle mastication du gouvernement, tels les bâtons de sucre de canne concassés
par les broyeurs au bord des routes. Le jus était mis de
côté, et les fibres laissées à disposition.

Le peuple regardait le jus et mangeait les fibres.

L'Inde, disait un ami, est un club de gymkhana où le peuple a le droit de vote, mais dont les membres sont les politiciens et les bureaucrates.

Mon grand-père, lui, disait simplement : « Dans l'obscurité, même un cul peut ressembler à un visage. »

En cet hiver 1987, Indira Gandhi était morte. Depuis trois ans. Mon père avait pleuré en apprenant qu'elle avait été criblée de balles. Je l'avais regardé avec mépris. Indira avait à répondre de beaucoup de méfaits et j'espérais que quelqu'un lui demanderait des comptes.

Rajiv Gandhi était vivant mais s'étiolait rapidement. Il nous avait annoncé qu'il avait un rêve. Or ce rêve était méthodiquement éviscéré dans les abattoirs de sa naïveté. Chez sa mère, le poison était l'arrogance. Chez lui, c'était la naïveté. Tout allait mal se terminer, et tragiquement. Rajiv aurait des questions à poser et, avec un peu de chance, quelqu'un, là-haut, lui répondrait.

La Droite hindoue[1] n'avait pas encore atteint son caractère délirant. Il faut du temps à un peuple pour dégringoler des sommets. 1947 nous avait laissés dans une position isolée et difficile. Le temps de la Droite délirante advint avec la perte progressive des grandes idées de modernisme et de démocratie dont nous avaient nourris les splendides combattants de la liberté, et avec le retour à nos petitesses de caste, de communauté et de religion.

---

1. Référence à l'Hindutva – hindouïté ou indianité –, idéologie nationaliste et réactionnaire qui inspire différentes formations politiques et culturelles d'extrême droite, et qui a pris une certaine importance dans la société indienne des années quatre-vingt-dix, contaminant le débat politique avec des questions religieuses, notamment celle des rapports entre les hindous et les minorités musulmane et chrétienne. *(N.d.T.)*

L'esprit de la Droite délirante consistait à comprendre que, dans l'obscurité, un cul peut ressembler à un visage, mais demeure un simple cul. S'adresser à un cul en tant que cul, c'est provoquer un dialogue de reconnaissance. Ce peut être un tel soulagement de ne plus prétendre être un visage. Comme d'abandonner couteau et fourchette pour manger avec ses doigts.

Il y a un soulagement immense à baisser son pantalon pour exhiber ses fesses.

Un soulagement immense à être une confédération de culs.

Le poison d'Indira Gandhi était l'arrogance.

Celui de Rajiv Gandhi était la naïveté.

Et celui de la Droite délirante, la mesquinerie.

En cet hiver 1987, Indira Gandhi était morte, Rajiv Gandhi vivant, et la Droite délirante embryonnaire. Mais ni la morte, ni le vivant, ni l'embryon ne me retinrent de venir à Delhi – pour de bon, Fizz à mes côtés. Le départ pour la capitale résulta d'une décision soudaine, mais il était en gestation depuis longtemps. Cela nous ressemblait bien. Nous pouvions parler, parler, parler, sans agir pour concrétiser les choses. Puis, tout à coup, se produisait un déclic, une envie subite nous saisissait, et avant même d'en prendre conscience, nous nous mettions en mouvement.

Dans ce cas précis, le déclic s'était produit à propos de mon travail. Puis du déménagement.

En mars de cette année-là, le lendemain de mes vingt-six ans, je rentrai en fin d'après-midi, me plantai dans la cuisine en forme de haricot, grande comme une baignoire, et déclarai à Fizz qui préparait du thé : « Je veux démissionner. »

Avec sa sérénité symptomatique face aux événements importants, elle se tourna vers moi et répondit : « Alors fais-le. »

Et moi, arquant les sourcils, j'ajoutai : « De toute façon, j'ai besoin de passer du temps avec toi. J'ai des choses à te montrer. »

Sans plus tarder, avant même de boire mon thé, je posai la machine à écrire Brother rouge sur la table, soulevai le couvercle moulé noir, y glissai une feuille de papier, réglai les marges et, sans hésitation ni faute de frappe, tapai une lettre de démission à mon rédacteur en chef.

Ma lettre n'avait rien d'élaboré. Elle stipulait simplement, sans en préciser la raison, que j'avais besoin de m'absenter six mois et sollicitais un congé sans solde. Si ma demande n'était pas recevable, je devais être considéré comme démissionnaire. J'ôtai la feuille de papier d'un geste paisible et la tendis à Fizz. Lorsqu'elle eut fini de la lire, elle me prit dans ses bras, le visage rosi par l'excitation. Puis elle m'embrassa. Je la soulevai, l'allongeai sur la table, et m'assis sur la chaise pour l'honorer avec ma bouche, jusqu'à ce que je n'entende plus sa voix.

Fizz. Folle Fizz.

Toujours excitée par les actes aveugles d'intégrité, de générosité, de folie artistique. Comme certaines femmes sont excitées par les voitures, les vêtements, les muscles, l'argent.

De la table, nous passâmes au lit, d'où nous ne sortîmes qu'à la nuit. Ensuite nous partîmes à moto pour une longue promenade, maraudant dans les larges avenues de Chandigarh, du lac à l'université, puis sur la voie de raccordement qui filait vers Mohali, bordée de vastes champs verdoyants. La circulation était réduite, la nuit fraîche, la moto fendait le silence, le vent me léchait le visage et Fizz me tenait serré, ses mains douces sous ma chemise.

Peu d'émotions égalent celle de quitter un emploi. Reconquérir sa vie, fût-ce brièvement. Être son propre maître, fût-ce un court instant. Nous parcourions les rues, laissant nos mains faire ce qu'elles pouvaient, et quand elles furent allées jusqu'au bout de leurs caresses, quand le besoin se fit sentir de rentrer chez nous terminer ce qu'elles avaient commencé, nous fîmes demi-tour.

Le lendemain matin, le réveil fut joyeux ; notre bonheur dura toute la journée et les jours suivants. Mais j'étais déterminé à ne pas lambiner, et ma détermination sembla galvaniser Fizz.

Un matin, alors que je restais à la maison pour établir mon plan, Fizz emporta la Brother au marché du Secteur 21 pour la faire réparer. La machine revint le soir même, rouge et rutilante, ses touches lubrifiées mûres pour un assaut rapide, dotée d'un ruban neuf prêt pour une prose indélébile. Fizz rapporta aussi une rame de papier de première qualité, une boîte de crayons à mine de plomb dure, un cahier à spirale pour prendre des notes, une grande gomme vert et jaune, un petit flacon de blanc Eraz-Ex, et un taille-crayon en forme de livre. Fidèle à son habitude, elle se paya ma tête en y ajoutant une plaque de bois sur un support, avec l'image peinte d'une fille aux cheveux hirsutes applaudissant d'un air énamouré, et cette légende : « Mon héros ! »

De mon côté, j'avais rédigé l'emploi du temps et le code de conduite auxquels j'allais me soumettre. Je notai le règlement dans un calepin, le peaufinai, puis le tapai à la machine et le scotchai sur le miroir de la salle de bains. Facétieusement – mais peut-être pas totalement –, je l'intitulai : « Manuel de l'Artiste en Jeune Homme. 1987 ».

Petit déjeuner, sexe, journaux, ablutions à 9 heures.

Début du travail à 9 h 30.

Pause à 13 heures.

Déjeuner léger et sieste de 13 à 16 heures.

Reprise du travail de 16 heures à 19 heures.

Une tasse de thé à 17 h 30 mais sans pause.

Écrire un minimum de 800 mots par jour.

S'autoriser deux jours de repos par semaine. Soit : 4 000 mots par semaine.

Garder à l'esprit que la discipline est aussi essentielle à l'écriture que l'inspiration.

Pas de films pendant la semaine.

Ne pas lire Kafka, Joyce, Faulkner.

Lire de la poésie avant de dormir : Hardy, Larkin, Stevens, Whitman, Yeats, Eliot.

Lire une page de Shakespeare chaque soir.

Pas d'alcool les jours de travail.

Pas de sexe pendant le travail.

Courir chaque soir pour faciliter la circulation sanguine.

Venaient ensuite des injonctions visant l'écriture proprement dite, séparées du reste du manuel par un trait noir :

Être ambitieux – canevas large et expansif.

Se rappeler que les grands textes se soucient peu d'action.

Se concentrer sur les idées et les personnages.

La forme compte autant que le fond. Innover.

Écrire à la troisième personne – avec l'omniscience de l'auteur.

Rendre la prose mémorable – procurer une joie stylistique.

Éviter l'étalage des émotions.

Maintenir une écriture intraitable : le monde est dur.

Ne pas s'échiner à être plausible : l'Inde n'est pas plausible.

Éviter les scènes de sexe : difficiles à réaliser, faciles à dénigrer.

Ne rien dévoiler du texte en cours d'écriture.

Le monde est envahi d'âneries que personne ne lit – ne pas en rajouter.

L'écriture n'est pas la vie. Fizz est la vie.

Fizz prit un stylo-feutre et, sur la dernière injonction, raya la négation et modifia la seconde phrase : « L'écriture est la vie. Fizz est Fizz. »

J'étais d'accord, mais ne le lui dis pas.

Chaque matin, en me brossant les dents, je parcourais la liste et comptais les commandements que je parvenais à respecter. Au début, dans l'ensemble, tout se passa bien. Ma journée de travail débutait à neuf heures trente et s'achevait à dix-neuf heures, ponctuée des pauses appropriées. Ensuite j'avais droit aux récompenses de mon labeur. Mais j'avais omis un danger : la présence de Fizz pendant la journée. Avec elle, aucune de mes règles ne semblait applicable.

La matinée commençait avec l'odeur de son corps. Quand je m'attablais devant le petit déjeuner, j'étais généralement satisfait et m'efforçais de le demeurer jusqu'à l'heure du déjeuner et de la sieste. Celle-ci se décomposait en sexe et sommeil, le sommeil suivant le sexe. Mais il se produisait aussi de nombreux intermèdes non répertoriés sur la liste lorsque, saisi d'une impulsion subite, je ne tenais plus assis devant ma table de travail.

N'importe quel prétexte déclenchait ces impulsions. La sensation de bien-être qui suit l'amour, ou, à l'inverse, une insatisfaction tenace. La persistance du musc de Fizz sur mon visage, ou un manque perturbant. La bonne circulation de l'adrénaline entretenue par un travail efficace, ou la sensation de vide créée par des efforts infructueux, qui ne demandait qu'à être comblée.

La présence taquine de Fizz, ou son absence irritante.

Lorsque ces impulsions survenaient, je la recherchais avec avidité – dans la chambre, la cuisine, le salon. Notre étreinte était alors brutale, précipitée, comme si nous devions nous punir de rompre avec la discipline. Elle ne durait que quelques minutes et je retournais ensuite à ma chaise à dossier droit, les doigts posés légèrement sur le clavier, tel un pianiste à la recherche de l'œuvre parfaite.

Comme le précédent, le manuscrit démarrait bien. La phrase d'ouverture avait flotté sereinement dans mon esprit à la façon d'un cerf-volant, le soir de ma démission, tandis que nous parcourions les rues de Chandigarh, les mains de Fizz sous ma chemise. « Chaque fois que Abhay conduisait sa moto palpitante dans les artères bruissantes et animées de Chandni Chowk, il percevait tout le poids de l'histoire de l'Inde derrière lui sur la selle. Il les sentait tous, de Shahjahan à la reine Victoria, Gandhi, Nehru, Patel, Azad, qui s'agrippaient, l'étouffaient, exigeaient, et il avait beau zigzaguer, virer, accélérer, il ne parvenait pas à se débarrasser d'eux. »

Le matin de ma première séance de travail, je m'éveillai, fis l'amour avec Fizz avec un zèle commémoratif, pris un bain, mangeai une omelette avec un toast, attendis qu'elle eût débarrassé la table, posai ma Brother dessus, l'ouvris, mis le couvercle de côté, détachai une feuille de papier de la rame, la glissai dans la fente, fis lentement avancer le rouleau, ajustai les marges, enfonçai la touche des majuscules, et, avec un claquement sonore délibéré, tapai ces mots : Épreuve de Travail 1. 15 mars 1987. Puis je sautai deux lignes et ajoutai : Chapitre Un. Deux autres tintements de sauts de ligne et, avec un crépitement cadencé : « Chaque fois que Abhay conduisait sa moto… »

La maison avait acquis une atmosphère de gravité. Sur l'autel de l'art, les trépidations d'une machine à écrire sont un cantique. Fizz se mouvait dans les pièces d'un pas de plume et s'adressait à la femme de ménage à mi-voix. Elle tirait le fil du téléphone dans la cuisine, répondait dès la première sonnerie, et ne me passait aucun appel.

J'écrivais bien et avec force, passant lentement les phrases au gril dans ma tête, les tournant et retournant inlassablement, avant de les frapper sur la machine. La première semaine, le rythme de huit cents mots par jour ne me posa aucun problème. Je les dénombrais méticuleusement du bout du crayon et, à la fin de la journée, notais le résultat dans le cahier à spirale. 15 mars : 887 mots. 16 mars : 902 mots. 17 mars : 845 mots. Bientôt cela devint un tic, et j'entrepris de les compter pratiquement après chaque paragraphe, additionnant et totalisant les mots sur la feuille rabattue sur le rouleau, pendant de longues et inutiles fractions de temps.

Fizz gardait la foi et ne posait aucune question ; elle attendait que j'aborde le sujet. Certains jours, j'avais envie qu'elle lise ce que j'avais écrit, me fasse part de ses réactions, manifeste son éblouissement, mais je me retenais, jouant avec moi-même, pour voir combien de temps je résisterais, combien de temps je resterais confiant en mon propre jugement, combien de mots, de phrases, je parviendrais à coucher sur le papier avant de la convier à intervenir.

Et puis, aussi, combien de temps je pourrais la maintenir dans cette attente torturante.

Sa mise à l'écart avait généré une agréable tension érotique ; un mystère planait sur ce que dévidait l'étincelante Brother. Et je faisais partie de ce mystère. Il avivait l'ardeur de Fizz à mon égard et engendrait une magie inattendue. Elle tournait sur la pointe des pieds autour de cet obélisque de création littéraire que j'avais planté dans notre vie, et se saisissait de moi dès qu'elle pouvait m'approcher.

Jamais je ne fus plus extraordinaire à ses yeux que lorsque j'écrivais.

Rompant avec le cours attesté de notre intimité, elle prit l'initiative. Cela survenait toujours en fin de journée, une fois le travail terminé, mes obligations remplies. J'étais assis sur la causeuse ou sur le lit, écoutant Beethoven, que je m'entraînais à déchiffrer, et elle se penchait pour m'embrasser sous l'oreille, faisait courir ses doigts sur mon visage, glissait la pointe de sa langue humide sur mon torse, posait sa tête sur mes genoux et commençait à me grignoter doucement à travers mes vêtements.

Une fois le contact établi, j'étais à sa merci.

Elle m'aspirait, me préparait au sacrifice avec ses huiles organiques, m'enfourchait adroitement, me cap-

turait dans des replis insoutenables, puis s'attelait à
me tuer méthodiquement avec sa croupe puissante. Je
criais, elle criait, les chœurs de Beethoven exécutaient
un crescendo. Une fois le calme revenu, elle reposait,
immobile, son beau visage sur ma cuisse humide ; le
clair de lune s'engouffrait par les fenêtres ouvertes et
se reflétait sur la moiteur de nos corps.

Parfois j'étendais la main vers le vieux lecteur de
cassettes Philips – avec ses boutons durs et bruyants –,
et rembobinais la bande pour repasser la *Neuvième* ;
quand arrivait le chœur final, Fizz avait récidivé.

Chaque soir, je m'allongeais et attendais. C'était
merveilleux d'être pris.

Durant ces quelques mois, nous vécûmes les extases
les plus intenses de notre vie. C'était la plus belle
récompense de mes efforts d'écrivain. Tout au long de
la journée, en travaillant, je pensais à ce que la nuit me
réservait.

Les six premières semaines, je progressai de façon
satisfaisante, puis, peu à peu, je perdis le fil. J'avais
imaginé un récit ambitieux, m'interdisant fermement
d'écrire de petits livres sur de petits sujets : ces thèmes
futiles, sentimentaux, matériels et relationnels sur lesquels les écrivains se répandent. Mères et fils, fils et
pères, professeurs et disciples, intrigues familiales, querelles amoureuses, crimes et châtiments, émotions pay-
sannes, leçons de la nature, amitiés et sympathies.

Je voulais de l'ampleur. Le drame grandiose de la
vie, la marche de l'histoire, des idées et des civilisa-
tions, les mouvements puissants qui font et défont le
monde.

Le roman auquel j'aspirais débuterait avant la Partition, couvrirait trois générations, et servirait de métaphore à la situation difficile de l'Inde – le chancre tapi au cœur de la liberté. Abhay, le jeune homme qui parcourt les rues de Chandni Chowk sur sa moto ronflante, incarnait la troisième génération – héritier des mythes de la lutte pour la liberté transmis au travers des récits mille fois répétés par ses parents et par l'État, mais condamné à vivre dans les vénalités du présent.

Son père, Mahendra Pratap, personnifiait la deuxième génération. Doux jeune homme au moment où l'Inde menait sa lutte pour l'Indépendance, il avait défié son propre père en participant aux agitations, grèves et manifestations déclenchées par Gandhi et le parti du Congrès contre les colons britanniques.

La première génération était symbolisée par le père de Pratap, le pandit Har Dayal, personnage imposant, flamboyant et violent qui, dans les années trente, conduisait une Rolls à marchepieds, et trouvait tout naturel de battre ses serfs en les laissant à deux doigts de la mort. Il ne se prosternait que devant Tim Anderson, le rougeaud commissaire de district, faisait des affaires avec le cantonnement, exhibait un portrait de George VI dans son salon, et pensait réellement que les Blancs étaient bénéfiques pour l'Inde. Dans la demeure du pandit Har Dayal, les femmes n'ouvraient jamais la massive porte d'entrée et ne recevaient aucune visite. S'il n'y avait pas d'homme présent dans la maison, les visiteurs, importuns et éconduits, devaient tout simplement passer leur chemin.

Je comptais débuter le roman avec Abhay, puis l'entrecouper de séquences sur les vies de Mahendra Pratap et du pandit Har Dayal. Le style narratif que j'avais élaboré m'enthousiasmait. Le récit se développerait en groupes de trois chapitres : histoire d'Abhay, histoire de Pratap, histoire du pandit. Chaque groupe s'achevant par une coda : un sonnet élisabéthain capturant la nature douce-amère de leurs vies et la fondant dans le chaos croissant de l'Inde. Il me semblait que les vers rendaient possibles les condensés philosophiques si difficiles à réussir en prose. Et la nouveauté de la forme me séduisait.

Les deux premiers groupes se construisirent facilement. Je parvins à dessiner à grands traits vigoureux les trois personnages principaux.

Écœuré par les sermons inspirés de Gandhi et de Nehru que lui rabâche son père, Abhay est un jeune homme branché mais désorienté, qui aspire à s'inscrire au Conservatoire national d'art dramatique et à devenir acteur à Bombay. Il porte des blue-jeans, fume des Charms, boit de la bière et, à vingt et un ans, fréquente une fille qu'il pelote fiévreusement dans les cinémas. Il comprend le pouvoir de l'argent, et il désire la gloire. Il considère son père, Pratap, comme un être excentrique et anachronique.

Pratap est, dans les années trente, un jeune homme exalté. À seize ans, au Pendjab, de retour chez lui après avoir entendu le discours de Gandhi à Amritsar exhortant les jeunes au sacrifice, il troque ses pantalons droits et ses chemises à boutons de manchette argentés contre le kurta, pyjama tunique en coton traditionnel, quitte le collège et rejoint la section locale du parti du Congrès. Tout cela à la face de son tyran de père, que jamais il n'a osé contrarier avant d'entendre Gandhi. Pratap déteste le mode de vie opulent du pandit, son obséquiosité devant les officiels blancs, ses manières odieuses à l'égard des femmes et des domestiques.

Le pandit Har Dayal est un self-made-man despotique. Grand, une moustache en guidon de bicyclette,
convaincu que l'homme est ce qu'il fait de lui-même
et que le monde appartient à ceux qui en tirent profit. Dans sa prime jeunesse, il quitte son village et la
minable pâtisserie paternelle, se rend au cantonnement
de Lahore, séduit le sahib blanc par sa belle prestance,
et obtient le contrat d'approvisionnement en volailles
de la caserne.

Après quelques années, tout le ravitaillement transite
par lui : lait, céréales, viande, vêtements, chaussures,
équipement. Il possède trois restaurants dans trois villes
– Lahore, Amritsar, Delhi – et une ferme tentaculaire
au village. Il monte des pur-sang arabes, porte des costumes Savile Row, fume une pipe en écume de mer,
mange à table avec une fourchette et un couteau, et
achète la première automobile du district. Des femmes
viennent de Karachi, de Lucknow et de Bombay pour
le distraire. Ses trois épouses, quinze filles et son fils,
regardent au travers des cloisons de marbre chantourné
les danseuses éclairées par la lueur mouvante des tor-
chères qui plongent et ondoient aux pieds du pandit,
lequel lisse alternativement sa moustache de sa main
droite puis de sa main gauche.

Je clôturai le premier groupe de trois chapitres par
une coda ironique. Un sonnet sur la nature douteuse et
viciée de la liberté, sur la façon dont l'homme s'évade
d'une prison pour se précipiter dans une autre. La coda
me prit deux jours.

Le comptage, un après-midi. Deux jours de retard
sur trois semaines. Quatorze jours de travail. Onze
mille sept cent quatre-vingt-deux mots. Trente-quatre
feuillets, plus un pour la coda. Après quoi, je dénom-

brai les étoiles et les crânes tracés au bas de chaque page de mon cahier de bord à spirale. Les étoiles et les crânes étaient soigneusement alignés – les étoiles facilement dessinées, les crânes plus laborieusement, mais avec des cavités oculaires fanfaronnes et des dentitions souriantes.

Les étoiles marquaient mes ébats amoureux avec Fizz.

Les crânes indiquaient mes transports solitaires.

Je dénombrai cinquante-quatre étoiles et quatorze crânes.

Bien que Fizz n'eût encore rien lu, je lui montrai l'arithmétique du premier groupe de chapitres. Nous étions assis sur le lit. Elle était vêtue d'un débardeur jaune et d'une jupe évasée – tenue qu'elle ne portait jamais dehors. Elle examina la feuille d'un regard souriant.

Jours : 19.

Jours de travail : 14.

Mots : 11 782.

Feuillets : 35.

Étoiles : 54.

Crânes : 14.

Elle prit un crayon et effectua quelques calculs.

« Deux cent dix-huit mots par étoile, conclut-elle avec un étonnement feint.

– C'est bon ou mauvais ?

– Très bon mauvais », répondit-elle.

C'était notre expression favorite pour les choses mauvaises bien réalisées.

« Tu ferais bien de prendre garde, dit-elle d'un air sévère en suçant le bout du crayon. À ce train-là, tu vas dépasser ta limite Hemingway.

– J'ai encore de nombreuses années à rattraper. »

Elle brandit le crayon vers moi, et je me penchai pour enfouir mon visage sous son aisselle, où commençait à percer un fin duvet. L'odeur de sa fraîche transpiration emplit ma tête.

« En fait, il faut que j'y travaille sur-le-champ.

– Va-t'en, espèce d'animal, dit-elle en me poignardant à coups de crayon. Les porcs ne font pas de littérature.

– La vie avant la littérature ! » marmonnai-je, fourrant mon nez partout où s'exhalait son musc.

Plus tard, nue, elle reprit le papier maintenant froissé et poursuivit ses calculs.

« Huit cent quarante et un mots par crâne, compta-t-elle en agitant le crayon. C'est acceptable.

– En réalité, c'est très grave, vilaine fille.

– Pourquoi ?

– Pour comparer avec la limite Hemingway, il faut additionner les quatorze crânes aux étoiles, puis diviser par le nombre de mots. »

Elle s'exécuta.

« 54 étoiles + 14 crânes = 68.

– Mots : 11 782. Fais la division.

– Oh, mon Dieu ! s'exclama-t-elle. Ça fait un orgasme tous les cent soixante-treize mots.

– Ah oui ?

– À cette allure, au bout du troisième, tu auras épuisé ton quota.

– Je dois arrêter d'écrire ? »

Elle me lança un regard.

« Ou dois-je… ? ajoutai-je, un sourcil levé.

– Oui, répondit-elle immédiatement.

– C'est d'accord. J'arrête.

– Mon héros. »

Hemingway, avions-nous lu un jour, croyait que tout individu a un contingent défini d'orgasmes au cours de sa vie et doit donc se rationner. Chaque fois que les choses allaient grand train entre nous, nous plaisantions au sujet de notre quota. Cette fois, nos inquiétudes étaient injustifiées. Lorsque j'eus terminé le deuxième groupe de chapitres et me colletai avec la coda, ma productivité commença à fléchir. Bizarrement, à mesure que l'inspiration me fuyait, l'intensité sexuelle – ce désir insatiable – faiblissait. À partir du cinquante-deuxième jour, au seuil du troisième groupe de chapitres, le nombre d'étoiles et de crânes au bas du cahier à spirale se mit à décroître.

Bientôt, je perdis mon statut spécial. Fizz ne prenait plus la direction des opérations. La menace de la limite Hemingway s'estompa.

Mais j'anticipe. Les six premières semaines furent idéales et le deuxième groupe de trois chapitres se développa sans peine. Dans celui-ci, je tentai d'approfondir les relations père-fils.

L'autoritaire pandit considère son fils Pratap, élevé parmi ses quinze sœurs, comme une mauviette – une fille manquée, dépourvue des qualités masculines que sont l'ambition et l'agressivité. Je montrai l'attachement de Pratap à sa fluette mère Kamla, et créditai le pandit d'une réplique cinglante à son épouse : « Dieu, dans sa bonté, aurait dû nous donner une seizième fille ! Pourquoi nous a-t-il infligé cette illusion de fils ? »

De son côté, Pratap juge son père comme un être faible, empreint de cette vacuité née de l'avarice. Auprès des femmes – sœurs et mères –, il apprend la gentillesse et la force qui animeront sa vie. D'elles, il apprend aussi le courage – une aptitude à rester accroupi pour que rien ne vous emporte. Le pandit s'efforce d'éveiller l'enthousiasme de son fils pour son commerce florissant. Mais ni le négoce des volailles et des chaussures, ni les visites hebdomadaires au cantonnement, où il faut marcher sur des œufs et lécher le cul de l'homme blanc, n'intéressent Pratap. Toutefois il redoute le caractère explosif de son père et sa main leste, qui lui claque les oreilles avec un bruit de tonnerre. Il va donc là où son père l'ordonne, laissant son cœur à la maison, sous la bonne garde des femmes recluses.

Un après-midi fatidique, Pratap se mêle au flot montant des petites gens qui vont écouter le Mahatma. Dans cette mer humaine, il lui semble que Gandhi s'adresse à lui seul : l'âme pure ne connaît pas la peur, seul le faible a recours à la violence, l'unique vérité réside en nous-mêmes, nous sommes ce que nous faisons et nos actes n'ont de valeur que s'ils profitent aux moins fortunés d'entre nous, l'Inde doit être gouvernée par les Indiens, le véritable courage a une dimension exclusivement morale, et, dans les choses matérielles, rien ne vaut la simplicité.

Avant de retourner au collège, Pratap s'est débarrassé de ses vêtements luxueux. Quand il revient chez son père, il s'est débarrassé de sa peur. Son père n'est rien de plus qu'un homme riche parmi d'autres, séduit par les miettes du sahib blanc.

Ces trois chapitres s'achevaient au milieu des années trente, le pandit et Pratap se situant aux deux extrémités du spectre indien. L'un consolidait l'échafaudage de l'Empire, l'autre œuvrait pour le démanteler.

Sous bien des aspects, la seconde relation père-fils, entre Pratap et Abhay, se révéla plus difficile à traiter. Elle n'autorisait pas de polarités faciles. Pratap, libérateur et héritier du grand rêve indien, ne possède plus la pureté de ses années de lutte. Les coups de lathi ont fini par lui arracher l'oreille gauche, il a passé plusieurs années en prison, et, en 1947, le 15 août, juste avant minuit, quand Nehru prononce son discours sur la naissance d'un nouveau pays, il écoute la radio et pleure sur sa jeunesse.

Son père, le tyrannique pandit, est mort en 1942, figure de plus en plus isolée et honnie parmi les siens, alors même que l'histoire et les millions d'adeptes du Mahatma progressaient irrésistiblement et le jetaient, lui et ses dieux blancs, dans la poubelle du passé. Pratap n'a pu assister à la crémation de son père parce qu'il était occupé à augmenter les statistiques des prisons, à la suite de l'appel lancé par Gandhi aux Britanniques de quitter l'Inde. Sa peine purgée, il n'hésite pas, porté par l'esprit de l'époque, à partager la vaste fortune de son père en deux lots : l'un, divisé en dix-huit parts, pour ses sœurs et leurs mères, le second pour le parti du Congrès. Il ne conserve rien pour lui-même, selon les préceptes du Mahatma.

Désormais conscient de la dignité du travail, il renoue avec la vocation de son grand-père et ouvre une pâtisserie dans le centre animé de Chandni Chowk. Il n'a pas oublié les grands karahis de cuivre où bouillonnent le lait et l'huile, alimentés par des hommes à la peau sombre et suante, les sacs de sucre béants entreposés dans un coin, les présentoirs aux vitres sales renfermant le burfi blanc et le laddoo au safran, les entêtantes odeurs douceâtres et écœurantes, son grand-père assis sur un coussin surélevé, et les mouches, partout, parsemant les confiseries, les vitres, les gens. Pratap se découvre un talent héréditaire pour les affaires, et acquiert même la fausse affabilité des commerçants.

Mais tandis que les décennies s'écoulent sur l'Inde indépendante – Gandhi meurt, Patel meurt, et Nehru, et Azad, et Radhakrishnan –, et que le négoce de Pratap devient de plus en plus florissant, il s'aperçoit que sa chair faiblit. Pratap est un orphelin de l'idéalisme, un décombre de l'idéalisme. Et les décombres de l'idéalisme renferment les plus tragiques des vies.

Les orphelins de l'idéalisme découvrent que la route prestigieuse de l'histoire qu'ils ont suivie avec tant de fierté, le vent sur le visage et la chanson aux lèvres, s'achève dans le bazar. Or pour travailler dans le bazar, circuler, s'asseoir et se tenir dans le bazar, pour s'y mouvoir légèrement et lestement, il faut quitter l'armure bringuebalante des grands idéaux, le casque pesant des idées élevées, et les laisser à la porte, là où le bazar commence et où la route prestigieuse de l'histoire prend fin.

Lorsque la route prestigieuse de l'histoire s'achève, en cette heure tardive du 15 août 1947, et que les redoutables voyageurs commencent à se déployer dans le bazar, Pratap ne voit pas l'occasion qui s'offre. Il continue de déambuler en casque et armure, et finit, au fil des ans, par se heurter violemment avec tout le monde, et, ce qui l'attriste plus encore, avec ses anciens camarades. Des hommes qui, eux aussi, ont reçu des coups de lathi quand ils marchaient à ses côtés, des hommes qui l'ont inspiré, encouragé.

À la fin des années soixante, les plus glorieux combattants sont morts ou moribonds, et les survivants de l'armée sont devenus des funambules d'un monde à la dérive, sans amarre, mus par l'avidité, des hommes d'affaires mesquins manœuvrant dans les ruelles exiguës de la basse politique et du commerce mineur. Hommes nobles conduits à la petitesse par des épouses gémissantes, des enfants exigeants et des parents quémandeurs.

Jadis estimés pour leurs principes, ils se mesurent désormais à leurs possessions.

Princes des actions nobles devenus princes des transactions.

Lentement, inexorablement, Pratap à son tour se déleste de son fardeau et apprend à flotter.

Il met un pied dans le parti.

Viennent les nominations dans les commissions de marchés.

Il obtient la concession de gaz que sa femme réclamait à grands cris.

Des fidèles du parti commencent à le solliciter.

Des aspirants du parti viennent frapper à sa porte.

Il devient un négociateur dans les conflits internes.

Un intermédiaire entre les besoins des uns et des autres.

Un combinard de désirs.

Il se prépare à entrer au conseil municipal.

Les écoles publiques commandent les friandises de la fête de l'Indépendance dans sa boutique.

Pourtant Pratap se voit toujours comme le jeune homme qui a aidé l'Inde à conquérir sa liberté. Il demeure un disciple de Gandhi. Il pense que sa vie est vouée au service de la nation. L'image qu'il a de lui-même est plus ou moins intacte.

J'étais satisfait de Pratap, mais Abhay me posait des problèmes. Il m'était difficile de l'opposer à son père d'une manière qui se prêtait à de larges interprétations. Je ne voulais pas en faire un bon à rien total, un contre-point trop évident et maladroit.

L'Inde d'avant l'indépendance autorisait des personnages en noir et blanc, mais l'Inde des années soixante-dix, des violations des droits de l'homme, des essais nucléaires, des guerres éclair, des rencontres au sommet, des mouvements étudiants, de la stérilisation obligatoire, des scandales financiers, du blanchiment d'argent, des lois arbitraires aux acronymes démoniaques – Misa, Cofeposa, Fera – et de l'effondrement des valeurs, cette Inde des années soixante-dix avait tellement mélangé ses rêves et ses désirs qu'il était impossible d'y dénicher un homme propre, même avec un télescope de la taille d'un arbre.

Je fis donc d'Abhay un homme de son époque. Ni trop bon ni trop mauvais, indifférent au bien et au mal.

Abhay est un bel homme bien bâti, à l'image de son grand-père le pandit. Comme lui, il est d'un tempérament emporté, ardent – fervent adepte du pelotage dans les salles de cinéma –, et violemment ambitieux. Ses seules valeurs sont l'amitié et le succès. Il défend toutes les incartades de ses amis et se bagarre farouchement pour eux en cas de besoin. Après chaque échauffourée, une exaltation l'envahit. Un profond sentiment du devoir accompli le gagne.

Ses amis le surnomment « yaaro ka yaar ». L'ami des amis.

Une exaltation similaire le saisit chaque fois qu'il fait la connaissance d'un personnage prospère et réputé. Un riche homme d'affaires, un politicien puissant, un acteur célèbre. Tel son grand-père devant Tim Anderson, Abhay devient déférent, attentif, avide des secrets du succès. Abhay croit dur comme fer que les hommes sont ce qu'ils font d'eux-mêmes et que le monde appartient à ceux qui en tirent profit.

L'amitié est sa religion. Le succès son dieu.

Abhay abhorre la boutique de mithai, autant que la concession de gaz. La modicité de leur ambition l'afflige. Il ne veut jouer aucun rôle dans l'un ou dans l'autre. Il déteste le style businessman étriqué de son père, son code vestimentaire : le même kurta blanc, jour après jour. Mais ce qui l'exaspère le plus est le calot de drap blanc – celui de Gandhi – dont Pratar se coiffe dès qu'il sort de la maison.

« Pourquoi met-il ce bonnet ridicule ? Même Gandhi était gêné de le porter ! » hurle Abhay à sa mère.

Lui, bien entendu, porte des blue-jeans, des tee-shirts moulants et des bottes en cuir de veau. Son père conduit un scooter Bajaj vert, ventru et ronronnant, Abhay une lourde moto noire Royal Enfield, dont le vrombissement s'entend à trois rues à la ronde. Dans sa chambre, il a une photo jaunie de son grand-père posant à côté de sa longue limousine, le coude sur le capot. Chaque fois qu'il la regarde, l'envie le prend d'aller tabasser son père à coups de bottes en cuir de veau.

Abhay veut devenir un acteur célèbre à Bombay. Il veut la grande scène, le grand rôle, le grand monde qui s'ouvre juste derrière les limites de la boutique de mithai et de la concession de gaz. Il a confiance en lui et un portfolio contenant ses photos. Il a envoyé son book à plusieurs metteurs en scène de Bombay. Chaque jour, il attend que le téléphone sonne, que le facteur arrive. Chaque jour, il se plante devant le miroir en pied de sa chambre, chaussé de ses bottes en cuir de veau, coiffé de son Stetson ; il arque légèrement les genoux et s'entraîne à dégainer. Quand il fait feu, il dit : « Tshoooon ! »

Puis il souffle la fumée du canon.

Pratap voit en son fils un fainéant et un doux rêveur. Il sait qu'il fume, qu'il boit et emmène des filles sur sa moto. Mais ce qu'il hait le plus, c'est le Stetson kaki avec lequel il parade.

« Qui ose porter un chapeau si ridicule ? hurle-t-il à sa femme. Cet imbécile imagine-t-il qu'il vit à Londres ? »

Pratap cherche désespérément en son fils l'écho de l'idéalisme de sa propre jeunesse. Une inclination pour les choses importantes, un comportement plus sérieux. Il essaie de lui décrire la splendeur de l'histoire indienne, la vision humaniste de Gandhi et de Nehru. Mais Abhay est un homme de son temps. Il n'a pas de démons à extirper de lui-même. Tout ce qu'il veut exorciser, ce sont les sempiternelles histoires de sacrifice et de bonté que lui ressasse son père, ses sermons sur la reconnaissance éternelle que devraient éprouver les jeunes pour l'héritage qu'ils ont reçu.

Abhay contemple les affiches géantes de Filmistan, Regal et Golcha – images criardes d'Amitabh Bachchan et Dharmendra tirant au pistolet, enlaçant des femmes, les cheveux au vent et le visage ruisselant de sang. Il voudrait être là-haut, sur ces affiches.

Il voudrait que son père se taise.

Il voudrait que son père soit ministre.

Il voudrait que son père ferme sa boutique de mithai et ouvre un grand magasin.

Il voudrait que son père vende la concession de gaz et acquière une pompe à essence.

Il voudrait que son père achète une Fiat.

Mais, par-dessus tout, il voudrait que son père enlève ce foutu calot blanc.

Abhay fulmine en permanence devant sa mère contre les stupidités de Pratap. Mais il n'ose pas affronter son père. Non parce qu'il le craint, mais plutôt par gentil-lesse, par une sorte de piété. Il sait que Pratap est un abject raté sur le plan matériel. Un disciple par essence, un disciple docile, qui a échoué à transformer ses luttes en succès plus glorieux. Il sait que ses jeunes années de sacrifice et son premier acte de rébellion contre le pandit sont la ficelle qui lui permet de tenir debout et que, s'il la coupe, Pratap s'effondrera.

Je terminai ce groupe de chapitres en montrant Abhay s'identifiant de plus en plus à son grand-père et méprisant de plus en plus son père. Le traître de la génération passée est devenu une inspiration, le héros un déshonneur. À la fin, Pratap se met à flotter avec une légèreté croissante, joue son jeu personnel dans les prochaines élections municipales, et sort de sa docilité pour pénétrer dans un nouveau monde de corruption.

Abhay attend un appel téléphonique de Bombay, et perfectionne son tir. Tshooon !

Le fantôme du pandit prend du poids et de la force, se nourrissant des vénalités d'une ère nouvelle.

La coda me prit plusieurs jours. Je finis par échafau-der un sonnet sur les héros et les traîtres, proclamant qu'un jour viendrait où l'on reprocherait à Gandhi et à Nehru les vices de la liberté de l'Inde, où on les blâme-rait pour leur faiblesse. Et ceux qui avaient été faibles et collabos seraient salués en héros par une époque nouvelle et mesquine.

En dépit de toutes mes tentatives, et de mon oreille pour la poésie métrique, le sonnet demeurait arythmique. Je me résignai à m'en contenter et le confiai à la Brother.

Le soir, nous allâmes dîner dans un restaurant chinois du Secteur 22 : Suzie Wong. J'étais distrait, irritable. Le chop suey était trop acide, et j'eus une prise de bec avec le serveur aux yeux bridés. Il revint avec un chef de rang aux yeux également bridés. Au Pendjab, on a une idée bien définie des restaurants chinois : personnel originaire d'Asie de l'Est, nouilles épaisses, plats sans saveur. Les Asiatiques détiennent deux monopoles en Inde : les restaurants chinois et la psychose du kung-fu. Impossible de dîner dans un restaurant chinois dont les serveurs ne le sont pas, et, depuis *Opération Dragon*, il est vivement déconseillé de se quereller avec eux. Mais je m'en moquais. Je cherchais à me défouler. Je hurlai contre le chef de rang, lequel revint avec le patron, un gros Panjâbi insolent dénommé Jollyji.

« Quel est le problème ? demanda Jollyji avec un sourire dangereux.

– Le chop suey est infect ! »

Il se tourna vers le serveur et jeta d'un ton caressant :

« Qu'est-ce qui cloche, petit ?

– Le chop suey est bon, répondit le serveur, lançant des regards nerveux autour de lui.

– Qui le mange, petit ? demanda Jollyji, la voix soyeuse.

– Lui.

– Qui paie l'addition ?

– Lui, répondit le serveur, commençant à se trémousser.

– Qui est donc le mieux placé pour juger ? susurra Jollyji.

– Lui, dit le serveur en reculant.

– Alors, emporte cette saleté à la cuisine et sers-lui-en un frais ! » rugit Jollyji en assenant une gifle sur l'oreille du serveur, qui s'enfuit.

De toute évidence, Jollyji n'avait pas vu *Opération Dragon*. Il se tourna vers nous avec un large sourire et, frottant ses mains boudinées, il ajouta :

« N'hésitez pas à renvoyer encore le plat s'il ne vous convient pas. D'accord ? Dans mon restaurant, le client est roi !

– Merci. »

Je lui demandai où il avait pêché le nom de son établissement. Dans un film, répondit-il avec un sourire évasif. Le personnage féminin lui avait beaucoup plu. Nous éclatâmes de rire ensemble et il me donna une tape dans le dos.

Pendant tout cet échange, Fizz resta muette. Quand nous sortîmes du restaurant, elle me lança :

« Quelle mouche t'a piqué ? »

Je ne répondis pas.

« La prochaine fois que tu auras envie de rigoler avec Jollyji et de malmener un malheureux serveur, sors sans moi. »

Je me tus et elle n'insista pas. Nous rentrâmes en silence et fîmes l'amour. À peine. Juste une friction. Le lendemain, au lieu de m'installer à ma table de travail, je flemmardai au lit. Fizz ne fit aucun commentaire.

Dans l'après-midi, je lui proposai d'aller au cinéma. Elle esquissa un léger sourire.

« Pourquoi ? Tu as envie d'aller te colleter avec un ouvreur, aujourd'hui ? »

Nous allâmes voir un film hindi au KC, absurdement conçu en forme de hangar d'avion. Le film était tapageur et le vacarme ne réussit pas à noyer mes angoisses.

Plus tard, après avoir flâné dans le Secteur 17 de la place centrale, nous arrivâmes à la librairie New Variety. Les livres y étaient si peu nombreux qu'ils décoraient les murs comme des affiches. Le libraire était un type bizarre. Il n'avait pas du tout l'air d'un lecteur d'ouvrages anglais, pourtant il possédait la meilleure collection de littérature anglaise de Chandigarh. On trouvait chez lui des titres introuvables ailleurs – y compris des éditions de poche datant de plus de quinze ans.

La boutique sentait le moisi, mais chaque livre était préservé dans du papier Cellophane. Lorsqu'on ôtait la Cellophane, les tranches étaient jaunies mais le dos intact et le papier immaculé. On trouvait là exclusivement de la littérature – ni manuels scolaires, ni guides de voyage, ni abécédaires, ni papeterie. Les étagères ressemblaient à des présentoirs de magazines, couvrant le mur jusqu'en haut, chaque couverture bien en vue. En se plaçant au centre de la boutique, on pouvait lire le titre et le bandeau de tous les ouvrages, du sol au plafond.

Nous appelions le libraire « sirji », et il en était flatté. Sirji possédait un escabeau en aluminium, tenait la librairie tout seul, et ne parlait pas un mot d'anglais. Le plus étrange était qu'il n'avait rien d'un vieil excentrique. Ce n'était pas un de ces vestiges anglophones datant de l'Empire britannique qui, témoins directs de la splendeur des sahibs blancs, considèrent comme supérieur tout ce qui touche à la langue ou à la littérature anglaises. Sirji avait une trentaine d'années et, parfois, quand on entrait sans bruit dans la librairie déserte, on le surprenait à lire derrière son comptoir un roman hindi à la couverture criarde. Il s'empressait de le cacher, se levait d'un bond, me serrait la main, et sortait les titres rares susceptibles de nous intéresser.

J'avais découvert sa boutique sept ans plus tôt, alors que j'étais un étudiant fauché. Ma fascination avait été immédiate. Au fil des années, une grande partie de notre bibliothèque foisonnante s'était abreuvée dans la librairie de Sirji. Maîtres européens, poids lourds américains, nouvelle vague latino-américaine – les textes les plus improbables apparaissaient sur ses rayonnages : *Mémoires érotiques* de Frank Harris, *Marelle* de Cortázar, *All About H. Hatterr* de Desani, *Poèmes choisis* de Wallace Stevens, ouvrages dont personne n'avait entendu parler en ville.

Fizz et moi ne cessions d'acheter. Par miracle, Sirji ne demandait jamais plus que le prix d'origine. À Chandigarh, il était courant de coller une nouvelle étiquette sur un livre dès la sortie d'une édition plus coûteuse. Sirji, lui, n'augmentait jamais d'un penny le tarif de la première édition. Certains jours, avec cinquante roupies, nous quittions sa boutique riches de trois ou quatre livres inestimables.

Enveloppés dans du papier Cellophane crasseux, mais à l'état neuf à l'intérieur.

De retour chez nous, nous enlevions la Cellophane et caressions doucement la peau du livre. Fraîche et lisse dehors, rêche et tiède dedans. En prolongeant la caresse assez longtemps, on pouvait presque entendre le livre ronronner.

Jamais – ou très rarement – on ne croisait un autre client dans la librairie. La première fois que je quittai Chandigarh pour venir travailler à Delhi, je m'inquiétai de ce que Sirji allait devenir. Nous semblions sa seule raison d'être. Je demandai à Fizz de passer le voir de temps à autre. Elle accomplit sa mission avec la régularité métronomique d'une bonne d'enfants, allant chaque semaine acheter un livre et inoculer à Sirji un peu d'enthousiasme et d'argent.

Ces jours-là auraient pu figurer dans un journal intime avec ce post-scriptum standard : Sirji sauvé par Camus. Fizzji en manque de sauvetage.

Curieusement, la paisible boutique de Sirji me changea plus efficacement les idées que le vacarme du film. Pendant plus d'une heure, en me promenant au milieu de dizaines de volumes, je parvins à endiguer mon anxiété. J'ôtais la Cellophane, feuilletais rapidement les pages, puis les rendais à Sirji pour qu'il les remballe proprement. Je me surpris à opposer mes propres écrits à ceux qui me passaient entre les mains. J'étudiai les premiers paragraphes des maîtres du roman, cherchant à comparer les tournures de phrases, les personnages, l'atmosphère, les dialogues. Pendant un moment, cela m'arracha au traumatisme de la page blanche qui grandissait en moi depuis une semaine.

En quittant la librairie de Sirji, nous étions enrichis de deux nouveaux livres, mais l'inspiration que je pourchassais – la carte routière qui me manquait désespérément –, demeurait insaisissable.

Le fait est que je n'avais pas entamé le troisième groupe de chapitres parce que je ne savais pas comment continuer.

Je lambinai quelques jours encore – sous le regard interrogateur de Fizz –, puis me forçai à m'asseoir à la table. Après trois journées improductives, un matin, je me plantai devant le miroir et relus le manuel à voix haute. Je le déclamai comme dans un concours d'élocution, le faisant résonner dans la petite salle de bains.

Une injonction, en particulier, me frappa : le monde est envahi d'âneries que personne ne lit – ne pas en rajouter.

Quand je sortis de la salle de bains, Fizz me lança : « C'est mieux que de t'entendre chanter. »

Ce matin-là, je me mis au travail. Je martelai la Brother. Je n'écrivais pas, je tapais. Aucune inspiration ne me guidait, aucune excitation. Je n'avais pas la moindre idée de ce que je faisais.

Le soir, je laissai Fizz lire le manuscrit pour la première fois. J'avais besoin de réconfort. Elle était transportée, s'interrompait pour réciter certaines phrases à voix haute et dramatique. Et, chaque fois, à sa façon enfantine, elle me serrait dans ses bras.

Plus tard, elle me prodigua avec générosité les compensations de l'artiste. Elle m'allongea, me recouvrit le visage de son tee-shirt, et, guidée par la pointe de sa langue, me fit des choses qui chassèrent de mon esprit le pandit, Pratap, Abhay, l'Inde, l'écriture, et tout ce que j'avais jamais appris.

Je gémis comme un bébé. Et dormis de même.

Au matin, toutefois, je retrouvai le miroir et ses austères commandements, et la Brother. Hardiment, je recommençai à frapper ses touches noires et luisantes, mais aucune sève ne jaillissait, ni dans la prose ni dans l'histoire.

Le soir, je proposai une pause. Je me sentais à sec, pareil à un bidon vidé de son eau. J'avais besoin de me remplir à nouveau, de laisser le matériau s'écouler en moi goutte à goutte. De bonne heure, le lendemain, avant le jour, après avoir fourré quelques affaires dans un sac à dos et fermé la maison à clé, nous montâmes vers Kasauli à moto. Après Pinjore, alors que l'aube grise léchait l'horizon, nous empruntâmes l'artère centrale congestionnée de Kalka – encore fluide à cette heure mais qui n'allait pas tarder à se coaguler –, et atteignîmes les pentes des contreforts himalayens. À mesure que nous montions, les pins se resserraient de plus en plus autour de nous et notre humeur s'allégea. Nous ne nous pressions pas. Nous avancions tranquillement. Tous les quatre ou cinq kilomètres, Fizz tournait ma tête pour m'offrir sa bouche.

Comme toujours, je fis halte dans le virage avant Timber Trail. Huit ans plus tôt, alors que nous étions à l'université, j'avais perdu deux amis à cet endroit. Ils descendaient de Shimla sous une pluie fine, ivres de bière et de jeunesse, quand leur Yezdi avait dérapé, les projetant au milieu de la route. Ils avaient roulé sur l'asphalte, Billa, le passager, agrippé à Timmy, le sardar. Un camion roulant à vive allure les avait écrasés par le travers. Après le passage des doubles roues, Billa était sur Timmy. Au-dessous de la taille, ils avaient fusionné en une bouillie indéfinissable de chair, d'os et de sang. Quand le reste de notre groupe était arrivé sur les lieux quelques minutes plus tard, ils étaient encore vivants, leurs deux têtes côte à côte, sans savoir que leurs corps n'existaient plus au-dessous du nombril.

Billa, le garçon aux yeux verts, disait : « J'ai pourtant prévenu cet imbécile de sird que nous allions déraper. »

Et Timmy, son turban défait et ses longs cheveux flottant sur la route, grommelait : « J'ai demandé à ce crétin de ne pas me serrer si fort car il m'empêchait de tourner.

– La prochaine fois, répondit Billa, laisse-moi conduire. »

Et Timmy pesta : « Merde ! Mon père va me tuer !
Est-ce que la moto est très amochée ?

– Non, le tranquillisa Miler de son ton calme et
autoritaire en s'agenouillant. La moto n'a rien. Tout va
bien.

– Assure-toi que personne ne prévienne mon père.
Sinon il va piquer une crise ! »

Quelques minutes plus tard, ils étaient morts. Étrange.
Ils parlaient et, la seconde d'après, ils étaient partis.
Leurs corps étaient si broyés et intriqués qu'il fallut les
emporter sur une seule civière, et, plus tard, les brûler
sur un bûcher funéraire commun. Pour nous tous, ce fut
notre premier rite de passage marquant. La mortalité
nous avait été révélée. Nous savions désormais qu'elle
n'était pas la chasse gardée des vieux.

Pendant plusieurs semaines, la vie nous apparut
comme un miracle. Puis le chagrin s'estompa, les souvenirs devinrent beaux, et nos larmes ne coulèrent plus
que lorsque nous étions soûls.

Dans le virage, sur un gros kadam en contrebas de
la route, nous avions gravé une épitaphe : « Timmy
et Billa, 26 juin 1979, Foyer d'Étudiants Himachal,
chambre 102, grands amis et joueurs de cricket accomplis, camarades de chambre pour l'éternité, et merde
au gardien qui essaiera de les séparer », et pris l'engagement solennel de graver une encoche dans l'arbre
chaque fois que l'un de nous passerait par là. Je descendis le sentier glissant et couvert de feuilles qui menait
au kadam, et comptai les encoches sur le tronc. Il y en
avait vingt-sept. Quatre étaient les miennes. Je ramassai un caillou pour en graver une cinquième. Billa et
Timmy ne manquaient pas de compagnie.

Sitôt après le virage suivant, l'instant de nostalgie
s'était évaporé et Fizz suggéra de prendre un petit

déjeuner. Nous nous arrêtâmes dans une dhaba pour manger des omelettes avec des tranches de pain toastées à même le feu, arrosées de plusieurs miniverres de thé. Le soleil était levé mais n'avait pas encore gravi les pentes.

En quittant la grand-route à Dharampur pour parcourir le dernier tronçon superbe jusqu'à Kasauli, nous nous sentions légers, portés par l'air vif et le bonheur. Dans les treize derniers kilomètres, la chaussée se rétrécit – ruban ondulant et aérien –, la circulation s'évanouit, les arbres se rapprochèrent, les magnifiques pies bleues à bec rouge apparurent avec insouciance sur les canalisations, jouant à chat par couples braillards, et des clairières magiques surgirent aux abords de la route. Nous arrêtâmes la moto pour pénétrer dans l'une d'elles, et, utilisant le large tronc écailleux d'un vieux pin et le duvet de millions d'épines de pin, nous bûmes de nouveau le cocktail fou de l'urgence et de l'amour.

Fizz portait un ample pull-over rouge. Je le lui ôtai – ainsi que tout ce qu'il y avait dessous –, et le mis en boule sous sa nuque. Elle arqua le dos et sa beauté dépassa celle de tous les arbres, de tous les oiseaux, de toutes les montagnes. Sa peau se frisa de chair de poule, ses tétons roses posèrent des questions auxquelles j'étais né pour apporter des réponses. Je répondis à l'une avec ma bouche ouverte, à une autre avec une paume ouverte. Ses joues prirent la couleur du levant, elle tint ma tête pour la guider partout, jusqu'à ce que mon visage brille comme la première rosée matinale. Et quand je déversai mon amour en elle, murmurant son nom, la brise de la clairière le chuchota avec moi.

Fizzzzzzz.

Nous descendîmes dans une auberge d'État, sur Lower Mall ; la chambre sentait le moisi, avec ses tapis verts humides et ses rideaux chancis. Les matelas étaient épais mais le lit craquait, et la porte du cabinet de toilette se coinçait une fois fermée de l'intérieur, au point qu'on devait l'ouvrir à coups de pied de l'extérieur. Pendant quatre jours, il nous fallut nous héler l'un l'autre. « À toi de jouer ! – D'accord ! Écarte-toi ! » Et pan ! Un grand coup de semelle dans la porte, comme dans les films policiers. Évidemment, les installations sanitaires étaient modernes, mais ne fonctionnaient pas. L'étincelant réservoir blanc de la chasse d'eau et l'étincelant chauffe-eau blanc étaient l'un et l'autre défunts. L'un produisait un gargouillement sec, l'autre n'ouvrait jamais son œil rouge. Nous en étions réduits à la méthode indienne traditionnelle : eau froide dans la cuvette de W.-C. à l'aide d'un seau, eau chaude apportée du hammam dans le même seau par le gardien maigrelet qui titubait sous le poids.

Mais nous étions euphoriques. Rien n'aurait pu nous démoraliser. En quelques minutes, Fizz ouvrit portes et fenêtres et demanda au gardien et à sa femme de nettoyer la chambre. Deux heures plus tard, assis dans des fauteuils sur la véranda, face aux montagnes couvertes de bois denses, nous commandions des samosas.

Fizz en commanda également pour le gardien, sa femme et leurs trois enfants, qui devinrent aussitôt ses admirateurs fervents. Le thé que l'on nous servit avec les samosas était délicieux, brûlant et très sucré. Surrr-chai. Qui se sirote avec de grands slurps.

Il était tout juste passé dix heures. Le soleil était clair mais pas encore chaud. Toutefois, la morsure matinale s'était dissipée et il faisait bon être assis sur la véranda en manches de chemise. On n'entendait pas le moindre bruit de voiture, seulement les stridulations constantes dans le sous-bois et les différents chants d'oiseaux. Une joyeuse troupe de bulbuls avait envahi la pelouse et faisait d'amicales incursions sur la véranda, déployant leur crête avec des mouvements de tête guillerets. Ils babillaient en une infinie variété de notes. Une véritable fête.

« Je pourrais passer ma vie ici », remarqua Fizz.

Avec ses cheveux noirs déliés, son teint éclatant, ses pieds posés sur la vieille table de bois, tenant sa tasse blanche émaillée entre ses mains, le regard perdu au loin, elle évoquait un tableau de montagne romantique.

« Moi aussi, répondis-je.

— Tu écrirais, je dirigerais un élevage de volailles. Ou je m'occuperais d'herbes médicinales.

— Tu y connais quelque chose ?

— Ça ne doit pas être très compliqué. Il suffit d'un ou deux terrains en terrasses. Et puis, qui sait ? peut-être que le pandit et ses descendants nous rapporteront un peu d'argent.

— Bien sûr. On dira à l'éditeur : prenez le livre et donnez-nous deux terrains en terrasses dans la montagne. Peut-être trois. Un pour le pandit, un pour Pratap et un pour Abhay.

— Mais oui ! Sur la première terrasse, on construira un cottage avec deux pièces, un bureau et une cheminée. Sur les deux autres, je ferai pousser des herbes exotiques.

— Ensuite j'écrirai "Les Herbivores", un livre sombre et mystérieux sur un couple vivant dans une ferme isolée et utilisant des plantes érotiques pour de sinistres pratiques.

— J'ai dit des plantes exotiques, pas érotiques.

— Licence littéraire, chérie.

— Je ne te laisserai pas utiliser mes herbes pour de vils desseins.

– Pour la littérature. Pour la littérature.

– Ça ne parlera pas de sexe ?

– Absolument pas. "Les Herbivores" est un conte fascinant sur les plantes, la passion et ses fins. Dans une prose émouvante, il explore les dilemmes intemporels de la chair et de la chlorophylle, à travers l'histoire étrange d'un couple échoué dans la montagne, luttant contre des plantes mélancoliques et des érections intempestives.

– Dans ce cas, je te laisserai utiliser mes herbes.

– La littérature t'en sera redevable à jamais. »

Après le déjeuner, nous allâmes nous promener sur Upper Mall, passant d'un pas tranquille devant les grands bungalows cachés derrière les arbres et le feuillage, dont on n'apercevait que les cheminées et les toits rouges. Kasauli nous était très cher. J'y venais seul depuis huit ans, et avec Fizz depuis six. Jamais je n'en avais entendu parler jusqu'à ma rencontre avec Sobers, en première année d'université. Sobers était l'un de mes trois compagnons de chambrée. La générosité personnifiée. Son père travaillait à l'Institut de recherche vétérinaire de Kasauli, où il avait été élevé.

Son véritable nom était Arnab Dasgupta. Mais, à l'université, nous lui avions donné le nom du grand joueur de cricket Gary Sobers.

Pour le match de première année, il avait déclaré être un joueur complet. Petit, râblé, Arnab était désespérément sûr de lui. Il affirma savoir donner toutes sortes d'effets à la balle. Après une série moyenne, notre capitaine le désigna comme lanceur.

Sa série entra dans les annales du campus. Elle dura dix-sept lancers, car Arnab ne parvenait pas à envoyer la balle sur la surface. La première lui échappa des mains et frappa l'arbitre placé près du joueur de champ. Finalement, on l'encouragea à effectuer un lancer par en dessous pour terminer la série. Ensuite il prit la batte, protégé par une seule jambière. Au moment de recevoir, il tourna le dos à la balle, qui vint se loger dans son gros postérieur. Pendant un instant, personne ne sut où elle était passée. Jusqu'à ce qu'elle retombe avec un plop.

Sur la touche, notre capitaine me regarda et dit : « Chutiya, où avez-vous dégoté ce Gary Sobers ? »

Une fois le calme revenu sur le terrain, le lanceur envoya la balle suivante, qui percuta la jambe non protégée d'Arnab et le renversa. Il s'écroula lourdement et vociféra, en bengali, qu'il allait culbuter la mère du lanceur.

Par chance, ce dernier était un Jat qui ne comprenait pas le bengali.

Dès ce jour, Arnab fut universellement connu sous le nom de Sobers. Au point que lorsque son père vint le voir au foyer, six mois plus tard, personne ne sut lui dire où – ni qui – était Arnab Dasgupta.

Lors de ma première visite chez Sobers, à Kasauli, nous étions cinq garçons, tous âgés de dix-huit ans à peine. Comme tout habitant des plaines né dans les villes trépidantes du cœur de l'Inde, je fus subjugué par l'atmosphère des montagnes. L'absence de cohue, les arbres, l'air vif qui vous râpait les poumons. C'était une sensation incroyable. Immédiatement, la vieille ville de cantonnement devint mon havre de prédilection. J'y revenais avec Sobers chaque fois que l'occasion s'en présentait. Très vite ses parents m'ouvrirent leur maison comme s'ils m'avaient toujours connu.

Plus tard, ils adoptèrent Fizz avec la même générosité inconditionnelle. Ils savaient que nous n'étions

pas mariés mais nous donnèrent une chambre commune
– tolérance exceptionnelle dans la classe moyenne
indienne –, et, le matin, « tante » frappa à la porte avant
de nous apporter le thé. Tel était l'effet que produisait
Fizz sur les gens. Il était facile de lui faire confiance, de
l'aimer. Cela venait de son sourire, de son langage corporel ouvert, de son aptitude à retrousser ses manches
pour faire la vaisselle ou éplucher les légumes. Si j'étais
peu loquace, Fizz parlait avec naturel, interrogeait
« tante » sur l'histoire de la famille, de son mariage,
sur les sottises de ses enfants, la complimentait sur
son curry de foie, son sari en soie, la monnaie-du-pape
échevelée qui poussait dans une vieille bouteille de
Vat 69.

La maison que leur avait attribuée l'Institut de
recherche vétérinaire était située au bout du Upper
Mall et jouissait d'une vue panoramique sur les plaines.
Elle était vieille et délabrée – les vitres tenaient grâce
à du ruban adhésif marron, les huisseries étaient pourries, les chevrons rongés par les termites –, mais il s'en
dégageait une chaleur et une intimité rares. Une fois les
parents de Sobers partis – lui pour l'Institut et elle pour
l'école de la mission où elle enseignait –, je passais la
journée à mener des campagnes sur le corps de Fizz.

J'insistais pour qu'elle se promène dans la maison
vêtue d'une simple chemisette, et quand elle préparait
le petit déjeuner, je l'enlaçais étroitement par-derrière,
une main emprisonnée entre ses cuisses. Nous étions
enflammés, nous nous donnions à manger de bouche à
bouche, tandis que nos mains se repaissaient du corps
de l'autre. Très souvent, je l'appuyais contre la fenêtre
de la salle à manger et, tombant à genoux derrière elle,
posais les lèvres sur sa cheville et entamais un voyage
familier.

Je prenais la petite boule dure de sa cheville dans ma bouche et la tétais si complètement qu'elle acquérait une dimension profondément érotique. Puis je bourlinguais jusqu'à la promesse de ses mollets charnus et les suçais si pleinement qu'ils devenaient des organes sexuels. Ensuite je contournais le tibia et escaladais le dôme de son genou, faisant halte au sommet, bouche ouverte et lèvres mouvantes. Je redescendais sur l'autre versant et virais vers l'arrière, laissant couler ma langue à plat sur la route lisse de l'intérieur de sa cuisse, le regard fixé sur la ligne sombre du dernier mont. Je voyageais ainsi lentement, cherchant la source du musc ; plus je m'en approchais, plus la chair croissait, plus le musc grandissait, et plus mon contrôle vacillait. De bouche, je devenais nez. De pourvoyeur de plaisir je devenais quémandeur. Fenêtre après fenêtre, mon esprit rationnel s'obturait. Raison, intellect, analyse, perception, parole, tout disparaissait, un à un.

J'étais un animal préhistorique, à quatre pattes, rôdant en quête d'une trace, d'un lieu secret.

Hors des limites de la civilisation.

Un animal à qui l'on ne pouvait plus refuser l'entrée.

Et quand j'avais bu à la source, longtemps et intensément, je n'étais plus qu'une tumescence. Je me redressais derrière elle, trouvant appui sur ses hanches, et tandis qu'elle contemplait les pentes verdoyantes qui descendaient vers les plaines étouffantes, j'entamais la plus ancienne des danses. Le vent emportait ses gémissements dans tous les recoins du sous-continent.

Nous allions de pièce en pièce, savourant les changements du corps autant que les changements de cadre. Nous devenions des êtres différents dans des décors différents.

Aristocrates dans la salle de bains.

Plébéiens dans la cuisine.

Étudiants sur la véranda.

Adultères dans le salon.

Amants sur la table de la salle à manger.

Et, dans la chambre, partenaires et âmes sœurs.

Ce faisant, nous découvrions que les plus fantastiques amants ne sont pas ceux qui connaissent la constance et la régularité, mais ceux qui ne cessent de changer. Ceux qui ont le bonheur d'être des personnes différentes à des époques différentes.

Chaque fois que la paix envahissait nos corps, je lisais à voix haute mon anthologie personnelle. Louis MacNeice : « Le monde est plus fou et plus ample que nous le pensons, incorrigiblement pluriel ; » Eliot : « Parce que je n'espère plus me tourner à nouveau Parce que je n'espère plus Enviant le don de celui-ci et l'envergure de celui-là » ; Conrad Aiken : « L'ordre en tout, la logique dans l'obscur ; L'étincelle et l'atome organisés ; Dans l'esprit la règle, dans le cœur la mesure – Ceux-là ont détruit Rimbaud et dupé Verlaine. » Et je lisais, lisais, Fizz allongée avec sa belle tête sur ma cuisse, son haleine chaude dans mes poils emmêlés. En lisant, je me sentais relié à des choses plus vastes. J'avais l'impression que ma vie, notre vie, avait un dessein, un but différent, plus signifiant que celui des autres.

Par instants sans bouger Fizz me disait : « Recommence. »

Alors, je relisais les vers.

Encore et encore.

Je lisais et lisais jusqu'à ce que le rythme des poèmes s'infiltre dans nos veines, jusqu'à ce que le calme se dissipe, jusqu'à ce que le souffle de Fizz commence à me remuer à la racine. Elle ouvrait la bouche, et bientôt une musique plus pressante et plus éloquente que tous les mots de l'anthologie nous emportait.

Nous prenions un bain vers une heure de l'après-midi, avec trois seaux d'eau chaude que nous nous versions l'un sur l'autre avec une grande tasse – aristocrates dans la salle de bains –, et lorsque les parents de Sobers rentraient déjeuner à deux heures, la table était dressée, les légumes cuits, les chapatis préparés. Fizz bavardait avec pétulance, j'étais comblé.

L'après-midi, nous allions nous promener en ville, empruntant les sentiers forestiers pour descendre jusqu'au bazar pavé, boire un thé et manger des samosas, nous traînions aux abords de l'arrêt de bus pour observer la foule grouillante, flânions dans le cimetière au milieu de ses épitaphes déchirantes, échangions des plaisanteries avec les pétillantes bonnes sœurs de l'école de la mission qui organisaient avec entrain de tapageuses compétitions sportives d'enfants rougeauds, observions les grives et les barbets et les bulbuls, paressions sur les bancs de pierre, en bordure du Upper Mall, pour admirer le coucher du soleil.

Je racontais à Fizz les histoires des bungalows telles que Sobers me les avait apprises. Il n'y avait que deux rues dans Kasauli : Upper et Lower Mall, toutes deux bordées d'arbres majestueux et d'anciens bungalows coloniaux, dont la plupart des propriétaires étaient célèbres. Ce qui, alors, ne signifiait rien à nos yeux. Nous étions jeunes et, comme tous les jeunes, indestructibles et peu impressionnables. Nous regardions les vieux couples marcher à pas lents sur les Malls, sans la moindre idée de ce qu'était leur passé. Comment ils avaient échoué là, comment ils vivaient, ce que valait leur vie. La plupart d'entre eux avaient les cheveux gris et les épaules voûtées, mais le teint rose propre aux habitants de la montagne. Curieusement, on ne les entendait jamais parler. Ils passaient, glissant au ralenti, pareils à des personnages de films muets.

Ce fut lors de ces visites que notre passion – et nos projets – pour la montagne commença à se cristalliser. La maison délabrée de Sobers, les promenades langoureuses dans Kasauli, le vent volubile dans les vieux arbres, la brise fraîche à toute heure qui vous éveillait la peau, le parfum de mystère qui émanait des troublants bungalows aux noms exotiques anglicisés, les crépuscules flamboyants, les nuits incroyablement paisibles et leur silence suspendu sur les archets des cigales, les étoiles palpitantes, acérées, instantanées, et plus nombreuses que partout ailleurs dans le monde – tout cela se tressa très vite avec les rites et les découvertes de notre amour.

Avant de l'avoir énoncé, nous savions l'un et l'autre que nous finirions par vivre à la montagne. C'était la destination de notre amour. Même dans nos anticipations les plus macabres, nous n'aurions pu imaginer ce que l'avenir nous réservait.

C'est au cours de ce voyage que nous évoquâmes pour la première fois la possibilité d'acheter une maison. Fizz enseignerait tandis que j'écrirais. Nous étions assis sur un banc de pierre du Upper Mall, perché sur un joli monticule. De cet endroit, la montagne ressemblait au ventre d'un gros bonhomme, ceinturé par le sentier qui courait tout autour. En haut du ventre rebondi, juste au nombril, au bord du sentier, s'alignaient quelques bancs.

Il n'y avait personne alentour. Nous étions tout près l'un de l'autre, les deux derniers humains dans l'univers. À cette heure du soir, par ciel clair, on apercevait les lumières scintillantes de Chandigarh – prosaïquement géométriques même à cette distance.

« Un jour, nous devrions avoir une maison à la montagne. Tu écrirais et moi j'enseignerais, dit Fizz.

– Oui, nous devrions. »

Elle me tenait la main. Sa veste bleue matelassée luisait au clair de lune.

« Tu n'as pas l'air convaincu.

– Mais si. Tu sais que j'adore la montagne. Je pensais à toi. Tu as toujours dit avoir une prédilection pour la mer.

– C'est vrai. Mais j'y ai réfléchi. Je crois que je préférerais aller de temps en temps à la mer et vivre à la montagne.

– Pourquoi ?

– J'aime la mer parce que c'est vivant et agité en permanence, tandis que la montagne c'est solide, constant, un peu ennuyeux. Mais je ne pense pas être de taille à endurer deux éléments agités dans ma vie. »

Je lui serrai fortement la main.

Fizz me regarda, esquissa un sourire, et ajouta : « Donc, du moins pour l'instant, j'ai décidé de te choisir toi, plutôt que la mer. »

Je la contemplai, terrassé par l'adoration.

« Et puis, ajouta-t-elle, j'aimerais enseigner dans une école de montagne à des enfants aux joues pommelées.

– Ils tomberont tous amoureux de toi.

– Tu pourras me reconquérir avec une prose immortelle.

– Alors, mieux vaut opter pour la mer. »

Fizz m'embrassa et dit :

« Non, je pense que "Les Herbivores", fera un meilleur livre que "Les Mordus de la plage". »

Je pris son visage entre mes mains et l'embrassai très longuement, pendant que la lune suivait sa trajectoire dans le ciel, et que les lumières éloignées de Chandigarh commençaient à décroître.

Nos quatre jours à Kasauli s'écoulèrent dans une heureuse hébétude. Du moins le plus souvent heureuse. Entre la passion et le jeu, je me débattais encore avec les problèmes que me posait mon manuscrit. Si mon bidon créatif asséché se remplissait, c'était au goutte-à-goutte. À ce train, il me faudrait passer mon existence entière à Kasauli.

La panique m'assaillit de nouveau pendant le retour vers Chandigarh. Lorsque j'arrimai la moto dans l'allée étroite de la maison, le soir, elle avait atteint son paroxysme. J'étais prêt à faire demi-tour. Je dormis très mal.

Fizz perçut mon malaise. Me sachant en délicatesse avec mon roman, elle lança d'un ton désinvolte : « Et si tu essayais de t'y mettre très tôt, pour changer ? »

C'était une idée. H.G. Wells conseillait cette stratégie en cas de blocage. Attaquer le travail par surprise, quand il ne vous attend pas.

Je me couchai donc de bonne heure et réglai le réveil sur cinq heures, mais j'étais à demi éveillé bien avant, tournant, gigotant, déplaçant sans cesse l'oreiller, de la nuque aux genoux, et retour.

Je fis un rêve étrange. Je me tenais dans le box des témoins d'un tribunal – semblable à ceux que l'on voit dans les films indiens : une cage de lattes de bois arrivant à la taille –, et je lisais le manuel à voix haute.

Après chaque commandement, le juge emperruqué au visage porcin abattait son marteau, et un policier émacié aux yeux hagards s'avançait pour me frapper durement les fesses avec une badine.

Lire une page de Shakespeare chaque soir.

Vlan !

Pas de sexe pendant le travail.

Vlan !

Éviter l'étalage des émotions.

Vlan !

À chaque coup de trique, la salle du tribunal bondée se levait pour applaudir.

Et, chaque fois, je criais : « Oh, Shakessssssspeeeeare ! »

Au bout d'un moment, je m'apercevais que la plupart des gens, dans le public, portaient des chapeaux de cotillon, tenaient des ballons de couleurs et soufflaient dans des mirlitons. Un jeune homme du premier rang, affublé de lunettes en Cellophane jaune, levait les bras en l'air et dansait la gigue chaque fois que je recevais un coup. Les oreilles de lapin qui ornaient son chapeau bondissaient au même rythme que lui.

À la fin de la gigue, il me parodiait en criant : « Ooooh, Shakesssssspeeeeare ! »

Et la foule criait à l'unisson : « Ooooh, Shakesssssspeeeeare ! »

Plus l'énoncé du manuel et les coups de badine progressaient, plus l'atmosphère devenait festive. Rires, huées, gestes de congratulations et délirantes démonstrations amicales. On aurait cru un réveillon de jour de l'an. Des couples tourbillonnaient et dansaient. Peu à peu, les visages me devenaient familiers.

J'apercevais d'anciens camarades d'école, des copains du collège, des professeurs, le gardien de mon foyer d'étudiants, mon père en costume sombre, ma mère en sari bordeaux, Bibi Lahori avec les cheveux coupés ras et la poitrine comprimée, des oncles, des tantes, des cousins.

Le type aux lunettes de Cellophane jaune et oreilles de lapin qui dansait la gigue n'était autre que Miler. Au fond de la salle, Sobers se trémoussait sur une chaise, affublé d'un faux nez comme l'inspecteur Clouseau. Il y avait aussi le marchand de fruits du collège, le gros Govindji ! Il lançait en l'air pommes, oranges, bananes, et les rattrapait dans le récipient vrombissant de son mixeur.

Pendant ce chahut, Fizz restait tranquillement assise dans le fauteuil du greffier, au-dessous de la table du juge, avec une collerette d'avocat, et prenait studieusement des notes, la mine sombre.

Le juge s'était coiffé d'un chapeau de cotillon rouge et conique, surmonté d'une cloche argent en papier mâché. Il soufflait dans un mirliton, ses grosses joues gonflées. Au lieu du marteau, il tenait à la main un grand ananas.

Je levais sur lui un regard implorant et disais : « Milord, Votre Honneur, puis-je rentrer chez moi terminer mon manuscrit ? » Ce à quoi le juge répondait : « Quooooi ? » Et moi : « Troïlus et Cressida. »

Et la foule braillait : « Votre Honneur ! Codéine et Paracétamol ! »

Le juge soulevait le gros ananas, le brandissait bien haut à la manière d'un trophée sous les applaudissements de la foule braillarde, et l'abattait sur la table.

L'ananas explosait comme une bombe et des tranches giclaient à travers toute la salle.

La foule en délire hurlait : « Oooh, Shakesssssspeeeeare ! » et rattrapait les tranches d'ananas comme des frisbees.

Le juge se tournait alors vers le policier aux yeux hagards et aboyait : « Franz ! »

Aussitôt, Franz se penchait pour m'asséner un nouveau coup de badine retentissant.

Je criais : « Oooh, Shakessssssspeeeeare ! »

Tout le monde poussait des hourras, bras levés, et dansait la gigue.

Fizz levait les yeux, l'air sévère, ôtait le mirliton de sa bouche, et faisait exploser la cloche de suspension des débats.

Je m'éveillai en sursaut et éteignis à tâtons la sonnerie du réveil.

Sans déranger Fizz, je me préparai une tasse de thé et sortis la boire sur le balcon. Il faisait encore nuit noire. Aucune lumière ne brillait dans les maisons avoisinantes. Vers six heures, en une quinzaine de minutes, toutes s'animeraient d'un coup, avec les enfants, les journaux, le thé, les piétons matinaux. C'était l'heure du calme ultime ; les réverbères eux-mêmes semblaient un peu blafards après une longue nuit.

Le thé bu, je rentrai, ouvris la Brother, et relus tout ce que j'avais écrit. Il y avait quelques passages satisfaisants, mais quand j'eus terminé, je me retrouvai au point exact où j'étais une semaine plus tôt, avant de sortir dîner chez Suzie Wong.

Cependant j'étais déterminé à ne plus aller au restaurant : « Ne pas oublier que la discipline est aussi essentielle à l'écriture que l'inspiration. » Je commençai à marteler les touches de la machine. Le troisième groupe de chapitres était en marche.

Je m'y tins une semaine entière. J'écrivais sans joie. Fizz sentit mon manque d'enthousiasme et s'efforça de me faciliter les choses en évitant le sujet. Mais d'autres problèmes couvaient. Mes réserves d'inspiration s'amenuisaient autant que nos réserves financières.

J'avais espéré que mon fonds de prévoyance serait dégagé dans les deux mois suivant ma démission et nous donnerait trois mois de survie supplémentaires. Or, apparemment, la procédure risquait de durer des années. Nous n'avions aucune économie et mon dernier salaire avait fondu depuis longtemps. Fizz avait réussi à vendre notre petite télévision Akai pour trois mille roupies, ce qui nous permettait de subsister.

Conformément à notre engagement initial, nous refusions de nous tracasser à propos de l'argent.

Nous refusions même d'en parler.

« Je vais chercher du travail », me dit simplement Fizz.

Pour une obscure raison, j'étais réticent à la voir travailler pendant que j'écrivais. D'une certaine façon, cela ternissait l'éclat de la création.

« Je peux toujours enseigner l'anglais et la géographie à Saint-César. M. Sharma ne cesse de me le proposer.

— C'est une école stupide. Ce type est un escroc. Sa principale occupation consiste à vendre des pièces détachées de moteurs. Il doit être un champion en comptabilité, mais je doute qu'il connaisse l'alphabet.

— Quelle importance ? Les cours ont lieu seulement le matin, et c'est juste pour deux ou trois mois. »

Nous étions assis sur la causeuse. Fizz prit ma main, s'illumina d'un sourire, et ajouta : « De toute façon, le pandit nous sortira de là. »

Le lendemain matin, elle se rendit à Saint-César et, bien évidemment, fut immédiatement engagée comme professeur débutante et invitée à commencer dès le lendemain. Telle est l'énigme de ces écoles garages qui poussent un peu partout en Inde : toutes portent le nom d'un saint chrétien imaginaire, et toutes ont un besoin désespéré d'enseignants. Il y a toujours une place pour un autre élève, un autre professeur. Les salles de classe fleurissent sur des balcons, des vérandas, sous des escaliers. « Oui, madame. Il n'a qu'à poser sa chaise ici, à côté du professeur. Mais non, il n'est pas trop près. Au contraire, on s'occupera mieux de lui. C'est trop surchargé ? Pas du tout. Nous avons un règlement très strict en ce qui concerne le nombre d'enfants par classe. »

Son salaire était de mille deux cents roupies.

Avec un budget draconien, nous pourrions tenir. Il nous restait cinq cents roupies de la vente de la télévision.

Lorsque Fizz commença à donner ses cours, je revins à mon emploi du temps initial. Je tenais à passer les premières heures de la matinée avec elle car, sans la paix de la satiété, il m'était très difficile de me concentrer.

Malgré cela, rien de bon ne sortait de la Brother.

Pour résumer, j'avais donné un sens théorique à Abhay, son père et son grand-père, et à leur histoire. Or, je m'en apercevais maintenant, cela manquait de chair. Je devais leur donner un sens narratif. L'ennui était que je ne connaissais rien des détails de leur existence. Que mangeaient-ils ? Quel savon utilisaient-ils ? Quelle huile ? Comment voyageaient-ils ? Quel journal lisaient-ils ? Combien d'argent dépensaient-ils ? De plus, je n'avais aucun moyen de pénétrer dans leur tête et dans leur cœur. À quoi pensaient-ils ? Avaient-ils des élans amoureux ? Comment les vivaient-ils ? Leur arrivait-il de bavarder tranquillement avec leurs enfants ?

J'avais une vision rudimentaire de toutes ces choses, grâce à mes conversations avec mon père et d'autres personnes âgées qui avaient connu cette époque. Les détails historiques étaient un amalgame de connaissances approximatives. Il me fallait bien constater, douloureusement, que cela suffisait pour écrire peut-être un essai d'un millier de mots, mais en aucun cas un roman de cent mille.

Mon courage originel déclinant, j'avais commencé à pressentir, avec un effroi croissant, que je bâtissais un château de sable. Des grains d'ignorance, d'infidélité et de pure conjecture habilement entassés, que la première vague de lecture critique balaierait d'un coup.

J'essayai de prétendre que mon problème venait de l'intrigue. Non du manque de connaissances et d'expérience vécue. Dans le troisième groupe de chapitres, je me risquai donc à toutes sortes d'acrobaties. Je me disais : la vie réelle est forcée, je n'ai aucune raison d'être embarrassé.

Je mis en scène des affrontements drastiques entre pères et fils. Ils s'échangeaient des sermons prolixes sur la philosophie, les valeurs et le matérialisme, tout en criant et claquant portes et fenêtres. L'action était trépidante. Le pandit soudoyait les geôliers pour qu'ils apportent de bons repas et une literie convenable à son fils. En apprenant cela, Pratap piquait une crise. Abhay recevait un coup de téléphone d'un producteur de Bombay, mais se voyait obligé de lui verser de gros honoraires pour faciliter ses débuts au cinéma, et persuadait son père d'accepter un pot-de-vin pour pouvoir en payer un à son tour. La petite amie d'Abhay tombait enceinte. Abhay la quittait. Elle allait voir son père. Pratap lui trouvait du travail et l'aidait à se faire avorter. Peu après, elle nouait avec lui une relation intime. Dans l'autre séquence narrative, le pandit se faisait surprendre à frelater les approvisionnements de nourriture au cantonnement. Au cours d'un entretien de la dernière chance avec Anderson, le despotique pandit se jetait aux genoux du Blanc. Un accord était conclu. Le pandit fournirait au bureau du district les meilleurs jeunes prostitués de la région. Pendant ce temps – par une ironie du sort – Abhay était contraint de coucher avec son producteur pour entériner ses débuts au cinéma.

Bref, le roman s'effondrait totalement.

Deux mois après notre retour de Kasauli, je me cramponnais encore aux rituels : emploi du temps strict, commandements du manuel, comptage des mots, mais c'était un cérémonial aussi creux que le piétinement cadencé des sentinelles décoratives devant les palais officiels.

Dans le langage de Miler, je pêchais des crevettes dans la pisse.

Tous les deux ou trois jours, je laissais Fizz lire ma prose. Son dilemme était perceptible. Je pense qu'elle voyait le roman me glisser des mains mais s'acharnait à garder la foi. Nous continuions de jouer la comédie. Les feuillets dactylographiés, à double interligne, s'empilaient sur le meuble de rangement, lestés par la fille aux cheveux hirsutes sur sa plaque de bois. Mon héros.

Sur la première page, on pouvait lire : "Les Héritiers".

Dessous, le sous-titre : Un siècle indien.

Puis : Première ébauche.

Peu de temps après les premiers errements du récit, le nombre d'étoiles et de crânes avait commencé à

diminuer. Or, curieusement, ils se remettaient à pro-
liférer. Plus j'avais de doutes sur le manuscrit, plus je
cherchais de consolations dans le corps de Fizz. Au
début, écrire m'avait apaisé. Je m'étais senti calme et
compact. À présent, le calme m'avait quitté, ainsi que
la compacité. J'étais affolé, fragmenté. Je tentais de me
remplir de sa chair ; je traquais la paix de l'après-coït.
Les étoiles se multipliaient.

Le désir est une chose véritablement insaisissable.

Pour Fizz, il en allait tout autrement. Tant que j'écrivais avec aisance, son désir pour moi n'avait cessé de
croître. Elle me cherchait. Voulait tester ma compacité,
en prendre une part. Le désir lubrifiait son corps en
permanence. Maintenant il faiblissait. Elle ne jouait
plus à l'agresseur. Plus question de m'allonger sur le
dos et d'attendre qu'elle me soumette. L'ordre ancien
reprenait ses droits. J'étais censé faire le premier pas et
poser mes conditions.

Je commençai à abandonner une à une les injonctions du manuel. À commenter ce que j'écrivais. À
boire chaque soir. Je cessai de lire ma page quotidienne
de *Troïlus et Cressida*. Bientôt, nous allâmes au cinéma
presque tous les soirs. Je devins un maître de l'action.

Pratap était sur le point de devenir un Premier
ministre corrompu du gouvernement local, Abhay un
roi de la romance du cinéma indien, et le pandit une
bonne âme aidant secrètement les combattants de la
liberté.

Un aveugle aurait vu que je pêchais les crevettes au
chalut dans la pisse.

Pire, je recommençai de plus belle à lire de la fiction. J'entraînai Fizz dans la librairie de Sirji et choisis
plusieurs romans sous Cellophane. Je plongeai dans les
histoires des autres et m'y perdis. Et, lentement, j'oubliai la mienne.

Fizz ne tira pas la sonnette d'alarme.

Je le fis moi-même, un jour.

Environ cinq mois après avoir tapé ma lettre de démission sur la rutilante Brother rouge, j'acculai Fizz dans la cuisine où elle préparait le repas et déclarai : « Je vais laisser tomber. »

Elle ne portait qu'une chemise en jean bleu et hachait les feuilles serrées d'un chou vert pâle en flocons ondulés. Un chou paraît incroyablement léger dès qu'on le découpe. À cet instant, il me fit penser aux « Héritiers ».

Sans s'interrompre, Fizz me dit : « Cesse de t'inquiéter ! Fais une pause. »

Nous venions de traverser deux mois éprouvants. L'argent était toujours un sujet tabou entre nous, mais il était devenu une obsession névrotique. J'étais conscient que Fizz avait constitué des enveloppes pour les différentes dépenses : journaux, lait, épicerie, essence, femme de ménage, loyer, électricité, gaz ; elle calculait les achats à la roupie près.

Bien que feignant de ne rien faire de la sorte, nous avions commencé à passer des heures, chaque jour, à imaginer des permutations afin d'équilibrer les comptes.

Ne plus acheter le journal et l'emprunter aux voisins du dessous. Économie : trente roupies.

Renvoyer la femme de ménage. Je fais la vaisselle, Fizz balaie et lave le sol. Soixante-quinze roupies.

Aller à pied à Bijwara Chowk un jour sur deux pour acheter les légumes au marché de gros. Prendre du beurre Amul par paquets de cent grammes au lieu de cinq cents, et le faire durer.

Limiter les déplacements en moto et marcher (ça, c'était facile et nous en avions l'habitude).

Au cinéma, plus de sièges au balcon mais au fond de l'orchestre.

Fizz mettait de côté la petite monnaie dans une vieille boîte Bournvita et la renversait à la fin de la semaine pour compter ce qu'elle avait amassé.

À mon grand dégoût, l'argent était devenu une préoccupation bien plus essentielle que l'écriture.

Et c'était un échec autrement plus cuisant. Des années auparavant, j'avais exigé de Fizz un seul engagement formel : quoi qu'il arrive, l'argent ne devrait jamais être un problème dans notre vie. Le dépenser si nous en avions, ne pas nous tracasser si nous n'en avions pas. Même dans ses pires moments d'anxiété, Fizz avait toujours respecté cette promesse. Je savais que c'était dur pour elle de combattre un ennemi qu'il lui était interdit de nommer.

Or c'était un ennemi que je redoutais plus que tout autre. Je l'avais vu corroder les entrailles de ma famille, de mon clan, de mes amis. Il consumait la classe moyenne. Comme l'anophèle femelle, il portait un coup double : il suçait le sang de la décence et laissait ses victimes toutes frissonnantes, en proie à une crise d'avarice. C'était un ennemi dont l'étreinte, j'en étais convaincu, nous affaiblissait.

Plus que tout autre chose, l'argent avait rendu petits de grands hommes.

Mon inquiétude s'était accrue avec la suggestion de Fizz de donner également des cours du soir dans les classes d'InstaEnglish, lesquelles promettaient aux candidats de leur apprendre à « Parler comme des gentlemen en soixante jours ! Devenir un vrai Yankee ! De hello à bye-bye ! Garanti cent pour cent ! »

Les cours, d'une heure chacun, se tenaient le soir dans les écoles. Ils étaient fréquentés par un curieux mélange de population : jeunes gens venus des petites bourgades du Pendjab, de l'Haryana et de l'Himachal Pradesh, jeunes filles cherchant à améliorer leurs perspectives de mariage, farfelus en milieu de carrière persuadés que quelques phrases énoncées en anglais changeraient leur vie. M. Sharma réussissait un très joli coup en ouvrant six classes surchargées chaque soir. Si Fizz acceptait d'en prendre une pendant soixante jours, elle gagnerait deux mille roupies.

C'était un vrai signal d'alarme. La petite ville commençait à nous infecter.

La cuisine étant exiguë, je me tenais sur le seuil, les mains sur le chambranle de la porte.

« Il faut que j'abandonne. Ça ne marche pas.

— Termine-le, dit Fizz. Ensuite tu verras.

— Non. C'est fini. Il n'y a rien de bon.

— Ce n'est pas vrai.

— Si.

— Tu es trop dur.

— Fizz, souviens-toi. Le monde est plein d'âneries que personne ne lit. Il faut éviter d'en ajouter une autre. »

Elle posa son couteau et vint m'enlacer. J'inclinai la tête pour l'embrasser. Son front, à la lisière des cheveux, était moite ; une infime pellicule de sueur emperlait le dessus de sa lèvre. L'odeur de sa peau me stimula. Je fermai les yeux et m'abreuvai dans sa bouche qui s'ouvrait lentement. Quand ses mains prirent mon visage, je sentis l'odeur du jus de chou vert sur ses doigts.

Le soir, nous allâmes au lac Sukhna, où touristes et fêtards confluaient. Les familles bruyantes avaient déserté les lieux, et les marchands ambulants de gol-gappa et de crème glacée prospectaient les derniers traînards, en majorité des couples d'amoureux ou des collégiens qui les lorgnaient. Nous trouvâmes une barque qui nous mena sur le lac, dont la surface rétré-cissait continuellement : à l'image de la plupart des lacs artificiels, il avait fini par se heurter à l'illogisme de son existence. De hautes grues amenées pour draguer la vase étouffante se dressaient sur le lit de sable dans la lumière déclinante, tels des insectes géants en train de se désaltérer.

Lorsque je jugeai l'eau assez profonde, je tendis le paquet à Fizz et dis : « C'est bon. Vas-y.

– Pourquoi moi ? Pour que tu puisses me le repro-cher plus tard ?

– Oui. »

Elle se tut, le paquet dans les mains.

Un couple de vanneaux à caroncule rouge passa au-dessus de nous. Je sentis le battement de leurs ailes. Ils demandaient d'une voix stridente : « Tu l'as fait ? Tu l'as fait ? »

« Écrire n'est pas la vie. Fizz est la vie, ajoutai-je.

– Non. Écrire est la vie. Fizz est Fizz.

– Fais-le, insistai-je. Il faut qu'on avance. »

Le loueur de canots, un homme maigre et nerveux au teint sombre – probablement originaire de l'Uttar Pradesh ou du Bihar – nous observait avec curiosité, cherchant à deviner le sens de notre conversation. Étions-nous en train de nous disputer ? De conspirer ? Que renfermait ce paquet que nous nous passions de l'un à l'autre ?

« Fais-le, répétai-je. C'est mauvais. Un jour viendra où ce sera le bon. »

Sans regarder l'eau, les yeux rivés sur moi, Fizz tendit son bras gauche et immergea le paquet. Elle ne le lâcha pas, il n'y eut pas de flop, aucun bruit ; elle le maintint juste sous la surface, laissant l'eau s'infiltrer dans les pores du papier, inonder lentement ses poumons afin que les feuilles ne remontent jamais. Sa main créait un petit sillage dans l'eau sombre, et lorsque enfin elle la retira, sa main était vide et son bras mouillé jusqu'au coude. Elle posa les doigts contre sa joue lisse et ferma les yeux.

Le pandit, Pratap et Abhay pouvaient désormais se désintégrer lentement.

Le loueur de bateaux jeta un coup d'œil pour voir l'endroit où la main de Fizz avait lâché le paquet. En cas d'enquête de police, il pourrait localiser l'emplacement.

Quand nous regagnâmes le rivage, les vanneaux revinrent tournoyer au-dessus de nous. Tu l'as fait ? Tu l'as fait ?

On l'a fait.

On l'a fait.

Nous rentrâmes en moto sans nous presser, et n'échangeâmes pas un mot, ou presque, de toute la soirée. Je remis le couvercle sur la Brother et la posai contre l'étagère du salon. Son bas-ventre rouge luisait comme un reproche. La table, après cinq mois d'occupation de la machine à écrire, paraissait étrangement démunie. Comme une salle de bains sans lavabo. Le dictionnaire Webster en deux volumes regagna les étagères de la chambre. La rame de papier virginal – encore dans son emballage – échoua en haut du placard de vêtements. Les ustensiles de bureau – crayons, trombones, scotch –, dans divers tiroirs. Le manuel fut décroché du miroir, roulé, et fourré à l'arrière des rayons de bibliothèque. « Mon héros » fut relégué sur l'appui de fenêtre de la salle de bains. Après quelques jours, il disparaîtrait derrière les flacons de shampoing et d'huiles.

Le rangement s'effectua sans une parole.

Il ne subsistait plus une seule trace de l'existence du manuscrit ; personne n'aurait pu se douter qu'une page, un mot avaient été écrits dans cette maison.

« Le premier a fini dans le feu. Celui-ci dans l'eau. Que feras-tu avec le prochain ? » demanda Fizz.

Nous étions assis contre la tête de lit. Lumières éteintes. Le bout de sa cigarette luisait comme une idée tenace. Plusieurs années après la fac, elle avait recommencé à fumer : une cigarette chaque soir avant de se coucher. Trois ans plus tôt, je l'avais chargée de jeter une autre liasse de feuillets dans la cheminée de Sobers, à Kasauli. Il s'agissait alors d'un manuscrit achevé, mais plus inepte encore. Le voir disparaître dans les flammes m'avait soulagé. Il était si mauvais que le feu lui-même avait protesté, bégayant, ahanant, crachant de la fumée, et la pièce s'était remplie de flocons de suie flottant jusqu'aux chevrons. En pleine nuit, il avait fallu ouvrir les portes et les fenêtres de la chambre pour chasser la fumée et la suie – et cela sans bruit. Nous étions restés plus d'une heure, frissonnants, dans le froid nocturne de Kasauli. Nous avions ri et Fizz m'avait déconseillé d'écrire d'autres livres charbonneux.

L'humeur était à présent bien différente.

Jeter un premier livre peut passer pour un acte glorieux. En jeter un deuxième est moins honorable, et plus lourd de questions inconfortables. Nous faisions bonne figure, mais je crois que nous pensions aux poissons qui grignotaient « Les Héritiers », et au message qu'ils nous envoyaient.

« L'air, répondis-je. Mon prochain roman appartient à l'air. Je le jetterai d'un avion. Ou peut-être de la plate-forme de cette maison, sur la montagne.

– Oui, dit Fizz en faisant rougeoyer le bout incandescent de sa cigarette. Le feu. L'eau. L'air. Ensuite, nous irons peut-être chez un éditeur. »

Le lendemain, à mon réveil, je n'avais rien à faire.

Fizz partit à l'école. J'essayai de lire, mais j'étais trop éparpillé pour me concentrer. Je me surpris à relire chaque page ; à la dernière ligne, je m'apercevais que je n'avais pas enregistré un seul mot. Écouter de la musique n'était guère plus facile. Je téléphonai à Amresh et me rendis à son annexe, dans le Secteur 34, pour boire un thé. Amresh était un type bizarre, que j'évitais la plupart du temps. Je ne lui rendais visite que lorsque je me sentais moi-même décalé. Sa bizarrerie ne manquait jamais de me conforter dans mon propre sentiment de décalage.

Son annexe – dans le lexique de Chandigarh, il s'agit de la pièce au-dessus d'un garage –, était un lieu inoubliable. Chaque centimètre carré de mur était recouvert de bouts de papier portant des citations ou des phrases célèbres. Cela allait de la philosophie hindoue ou occidentale, à des textes littéraires ou poétiques. Il y en avait de très concises, comme *Tat Tvam Asi* : « Tu Es Cela », ou « Je pense donc je suis » de Descartes, à de longs passages de Marc Aurèle ou des Upanishads. Chaque extrait était recopié à la main avec un épais stylo-feutre de couleur – diverses teintes de rouge, de vert, de jaune, de violet, de bleu, de noir, de brun.

Au plafond, Amresh avait peint en grosses lettres noires un poème entier de Robert Frost : *Stopping by the Woods on a Snowy Evening*. De toute évidence, il avait soigneusement calculé l'espace car le poème s'inscrivait avec précision dans le cadre du plafond. La dernière strophe – « les bois sont beaux et sombres et profonds » –, peinte en rouge intense, contrastait avec le reste. Cela donnait un effet psychédélique. Tous ces mots, ces textes, assaillaient le visiteur, et l'on ressentait un profond soulagement dès que l'on sortait.

À de nombreux égards, Amresh était un allumé.

Il travaillait comme reporter pour un obscur journal du Sud, et possédait un profond sens moral. Aux conférences de presse, tandis que tout le monde se gobergeait, il refusait même un verre d'eau. Il transportait une grosse gourde en métal – un ustensile de l'armée, suspendu dans le dos avec son cartable noir –, et buvait une gorgée quand il avait soif. En ville, il n'utilisait aucun moyen de transport motorisé. Il avait un vélo Atlas magnifiquement entretenu – doté d'une petite boîte métallique avec une serrure, soudée sur le porte-bagages –, sur lequel il traversait la ville en quelques minutes. Grand, athlétique, Amresh était une silhouette familière dans Chandigarh, où il pédalait furieusement le long des larges avenues bordées d'arbres. À la cheville droite, il portait un élastique noir sous lequel il fourrait sa jambe de pantalon. Ses chaussettes grises étaient maculées de taches graisseuses.

À première vue, c'était un être hautement conventionnel. Il s'habillait de façon formelle : pantalon à pli, chemise bien repassée, chaussettes grises, chaussures de cuir noir. Ses cheveux avaient une coupe militaire, et il était toujours douché et rasé de frais. Il faisait ce qu'aucun Panjâbi de classe moyenne ne faisait : sa cuisine et son ménage. Bien qu'originaire d'Amritsar, ville frontière connue pour son machisme, c'était un homme naturellement respectueux.

J'ai couvert un bon nombre d'attaques terroristes avec lui, et quand le reste d'entre nous courait en tous sens à la recherche d'informations, lui se montrait toujours extrêmement prévenant, menant poliment son enquête et prenant des notes détaillées. On arrivait à un embranchement de routes, dans la campagne, à l'heure où le soleil n'avait pas encore tué la rosée matinale, où les vastes champs frémissaient sous l'assaut des premiers oiseaux. On entendait le raclement rassurant des puits tubulaires, au loin. Les aboiements des chiens des villages environnants se donnaient la réplique. Le bus déglingué de Punjab Roadways était arrêté sur le bas-côté, en travers. Un petit groupe de villageois se tenait à l'écart : des hommes pas lavés en turban indiscipliné, des femmes coiffées de dupattas défraîchies, des enfants morveux, accrochés aux doigts adultes et cherchant à s'approcher.

Si c'était l'hiver – ce qui était le plus souvent le cas parce qu'il était plus facile aux tueurs de dissimuler leur AK-47 sous leur houppelande –, si c'était l'hiver, la brume s'élevait encore du sol. Notamment des trous d'eau au bord de la route, nappés de vapeur. Tout près de là étaient rangées deux ou trois jeeps grises de la police, ainsi qu'une ambulance ou un camion de pompiers. Il y avait toujours au moins deux voitures Ambassador blanches aux vitres teintées, l'une appartenant au chef de la police, l'autre à quelque haut fonctionnaire du district. Nos taxis – dont les pare-brise s'ornaient d'affichettes « Presse » écrites en gras à la main – se garaient près des véhicules officiels, et nous chargions à grandes enjambées vers la scène du crime.

Les photographes se ruaient en tête, se penchaient, s'agenouillaient, s'accroupissaient, cliquetaient. Les cadavres étaient alignés dans un champ voisin sur trois rangées, parfois recouverts de draps que les photographes soulevaient pour prendre leurs clichés. La plupart du temps, les victimes étaient étalées dans la position où elles étaient mortes, ou comme on les avait retirées du bus.

C'était un mélange éclectique. Des hommes, mais aussi des femmes et parfois des enfants. L'ancien code de l'honneur du terrorisme avait disparu depuis longtemps. Les rafales d'AK-47 les avaient fauchés de façon arbitraire. Bras, jambes, têtes et organes brisés et déchirés laissaient imaginer l'instant de démence où des doigts irritables avaient pressé la détente. Parfois, on voyait sourdre de la cervelle ou des viscères.

Dans la nuit, trois jeunes gens avaient sorti leur arme de sous leur houppelande et s'étaient emparés du bus. L'un près de la porte arrière, un deuxième près de la porte avant, et un autre près du conducteur, pour le diriger sur une route de campagne déserte. La rassurante odeur nauséabonde du bus – nourriture avariée, pickles, mauvaise haleine et brûlantes éructations – se chargeait soudain de menaces. Encore endormis, les passagers pelotonnés sous des couvertures rugueuses commençaient à remuer, le cœur soudain serré. Bientôt il n'y avait plus dans le bus un seul œil fermé, ni un seul intestin qui ne fût relâché.

Un passager assis à l'avant, un représentant de commerce de Ludhiana à la langue bien pendue, connu de ses amis et de sa famille pour sa vivacité d'esprit, et sûr de son talent de persuasion, se mettait à implorer et à discuter d'un ton enjôleur. Il arguait de l'innocence des passagers, de leur insignifiance, de leur pauvreté. Il disait admirer la cause des trois jeunes gens, leur bravoure, dénonçait l'injustice du gouvernement qui les pourchassait. Il leur demandait même à quel groupe militant sikh ils appartenaient. Le Commando du Khalistan ? Le Babbar Khalsa ? Le Front de Libération du

Khalistan? Peut-être de quelle ville, de quelle école,
de quel collège ils venaient. Et pendant tout ce temps,
le représentant de commerce au visage avenant et rasé
souriait, essayant de prendre les choses à la légère.

Au bout d'un moment, le chef du groupe, posté près
du conducteur – regard d'aigle, nez et menton effilés
comme une flèche, une barbe encore trop clairsemée
pour la tailler ou la nouer, enivré par l'opium qu'il chiquait et le sensuel AK-47 qu'il caressait –, pointait le
canon court du fusil d'assaut sur la poitrine haletante du
représentant de commerce et lâchait une brève rafale.
Une détonation tranquille, étouffée, qui n'annonçait en
rien l'enfer à venir. Le représentant de commerce mourait les yeux ouverts, la bouche encore souriante, son
dernier boniment en suspens. Comme un bon soldat,
finalement en lutte pour sa seule vie. À bout portant,
les balles bien ajustées lui explosaient le cœur sur tout
le corps. Et réduisaient en même temps au silence les
autres fins stratèges potentiels.

Le conducteur se montrait plein de sollicitude, n'opposait aucune résistance, tentait de changer de camp,
demandait poliment les instructions. Vous voulez que
je tourne à gauche ici? Vers le village Khakkar? Vous
voulez que je ralentisse? Que je me gare? Là? Sur le
bas-côté? Dites-moi, mes seigneurs. Dites-moi.

Nous croyons tous en notre capacité à esquiver la
mort.

À éveiller la bonté qui sommeille chez le tueur.

Chacun des passagers pensait pouvoir survivre,
même si la mort rôdait dans le bus.

Mais les trois garçons étaient des soldats disciplinés,
qui avaient un cœur d'acier. Ils respectaient le plan. Ils
évacuaient d'abord les sikhs du bus, et leur ordonnaient
de s'allonger à plat ventre sous un gommier rouge.

Suivaient les femmes et les enfants. Un des terroristes, maigre et édenté, braquait sur eux son AK-47 à crosse de bois – sa fierté et sa raison d'être.

Le jeune chef au regard d'aigle jetait un dernier et long coup d'œil aux corps recroquevillés, descendait du bus, et donnait le signal à son acolyte d'un mouvement de son menton pointu. Le cœur du nouveau converti s'emplissait d'excitation et d'appréhension. Il donnait l'ordre aux hommes restés dans le bus d'aller s'asseoir sur les sièges du milieu. Et ils obtempéraient, ratatinés sur eux-mêmes, traînant les pieds et resserrant sur eux leurs couvertures brunes et rugueuses. Chacun se trouvait face à l'ultime dilemme de sa vie : devait-il demander grâce dans un dernier appel désespéré, ou se faire si petit, si insignifiant, que le terroriste et le destin ne le verraient pas et l'épargneraient ?

Dans une tapageuse et immorale invocation au Tout-Puissant, le jeune fanatique – une acné rageuse pointant sous sa barbe maigre – criait : « *Jo bole so nihal !* » Puis, levant son beau fusil d'assaut à la taille, dans un moment de pure ivresse, il pressait la détente lisse. Il balayait le bus d'un arc souple, et le fusil crachait, crachait, crachait, absorbant la fin de son cri.

Un pot-pourri de sons explosait. Le crépitement sec du fusil, l'impact doux des balles lacérant les couvertures, le craquement des crânes et des os déchiquetés, le tintement des balles ricochant sur les parois d'acier et les accoudoirs en aluminium, les cris des mourants et de ceux qui se cachaient, et le flot d'insultes du jeune tueur, exalté par la puissance qui palpitait dans sa main.

Quelques instants plus tard, une éternité, le cliquetis du chargement d'un nouveau magasin dans le AK-47 trouait le silence soudain. Les survivants n'avaient qu'un bref instant d'espoir, car le jeune combattant s'engageait dans l'allée imbibée de sang pour achever tout ce qui bougeait encore. Le conducteur était là, lui aussi, le cœur maintenant ouvert comme une fleur, appuyé sur un homme d'un village proche de Gurdaspur, dont la femme et la fille gisaient dehors, face contre terre.

Une fois le dernier gémissement fondu dans la nuit, le garçon ouvrait la porte arrière, descendait, et se tournait vers son chef au regard d'aigle, immobile dans le clair de lune, sa houppelande tombant de ses épaules comme la cape de Batman, son fusil le long de la jambe, canon pointé au sol. Le chef brandissait l'AK-47 dans un geste de victoire intemporel en clamant : « *Jo bole…* », auquel la jeune recrue joignait sa voix : « *… so nihal* », suivi par le troisième garçon, sous le gommier rouge : « *… sat sri akal.* »

Ils étaient des guerriers de la foi. Pas des gangsters ni des mercenaires. Semblables à tous les soldats de dogme, ils sortaient d'un pas militaire des baraquements de la moralité pour pratiquer une immense immoralité.

Je me rappelle avoir marché dans ces bus. Même après l'évacuation des cadavres, l'allée était encore glissante de sang. Le sentiment de désastre était total : colis et couvertures éparpillés, traînées de sang noir sur les sièges, impacts de balles partout, fragments d'os blancs que l'on apprenait à repérer et que l'on se montrait, rembourrage des sièges se déversant comme les entrailles des morts. Je me souviens, une fois, d'un harmonium posé sur une banquette comme dans un tableau surréaliste, son rabat ouvert, ses poumons exposés, tué net d'une rafale dans son cœur de bois poli.

L'odeur âcre et douceâtre assaillait mes narines et me poursuivait pendant des jours.

Sur les lieux de l'attentat, pendant que d'autres jeunes reporters et moi faisions notre travail dans le bus et auprès des villageois et des policiers bedonnants, les reporters plus âgés, avec leurs manières huilées et des tonnes d'assurance, allaient tout droit trouver le chef de la police et les fonctionnaires du district, leur serraient la main, multipliaient les manifestations d'amitié, et tâchaient de leur extirper des informations. Alors que nous recherchions de l'atmosphère et du drame, de la couleur et des témoignages, ils fouillaient pour apprendre les dessous de l'histoire, le point de vue exclusif – généralement une fable officielle, élément de la guerre de propagande entre les diverses factions. Pourtant ce n'était pas un journalisme partial. Dans un autre décor : une salle du Temple d'or d'Amritsar par exemple, les militants donneraient leur propre éclairage de l'histoire, leur point de vue exclusif, lequel serait diffusé à travers le monde avec une égale ferveur.

J'aimais voir Amresh en reportage parce qu'il était sérieux, rigoureux, méthodique. Beaucoup plus que n'importe lequel d'entre nous. Il prenait son temps, interrogeait toutes les sources, s'efforçait de reconstituer les faits tels qu'ils s'étaient déroulés, et accueillait la version officielle avec un implacable scepticisme. Il était également le seul d'entre nous à traiter sans brusquerie les informateurs, les innocents propulsés sur la scène de l'histoire. Il n'insistait pas grossièrement avant de s'éloigner tout aussi brusquement. Gentil, compatissant, il attendait que les émotions confuses s'éclaircissent et s'expriment d'elles-mêmes, tandis que le misérable paysan, accroupi la tête entre les mains, absorbait le dernier choc de sa vie.

À le regarder travailler, je lui trouvais plus souvent une ressemblance avec un activiste social pratiquant une thérapie, qu'avec un reporter coriace cherchant à boucler un article.

Il était aussi extrêmement obligeant. De façon désintéressée, il partageait ses informations et pointait nos erreurs. À Chandigarh et Amritsar, nous étions une troupe nombreuse, et croissante, de reporters venus de tout le pays en quête de l'article immortel qui avait fait nombre de carrières journalistiques et continuait d'en faire. Le terrorisme sikh avait explosé au Pendjab en 1983 et accaparait l'imagination des Indiens. Pour une nation toujours à la recherche d'une cause et d'un objectif, c'était un bon matériau. Nous n'avions acquis la conscience de nous-mêmes que depuis cinquante ans, avec les symbolismes extravagants de la lutte pour la liberté. Nous avions encore besoin d'un ennemi afin de comprendre qui nous étions.

Dans la marche de l'Inde vers l'âge adulte, si l'état d'urgence était la perte de virginité, alors le Pendjab était la première aventure importante. Les psychismes et les corps étaient explorés, des promesses faites, des blessures infligées, des émotions intenses et dangereuses dévoilées. À un certain niveau, toute cette foutue histoire était une plaisanterie macabre. Comme une séquence de bataille dans un film de Kurosawa, où le maître, oubliant de dire « coupez ! » rentrait subitement chez lui retrouver sa femme. Personne, sur le plateau, n'avait le courage de parler à sa place, d'intervenir. Les chevaux continuaient de galoper, les armées de s'entrechoquer, les samouraïs de massacrer avec leurs grandes épées et leurs cris sifflants. Hosho ! HoshoKoshoPoshoWosho ! Hosho ! Le temps que le maître revienne – après avoir sollicité une rallonge d'argent à des producteurs aux yeux de fouine –, le décor, les armures, les chevaux, les acteurs, tout était tombé à terre.

Au bout de quelque temps, l'illusion de bataille avait cédé la place à une vraie bataille. Ce n'est pas chose inhabituelle. Les hommes sont émotifs, et trop de coups assenés, même avec une épée de bois, peuvent déclencher des sentiments instables.

Lorsque les maîtres politiciens de Delhi ou du Pendjab allaient se coucher, les figurants prenaient la relève. Les jeux menés par les maîtres étaient forcés, artificiels. Leurs motifs faux, leurs souffrances simulées. À l'inverse, les agonies des figurants étaient bien réelles. Les trois garçons qui s'emparaient du bus ne jouaient pas. Ils mettaient leur vie en jeu pour de bon. Ils avaient de vraies blessures. Les épées de bois les avaient salement amochés.

Ils tuaient de vraies gens.

Ils mourraient de mort réelle.

Bientôt.

Pendant ce temps, les maîtres – anciens et nouveaux – avaient perdu tout contrôle sur le scénario et se démenaient pour retrouver ses intentions premières. L'action leur avait échappé. En août 1987, lorsque je rendis visite à Amresh dans son annexe délirante – tandis que « Les Héritiers » se désintégraient au fond du lac –, les figurants avaient totalement pris les commandes et occupaient toutes les scènes. Un mégaphone ne suffisait plus pour les obliger à rentrer dans le rang. Quelqu'un devait les pourchasser un à un et leur faire recouvrer la raison par la force.

Évidemment, c'était une aubaine pour les journalistes indiens et les lecteurs de journaux. Le drame était fascinant : agressions, assassinats, tueries – le spectacle des sikhs, traditionnellement la communauté la plus courageuse et la plus patriotique, engagée dans une lutte contre l'État indien à la poursuite de l'idée chimérique d'une nation indépendante, était un mélange irrésistible de divertissement et de conte moral. Avec nos mythes à grand succès et nos films bollywoodiens, rien ne nous ravit davantage.

Les infos spectacle commencèrent avec le Pendjab. Bien des années après, lorsque ma vie et mon amour eurent suivi leur cours et que le rideau tomba sur un siècle tumultueux, j'avais cessé d'être un journaliste, les informations étaient devenues une obsession nationale, une douzaine de chaînes de télévision nous promenaient vingt-quatre heures sur vingt-quatre d'un acte fou à un autre, et faisaient de chacun de nous un individu concerné en nous intégrant dans quelque drame majeur se déroulant quelque part. À ce moment-là, les figurants du Pendjab étaient depuis longtemps rentrés de force dans le rang, ou éliminés de la scène ; et les autres, revenus à ce qu'ils affectionnaient le plus : profits, pertes, et célébrations *ad hoc*. Le Pendjab replongea dans les fastidieux débats sur l'électricité gratuite, la banqueroute, le prix du blé, le partage de l'eau, et les corruptions mineures du sexe et de l'alcool.

Mais, en 1987, le Pendjab apparaissait encore comme un problème insoluble.

On le comparait à l'Irlande. Chronique et interminable. Mais en pire, car le sikh était plus fou, et moins effrayé, que l'Irlandais.

Amoureux des sikhs, Amresh et moi passions souvent des heures à discuter de la grande pagaille indienne qui avait transformé les plus acharnés défenseurs de l'Inde en ses adversaires les plus infatigables. Mais nous étions jeunes alors, et enclins à voir les ruelles de l'histoire que nous parcourions comme des autoroutes. Et, avec les certitudes de la jeunesse, nous pensions discerner où menaient ces autoroutes. Aujourd'hui, je sais qu'il est impossible de prévoir l'avenir de deux personnes. *A fortiori* d'un million.

Nul ne sait ce qu'il adviendra, car nul ne sait ce que font les hommes.

Quant aux autoroutes de l'histoire, elles n'existent pas tant que l'histoire est en marche. On ne les identifie et on n'en trouve la preuve que longtemps après, de même que les tests ADN ne démasquent le vrai géniteur qu'une fois l'enfant né. C'est seulement une fois la poussière retombée que l'on peut suivre l'itinéraire du sperme du tueur. Ainsi le rejeton autrichien, qui sort tout frétillant de Linz, affublé d'une petite moustache. Le rejeton fondamentaliste en djellaba, qui surgit enragé d'un palais arabe. Le rejeton à longue barbe flottante, qui quitte en chahutant un séminaire religieux près d'Amritsar. Et cet autre, en courtes culottes bouffantes, qui émerge timidement d'une maison de la classe moyenne, dans le gigantesque Hindoustan.

Du sperme entonnant le chant de l'homicide universel.

Chacun roulant à toute vitesse sur une autoroute torride où l'histoire s'effondrait, suffoquée.

Mais à l'époque, dans ces ruelles où il nous était impossible de lire l'histoire, nous nous creusions la tête pour trouver des outils de navigation. En cela, Amresh, panjâbi de naissance, était un guide inestimable. Il possédait une solide connaissance du pays, de la langue et des gens. Alors que nous avancions dans le noir, bombardés d'informations contradictoires, il a sauvé nombre d'entre nous de la mort par propagande. Il ne ressemblait en rien aux reporters que je connaissais ou que j'ai connus depuis. De nous tous, il était celui qui travaillait le plus, et pourtant il n'entrait pas dans le jeu de la compétition. S'il avait un tuyau, il le partageait, et nous aidait ensuite à l'approfondir. En fait, toute sa pratique journalistique se distinguait de la nôtre.

Quand nous griffonnions au hasard sur de minuscules calepins, lui rédigeait de longues notes détaillées dans un cahier à spirale. Ensuite, il répertoriait ses cahiers et les classait comme des disques 33 tours.

Le soir, quand nous foncions au bureau de poste pour nous ruer sur les téléscripteurs et envoyer nos articles – si ça fonctionnait –, lui s'installait à une table de bois branlante dans une antichambre pleine de toiles d'araignées de l'ancien bâtiment colonial, avec ses plafonds hauts, ses aérations coincées et ses ventilateurs à longues pales, loin des machines crépitantes, et commençait à élaborer son rapport. Une fois que nous avions tous filé pour nous rassembler et cancaner, ou boire un verre au bar de l'hôtel, Amresh s'asseyait tranquillement devant le téléscripteur pour taper soigneusement son papier. Les nôtres faisaient tout au plus cinq ou sept cents mots, les siens jamais moins de mille cinq cents. Et ils regorgeaient de descriptions d'atmosphère et de points de vue moraux : l'enfant solitaire, recroquevillée sous un arbre, son joli visage souillé de larmes inextinguibles, se demande ce qu'elle a fait pour qu'on lui arrache à jamais son père.

Il était de ces âmes sensibles que les reporters aguerris exècrent. Mais personne ne le raillait – même dans son dos –, car chacun avait bénéficié de son aide à un moment ou à un autre. Il émanait de lui cette sorte d'innocence qui suscite un hochement de tête et que l'on évite ; la dénigrer procure peu de plaisir.

Nous ne le fréquentions qu'à petites doses. Moi, en tout cas. Je le voyais lorsque j'étais perturbé et éprouvais le besoin de me confronter à la rassurante solidité de son code moral.

Une fois que je fus assis sur le seul siège de la pièce, il me dit : « Tu vas déjeuner avec moi. J'apprends la cuisine chinoise. Riz frit et légumes sucrés-salés. »

Inutile d'argumenter. C'était un hôte redoutable.

« Qui t'apprend la cuisine chinoise ?

– C'est facile », répondit-il de l'office attenant, en brandissant un livre de poche.

Il n'y avait pas de porte de séparation entre la pièce et la cuisine. C'eût été un tombeau.

Il hachait méticuleusement des haricots verts sur la plaque de marbre. À côté s'amoncelait un tas d'oignons émincés et de pommes de terre coupées en long. Une petite Cocotte-Minute sifflait doucement sur le gaz. Les pénétrantes odeurs de cuisine envahissaient la pièce. Une cassette passait sur le lecteur Sanyo. Shiv Kumar Batalvi chantait les plaisirs de l'amour et ses dénouements douloureux.

J'examinai les murs pour voir si Amresh y avait collé d'autres citations. Il y en avait tellement que c'était impossible à détecter, pourtant les bouts de papier me semblèrent plus nombreux qu'à ma précédente visite. J'avais envie de prendre le gros feutre noir pour écrire MERDE en grosses lettres sur tous les murs.

Il sortit la tête de la cuisine – le front perlé de sueur, un couteau à la main – et, avec un signe vers le lecteur de cassettes, me dit : « Lui, il comprend ce qu'est le véritable amour ! Plus personne ne le sait de nos jours. »

Il souriait, les yeux pétillants, comme si nous – lui et moi – étions plus avisés..

« Peut-être, mais l'alcool l'a tué.

– C'est son erreur. C'est l'erreur que tout le monde commet. Les gens croient à tort qu'il ne peut y avoir de poésie ni d'amour sans boire. Il faut s'enivrer à la vie, mon ami. À l'amour. »

Son regard brillait, comme si lui seul savait une chose ignorée de tous.

Amresh ne fumait ni ne buvait. J'étais également convaincu qu'il était vierge. Il avait le romantisme torturé et les certitudes sexuelles des puceaux. Pendant un temps, je m'étais même demandé s'il se masturbait. Jusqu'au jour où, relevant son oreiller pour m'adosser au mur, je découvris un exemplaire de *La Femme sensuelle* de « J ». L'œil malicieux, Amresh avait eu ce commentaire : « C'est une magnifique analyse de la révolution sexuelle. »

Je n'avais pas envie de parler d'amour ou de littérature. La première fois qu'Amresh était venu chez nous, il avait examiné les livres – sur les rayonnages, sur les tables et les chaises –, et il avait dit : « Vous aimez les Penguin, apparemment. »

Il sortit de la cuisine, une cuiller à la main. On entendait le lent grésillement dans la casserole. Il s'approcha de la table, essuya sa main gauche sur le fond de son jean, et ouvrit un épais registre à couverture rigide – le genre de livre utilisé pour noter les tableaux de service. Il le feuilleta, s'arrêta à une page, et me le tendit.

« Lis à partir d'ici. Il y en a beaucoup de nouveaux. Passe les textes en panjâbi et en hindi. »

Comme la cuisine chinoise, Amresh avait appris la poésie dans un manuel pour débutants. Tout était en vers non rimés. Chaque poème occupait une page entière. Certaines lignes n'avaient qu'un seul mot. La ponctuation n'apparaissait qu'à la fin : un point, un point d'interrogation ou d'exclamation. Il avait écrit une cinquantaine de poèmes depuis ma dernière visite, quelques mois auparavant. Par chance, beaucoup étaient en hindi ou en panjâbi. Je parcourus les autres rapidement. Le mot le plus souvent employé était amour, suivi par cœur, lune, sang, crépuscule, fleurs, rosée, et soleil doré. Certains avaient de longs titres, semblables à celui de Frost recopié au plafond. L'un s'intitulait : « Le Cœur de l'Amant Repose dans les Champs Ondoyants près du Canal au Cours Rapide ».

Après un temps convenable, je fermai le registre – l'étiquette sur la couverture annonçait : Amresh Sharma, Poèmes et Rêveries, volume VI.

« Tu n'as pas chômé, lui dis-je. J'aime le poème où tu compares ton amante à un AK-47 qui crache le feu dans ton corps et te blesse au cœur. »

Il revint de la cuisine, les yeux brillants, mais je ne le laissai pas entamer une discussion poétique et ajoutai : « Je projette d'aller m'installer à Delhi.

– Pourquoi ? Tu as un boulot ?

– Non, mais je vais en chercher un.

– Pourquoi Delhi ? » L'éclat dans ses yeux avait disparu. Il semblait inquiet.

« J'ai besoin d'un emploi. J'ai besoin de me remettre au travail. J'ai besoin d'argent.

– D'accord, mais pourquoi Delhi ? Pourquoi quitter Chandigarh ?

– Comme ça. Pour bouger.

– Tu peux tout faire, ici. Il y a tout dans cette ville. »

Je levai les yeux et vis *Tat Tvam Asi*, « Tu Es Cela », écrit en majuscules noires au-dessus de l'entrée de la cuisine, et je me sentis las. Je voulais rentrer chez moi. Je ne voulais plus parler avec lui. Je ne savais même pas pourquoi j'étais venu. C'était un type bien, mais

bourré de notions foireuses. Sa bonté béate était une
sorte de poison. Aveugle à la complexité du monde.

Pourtant, ce matin-là, occupé que j'étais à tuer le
temps et à chercher mon point d'ancrage, jamais je
n'aurais imaginé à quel point les choses se termineraient
étrangement pour Amresh. Dix ans plus tard, lors d'une
rencontre fortuite avec un ami commun, j'apprendrais
qu'il était mort, pendu au ventilateur de cette même
pièce aux murs griffonnés. Sans lettre de suicide. Sans
que nul ne comprenne ses raisons.

Le fardeau insupportable de la moralité.

« Je dois m'en aller, lui dis-je. J'ai un truc à faire
pour Fizz. »

Bien sûr il me retint jusqu'à ce que j'eusse terminé
mon riz, mais je fis en sorte que le Pendjab occupe toute
la conversation. Nous discutâmes d'amis policiers qui
avaient été tués, des groupes militants qui prendraient
le dessus. Pour ma part, je pensais que ce serait le Commando du Khalistan. Amresh penchait pour le Babbar
Khalsa. Selon lui, ce groupe possédait une expérience
des bombes qui lui donnait l'avantage.

Le riz frit était goûteux. Nous le mangeâmes avec
de copieuses cuillerées de sauce Kissan, accompagné
de soda Thums Up, le Coca indien. Je partis dès la fin
du repas. Il me donna les restes dans un sachet de plastique.

« C'est l'avis de Fiza qui m'intéresse, pas le tien »,
dit-il avec un sourire malicieux.

Le soir, j'étais en train de lire, affalé sur la causeuse,
lorsqu'il téléphona.

« Fizz adore ton riz, lui dis-je d'emblée. Je vais te la
passer.

— Non, attends, je voulais te parler de ton boulot à
Delhi. »

La bonne âme était allée au club de presse dans la soirée et avait fait le tour des tables pour récolter les rumeurs. Il avait deux bons tuyaux : un vieux journal qui projetait de développer ses articles de fond, un journal jeune et moderne qui défrichait des terrains inexploités. Amresh était allé jusqu'à dénicher les noms et les numéros des gens à contacter. Si je tenais réellement à quitter la sereine Chandigarh pour aller dans la grande et méchante métropole, il ne voulait pas me laisser partir les mains vides. Tout ce que j'avais à faire, c'était de décrocher mon téléphone.

« Au fait, lui dis-je, j'ai aimé l'autre poème, celui où tu écris que le corps de l'amante est comme un clair de lune. On s'y prélasse sans jamais le toucher. »

Je donnai le combiné à Fizz avant qu'il puisse enchaîner.

Le lendemain matin, j'allai au marché et téléphonai à Delhi. Il me fallut appeler plusieurs fois avant de réussir à parler aux rédacteurs en chef adjoints concernés. Leurs réponses furent décousues. Envoyez-nous vos articles. Venez nous voir.

Deux jours plus tard, un samedi matin, avant l'aube, je prenais le bus pour Delhi. Fizz m'accompagna. C'était ainsi avec nous. Nous détestions être séparés. Il faisait sombre et froid. Nous nous assîmes dans le fond, enveloppés dans un grand châle brun. L'excitation et la chaleur de nos mains serrées nous faisaient escalader et dévaler des sommets étourdissants, et les heures filèrent très vite, comme le bus fou de Punjab Roadways.

Tel était l'effet qu'avaient sur nous les voyages. Et le fait d'être ensemble. Nous pouvions suspendre la vie et le monde au bout de nos doigts mobiles. J'arpentai son corps glissant avec amour, et chaque fois que j'atteignais un endroit joyeux, elle fermait les yeux et se contractait. Ensuite, nous nous tînmes la main. Ensuite, elle tint mon désir et le laissa s'épanouir, s'épanouir. Jamais nous ne fûmes plus heureux.

Nous passâmes la journée à Delhi comme des routards, circulant dans les bus locaux, mangeant dans de petits restaurants, attendant devant les bureaux. Mes entretiens se déroulèrent bien. Dans l'intervalle, nous réussîmes à voir un film au Regal, à Connaught Place. C'était un mauvais film hindi. La salle était vide. Cela n'avait aucune importance. Nous entreprenions de nouvelles choses. Nous étions ensemble. Nous étions heureux.

Mon curriculum vitae semblait convenir. Mais mon apparent manque d'ambition déroutait les rédacteurs en chef.

J'étais un reporter qui ne recherchait pas un emploi de reporter. C'était très inhabituel. À l'époque, dans les années quatre-vingt, devenir reporter était l'unique objectif de tout jeune journaliste. Être un reporter signifiait être un journaliste – avec le titre venaient la signature, les voyages, les contacts, le glamour, la mobilité de carrière, l'argent. Moi, je recherchais un poste de rédacteur. Ou d'humble secrétaire de rédaction, au bas de l'échelle. Je ne voulais aucune responsabilité. Rien qui pût manger mon temps psychique et physique.

J'y avais beaucoup réfléchi, au cours des longues journées qui avaient suivi la noyade des « Héritiers », quand Fizz travaillait à l'école et que ma vie était blanche comme une page. J'étais certain de ne plus vouloir faire de reportages. Je ne voulais plus parler à aucun politicien ennuyeux, fonctionnaire incapable, ou policier à la gâchette facile. Je ne voulais plus écrire d'articles annonçant qui disait quoi à propos de qui. N'importe qui était capable de le faire et tout le monde le faisait. Je ne voulais plus écrire de papiers « d'ambiance », décrivant l'atmosphère et la couleur du monde par des moyens fallacieux. Je ne voulais plus inventer des noms de conducteurs de rickshaws et de boutiquiers à qui je prêtais des déclarations imaginaires.

Je ne voulais pas exposer de nouvelles théories.

Je ne voulais pas prétendre savoir ce qui se passait.

Je ne voulais pas prétendre ne pas savoir ce qui se passait.

Je ne voulais pas simplifier des choses compliquées.

Je ne voulais pas rendre compliquées des choses simples.

Je ne voulais plus jouer à qui cherche trouve.

N'importe qui pouvait le faire et tout le monde le faisait.

Je voulais sombrer dans un journalisme moins trompeur.

Je voulais garder ma vie pour d'autres choses.

Je voulais être au bas de l'échelle, uniquement responsable des points et des virgules, de la syntaxe, des temps de conjugaison, des dates de dépêches et des gros titres.

Des inflexibles précisions de la forme. Pas des tours de passe-passe du contenu.

En contrepartie, je voulais peu d'argent et beaucoup de temps libre. Abhay, Pratap et le pandit nourrissaient à présent les poissons, mais une autre histoire m'attendait, quelque part, et je voulais disposer de toutes mes forces pour la chercher.

Et puis je ne voulais plus être séparé de Fizz.

Mes voyages incessants avaient été l'un des aspects les plus durs du reportage.

Je voulais être le fantassin de la profession, le GI, le légionnaire, le cipaye, le soldat de base qui permet à l'armée de se déplacer mais qui dort paisiblement, sans craindre de perdre ou de gagner, sans le fardeau des morts et des désastres.

Le journalisme le moins trompeur.

Secrétaire de rédaction.

Le havre du timide, du névrosé, du rat de bibliothèque, du bègue. L'élève qui sait tout mais ne peut pas parler. L'employé de bureau qui analyse le monde mais ne peut pas le façonner.

Comme Hérodote de Halicarnasse, qui écrivait, je voulais être le secrétaire de rédaction qui écrit. Et qui est finalement plus estimé que les empereurs.

Ma position intrigua les rédacteurs en chef, mais facilita leur tâche. Le temps de regagner la gare routière pour prendre le bus du soir, je crois que j'avais deux emplois. L'anglophone qui n'aspirait pas à un gros salaire était le type même du collaborateur bon marché recherché par les directeurs de presse. Les rouages du journalisme ronronnent grâce à l'huile des jeunes gens enthousiastes.

Nous rentrâmes à minuit passé. Après l'amour, quand les lumières furent éteintes, Fizz alluma sa première et dernière cigarette de la journée, aspira une bouffée, et dit : « Nous ne reviendrons jamais à Chandigarh. Je le sens au fond de moi. »

Je savais qu'elle avait raison.

Nous n'y revînmes jamais.

Ce que j'ignorais, c'était que nous irions si loin. Si loin qu'il nous serait difficile de dire qui nous étions autrefois.

LIVRE II

Karma : action

À la Cour du Roi du Belvédère

Plier bagage fut facile.

J'optai pour le poste que m'offrait le nouveau journal. On me donnait deux semaines pour me présenter. Fizz démissionna de l'école et des cours du soir. Pour son départ, ses élèves lui offrirent une carte avec ces mots : « Vous nous manquerez, belle madame. » L'un d'eux l'avait dessinée au crayon noir, avec un nez fin, une chevelure abondante et des lèvres bombées. Elle était magnifique.

Des amis et Sirji nous donnèrent des cartons, que l'on doubla minutieusement de feuilles de polyéthylène, et que l'on garnit de feuilles de margousier grillées pour éloigner les insectes. On y rangea nos livres en piles serrées, prenant bien soin de ne corner aucune page. Il y avait en tout quatorze cartons de tailles diverses, si lourds qu'il fallait s'arc-bouter pour les déplacer.

Hormis les livres, nous avions peu de chose. Les ustensiles de cuisine tenaient dans une grande malle en fer, les draps et les rideaux – eux aussi protégés par des feuilles de margousier –, dans une malle plus petite. La chaîne stéréo réintégra son emballage d'origine. La télévision était déjà partie. Les lits appartenaient au propriétaire. Nous vendîmes la table et les chaises. Le seul élément de mobilier restant était celui que nous possédions au départ : la causeuse. La Brother au ventre rouge fut rangée avec. C'était fini.

Le propriétaire – un colonel à la retraite merveilleusement direct, vêtu de pied en cap dès la première heure d'un costume et d'un turban amidonné, la barbe étroitement serrée dans un filet afin de ne laisser échapper aucun poil – nous offrit généreusement une place dans son garage pour entreposer nos affaires. Je promis de passer dans les quinze jours pour les enlever, le temps de trouver un logement.

D'une voix railleuse il me conseilla : « Tâchez de revenir avant que les Chinois ne débarquent. »

Le colonel avait participé à la guerre désastreuse entre l'Inde et la Chine en 1962, et en avait conservé une névrose persistante.

Je lui assurai que nous y veillerions.

À Delhi, nous fûmes hébergés par un vieil ami qui habitait dans un lotissement neuf à Vasant Kunj. Le summum du dépouillement. L'appartement était spacieux : trois chambres à coucher et un séjour. Philip, mon ami, le louait très bon marché. Peut-être même ne payait-il rien. Le logement appartenait à un membre du Parlement originaire de sa ville natale dans le Kerala, et n'avait en outre aucune valeur sur le marché locatif.

À cette époque, Vasant Kunj était le bout du monde. Pour y accéder, il fallait quitter la ville en laissant le minaret Qutub sur la gauche et traverser un paysage de brousse – de la rocaille et des gommiers rouges épineux –, avant d'arriver dans une forêt cauchemardesque de blocs de ciment. Vasant Kunj était manifestement l'élucubration de quelque fonctionnaire gouvernemental atteint de mort cérébrale, visant à y entasser des familles, arranger les statistiques, et garnir le coffre-fort de gros promoteurs immobiliers. Une solide richesse intérieure était indispensable pour ne pas succomber à l'inhumanité du lieu.

L'appartement de Philip se trouvait au premier étage
d'un des blocs de ciment – cubes tellement indifféren-
ciés qu'il fallait un certain temps pour s'y repérer. Le
lit était grinçant, le matelas bosselé, les draps grisâtres.
Il y avait également deux chaises en rotin, une table en
bois et un réchaud électrique. Le réchaud était l'unique
source d'énergie. Il trônait superbement, seul, dans la
cuisine. On y faisait chauffer l'eau, le thé, la nourriture.
La céramique et les plaques à spire étaient encrassées
de feuilles de thé bouillies et de résidus de dâl jaunâtres.
Les fils électriques dénudés étaient directement enfoncés dans la prise murale, coincés par des allumettes.
L'appareil entier paraissait complètement déglingué.
Pourtant, quand on actionnait le commutateur, les fils
dénudés grésillaient, jetaient d'inquiétantes étincelles,
puis, peu à peu, les plaques commençaient à rougeoyer.
D'abord elles brûlaient les résidus d'aliments renversés,
avec force fumée, bruits et odeurs, ensuite elles attei-
gnaient une chaleur de croisière, forte et palpitante.

Le seul autre élément personnel de l'appartement
était un grand coffre métallique dans la chambre où
logeait Philip. Il y entassait l'intégralité de ses affaires.
Les placards étaient vides. Le coffre contenait absolument tout : chaussettes, dentifrice, livres, préservatifs ;
un cadenas doré, assez gros pour fracasser un crâne, le
fermait. Le nom de Philip et son adresse au Kerala, y
compris le code postal, étaient peints sur le couvercle.
Il suffisait de le mettre dans une boîte aux lettres pour
qu'il arrive à destination.

En découvrant l'appartement, je m'aperçus que Philip pouvait le quitter en cinq minutes sans que nul ne
soupçonne qu'il y avait habité. Peut-être était-ce l'arrangement conclu avec le politicien.

Il nous donna le choix entre les deux chambres
vacantes, et nous choisîmes celle avec la salle de bains.

Nous achetâmes un matelas de coco bon marché, un balai, une serpillière, et une bouteille de désinfectant. Le soir, je rapportai du dâl-roti d'une dhaba voisine. Après le repas, Philip voulut traîner et bavarder. Mais, prétextant la fatigue, Fizz et moi nous retirâmes précipitamment. Je lui avais caressé le bras, et ses joues s'étaient lentement empourprées.

Nous avions atteint le point de silence. Nos corps avaient besoin de s'exprimer pour que nous puissions retrouver une conversation. Le désir avait expurgé tous les mots. Il fallait le consommer, le consumer, afin de leur réaménager un espace.

Nous pressentions ce qui se passait. Dans cette ville étrangère, nous recherchions le réconfort qui nous était le plus familier. Un changement important s'était produit et nous aspirions à la seule récompense dont nous avions depuis toujours un besoin maladif. J'avais déjà connu cet état. Chaque fois que notre vie était sur le fil du rasoir, le plaisir de nous agripper l'un à l'autre décuplait. Le matelas posé sur le sol était idéal. Il offrait toutes les alternatives. Le temps de fermer la porte et d'ôter mes vêtements, j'étais déjà tendu comme une corde. Fizz attendait. L'instant magique. Sur la ligne de départ de toutes les possibilités, de toutes les délices.

La chambre baignait dans une semi-obscurité. Fizz avait jeté une serviette sur l'ampoule faiblarde. Assise sur le lit, adossée au mur, les jambes nues sous le large tee-shirt, image de moiteur dans les ombres noires.

Lorsque je m'étendis, elle ouvrit sa chair humide et m'en nourrit tout entier. Mon nez, ma bouche, mes doigts, ma souffrance. Le musc de son amour submergea mes sens, ma vie dans son intégralité se résuma aussitôt à un seul mot. Fizz.

Reportant tout le reste à plus tard, je cherchai la lisière de sa toison et me frayai un chemin sur ses pistes odorantes. Puis, ayant trouvé son noyau brûlant et m'y étant abreuvé, je le délaissai et vagabondai sur son corps, pour revenir ensuite, en cercles concentriques, chercher ma pitance.

Nous escaladâmes et dévalâmes des sommets. Arpentant d'anciennes voies d'un pas nouveau. Explorant de nouvelles voies d'un pas rodé. Dans ces instants-là, nous étions l'œuvre de peintres surréalistes. Telle partie du corps se joignait à telle autre, au petit bonheur. Il en résultait un chef-d'œuvre. Orteils et langue. Mamelon et pénis. Doigt et bourgeon. Aisselle et bouche. Nez et clitoris. Clavicule et fessier. *Mons Veneris* et *phallus indica.*

Le Dernier Tango des labia minora. 1987, Vasant Kunj. D'après Salvador Dalí.

Dessinateurs : Fizzetmoi.

Fizz hurlait en silence – dents serrées, bouche ouverte. Seuls ceux qui ont vu une femme pousser un cri muet dans l'orgasme savent à quel point il est assourdissant. Le sien déchirait la chambre et déchaînait ma frénésie.

De temps à autre, elle atteignait des sommets si hauts que, l'ayant perdue de vue, je devais attendre qu'elle redescende pour renouer le contact.

Parfois, elle revenait impatiente de repartir à l'assaut d'un autre pic. Parfois, elle revenait affaiblie et je devais la préparer à nouveau. Je tentais de la suivre, de rester à sa hauteur, mais ce n'était pas toujours possible. Il n'y a pas de doute : dans le sexe, les hommes stationnent au camp de base. Ils peuvent jouir des nombreux plaisirs de la moyenne montagne, mais les sommets vertigineux leur sont refusés. Il leur manque le souffle, l'imagination, l'abandon, l'anatomie. Leur tâche consiste à préparer les vrais grimpeurs : les femmes, artistes des hautes cimes. Ces chamois capables de sauter d'arête en arête, de sommet en sommet, jusqu'à la vastitude de l'éternité.

Depuis des millénaires, les hommes luttent contre cette certitude. Ils connaissent l'existence des altitudes inaccessibles. Il n'est pas facile d'être inférieur.

Il n'est pas facile pour un sanglier de vivre parmi les gazelles.

Les hommes rusés attendent et jouissent par procuration. Ils inventent pornographie et plaisirs de substitution. Ils encouragent les alpinistes, les admirent de loin, et en tirent du bonheur.

Les hommes stupides mettent les chamois aux fers. Ils serrent les rangs, inventent la religion, la moralité, les lois, érigent des palissades et interdisent les montagnes. Nul n'ira où ils ne peuvent aller. Les hauteurs sont perdues à jamais.

Nous fîmes l'amour de longues heures. L'odeur du sexe envahit la chambre. Sa peau sentait l'amour et en avait le goût. Tous les endroits que j'embrassais, son visage, ses seins, son dos, embaumaient un musc enivrant. Tel un prêcheur passionné, j'avais voyagé partout et propagé son noyau en fusion.

Enfin, au cœur de la nuit, je compris que Fizz effectuait sa dernière ascension. Je trébuchai derrière elle, essayant désespérément de la rattraper, et nous allâmes plus haut, encore plus haut, jusqu'à ce que mon sang déborde, que mes poumons éclatent, que mes genoux fléchissent, que la base de mon échine se dissolve. Je la perdis de vue et explosai dans le néant.

Lorsque je revins à moi, au matin, nous recommençâmes. Ce n'était pas une expédition organisée, comme la veille au soir, mais elle fut tout aussi pleine d'amour et de désir.

Ensuite je partis au journal, et cela me procura une étrange satisfaction. Il y a quelque chose de singulier dans la morale puritaine du labeur journalier pour gagner son pain. Être un artiste pendant six mois avait été formidable, mais revenir aux solidités du travail quotidien était étonnamment agréable. Le soir, j'éprouvai le bien-être du travailleur manuel. J'avais pris de mauvais matériaux, de mauvais meubles, de mauvais mots – les constructions bancales des reporters – et, avec mes outils, j'en avais fait des objets d'une beauté fonctionnelle. Ces objets iraient dans le monde et seraient dévorés par des lecteurs avides. Ils serviraient un dessein. J'avais été un rouage d'une chaîne de fabrication produisant des marchandises d'une valeur immédiate et réelle.

J'avais gagné mon pain.

Le problème avec l'art est d'avoir affaire avec la peluche de l'art sans que l'art advienne. Cela peut engendrer l'écœurement. Des imbéciles dissertent sur l'esthétique. Des geignards attendent l'idée géniale. Le jour de ma visite à Amresh, dans son annexe aux murs tapissés de citations, j'étais en proie à une nausée aiguë.

La peluche de l'art quand l'art est absent.

Je m'abstins d'en parler à Fizz. Il ne faut jamais démolir certaines illusions. Elles soutiennent des réalités solides comme le roc. Nous allions réaliser d'autres choses. Il fallait en passer par là.

Fizz avait rendu notre chambre accueillante. Elle avait acheté deux tabourets bas en rotin, ce qui permettait de s'asseoir ailleurs que sur le lit, posé une carpette en jute vert fluo, et accroché notre poster noir et blanc d'Ezra Pound, rapporté d'Angleterre par un ami, ainsi qu'une gravure plus petite, à l'encre dorée, de Rabindranath Tagore. Pour nous tenir chaud, elle avait empilé près du matelas les livres qui nous suivaient partout. Et pour briser l'uniformité fade de la salle de bains, elle avait mis un joyeux calendrier montrant les plages de Goa en hiver – où l'on distinguait des femmes blanches se dorant nues au soleil –, ainsi que des gobelets et des porte-savon en plastique coloré.

Mais dès que l'on sortait de notre chambre, c'était un terrain vague. La poussière s'accumulait dans les coins, une patine de crasse brune de deux centimètres recouvrait tout, du sol aux appuis de fenêtre, des toiles d'araignées festonnaient l'appartement entier – entre les grilles de fer, sur les murs, dans les placards, sur la cuvette et les robinets de la salle de bains inutilisée. Bien que le bâtiment fût neuf, la peinture s'écaillait déjà ; des fragments s'accrochaient dans les toiles d'araignées, ajoutant à la saleté, et leur ôtaient leur semblant de sinistre beauté. Curieusement, je n'entrevis jamais une seule araignée. Comme la poussière, leurs toiles se propageaient d'elles-mêmes. En marchant dans les pièces, il fallait prendre garde de ne rien remuer, sous peine d'être saisi d'une crise d'asthme paroxystique.

Le premier jour, bien entendu, Fizz laissa entendre qu'elle allait retrousser ses manches et nettoyer l'appartement. Je l'en dissuadai. C'était peine perdue. J'avais en mémoire la parabole des broussailles qui exigent de l'homme un défrichage constant. Entre Philip, la poussière et les toiles d'araignées, Fizz n'avait aucune chance. L'ordre ancien reprendrait le dessus au moindre fléchissement de sa part. Mieux valait qu'elle se consacre à son jardin personnel et ferme la porte sur la jungle envahissante.

Philip était un cas encore plus désespéré. Quand j'avais fait sa connaissance – pendant mon premier emploi –, son esprit m'avait séduit. Nous passions des jours entiers à discuter littérature, politique, cinéma, sport. Comme moi, c'était un admirateur de Mohammed Ali, et, comme moi, il avait consacré ses années de collège à collectionner tout ce qui concernait Cassius Clay et à suivre ses combats dans les dépêches de la page sportive des quotidiens. Contrairement à moi, il ne jurait que par les thèses communistes.

Plus jeune, Philip était mince, presque maigre. Maintenant, à vingt-six ans, son ventre s'était arrondi et son visage empâté. Il avait abandonné le journalisme pour se tourner vers la télévision. L'un de ses oncles du Kerala était un réalisateur célèbre, connu pour ses films d'art et essai qui exploraient les iniquités sociales et les angoisses identitaires. Ses films n'étaient jamais distribués hors du Kerala, mais activement recherchés par les étudiants passionnés de cinéma engagé. Philip affectait un dédain cultivé pour la plupart des choses – dédain illustré par un geste vif de la main droite –, y compris pour son oncle, qu'il jugeait insignifiant. Mais je devinais que le cinéaste engagé était son parangon, et que Philip croyait avoir le cinéma dans le sang uniquement à cause de lui. Or il refusait de l'admettre et avait pris une autre route : la télévision, qui commençait tout juste à étendre ses tentacules sur la vie indienne.

Lorsqu'il nous invita à séjourner chez lui à Vasant Kunj, Philip écrivait le scénario d'une mégasérie. Depuis nos débuts communs dans le journalisme, il était retourné à Bombay, puis revenu à Delhi pour écrire. À Bombay, il avait travaillé pendant un an dans une société de production de télévision et acquis le jargon du milieu. Il disait que la télévision allait transformer l'Inde, changer notre façon de penser, de vivre, de manger, de baiser. Il disait qu'elle allait bouleverser la politique et la société, et qu'un jour viendrait où une centaine de chaînes nous inonderaient à toute heure du jour et de la nuit.

Il disait que nous finirions par nous coucher pour nous laisser baiser par la télé.

Dans la position du missionnaire. Les genoux remontés sous les oreilles. La cervelle entre les couilles. Nous n'entendrions plus rien d'autre.

Nous ne verrions plus rien d'autre.

Nous nous divertirions jusqu'à en crever.

Ce discours nous laissait totalement indifférents, Fizz et moi. Nous trouvions les prophéties de Philip improbables et extravagantes, et l'écoutions en émettant des borborygmes incrédules, attendant impatiemment de battre en retraite dans notre chambre et d'aplatir le matelas.

Notre besoin de fuir le rendait furieux.

Chaque soir, il s'exclamait : « Vous êtes venus à Delhi pour roupiller ou quoi ? »

Lui-même semblait ne suivre aucune règle de vie, ni pour dormir, ni pour s'habiller, ni pour travailler. Il portait un pantalon, une chemise, et un gros cardigan qui lui descendait à mi-cuisse, et ne les quittait pas pendant plusieurs jours. Il dormait avec, se réveillait avec, sortait avec. S'il n'avait pas besoin de sortir, il traînait à ne rien faire, comme un ours, hirsute, ses cheveux longs en touffes emmêlées. S'il devait sortir, il aplatissait sa tignasse avec de l'eau et la mettait en forme avec ses doigts. Ensuite il se regardait de profil dans le petit miroir embué au-dessus du lavabo du séjour, lissait les mèches rebelles, enfonçait ses mains dans ses poches, puis quittait l'appartement d'un pas traînant.

Un soir, je le vis se planter devant le lavabo et soulever ses vêtements – chemise, gilet, cardigan – autour de son cou. Il ouvrit le robinet, se pencha au-dessus de l'évier, et entreprit de se laver les aisselles. Il savonna ses poils englués, les rinça abondamment ; l'eau éclaboussa le sol, ses pieds, ses vêtements. Puis il inclina la tête pour renifler ses dessous de bras. Ensuite il se dirigea vers sa chambre, gras et replet, les bras levés, ses vêtements coincés sous le menton, tel un homme allant à son exécution. Il ramassa une serviette sale, se frictionna vigoureusement pour se sécher, sortit de sa malle une petite boîte de talc en métal rose et se poudra agressivement les aisselles. La poudre se répandit partout. Sur le sol, sur ses pieds, sur ses vêtements. Il fléchit les bras deux ou trois fois à la manière d'un lutteur pour fixer le talc, puis, d'un seul mouvement, il rabaissa chemise, gilet et cardigan, et fut prêt à sortir. De toute évidence, Philip avait une vie amoureuse cachée.

On ne savait jamais quand il allait se laver ou changer de vêtements. Il pouvait s'écouler de nombreux jours avant que, un soir, il mette laborieusement trois casseroles d'eau à chauffer. Il disparaissait ensuite dans la salle de bains pendant un long moment, et en émergeait, encore fumant, enveloppé dans une serviette. Ses vêtements propres et ses joues rasées annonçaient la métamorphose. Il esquissait un sourire timide et embarrassé. Se laver était à ses yeux horriblement bourgeois. Une soumission à l'ordre brahmanique.

Pendant une demi-journée il embaumait l'eau de toilette Old Spice et il était possible de s'asseoir à côté de lui. Puis le processus de dégradation reprenait, jusqu'à un point souvent si avancé que des coulées de dâl encroûtaient son cardigan, et que son haleine exhalait des bouffées de nourriture recluse.

Il mangeait comme un chien. On n'avait jamais l'impression qu'il se servait de ses mains, mais qu'il lapait directement les plats. Néanmoins il avait les ongles jaunes de curry et incrustés de scories alimentaires diverses.

Les bonnes manières n'étaient pas son problème. Son problème était le rhum.

Jamais je n'ai vu quelqu'un boire autant que Philip. Il éclusait un litre par jour. Les bouteilles de Squat Old Monk s'alignaient sur les murs de sa chambre, tassées comme des soldats défendant une frontière turbulente. Toute la journée, le niveau ambre de son verre fluctuait à mesure qu'il le remplissait, ajoutait de l'eau, buvait, le remplissait, ajoutait de l'eau, buvait. Pendant ce temps, il travaillait, assis sur son lit, le dos contre le mur, écrivant sur des feuilles de papier blanc qu'il empilait sur le recto. Il buvait jusque tard dans la nuit, et, avant de s'endormir, se servait un verre qu'il plaçait sous son lit. À son réveil, avant même de mettre ses épaisses lunettes, il récupérait le verre et le vidait d'un trait. Comme une thérapie, comme de l'eau citronnée ou un thé. Ensuite il se levait, allait se brosser les dents dans la salle de bains, et pissait.

C'était remarquable. Tellement antibourgeois.

Et il avait coutume de psalmodier : « Mieux vaut du rhum dans le bide que de la merde dans le cul. »

J'ignore ce qu'il voulait dire.

La mégasérie sur laquelle Philip travaillait couvrait l'aube du vingtième siècle jusqu'à l'époque actuelle, en racontant l'histoire de trois générations et de la formation de l'Inde. C'était une épopée, une saga. La marche de l'histoire et ses ironies. Il rédigeait la première mouture.

« Les Héritiers » se désintégraient lentement au fond du lac Sukhna.

Je me demandais comment Philip réagirait quand il entendrait les vanneaux questionner : Tu l'as fait ? Tu l'as fait ?

Assez bizarrement, Fizz l'aimait bien. Sa folie amorale lui plaisait. Beaucoup plus que le délire mystique d'Amresh. Elle trouvait ses opinions intéressantes et ils échangeaient leurs idées sur toutes sortes de sujets. Bien évidemment, Philip se montrait très doux en sa présence et s'efforçait de modérer sa grossièreté. Il lui offrait de faire ses courses, et même de l'aider à la vaisselle. Attentions que je ne lui avais jamais connues. Il ne tarda pas à nous proposer une colocation indéfinie. Mais Fizz ne supportait pas la crasse, ni de son appartement ni de son corps. Répulsion et affection bataillaient en elle, et nous discutions longuement de Philip pendant nos pauses de repos au camp de base, avant une prochaine ascension.

Finalement, nous prîmes la décision de partir. La saleté de Philip n'était pas la seule raison. La plus importante était que je voulais habiter en ville. Je passais de longues heures au journal et je ne tenais pas à laisser Fizz en rade au milieu de nulle part. À Vasant Kunj, le service des bus était alors squelettique et les rickshaws précaires. L'autre raison était que nous voulions être seuls. Notre besoin de nous toucher était continuel et urgent. Et je voulais entendre sa voix retentir lorsqu'elle escaladait les plus hautes cimes.

Nous prîmes contact avec des agents immobiliers. La plupart raccrochaient le téléphone dès que nous leur annoncions notre budget. Après de nombreuses tentatives infructueuses, nous fîmes la connaissance de deux types miteux, des Panjâbis ventripotents, atteints de

calvitie, bafouillants et mielleux. Beaux parleurs mais
rabâcheurs. Au fil des années, nous allions découvrir
qu'ils étaient le prototype de Delhi. Fizz les surnomma
Pasdeproblèmemadame et Trèsbienmadame. Pdm et
Tbm. Car c'était ainsi qu'ils parlaient, en se frottant
les mains, en souriant, en faisant des courbettes, et ne
s'adressant qu'à elle.

« Nous cherchons un appartement au premier ou au
deuxième étage, mais indépendant.

– Pasdeproblèmemadame.

– Avec un propriétaire pas tracassier, et une entrée
séparée.

– Trèsbienmadame.

– Avec une terrasse, ou au moins un balcon.

– Pasdeproblèmemadame.

– L'idéal serait avec des arbres autour de la maison.

– Trèsbienmadame. »

Les premiers jours, ils nous montrèrent une vingtaine
de maisons, dont aucune n'avait l'ombre d'un attrait.
Ils nous apparurent de plus en plus comme des filous
s'étant improvisés agents immobiliers. Nous arrivions
devant des portes fermées à clé – et pour cause –, et les
deux larrons se querellaient dans un panjâbi surexcité.

« Je t'avais dit de lui demander les clés.

– Si je fais tout, qu'est-ce que tu feras, toi ? Guide
pour touristes au Taj Mahal ?

– Non ! Je chaufferai le lit de ta mère !

– Arrête d'abord de chauffer le lit de la tienne ! »

Après quoi ils se tournaient vers Fizz, se frottaient
les mains, souriaient et faisaient des courbettes.

« Pasdeproblèmemadame, nous allons vous montrer
une plus jolie maison. »

La suivante était un garni de domestiques, la troisième un immense appartement qui dépassait très lar-

gement notre budget, une autre n'avait ni terrasse ni balcon, une autre était occupée par une propriétaire acariâtre. Chaque fois, ils s'agonissaient d'injures en panjâbi.

« Tête de nœud, tu as trouvé quelque chose, oui ou non ?

– Si je faisais tout, qu'est-ce que tu ferais ? Tu arriverais comme le roi George pour assister à une réception officielle ? »

Et tandis qu'ils se chamaillaient, proférant des menaces d'agression sexuelle contre leurs sœurs, mères, épouses et filles respectives, se traitant mutuellement de fellateur, de sodomite, de sauvage, nous attendions. Quand ils en avaient fini, ils se tournaient vers Fizz, se frottaient les mains, souriaient et faisaient des courbettes.

Pasdeproblèmemadame. Trèsbienmadame. Nous allons vous trouver un meilleur endroit.

Nous ne tardâmes pas à découvrir les névroses de Delhi. Il ne suffisait pas d'aimer un appartement et de vouloir payer pour l'avoir. Il fallait franchir l'obstacle d'une longue liste d'exigences. Les propriétaires nous interrogeaient et nous posaient des questions personnelles. Activité professionnelle, passé, amis, situation matrimoniale, religion, horaires de travail et de loisirs. Fizz et moi fûmes reconnus coupables sur plusieurs chefs d'accusation.

Nous n'étions pas des Indiens du Sud, mais d'agressifs Indiens du Nord. Les logeurs de Delhi s'imaginent pouvoir chasser aisément des locataires sudistes. La plupart d'entre eux n'ont manifestement pas entendu parler de Velupillai Pirabhakaran[1].

---

1. Fondateur du mouvement indépendantiste tamoul du Sri Lanka et de l'unité de bombes humaines « Les Tigres Noirs ». (*N.d.T.*)

Nous n'avions pas d'enfants. Ceux-ci semblent suggérer un certain niveau de respectabilité et rassurent les propriétaires. Philip me parla d'amis à lui qui empruntaient des enfants quand ils cherchaient un logement.

Nous étions un couple mixte. Au moins deux loueurs firent des remarques à nos agents sur le fait que Fizz était musulmane. Ils voulaient savoir si nous avions fui nos familles. L'un demanda même à voir notre certificat de mariage.

Et ce fut tout à l'honneur de Ppm et de Tbm de s'exclamer : « C'est ce genre de connards qui bousillent le pays ! Ils louent leur maison ou ils marient leur fille ? Bientôt ils demanderont un horoscope ! »

Bien entendu, ni Fizz ni moi ne travaillions pour une banque étrangère ou une multinationale, et ne pouvions donc fournir aucune caution d'entreprise. Une caution d'entreprise. Jamais je n'en avais entendu parler avant de chercher un logement à Delhi.

Ils voulaient des avances. Des garanties. Ils voulaient fixer les lois de l'existence.

Les interrogatoires m'excédaient. Je n'avais pas l'habitude de donner des explications. Aussi décidai-je de prendre du recul et de laisser Fizz affronter l'inquisition. De plus, j'étais las du numéro de bouffons d'Abbott et Costello. Fizz, non. Elle faisait preuve d'une tolérance joyeuse. Et, comme tout le monde, ils étaient sous son charme. Ils ne s'adressaient qu'à elle, ne me jetaient pas même un regard, craignant que, dans un moment d'irritation, je ne brise leur relation. Ils portaient des costumes de seconde main, marron et brillants, et conduisaient une antique Lambretta vert jaune, si lourde qu'ils devaient joindre leurs forces pour la hisser sur sa béquille. Et, chaque fois, Tbm, qui conduisait le scooter, coiffé d'un casque en fer-blanc, s'emportait : « Et alors, tête de nœud, tu n'as pas pris de petit déjeuner, ce matin ? »

À quoi Ppm, éternel bouc émissaire, répondait : « Tu veux que je t'ouvre le cul grand comme le Buland Darwaza d'un coup de ma chaussure Bata ? »

Leurs chaussures n'étaient pas en meilleur état que leur scooter. Elles étaient rafistolées avec du pansement adhésif. La raison, je pense, venait des freins défaillants de la Lambretta. Pour s'arrêter, ils laissaient leurs pieds frotter sur le sol jusqu'à ce que le monstre finisse par s'immobiliser pesamment. Il leur arrivait même de percuter des voitures et des murs. Résultat : le casque en fer-blanc allait rouler à terre avec fracas, et Pbm s'encastrait dans le dos de Tbm.

« Et alors ? s'exclamait aussitôt Tbm. Tu veux me sodomiser ?

— Maaderchod ! répliquait Ppm en se désenchevêtrant. C'est un scooter ou un cheval emballé ? Tu ne peux pas faire réparer les freins ? »

Nous les suivions en rickshaw, claquant de l'argent pour rien. À deux reprises, pendant ces expéditions – moi sortant du journal et brûlant de désir pour Fizz –, j'évacuai mon irritation en la prenant contre un mur, après avoir envoyé les deux dingues poser une série de questions au propriétaire. Une fois, je baissai son jean dans l'escalier d'un duplex et enfouis ma bouche en elle. Cela se termina sur la dernière marche, les jambes de Fizz autour de mon cou. Elle faillit me briser la nuque. Je pus ainsi vérifier que les maisons vacantes possèdent une charge érotique – une sorte de vide sinistre qui exige d'être comblé.

Toutefois, ni nos étreintes furtives ni les bouffonneries du duo ne purent me retenir indéfiniment ; j'étais las de la chasse. Fizz gardait la foi. Non seulement elle trouvait les deux compères amusants, mais elle approuvait leur approche artisanale de l'immobilier et leur bafouillant esprit d'entreprise. Elle avait bien plus de réticences à l'encontre des costumes élégants, des diplômes ébouriffants et des manières policées. À l'inverse, mes réserves de tolérance étaient totalement épuisées et je lui laissai le choix : soit nous trouvions de nouveaux agents, soit je me retirais des recherches et elle s'en chargeait. De toute façon, je venais à peine d'être embauché et ne pouvais m'absenter plusieurs heures par jour.

Fizz me dévisagea de ses grands yeux : « Mais, chéri, tu viendras dans l'appartement quand je l'aurai trouvé, n'est-ce pas ?

– Oui. Et je te violerai sur le seuil. »

Je priai les duettistes de bien se tenir avec Fizz en mon absence. Ce à quoi ils répondirent en chœur :

« Pasdeproblèmemonsieur. Trèsbienmonsieur. Nous ferons tout visiter à madame. Nous lui dénicherons la plus belle maison de Delhi. Elle ne voudra plus jamais en partir. Et chaque jour elle pensera à nous. »

Je regardai Fizz, qui me sourit tendrement. Elle prenait les opérations en main.

Une semaine plus tard, alors que je m'escrimais à réviser un monceau de charabia sur la crise en gestation au sein du parti du Congrès, mon téléphone sonna.

« J'ai quelque chose à te montrer », m'annonça Fizz.

Je la rejoignis près de l'Institut de médecine et nous poursuivîmes jusqu'à Green Park, où elle me fit visiter un barsati donnant sur le Parc aux daims. L'escalier était étroit et en colimaçon, mais, au deuxième étage, tout l'espace s'ouvrait. Il y avait une assez grande terrasse, une large pièce, deux autres plus petites, une salle de bains avec une cuvette de toilette rose, et une cuisine où l'on pouvait tenir à deux à condition de ne pas gesticuler. Dans la lumière du soir, le parc baignait dans des ombres mouvantes. Sous les arbres, le sol était tapissé de feuilles, à la fois vieilles et humides, fraîches et craquantes. Les promeneurs flânaient le long de sentiers sinueux. Parmi eux, des couples se tenant par la main.

Un flamboyant se dressait devant la maison, dont les branches avaient été si souvent taillées et retaillées pour laisser passer le soleil vers les étages inférieurs que, violant les lois de sa génétique, il avait poussé tout droit et se déployait au niveau du deuxième étage à la manière d'un palmier. Les branches pendillaient sur la terrasse. L'été, nous baignerions dans une flambée rouge orangé. L'arbre avait sans doute emporté la décision de Fizz, et il emporta la mienne. J'aimais la floraison du flamboyant, mais aussi ses feuilles en forme de gouttes de rosée suspendues sereinement sur les branches duveteuses. C'était délicieux de cueillir un de ses éventails et de le faire courir légèrement sur la peau. Enfants, nous faisions le contraire. Nous dépecions la feuille jusqu'à son squelette pour nous en servir comme fouet.

La nouvelle désappointa Philip.

Il vida son verre ambré et déclara : « Mieux vaut du rhum dans le bide que de la merde dans le cul. » Puis il se retira dans sa chambre et bouda plusieurs jours. Nous avions donné un sens à son existence. Nous lui avions permis d'exhiber son mode de vie radical devant un public. Sans nous, il perdait toute substance. Il retournait simplement à la paresse et à la crasse.

Mais il y avait, je crois, d'autres raisons. Le fait est que les corps créent une accoutumance. On s'habitue très vite à eux. Leur forme, leur mouvement, leur chaleur. Avec Fizz, c'était doublement vrai. Dans cet appartement froid et humide, elle était une présence lumineuse. Philip savait que, dès qu'elle franchirait la porte, la lumière s'éteindrait.

Le matin de notre départ, une fois le matelas et nos valises entassés dans un taxi, nous nous sentîmes minables. Assis sur le bord de son lit, Philip sirotait son deuxième verre de la journée. Il était au milieu d'un cycle sans savon, et spectaculairement échevelé. Fizz lui avait laissé la petite carpette verte, les tabourets en rotin, offert une biographie d'Orson Welles et une gravure de Jamini Roy. Elle l'embrassa du bout des lèvres, et il marmonna d'une voix bourrue : « Si jamais il se conduit mal, tu sais qui appeler.

— Même s'il se conduit bien, je sais qui appeler », répondit-elle avec un sourire tendre.

La moustache de Philip découvrit un large sourire, et il gratta sa tignasse en bataille.

Je lui donnai l'accolade et dis : « À bientôt.

— Tu ne la mérites pas, salaud. »

Même avec rien, le barsati devint un nid douillet en deux jours à peine. Fizz acheta quelques plantes en pots chez un pépiniériste : un palmier luxuriant, un caoutchouc, un bambou, et deux ficus. Avec quatre plantes, le poster encadré de Pound, la gravure de Tagore et un matelas, elle donna l'impression que l'appartement était meublé. Je savais comment s'opérait l'illusion. J'en avais été l'heureuse victime dans le passé. En fait, Fizz emplissait l'espace de façon telle que l'on ne remarquait rien d'autre qu'elle. Même seule dans un hall désert, on ne s'apercevait pas du vide car on ne voyait qu'elle. Hormis les stars et les grands hommes, certaines personnes ont ce talent. Fizz en était pour moi le plus splendide exemple.

Lorsque je rentrais chez nous, je ne voyais qu'elle, et c'était merveilleux.

Chaque soir, quand approchait le moment de quitter le bureau, mon esprit se mettait à vagabonder. Des souvenirs délicieux venaient me taquiner. Le texte sur lequel je travaillais se brouillait. Je me surprenais à lire et relire le même paragraphe. Mes pensées se concentraient sur ce que j'allais faire en rentrant à la maison. Sans m'en rendre compte, je commençais à ranger mes affaires et m'attirais des regards perplexes.

J'avais très vite décelé la névrose qui sévissait au bureau. Personne ne voulait rentrer chez soi. Tout s'organisait autour d'un principe simple : la Doctrine de l'Éternelle Insécurité. Si vous partiez tôt, vous emportiez avec vous la certitude accablante que quelqu'un allait vous dépasser, accumuler plus d'heures, plus de mots, plus d'articles, plus de bons points. Si vous n'étiez pas sur votre chaise à tourner et retourner des phrases, à bâcler des gros titres, à aboyer des ordres quand les patrons passaient, vous glissiez au bas du mât, avec les godillots de vos collègues vous piétinant la figure.

En effet, ainsi que je ne tardai pas à le découvrir, vos collègues étaient psychologiquement fabriqués pour écraser leurs semelles sur votre tête à la première occasion.

Je n'avais jamais travaillé dans ces conditions. Dans mes emplois précédents, c'était à qui serait le plus flemmard. L'esprit de compétition était considéré comme grossier. Réservé aux très chic mastères de gestion et aux fonctionnaires appliqués – du moins jusqu'à ce qu'ils aient réussi leurs examens et hérité de l'Inde. Dans le monde de la presse, je n'avais connu que des variantes de Philip. Des individus cyniques, malins, négligés, méprisant tout ce qui touchait à l'argent et les costumes empesés. Chacun d'eux nourrissait le projet secret de réaliser de grandes choses, plus grandes que le poste qu'il occupait. Chacun écrivait de la mauvaise littérature, de la mauvaise poésie, ou prenait de mauvaises photos. D'autres attendaient l'inspiration et en causaient, un verre de Old Monk à la main.

Mieux vaut du rhum dans le bide que de la merde dans le cul.

Par contraste, ce nouveau journal m'évoquait un poteau de malkhamb – cet ancien sport indien consistant à réaliser des figures de gymnastique sur un poteau de bois –, un mât extrêmement glissant, sur lequel tout le monde montait et descendait. Tout en haut, semblable au nid-de-pie d'un navire, se trouvait un confortable belvédère où trônait un seul homme. L'idée, visiblement, était de s'approcher le plus près possible du belvédère et de l'homme qui l'occupait. Ce qu'il advenait alors, je ne le savais pas encore. De toute évidence, il y avait peu de chances que l'homme au sommet vous hisse dans le belvédère. Vous restiez sur le mât glissant. Néanmoins, à en juger par la frénésie continuelle, des changements s'opéraient.

L'homme au sommet n'arrangeait pas les choses. Régulièrement, il se penchait pour verser un peu plus de graisse sur le mât. Ce qui avait pour effet immédiat de semer la panique chez ceux qui l'approchaient, et craignaient de déraper et de dégringoler. Semelle-tête, semelle-tête, semelle-tête. Tout au long du mât, les grimpeurs s'écrabouillaient la figure.

Et l'ascension fébrile reprenait.

Certains, très rusés, se hissaient subrepticement.

Leurs vêtements étaient sales, leurs mains tachées, leurs visages luisants de graisse, mais la ferveur brillait dans leurs yeux. Ils ne quittaient pas du regard l'homme du belvédère, et plus celui-ci graissait le mât, plus il délivrait de coups de botte sur les têtes, plus ils étaient convaincus que, là-haut, au belvédère, reposaient les réponses aux énigmes de leur vie et de leur carrière.

Certains très, très rusés, le visage luisant de graisse, glissaient subtilement.

Il y avait notamment ce jeune homme, pas plus vieux que moi, qui montait à toute vitesse en escaladant les corps agrippés. Dès mon arrivée, je perçus la consternation qu'il semait chez les autres acrobates. Il était bourré de testostérone, dans son ambition, son charme, ses capacités. Il avait lu les livres qu'il fallait lire, vu les films qu'il fallait voir, semblait tout connaître sur tout ce qui se passait dans le monde, et composait des phrases farcies d'allitérations si étincelantes que l'esprit chancelait, saisi de vertige, dans une rhapsodie musicale.

Des événements ennuyeux, rapportés dans un style médiocre, atterrissaient sur sa table, mais ressortaient de ses doigts fulgurants parés d'une grandeur épique. Son texte résonnait de nobles échos : tragédie grecque, épée de Damoclès, manne providentielle, mythe de Sisyphe, dernier des Mohicans, hydre et voix de Circé, expériences de la vérité, découverte de l'Inde, résonance biblique, enseignements du Vedânta, le centre mou, les routes non empruntées, les imitateurs, pour qui sonne le glas, cent visions et révisions, la puissance et la gloire, le nœud du problème, le cœur des ténèbres, l'agonie et l'extase, les grains du sablier, l'énigme du Sphinx, le supplice de Tantale, les murmures de la mortalité, personnage falstaffien, obscurité dickensienne, herpès homérique, salaud chaucérien.

On l'appelait Shulteri ; en panjâbi, cela signifie alerte, vif, insaisissable. Ce surnom lui avait été donné par sahib Gogia, le directeur général – un Panjâbi visqueux et blagueur –, car il s'était montré plus malin que lui lors des négociations salariales. Son surnom se rapportait davantage à sa nature profonde qu'à son langage corporel, car, en apparence, Shulteri était décontracté et avait le rire facile.

Un léopard dans une peau de lion.

Son efficacité et son aplomb m'émerveillaient. Ses doigts agiles semblaient capables de métamorphoser en or des affaires banales et puantes. Mais ce qui tuait les autres combattants, c'étaient son charme et son amabilité. Involontairement, nombre d'entre eux se surprenaient à éviter d'écraser leurs semelles sur son visage souriant, pour s'apercevoir bientôt qu'il les avait dépassés dans l'ascension du mât. Ils s'effaçaient devant le lion, et le léopard bondissait. Ensuite ils essayaient désespérément de lui saisir les chevilles. Mais une main sur une cheville est bien inoffensive comparée à une botte sur une tête.

Je devinais que l'homme du belvédère appréciait Shulteri, qui avait apporté du spectacle dans la course. Il espérait sans doute le voir atteindre les échelons supérieurs, où accédaient les costauds. L'arène des grands combats, le ring des poids lourds. Il faisait en sorte de ne pas jeter de graisse du côté de Shulteri. Son regard bienveillant désemparait les autres concurrents, qui brûlaient d'envie de rouer leur rival de coups de pied mais ne voulaient pas se faire surprendre par le Roi du Belvédère.

Quand je voyais Shulteri bavarder aimablement avec quelqu'un – jeune ou vieux –, je voyais un petit homme à visage de rongeur, souriant chaleureusement à son interlocuteur tout en lui tenant les couilles. Son geste avait l'apparence d'une caresse rassurante, jusqu'à ce qu'il décide de serrer. Pour quelqu'un qui n'était en poste que depuis un an, il semblait tenir beaucoup de couilles entre ses mains.

Les secrétaires de rédaction de mon espèce étions si bas dans la hiérarchie que nous n'avions même pas accès à la base du mât. Nous étions de simples observateurs. Des étudiants perplexes de la Doctrine de l'Éternelle Insécurité. L'avantage était que nous attrapions peu de graisse, sauf en cas de projection de mouchetures lors de la course effrénée des autres. Nous échappions également aux coups de botte dans la figure. Mais nous ne pouvions pas en donner non plus. L'inconvénient majeur était que, pour le Roi du Belvédère, nous n'existions pas. Quelles que fussent les bontés distribuées à ces glissantes altitudes, elles ne descendaient jamais jusqu'à nous.

Très vite, Shulteri se toqua de moi. Peut-être en raison de ce mélange de manque d'ambition et de talent stylistique qui me caractérisait. Il se mit immédiatement à décharger sur mon bureau les articles les plus bâclés. Pour la plupart, des pastiches de reporters politiques : citations foireuses, descriptions banales, analyses convenues, et, bien sûr, grammaire, orthographe et syntaxe déplorables. Il fallait parfois deviner le sens des phrases. Certaines compensaient le manque de contenu par des fioritures : épée de Damoclès et mythe de Sisyphe, par exemple.

Shulteri regardait l'écran de l'ordinateur par-dessus mon épaule et s'exclamait : « Quel fatras de nullités ! Jette-leur leurs torchons à la figure ! Envoie-les se faire foutre ! »

Mais envoyer les gens se faire foutre ne m'intéressait pas. Une seule chose m'intéressait : rentrer chez moi au plus vite. Retrouver Fizz et mes bouquins. Mon attitude intriguait et comblait Shulteri. Notre alliance fut scellée. Il recueillait tous les honneurs du travail accompli, et je quittais le bureau à l'heure où le soir tombait sur la ville, où les bazars baissaient leurs rideaux de fer.

Il s'agenouillait devant l'autel du Roi du Belvédère. Moi devant les hanches de Fizz.

Lui, pour la petite vie. Moi, pour la petite mort.

Il y avait d'autres gens très, très intelligents. Des visages luisants de graisse. Juste sous le belvédère. Qui se faufilaient.

Certains, venus d'universités telles que Harvard et Oxford, écrasaient les humbles rédacteurs sortis de Bhopal et Cochin, avec leurs anecdotes sur les conférences de Brodsky et les pièces de théâtre du West End.

Certains citaient des noms prestigieux, de stars de cinéma ou d'écrivains, avec une familiarité peu crédible.

Il y avait ceux qui pouvaient composer un numéro de téléphone et tirer de leur lit de puissants ministres au milieu de la nuit. Sans avoir à s'excuser.

Il y avait ceux qui parcouraient le monde avec une telle vélocité que leur passeport était plus épais que l'*Oxford English Dictionary*.

Il y en avait un qui connaissait tout sur tout. Des origines du buzkashi en Afghanistan à la politique du

Ku Klux Klan et à la fascination britannique pour les petites culottes malodorantes. Il aimait aussi se croire spirituel, et rassemblait le personnel pour le distraire. Mais pas question de lui renvoyer une blague, car alors ses yeux devenaient vitreux, son sourire se figeait, et l'on encourait le risque d'être rétrogradé sur le mât d'un coup de pied.

On le surnommait Hailé Sélassié. C'était un Bihari de Patna, agressif et susceptible, avec une démarche chaloupée de boxeur et beaucoup à prouver à ces aborigènes stylés de Delhi. De nombreuses années plus tôt, lors d'une fête de bureau, il avait prononcé un discours solennel sur l'Éthiopie qui lui avait valu son surnom.

Chaque fois qu'il sortait de la salle de rédaction après un monologue, tout le monde se mettait debout, levait la main droite et déclamait : « Hail Sélassié ! »

Un jour, une stagiaire apposa en toute innocence la signature Hailé Sélassié sous un de ses articles. Le lendemain, elle fut renvoyée.

L'homme était un humoriste dépourvu d'humour dès qu'il était en cause.

Chacune de ses paroles, chacun de ses pas visaient à faire de lui le maître de l'univers. Il avait un immense talent de journaliste – bien plus que Shulteri –, mais ses angoisses, son besoin de précipiter les choses, rendaient sa progression frénétique.

Hailé Sélassié comptait parmi les grimpeurs clés qui jouissaient de la bénédiction du Roi du Belvédère. L'humour n'était pas sa seule arme. Il était très, très intelligent. Il gardait ses cartes cachées et vous encourageait à abattre les vôtres. Ses lèvres souriaient, tandis que ses yeux calculaient. Il alliait une ironie superficielle à une menace redoutable. Il savait qu'il y avait toujours moyen de trouver une prise sur la graisse glissante.

Avec Shulteri, on sentait l'amitié possible. Avec Hailé Sélassié, on la savait inenvisageable. Pour lui, tout était compétition. Et l'affection pouvait compromettre l'intérêt personnel.

Je pressentais qu'un combat sans merci opposerait Shulteri et Hailé Sélassié.

Humour, menace et omniscience face à charme, verbosité et léopard déguisé en lion.

C'était extraordinaire. Le Mât Glissant de l'Éternelle Insécurité. Et des gens très, très intelligents en concurrence.

Le plus efficace moyen de survie avait été imaginé par un certain Mishraji. Un nabot vêtu d'un pyjama et d'une tunique longue qui mastiquait du pâan à longueur de temps. Mishraji était le point nodal entre les services administratif et éditorial. Le combinard de bureau chargé de l'intendance : téléphones, tickets, taxis. Contrairement à tous les autres membres de l'organisation, il n'avait aucun respect pour les journalistes car il les côtoyait toute la journée et connaissait leurs méthodes pour amasser de l'argent. Il déambulait dans les bureaux, badinait avec chacun. Chaque fois qu'il lâchait une plaisanterie, il la ponctuait par un sifflement. Un son aigu, chargé de sens. Sssswwwweeeen.

Mishraji était authentiquement drôle. Il avait une formule : *Uthao aur lagao*, lever et prendre, et l'illustrait d'un geste. Il disait que, chaque fois que l'on rencontrait un aîné, il fallait lever son kurta dans le dos et se pencher en avant. *Uthao aur lagao*. Lever et prendre. Sswweeen. Et chaque fois que l'on se trouvait en présence d'un plus jeune, il fallait lever son kurta par-devant et tenter le coup. *Uthao aur lagao*. Lever et prendre. Sswweeen.

Le soir, sous la couette, je racontais tout cela à Fizz. Ma main reposait entre ses cuisses, où je venais de me répandre, où le monde est le plus chaud et le plus moite. Si l'instant était à nouveau propice, elle bougeait contre ma main, et bientôt j'étais aspiré, sous la couette et hors du monde.

Fizz s'émerveillait de mes récits et riait. De la folie. Du désespoir. Pourtant, lui expliquai-je, il y avait de la méthode dans tout ça. Le Roi du Belvédère était un militaire despote, déguisé en maître libéral. Un homme d'affaires, qui utilisait les principes simples et éprouvés de l'armée.

Isolation. Illusion. Bourrage de crâne. Activité.

Fermer les frontières pour éviter toute infiltration d'agent provocateur.

Avancer l'excuse d'une noble cause pour empêcher toute réclamation au sujet des baraquements infestés de vermine.

Créer la notion d'élitisme – nous sommes des marines – afin que chacun vive dans une bulle.

Créer une montagne de tâches immense afin que personne ne puisse la franchir.

Les soldats saluent tout ce qui bouge et barbouillent de peinture tout ce qui reste stationnaire. Dans notre cas, nous récrivions ce qui passait à notre portée. Les articles remaniés sortaient de nos machines, rebondissaient sur d'autres machines, et revenaient pour être de nouveau récrits. Certains effectuaient ces allées et venues si souvent qu'ils étaient de plus en plus mauvais. D'autres finissaient par développer exactement le contraire de ce qu'ils énonçaient au départ. Mais c'était un faible prix à payer pour que l'armée continue de fredonner.

J'avais l'impression d'être dans un cantonnement journalistique. Son lien avec la réalité était ténu, mais sa maîtrise du clinquant totale. Les cuivres brillaient,

les uniformes étaient amidonnés, les troupes défilaient
au pas. C'est là que j'appris que les principes de l'entreprise et les principes de l'armée sont fondamentalement identiques. Isolation. Illusion. Bourrage de crâne.
Activité.

Dans le cadre de l'armée, cela conduit à la discipline
et à la victoire.

Dans le cadre de l'entreprise, cela conduit à l'insécurité et au profit.

Dans les deux cas, liberté et vérité sont des valeurs
précaires.

Au bout de deux mois, je savais déjà que je ne pourrais pas travailler là très longtemps. Le seul fait de
regarder le mât me donnait le vertige. Je compris que
le mieux pour moi était d'éviter que le regard du Roi
du Belvédère ne tombe sur ma personne. Garder profil bas, marcher sans bruit, ne proférer aucune parole
intelligente, me fondre dans le maquis bourdonnant des
ordinateurs, ne pas rechercher les honneurs, ne traiter
qu'avec Shulteri, et ne pas m'enquérir des textes que
je renvoyais après les avoir remaniés. Je pressentais
confusément que, une fois attiré sur le mât par le Roi du
Belvédère, on était perdu. Il y avait là quelque chose de
clairement magnétique. La graisse, l'ascension, la botte
sur la figure. Des délices, que je ne pouvais apercevoir
à cette distance, décuplaient visiblement la frénésie des
grimpeurs.

Une main sur le mât, et je pouvais dire adieu à
l'écriture, peut-être même à ma vraie vie.

Le jour où je reçus mon deuxième salaire mensuel,
je pris trois jours de congé et partis avec Fizz à Chandigarh pour récupérer nos affaires. Elle voulait à tout

prix meubler le barsati. Le sentiment d'être en transit commençait à lui peser.

Personnellement, cela m'était indifférent. Quand je rentrais, je ne désirais que Fizz ; j'aurais même pu me passer du matelas.

Le voyage vers Chandigarh fut étrange. Nous savions que c'était véritablement le dernier. Au retour, nous aurions emporté les derniers vestiges de nous-mêmes, de cette étrange cité minérale née de la géométrie et non du besoin. Une ville bâtie avec des rapporteurs, des règles, des équerres, des compas, bien plus qu'avec de la passion, de l'émotion, de l'ardeur et de la créativité. Le Français qui l'avait édifiée en avait expurgé à la fois la sensualité accomplie de son peuple et la truculente robustesse des Indiens.

Il avait construit un habitat géométrique. Seul le temps en ferait une ville. Beaucoup de temps.

Mais, pour nous, Chandigarh était singulière. C'est là que Fizz et moi nous étions rencontrés, trouvés. Notre cynisme était à jamais laminé par la sentimentalité.

« Vous en avez mis du temps ! Une chance que les Chinois n'aient pas encore débarqué ! » nous lança le colonel sikh en ouvrant la porte.

Grâce à l'affection du colonel et de sa femme pour Fizz, nous logeâmes chez eux. J'appelai un de mes amis, bureaucrate au ministère de l'Éducation, lecteur fervent et d'un caractère indéfectiblement obligeant. Il proposa d'organiser notre déménagement. Je lui dis que je voulais seulement des types fiables qui ne m'escroqueraient pas et, en vrai Panjâbi, il rétorqua : « Ne t'inquiète de rien, mon frère ! Prépare-toi seulement à partir ! »

Le lendemain après-midi, sous un doux soleil hivernal, nous prîmes un rickshaw qui nous promena dans les Secteurs 9, 10 et 11 de la ville, puis autour du campus universitaire, et enfin dans les Secteurs 15, 16 et 17. Nous nous laissions bercer par la nostalgie. La circulation était languissante, le ciel dégagé et bleu, et il y avait suffisamment d'arbres verts pour se sentir merveilleusement bien. Comprenant que nous n'étions pas pressés et percevant notre langueur, le conducteur du rickshaw – originaire de Jaunpur, dans l'Uttar Pradesh – adopta une cadence paisible. Grincement-pause, grincement-pause, grincement-pause. Ses fesses se soulevaient de la selle chaque fois que son pied écrasait la pédale.

Nous parlions en nous tenant la main. Cela m'excitait toujours autant. Tenir sa main en public. Chaque fois, je ressentais le même trouble intense. Cela ne devint jamais un geste anodin.

Les souvenirs surgirent. Des événements, des anecdotes, des promenades, des restaurants.

Un baiser.

Il y avait très longtemps. Quand le corps était encore pour nous un monde inexploré. Elle et moi dans un rickshaw, sous une averse torrentielle de mousson. C'est l'après-midi mais le jour tombe déjà, fermé par des nuages gris et denses. Le ciel gronde continuellement, parfois transpercé d'éclairs. Le toit du rickshaw ne retient pas une seule goutte. Le conducteur est penché sur son guidon. On dirait un tableau. Il est caché sous un sac de toile brune, sur lequel il a enfilé une immense pochette de plastique transparent, ouverte sur un côté, le coin enfoncé sur la tête. La cape indestructible de l'Homme Pauvre. La pluie dévale le long des rues. Les gens sont massés sous les arbres sombres qui gouttent.

La circulation est lente et infime. Ceux qui roulent, sur des scooters, des mobylettes ou des bicyclettes, s'arc-boutent contre la pluie, la tête baissée pour se protéger les yeux de l'eau cinglante.

Nous sommes blottis l'un contre l'autre. Nous sortons de l'université et allons chez elle. Nos vêtements nous collent à la peau. Son soutien-gorge blanc se dessine sous son corsage de mousseline bleu. Mes côtes rident mon tee-shirt. Nous sommes transis. Follement amoureux. Soudain, nos regards se croisent et nous commençons à nous embrasser. Ça brûle. Nos lèvres brûlent. Dans la pluie froide, nos bouches sont chaudes. L'eau ruisselle sur nos cheveux, nos visages. Nos lèvres s'aspirent. Nos langues se mesurent. Nos bouches sont torrides. La sensation est très différente de tout ce que nous avons connu jusqu'ici.

L'Homme Pauvre ne s'aperçoit de rien. Il bataille pour manœuvrer le rickshaw et maintenir sa cape flottante.

Nous nous arrêtons pour respirer. Il fait encore plus sombre. Mais tout le monde s'en moque. Tout le monde se précipite pour trouver un abri. C'est la débandade. Nos bouches fraîchissent. La pluie les inonde. Puis nos regards s'accrochent, et nous recommençons à nous embrasser. Nos lèvres brûlent. Nos bouches sont chaudes. C'est étonnant à quel point les bouches peuvent s'embraser. La pluie nous bombarde. Je perçois vaguement la masse imposante du cinéma Batra s'élever sur notre droite, puis disparaître. Nous ne nous arrêtons pas pour respirer. Est-il possible que les bouches deviennent si chaudes ?

Nous payons l'Homme Pauvre avec des billets détrempés que nos doigts mouillés peinent à détacher. Il reste à l'intérieur de sa cape, prend l'argent, et s'en va. La porte de la maison est ouverte. La grand-tante de Fizz est dans la salle de séjour, occupée à écosser des pois. Sur l'assiette de plastique, les peaux vertes sont entassées comme des sauterelles comateuses. La grand-tante porte d'épaisses lunettes. Seule une ampoule jaune projette un faisceau de lumière sur son plateau. Elle réagit à peine à notre entrée. Je n'aperçois pas la bonne. Nous traversons la chambre de Fizz pour aller dans la salle de bains. Celle-ci est faite pour les rencontres : deux portes conduisent à deux chambres. Celle de Fizz et celle de sa grand-tante.

Nous nous débarrassons de nos vêtements comme d'une peau. Ils gisent en tas mouillés. L'eau martèle la fenêtre percée d'un ventilateur à demi ouvert. Des embruns ricochent au travers. J'incline Fizz sur le lavabo émaillé. L'odeur de son désir envahit ma tête. Je la tiens, là où ses hanches s'évasent. Elle est sur la pointe des pieds. Mon amour la cherche frénétiquement. La manque, la manque, puis la trouve. Je glisse dans un lieu plus chaud que sa bouche. Jamais je n'ai connu quoi que ce soit de semblable.

Je bouge. Aussitôt elle se cabre, jette sa tête en arrière et démarre. Notre peau nue est humide et froide. Toute la chaleur de nos corps est concentrée en un endroit obscur et inconnaissable. Que nous partageons. J'ai la sensation d'être massé par une infinité de doigts huilés. Je bouge. Elle se cabre, repart. Une folle explosion me secoue. Je me retire un peu, je lutte. Elle est atrocement chaude. Ma tête menace d'exploser. Je ferme les yeux. Cela ne m'aide pas. Elle se cabre encore, repart. Mes genoux vibrent. Je suis agité de tremblements. Moi aussi, je pars. Je bataille pour rester. J'ouvre les yeux. Je ne vois rien. Je sais que mon visage est tordu par un cri retenu. Je sais que, si je baisse les yeux, tout sera terminé. Je ne crois pas que je respire. Je ne respire pas.

Je m'écarte. L'odeur de son désir me frappe.

Je plonge au fond de sa chair épanouie, fluide, enveloppante. M'immobilise pour un instant d'éternité humide. Et explose.

Les explosions durent longtemps, balaient tout. Je tombe lentement à genoux sur le sol carrelé de blanc, ma joue effleure sa hanche fraîche. J'entends son souffle rauque. Elle revient. Elle passe une main derrière et ébouriffe mes cheveux mouillés. Reprend contact avec le sol. Je dérive. Je laisse les fragments de moi éparpillés se recomposer doucement. La pluie martèle le ventilateur de la fenêtre. À nouveau je sens les embruns soufflés au travers du treillis métallique. J'ignore combien de temps s'est écoulé. La pièce semble plus sombre qu'à notre arrivée. Sous la courbe divine, où ma tête repose, un filet épais coule lentement. Endormi, je colle le bout de ma langue contre la chair ferme et pleine, et recueille le ruissellement de notre amour.

Mais à présent, dans le rickshaw, sous le soleil hivernal, Fizz regardait l'avenir.

Elle projetait d'emmener nos enfants dans tous ces endroits et de leur raconter ce que nous y avions fait.

Le rickshaw continuait de pédaler. Grincement-pause, grincement-pause, grincement-pause. Malgré le froid, son visage tiré luisait de sueur.

Fizz, pratique comme toujours, s'exclama : « Mais comment tiendrons-nous tous dans un rickshaw ?

– Je pédalerai, pendant que vous serez toutes les trois assises derrière.

– Formidable ! Tu as vraiment réponse à tout. »

Elle serra ma main, puis se tourna vers moi, les yeux grands ouverts, et objecta : « Tu ne peux pas pédaler et parler en même temps. Ce n'est pas facile.

– Je m'entraînerai. Je prendrai des cours.

– Tu n'auras pas d'accident, c'est promis ? Tu m'as dit que tu en avais eu un, une fois, avec Sobers et Miler.

– La promenade sera plus lisse que tes cuisses.

– Ce qui veut dire que ça va secouer ? Je sais que tu n'aimes pas mes cuisses.

– J'adore tes cuisses.

– Tu aimes seulement l'endroit où elles conduisent.

– Ce n'est pas vrai. J'aime aussi la manière dont elles y vont.

– De toute façon, il ne s'agit pas de mes cuisses, coupa-t-elle fermement. Nous parlons de nos enfants. »

Nous avancions dans le Secteur 16. Des cassiers flanquaient la route. L'été, ils étaient si aveuglément dorés qu'il était difficile de les regarder sous le soleil de midi. Derrière, la végétation était dense. Jardins, buissons, arbres, haies. Des étudiants circulaient, à vélo, mobylette et scooter, par deux ou trois de front, bavardant, plaisantant, riant. Les universités fermeraient bientôt leurs portes et la ville se viderait de sa vaste et notable population d'étudiants migrants. Nous étions parmi eux, autrefois. Mais nous étions des migrants qui avaient trouvé bien plus que ce qu'ils étaient venus chercher. Nous avions fait du chemin. Et maintenant nous partions pour de bon.

L'air vif faisait briller la peau merveilleuse de Fizz. Sa main droite était dans la mienne, la gauche enfouie dans sa veste bleu franc. Son parfum était grisant, comme toujours, mélange d'eau fraîche, de savon, de lotions, de Madame Rochas, et d'elle-même. Sa bouche s'entrouvrait sur un sourire joyeux, ses yeux étaient animés. C'était le genre de décor qui lui convenait. Dans un taxi, elle se serait flétrie, éteinte.

Soudain, elle me regarda et reprit : « Tu as besoin d'un permis, non ?

– Je passerai mon permis de conduire automobile, et j'y ferai ajouter "rickshaw".

– Parfait. Je leur mettrai une salopette et leur ferai des tresses. »

Nous étions persuadés que nous aurions des filles.

« Non, laisse leurs cheveux déliés.

– D'accord. Mais quand ils seront emmêlés, c'est toi qui les brosseras.

– N'importe quoi, chérie. Je ferai tout ce que tu voudras.

– N'importe quoi ?

– N'importe quoi. Pour toi, je ferais tout.

– Tirer un rickshaw ?

– N'importe quoi.

– Marcher avec moi sous la pluie ?

– N'importe quoi.

– Ne jamais devenir un raseur de première ?

– N'importe quoi.

– M'emmener à Udaipur ?

– N'importe quoi.

– Ignorer mes défauts ?

– N'importe quoi.

– Écrire "Les Herbivores" ?

– Cela aussi. Et beaucoup plus. »

Son sourire étincela.

D'une voix délibérément haut perchée, je me mis à chanter : « Je ferais n'importe quoi. Pour toi, je ferais tout. Je ferais n'importe quoi. Pour toi… j'irais n'importe où. Pour ton sourire, j'irais partout. Pour toi… »

C'était un air ancien, avec une infime modification des paroles à chaque phrase, tiré d'un de nos films préférés. Le rickshaw, sans altérer sa cadence, tourna la tête et nous gratifia d'un grand sourire qui découvrit ses dents gâtées.

Fizz lui rendit son sourire et dit : « Le sahib imagine qu'il sait chanter. »

Le soir, j'emmenai Fizz dans le premier restaurant où nous avions dîné ensemble, des années auparavant. C'était un petit restaurant situé dans le Secteur 17, dénommé Le Dragon d'Or. La salle était vide. Il flottait une ambiance maussade de commerce au bord de la faillite. Mais rien n'aurait pu nous abattre. Nous prîmes notre temps pour dîner.

Une fois l'addition réglée, Fizz me dit : « Nous n'emmènerons pas nos filles ici.

– Non. Pas ici. »

Le lendemain matin, une surprise nous attendait. Le véhicule mobilisé par mon ami pour nous transporter à Delhi était un camion datant de la Seconde Guerre mondiale transformé en autobus, utilisé comme car scolaire dans une petite ville d'un district voisin. Il avait un gros museau, légèrement entrouvert, comme s'il avait du mal à respirer. Une peinture récente, bleue, qui ne parvenait pas à masquer son âge. De gros pneus ronds et lisses. Et des sièges alignés deux par deux, le long d'une étroite allée centrale.

Le colonel l'examina comme on examine un cheval, tournant autour et lui palpant les flancs. Il testa même les portières, les ouvrant et les fermant comme s'il soulevait des babines pour inspecter les gencives.

Finalement, il conclut : « Nous en avions deux ou trois de ce genre au régiment, dans les années cinquante. Des engins solides. Ils ont été très utiles à Monty, à El Alamein.

– Vous pensez qu'ils ont encore leur place sur la route ? demandai-je, avec espoir.

– Dans un musée, répondit le colonel. Celui-ci devrait être dans un musée. »

Mais, en Inde, nous savons que tout ce qui devrait être dans un musée se trouve sur la route et subit de mauvais traitements. Il en est ainsi pour les idées, pour les objets fabriqués, et les édifices. Sans compter les individus, bien entendu.

« Colonel sahib, croyez-vous que celui-ci arrivera à Delhi ? »

Il tapota la croupe du véhicule d'un air songeur avant de répondre : « Il devrait, oui. Il devrait. Après tout, il a bien traversé le désert d'Afrique pour venir jusqu'ici, non ? »

Le bus, ainsi que nous allions bientôt le découvrir, n'était pas le moindre anachronisme. La palme revenait aux deux types qui l'accompagnaient. À première vue, ils paraissaient assez normaux. Des sikhs d'âge moyen à la barbe flottante. Le conducteur était plus grisonnant et plus âgé que son second. Ils portaient un turban et parlaient un panjâbi guttural. Tous deux étaient aimables. Ils offrirent de nous aider à charger nos affaires.

Quand il souleva le premier carton, le conducteur me dit : « Vous transportez des pierres à Delhi ?

– Non, des livres, répondis-je en riant.

– Pourquoi ? Il n'y en a pas assez à Delhi ?

– Ce sont nos livres personnels.

– Les livres, c'est du gaspillage. Mon père disait que labourer un champ vous en apprend plus sur la vie que cent livres. Il m'a retiré de l'école quand j'avais dix ans. Il disait : "Si les livres vous donnent les réponses, pourquoi ce pays a-t-il tellement d'ennuis ?" Tous nos chefs, de Gandhi à Nehru, ont lu des milliers de livres.

– C'est vrai, admis-je. Les livres ne sont pas tout ce qu'ils prétendent être.

– Il n'y en a vraiment qu'un seul qui compte, ajouta-t-il. Le Guru Granth Sahib. Et on n'a pas besoin de le lire. Il faut juste l'écouter. »

Son second, plus jeune, intervint : « Ce n'est pas du gaspillage. C'est une maladie. Les gens qui lisent imaginent qu'ils peuvent comprendre la vie à travers les livres. Dites-moi, sahib, si vous lisez cent bouquins sur le poulet tandoori, est-ce que vous le goûtez ? »

Le conducteur lui assena une claque dans le dos et beugla : « Ça suffit ! Il faut toujours que tu ramènes le poulet sur le tapis !

– C'était juste un exemple », se défendit son second.

Ils nous aidèrent à charger. Les cartons entre les sièges et dessous. La moto dans la travée et attachée à plusieurs sièges pour l'empêcher de rouler.

Fizz avait acheté *La Seconde Guerre mondiale de Spike Milligan* en quatre volumes pour le colonel.

« C'est un livre sur l'armée d'un genre différent, lui dit-elle. Mon genre. »

Le colonel regarda les couvertures loufoques avec un sourire perplexe, les tournant et les retournant. Puis sa femme et lui embrassèrent Fizz chaleureusement. Il me prit la main, la serra vigoureusement, et me dit : « Mon garçon, vous ne la méritez pas. Mais vous feriez bien de veiller sur elle. Sinon, vous aurez un vieux colonel sur le dos. »

Décidément, tout le monde me donnait le même avertissement.

Si seulement ils avaient su comment tout cela finirait.

L'homme qui n'écoutait aucun conseil.

Lorsque le moteur démarra, il nous fallut nous agripper aux accoudoirs. Le bus vibrait comme s'il allait tomber en morceaux. Fizz et moi étions assis au deuxième rang, derrière le conducteur, son acolyte à côté de lui, sur la banquette avant. Par chance, après quelques minutes, le vacarme s'estompa et le moteur retomba dans une agitation tolérable. Nous fîmes des signes d'adieu au colonel et à sa femme tandis que le moteur chauffait. Il était sept heures et demie, ce froid matin d'hiver, et le colonel portait costume et cravate, sa barbe brillante soigneusement emprisonnée dans son filet. La colonelle était beaucoup plus réelle, vêtue d'un caftan à fleurs et d'un châle. Le caftan avait des emmanchures larges qui, lorsqu'elle leva la main pour répondre à nos signes, laissèrent entrevoir ses aisselles charnues.

Le chauffeur enclencha la première et le bus bondit comme un lapin. Nous manquâmes de peu nous cogner le front sur le siège de devant. Le colonel et sa femme firent eux aussi un bond, mais en arrière. Puis nous partîmes, avec un formidable épanchement de fumée noire, accompagné d'un bruit de ferraille infernal. Nos deux chauffeurs ajustèrent leur turban qui leur avait glissé sur les yeux.

Le trajet allait se révéler moins cahotant que prévu. Principalement parce que le bus scolaire roulait à environ trente kilomètres à l'heure. Le conducteur restait sur l'accotement de gauche et le laissait aller tranquillement. Tout le monde nous doublait. Camions, bus, voitures, motos, scooters. Même les mobylettes et les tracteurs tirant une remorque. Nous allions si lentement que de jeunes garçons à vélo s'accrochaient aux garde-boue arrière pour se faire tirer. Nous allions si lentement qu'il n'était pas utile de freiner aux barrières en zigzag de la police. Nous étions vraiment dignes de la Grande Route Nationale, la plus célèbre artère du sous-continent, sur laquelle se sont écoulés cinq cents ans d'histoire. Pêle-mêle et à une vitesse folle.

Les deux sardars bavardaient entre eux aimablement, nous jetant de temps à autre un coup d'œil pour s'assurer que tout allait bien. Pendant la première heure, nous restâmes perchés sur le bord de notre siège, inquiets quant à la suite du voyage. Puis, quand la brume matinale se dissipa et que nous atteignîmes une portion de route relativement dégagée, nous commençâmes à nous détendre un peu. Mais le soulagement fut de courte durée. Soudain, sur un ordre guttural du conducteur, son aide plongea sous le siège, en exhuma une brique rouge sale et la lui donna. Le conducteur se pencha et, d'un mouvement exercé, ôta son pied de l'accélérateur pour le remplacer par la brique. Le bus eut à peine un sursaut. Le conducteur ramena ses deux jambes sur le siège et les croisa. Après quoi, tenant le volant d'une seule main, il commença à se masser le pied.

Nous crûmes défaillir.

« Sardar sahib, vous voulez vraiment nous conduire à Dieu, pas à Delhi ? » demanda Fizz.

Ce à quoi le conducteur répondit : « Bibiji, vous ne pouvez aller à Dieu que lorsque vous êtes invité. Personne ne vous y conduit.

– Mais, sardar sahib, vous faites de votre mieux pour obtenir une invitation, n'est-ce pas ?

– Ne vous inquiétez pas, bibiji, intervint l'aide. Il ne vous arrivera rien. Singh sahib devient vieux. Il a un peu mal aux jambes. Un petit repos, et ensuite son pied ira rejoindre la pédale. Et puis c'est une bonne brique. Les briques soutiennent de lourdes maisons. Qu'est-ce qu'un vieux bus pour une brique ? »

Il n'y avait rien à répondre à cela.

Le conducteur, tout en continuant de se masser le pied avec sa main gauche, reprit :

« Ne vous en faites pas, bibiji. S'il y a un problème, nous serons les premiers à mourir. »

Nous nous détendîmes, méditant sur cette consolation.

« Je suppose que, à cette vitesse, il est difficile d'avoir un accident mortel », me glissa Fizz.

Conformément à leur promesse, nous n'eûmes pas d'accident, et, quinze minutes plus tard, le pied du conducteur avait repris sa place sur l'accélérateur. Le voyage s'éternisait. Les heures passant, cela ressemblait de plus en plus à une expédition. Nous faisions halte pour boire de l'eau. Du thé. Pour manger. Pour pisser. Pour laisser refroidir le moteur. Pour mettre de l'eau dans le radiateur. Pour réparer les crevaisons : les pneus éclataient comme des ballons tous les cinquante kilomètres. Pour prier : aux gurudwaras, les autels sikhs placés en bordure de route. À un moment, le conducteur annonça qu'il devait « aller au Pakistan ». Il remplit un bidon d'eau et disparut dans les champs. Près de Panipat, le moteur cala. Les deux hommes sortirent de lourdes clés à molette et se glissèrent sous le bus. Fizz et moi allâmes nous promener dans un champ de blé vert. Lorsque les deux chauffeurs émergèrent, ils étaient maculés de cambouis, mais le moteur tournait. Ils nous prièrent de monter la garde pendant qu'ils allaient se laver dans un puits à pompe.

C'était digne de la Grande Route Nationale.

Nous grignotions des biscuits et méditions sur l'avenir.

Pendant ce temps, les deux sikhs, paisibles, plaisantaient entre eux et nous gratifiaient de leurs maximes philosophiques pour nous calmer.

Régulièrement, la brique retournait sur l'accélérateur. Chaque fois, Fizz fermait les yeux et serrait ma main.

Le trajet Chandigarh-Delhi, qui dure normalement cinq heures, nous en prit près de douze. Lorsque nous atteignîmes les faubourgs de Delhi, le soir tombait. Le dernier tronçon à double voie après Panipat avait été une joyeuse cavalcade, mais maintenant que nous approchions de Delhi, un changement sévère et dramatique s'opéra chez nos transporteurs. Alors qu'ils avançaient au pas vers l'embranchement du boulevard circulaire qui s'ouvre comme une tenaille autour de Delhi, leurs voix s'éteignirent peu à peu. La circulation s'intensifiait et les phares filaient en tous sens. Des camions et des bus s'imposaient de force. Toutes les deux minutes, le conducteur ou son aide se tournait vers nous pour demander : « C'est bien le chemin ? Nous sommes sur la bonne route ? C'est encore loin, chez vous ? »

Après maints soubresauts, nous parvînmes à pénétrer dans le goulet du point de jonction de la tenaille, et tournâmes à gauche sur le boulevard circulaire. La panique des chauffeurs s'estompa un peu avec la circulation à sens unique. Le bus se cala de nouveau sur le bas-côté pour laisser filer les voitures rapides, les bus et les camions. Ils se remirent à bavarder. Mais l'heure n'était plus à la philosophie. L'anxiété étranglait leurs voix. Ils parlaient pour combattre leur peur. Ils se mettaient mutuellement en boîte au sujet de la circulation. La main sur le volant semblait saisie de légères vibrations. Fizz et moi étions crispés sur le bord de nos sièges.

Nous dépassâmes Majnu ka Tila et la gare routière animée sans incident. Mais, à l'intérieur du bus, la tension augmenta. La brique avait été reléguée pour de bon. Le conducteur était concentré, penché vers le pare-brise. Son compagnon faisait de même, criant des instructions d'une voix aiguë. « Attention à la Maruti !

Coupe à droite ! Il y a un bus qui arrive sur ta gauche !
Hé, n'écrase pas le cycliste ! »

Le conducteur avait sombré dans un silence profond
et inquiétant.

Il ne faisait qu'un avec son monstre cahotant, qu'il
s'efforçait de manœuvrer.

Nous passâmes derrière la masse médiévale du Fort
Rouge et naviguâmes au milieu de la circulation, houleuse comme la mer, gonflée par le dégorgement des
bureaux, et les torrentueux affluents de Shahdara et
Daryaganj. Des centaines de bus, de voitures, de scooters et de rickshaws clapotaient autour de nous, dans
une tempête de klaxons, de crissements de pneus, de
cris. Notre conducteur finit par perdre son sang-froid.
Au feu rouge entre le fort historique de Shah Jahan et
le paisible mémorial du Mahatma Gandhi, il s'échoua
et ne bougea plus.

J'ignore ce qui se produisit, mais lorsque le feu passa
au vert, le conducteur ne put redémarrer. Le levier de
vitesse resta bloqué. Et tandis qu'il bataillait, tirait,
poussait pour engager une vitesse, l'enfer se déchaîna
autour de lui. Derrière nous, une centaine de chauffeurs
actionnèrent leur klaxon. Le vacarme était assourdissant. Bientôt des gens vinrent tambouriner contre les
flancs du bus et hurler des insultes. Des visages gri-
maçants, grondants et hurlants se collaient aux vitres.
Fizz et moi nous joignîmes au concert pour exhorter le
conducteur à avancer, mais il ne parvenait pas à enclen-
cher la première. Son visage était devenu creux, livide,
luisant de sueur sous les phares.

Nous aurions voulu nous cacher sous les banquettes.

Un gamin des rues qui vendait des tranches de noix
de coco ouvrit notre fenêtre et, passant sa tête hilare par

l'entrebâillement, se mit à chanter : « *Gaand phati toh har koi bola ! Hajmola Hajmola !* »

Des mains tiraient sur les portes, les secouaient.

Soudain, deux sons distincts crevèrent la cacophonie. Un sifflet de policier, aigu et net, et une sirène de police, rythmée et perforante. Par la vitre, j'aperçus le policier posté près du feu rouge accourir en soufflant éperdument dans son sifflet et en gesticulant. À sa gauche, une jeep de la police fendait la circulation, gyrophare rouge allumé. Un homme se penchait à la portière en brandissant le poing.

« Singh sahib, prépare-toi à être sodomisé », dit l'aide au conducteur.

Celui-ci ne prononça pas un mot. Il continua de s'escrimer sur le levier de vitesse. Il avait pivoté sur son siège et utilisait ses deux mains. Le moteur tournait au ralenti.

Le feu passa de nouveau au rouge.

Tous ceux qui essayaient de nous doubler se mirent à cogner contre les parois, de rage et de frustration.

Le bus oscilla doucement.

Le policier ouvrit la portière du conducteur et beugla : « Maaderchod ! Qui vous a permis d'amener cette caisse à savon en ville ? Pourquoi n'avancez-vous pas ? »

Seule sa tête était visible. Derrière lui, on apercevait une foule de visages furieux et grommelant, certains coiffés de casques luisants, visière relevée. Le moteur tournait et personne ne comprenait pourquoi nous n'avancions pas.

Un autre jeune garçon, qui vendait des mouchoirs en papier, passa la tête par notre fenêtre et cria : « Chinchpokli ! Chinchpokli ! Salut, monsieur Chinchpokli ! »

Le petit vendeur de noix de coco était juste derrière lui.

Le conducteur n'avait même pas le courage de se retourner. Ses yeux étaient vitreux. Il tirait de toutes ses forces sur le levier.

« Fais quelque chose, monsieur Chinchpokli, me dit Fizz. Il va mourir. »

Je la regardai. Avec sa boutade, le jeune garçon m'avait porté un coup fatal. M. Chinchpokli, autrement dit le Bouffon. Chinchpokli ! La banlieue du rêve, d'où émanent les demandes de chansons de films qui saturent les ondes radiophoniques. Fizz ne manquerait pas de m'épingler avec cette épithète ridicule jusqu'à la fin de mes jours.

Je me levai et dis au policier : « Désolé, sahib, le levier de vitesse est bloqué.

– Maaderchod ! s'exclama-t-il. C'est vous le propriétaire de ce tas de ferraille ? »

Le policier de la jeep surgit derrière son collègue : « Mettez-moi tous ces connards sous les verrous et foutez cette guimbarde en fourrière ! »

Et le premier flic renchérit : « Garez-vous sur le côté et descendez tous de là, bande de crétins ! »

À cet instant, le feu passa au vert et un tonnerre de klaxons explosa. Une multitude de poings martelèrent le bus. Des injures fusèrent.

Soudain, dans un élan de désespoir fou, l'aide bondit et hurla : « Pousse-toi, sardarji ! Laisse-moi faire ! »

Il écarta le conducteur et empoigna le levier de vitesse à deux mains. Puis, levant la tête à la manière de Tarzan, il rugit : « *Jo bole so nihal ! Sat sri akal !* »

Et, d'un mouvement puissant, il arracha carrément le levier du plancher.

« Oh, nom de Dieu ! » s'écria Fizz.

Entre le siège ostentatoire du pouvoir de Shah Jahan et l'austère mémorial du Mahatma Gandhi, au beau milieu de Delhi, enserré de toutes parts par des véhicules, l'aide était debout, chancelant, brandissant le levier de vitesse telle une épée, le bus terrassé à ses pieds comme un léopard. Guerrier médiéval dans l'ère moderne, qui venait d'achever l'animal qu'il cherchait à sauver.

L'étonnement figea son visage. « Qu'est-ce que c'est que ça ? » dit-il.

Une extrémité du levier était un bouton de bois lisse, l'autre dégoulinait de graisse.

« Dieu miséricordieux ! » s'exclama le conducteur.

Et il ferma les yeux.

Là où émergeait auparavant le levier de vitesse ne restait maintenant qu'un trou noir et huileux.

Le moteur continuait de tourner au ralenti.

« Vous pouvez conduire sans vitesses ? » demanda Fizz.

L'aide avait l'air d'un homme qui, croyant arracher une canne à sucre, a attrapé un serpent.

Le premier policier, qui était monté dans le bus, vociféra : « Bougez ce tas de ferraille ! Allez, bougez-le de là ! Comment marche ce truc ? Où est ce foutu changement de vitesse ? »

Sans un mot, avec une courbette déférente, l'aide lui présenta le levier.

« Qu'est-ce que c'est que ça ? hurla le policier. Bougez ce tas de ferraille ! Où est ce fichu levier de vitesse ? »

Et le conducteur psalmodiait : « Dieu du ciel ! Dieu miséricordieux !

– La ferme, connard ! » brailla le flic.

Puis il regarda autour de lui, ne vit rien qui ressemblait à un levier de vitesse, et sembla frappé d'apoplexie.

« Pauvres crétins ! Vous avez amené un bus dans Delhi sans boîte de vitesses ! Un bus sans boîte de vitesses ! Maaderchod ! Chutiyas ! Un bus sans vitesses ! Dans Delhi ! Qu'est-ce que vous avez, vous ? Une bouche sans trou du cul ? Des couilles sans queue ? De quel égout du Pendjab sortez-vous ?

– Le levier de vitesse est dans votre main, monsieur l'agent, lui fit observer Fizz.

– Ça ? Le levier de vitesse ? Qu'est-ce qu'il fout dans ma main ? »

Cette fois, c'était lui qui donnait l'impression d'avoir attrapé un serpent.

Il le jeta à l'aide.

Le flic de la jeep intervint de nouveau : « Bouclez-moi ce tas de crétins ! Et mettez cette caisse à savon en fourrière ! »

Sur ce, un autre coup de folie frappa l'aide. Il cria : « *Teri maa di phudi maari !* » et, tenant le levier à la manière d'un javelot, il l'enfonça brutalement dans le trou du plancher. Sans résultat. Il le leva et recommença. Puis, tel un meurtrier adepte de la hache dans un film de série Z, il se déchaîna, poignardant frénétiquement l'orifice, tout en invoquant le sexe des mères de tout le monde.

« Tiens ! Celui-là, c'est pour le con de ta mère ! Et celui-là ! Et celui-là ! »

Le flic recula, alarmé. Le conducteur rouvrit les yeux et s'écarta à son tour.

« Nos mères sont en danger, monsieur Chinchpokli », me dit Fizz.

Et l'aide continuait de frapper : « Vlan ! Dans le con de ta mère ! Et hop ! Dans le con de ta mère !

– Ce satané sardar est devenu fou ! dit le flic resté dehors. Faites-le sortir de là ! »

Son collègue, dans le bus, se composa une attitude sévère et beugla : « Sardar, contrôle-toi ! »

L'aide se figea et leva sur lui un regard éperdu.

« Du calme, sardar, poursuivit le flic en se penchant en arrière, l'air inquiet. Tout va bien.

– Dieu qui êtes au ciel, soyez miséricordieux ! » reprit le conducteur.

L'aide brandit son javelot très haut – le flic recula –, et le plongea dans l'orifice de toutes ses forces, criant comme un démon : « Putain de sorcière, je vais planter ce truc dans ta sale vulve et tu vas gueuler comme une vierge ! »

Une grimace tordit son visage, son turban de travers commença à se dérouler.

« Qu'est-ce qu'il fait ? dit Fizz. Il viole le bus ? »

Mais lorsque l'aide voulut retirer le levier de vitesse, il n'y parvint pas. La rotule avait trouvé prise.

Un sourire dément fendit son visage.

« Ça a marché ! Ça a marché ! Merde, alors ! Ça a marché ! Gloire au con de ta mère ! Ça a marché ! »

Le conducteur joignit les mains, ferma les yeux, leva la tête dans un geste de prière, et poussa le levier. La vitesse s'enclencha. Le bus bondit comme un lapin. Nous faisant tous vaciller.

« Le cirque Gemini se met en route ! » s'exclama Fizz.

Tous ceux qui cernaient le bus s'égaillèrent. Le feu était rouge, mais le flic donna un coup de sifflet et cria : « Laissez-les partir ! Laissez-les partir ! Que ces connards aillent foutre la merde ailleurs ! »

Et celui qui était dans le bus dit : « Laisse-moi descendre, sardar. Je t'ai assez vu. Je ne veux pas de ton amitié ! Je ne t'oublierai pas, je te le promets !

— Dieu qui êtes au ciel, merci de votre miséricorde ! » conclut le conducteur.

Nos deux sikhs ne desserrèrent pas les dents jusqu'à l'arrivée au barsati. Une fois le bus déchargé, je les fis asseoir sur la terrasse, leur donnai un quart de whisky, puis redescendis au marché acheter à manger. Leurs mains tremblaient encore et ils étaient silencieux.

Lorsqu'ils eurent dîné et que le whisky eut réchauffé leurs veines, ils me confièrent qu'ils n'étaient jamais venus à Delhi auparavant. En fait, ils n'étaient jamais allés plus au nord que Chandigarh, n'avaient jamais conduit leur bus hors des limites de leur petite ville.

Quand on leur avait proposé ce voyage, ils avaient vu une occasion d'élargir leur horizon, de voir le monde. Le Fort Rouge, le minaret Qutub, Chandni Chowk.

« Vous pourrez les visiter demain, dis-je.

— Non, nous en avons vu assez pour notre vie entière, répondit l'aide. Maintenant, nous n'avons qu'une envie, c'est montrer notre cul à Delhi.

— On se demandait quelle taille avait Delhi. On pensait que ça ne pouvait pas être plus grand que Chandigarh, remarqua le conducteur.

— Et c'est aussi vaste qu'un cul d'éléphant ! »

Ils recouvraient un peu de leur bravoure. Ils allèrent dormir dans leur bus. Vers deux heures du matin, le timbre hystérique de la sonnette nous réveilla en sursaut. Je jetai un coup d'œil de la terrasse et les aperçus, debout près de la grille, la tête levée, enveloppés dans leurs couvertures grises, rajustant leurs turbans.

Ils n'arrivaient pas à dormir. Ils voulaient s'en aller. Pendant que la ville était morte. Les habitants morts, et les policiers, et la circulation et les feux. Ils désiraient que je leur indique le chemin le plus direct pour sortir de Delhi. Je leur expliquai laborieusement comment quitter le quartier, puis rejoindre l'Institut de médecine. Là, tourner à droite, emprunter ensuite le boulevard circulaire jusqu'à la fourche de la tenaille, et bifurquer à droite. Je leur dessinai également un croquis sur une grande feuille de papier. Ils me serrèrent la main chaleureusement, la retinrent entre les leurs, et dirent : « Pardonnez nos erreurs et nos bêtises.

– Vous avez été merveilleux. Merci pour tout. »

J'étais sincère.

« Transmettez nos amitiés à bibiji. Dites-lui qu'elle sera la mère de cent fils. »

Le bus grinça, vibra, puis s'apaisa. Le museau entrouvert semblait aspirer l'air frais de la nuit. Le conducteur adressa une prière à l'image de Guru Nanak accrochée au pare-brise et enclencha une vitesse. Le bus bondit comme un lapin. Ils m'adressèrent des signes d'adieu. Ils avaient encore le visage tiré et blême. L'âge moyen de ces trois-là, le conducteur, son aide et le bus, dépassait celui de l'Inde moderne. Ils retournaient chez eux avec l'histoire la plus capitale de leur vie. En quelques secondes, ils disparurent de ma vue. De nos jours, il n'y avait plus de portes fermant les quartiers pauvres de Delhi.

Bientôt le bruit du moteur s'évanouit à son tour. Dans notre rue étroite, tout était froid, silencieux et obscur, hormis le halo jaune d'un réverbère, dix maisons plus loin. La lune avait déjà disparu. C'est à peine si on distinguait les étoiles à travers les rangées serrées de maisons et la frondaison des arbres. De temps à autre, on entendait le hululement d'une chouette dans le Parc aux daims. Je restai longtemps au milieu de la chaussée – au milieu du silence, du froid et de l'obscurité. Je me sentais triste. Indéfinissablement triste. J'avais oublié à quand remontaient mes dernières larmes. Moi qui ne pleurais pas facilement, j'avais envie de m'asseoir et de sangloter.

Ma tristesse avait un rapport, je crois, avec les deux hommes qui rentraient chez eux en trombe dans la nuit, furtifs et seuls. Avec la noblesse de leur esprit et avec la méchanceté du monde. Je connaissais leur grand cœur et je savais combien ils se feraient facilement laminer. C'était l'histoire de tous les paysans à travers le monde. Le conte de tous-ceux-qui-seront-dépossédés-en-un-éclair. Ils abordent le monde nouveau armés de leur seule générosité – celle qui ne se récolte que par le travail de la terre. Mais le monde moderne ne lui accorde aucune valeur. Ils sont laissés en rade aux carrefours de l'histoire, et bientôt dépassés par la circulation déferlante du développement et de la croissance, stoppés par le feu rouge des lois dernier cri et des théories économiques, mis à la fourrière par les gendarmes des rois d'entreprise.

Ceux qui tentent de saisir la situation par la peau du cou la trouvent toute chamboulée. Il ne leur reste dans les mains que le levier de vitesse de leur vie, tandis que le moteur ronronne ailleurs, sans route à prendre ni destination.

On les abandonne devant un jeu auquel ils ne savent pas jouer. Avec des règles qu'ils ne connaissent pas.

Le monde survit grâce à leur générosité d'âme.

Mais le monde appartient à ceux qui en sont dépourvus.

Lorsque je remontai l'escalier, une idée commença à germer en moi.

Fizz dormait sur le côté, roulée en boule. Je me glissai sous la couette et me blottis dans le coin qu'elle avait rendu douillet. Son tee-shirt était relevé autour de sa taille. Sa peau était tiède et douce, et, à certains endroits, elle se gonflait et s'ouvrait, chaude et moite. J'étais malheureux. Je voulais la solitude de l'instant d'incandescence, suivie de l'oubli parfait. Fizz me donnait cela, l'ultime paradoxe : la passion totale et la paix totale. Dans son corps, je recherchais les deux, et les trouvais toujours. Le même corps capable de déchaîner ma frénésie pouvait aussi, à son seul contact, m'apaiser comme un cygne sur un lac lisse. Il me suffisait de m'étendre, d'enlacer sa taille, de poser mon visage près de la houle de son sein, pour être délesté de toute angoisse, vidé de tout, sauf d'une paix durable.

De là venait ma définition de l'amour.

Passion et paix dans la même personne.

Quand je m'encastrai en elle, dans son dos – logement charnu et humide –, elle se retourna et je roulai sur elle, en appui sur mes coudes. Je léchai mes doigts et me préparai. La plus douce des poussées, la plus parfaite des brûlantes résistances. Étant seul en scène, je pouvais me concentrer sur chacune de mes sensations. En ne bougeant que les hanches, je me retirai, jusqu'à n'être plus relié que par une moue délicate des lèvres, puis je m'y engloutis entièrement, laissant le plaisir me submerger.

Tout s'envola.

Pensées, idées, tristesse. Ego, ambition, art.

Mon visage gisait sous son oreille gauche. Je l'aspirais. Je fermai les yeux et songeai à toutes les choses que j'avais faites avec elle. Ensuite, je me mis à bouger sans bouger. Le plaisir ralenti était insoutenable, se diffusait en moi comme une drogue puissante. La passion est un jeu à deux, mais parfois j'aimais conduire mon plaisir à mon propre rythme. Les exploits despotiques de la masturbation, en même temps que le corps d'une femme bien réelle. Bientôt, un spasme souterrain me parcourut, s'étira, se distendit dans une langueur sans égale. Fizz n'avait pas fait un seul mouvement. Et moi si peu.

Quelquefois, le bruissement d'une feuille est plus sonore qu'un roulement de tambour.

Emporté par le raz-de-marée du sommeil, je pris conscience d'un sentiment de soulagement croissant. La pauvre tristesse des deux transporteurs m'avait donné matière à réflexion. Peut-être avais-je trouvé ce que je cherchais.

Bien entendu, j'avais tort. En cela comme en tant d'autres choses.

Le Serreur de Boulons

J'ai lu autrefois, à l'école, que les poètes laissent longuement mûrir leurs poèmes dans leur tête. Contrairement à la croyance populaire, la poésie n'est pas un processus d'inspiration instantanée. Les bons poètes, une fois que l'éclair a jailli en eux, s'accroupissent pour attendre patiemment. Ils laissent tous les ingrédients aromatiser et mijoter, jusqu'à ce que la saveur et la texture soient parfaites, avant de les retirer de la plaque chauffante de leur imagination et de les servir sur le papier.

Même ôté du feu, le plat nécessite de l'attention. Garniture, décoration, présentation soigneuses. Lorsque vous dînez à la table d'un maître, lorsque vous lisez le texte d'un maître, il ne s'agit nullement d'une expérience impromptue et précipitée. En amont, il y a de longues heures de travail et de subtiles épices – une vie entière à peaufiner les nuances. Le chef-d'œuvre instantané n'existe pas.

Cette phrase m'avait marqué et je me l'appropriai.

Quelque chose avait surgi en moi.

À mi-chemin entre le vulgaire et le banal, il existait sûrement un moment propice pour bondir sur le matériau.

Je décidai donc d'attendre patiemment.

Mon labeur quotidien dans les tranchées éditoriales acquit dès lors une signification nouvelle. Je pouvais y apporter toute ma concentration, protégé par la certitude que mon véritable travail fermentait solidement à l'intérieur de moi. Je commençai à me réjouir de l'approbation dont me gratifiait Shulteri. Je me surpris à avancer des mots et des phrases cucul, à tester des réécritures alambiquées, à manier jeux de mots et allitérations. J'osai prendre des initiatives, m'aventurer hors des tranchées, discuter les angles d'attaque avec Shulteri : gros titres, accroches, chutes. Je me liai d'amitié avec mes compagnons de tranchée. Bientôt, je commentai avec eux l'escalade de la lutte entre Shulteri et Hailé Sélassié.

C'était dangereux.

Peu à peu, par cercles concentriques, je me rapprochais du poteau glissant.

Je crois même que, à une ou deux reprises, le regard du Roi du Belvédère m'effleura. J'en ressentis un frisson inattendu, et les vibrations se propagèrent dans le reste du service.

Il était très facile de se laisser absorber par le rythme ambiant. L'atmosphère des infos est trépidante. Personnalités, sujets, événements, scandales, explosaient dans le paysage indien tels des pétards sur un chapelet sans fin. Au cœur de toute cette frénésie émergeait l'étrange et sublime saga de Rajiv Gandhi dans la politique indienne. Lui et son monstrueux mandat – délivré sur les cadavres d'un leader audacieux et de sikhs exclus du club – commençaient à s'user. La physionomie même de M. Ronds-de-Jambe se métamorphosait. Le cheveu devenait clairsemé, le sourire facile durcissait, les yeux joyeux se plissaient.

À quatorze ans, l'innocence est un don. À quarante, c'est un désastre.

Dans la vie publique indienne, avec son tissage exaspérant de castes, de classes, de religions et de régions,
le fossé entre le dit et le signifié, le jeu entre la piété
et l'immoralité, la liaison illicite entre le symbolique
et le réel, le médiévisme et le modernisme, le danger
de l'innocence est double. Le jeune Rajiv n'avait rien
appris de sa mère ni de son grand-père. Il était incapable de plier l'Inde à sa noble vision et à sa noble
volonté comme Jawaharlal, ni de se plier lui-même à
la psychologie féodale de l'Inde et à son cynique trafic
d'influence, comme l'avait fait Indira.

Sa vertu aurait pu être de rester lui-même : un
homme honnête, sans bagage écrasant ni vision élevée.
Le descendant d'un roi, que les Indiens révèrent, et la
main solide du bon sens, dont l'Inde avait cruellement
besoin.

Mais il n'arrivait pas à percevoir qui il devait être. Et
il avait le cul entre deux chaises. Les partisans exigent la
clarté de leurs chefs, même d'un roi fourvoyé ; englués
dans leurs propres peurs et insécurités, ils ont un besoin
instinctif de savoir que quelqu'un est plus avisé qu'eux.
Et cet instinct est périlleux. Car les partisans désespérés
et stupides créent des chefs dangereux et foireux. Les
partisans indiens ont démarré la production régulière
de chefs dangereux et foireux dans les années soixante-
dix, et augmenté le rendement dans les années quatre-
vingt. La productivité maximale remontant à quelques
années. En fin de compte, à défaut d'autre chose,
chaque Indien pouvait au moins revendiquer d'être un
honorable travailleur dans l'industrie nationale qu'était
la Manufacture des Chefs Ineptes.

Comme les whiskys pur malt, les produits de la
M.C.I. résultaient d'une sélection d'eaux différentes,
avaient des saveurs différentes, et étaient destinés à des

palais différents. Les chefs ineptes étaient fabriqués dans les régions montagneuses ou les basses terres, en bord de mer ou dans les vallons. Ils étaient issus de terroirs variés – dynastie, caste, religion. On pouvait préférer le Laphroaig ou le Glenlivet, le goût fumé ou le goût moelleux, la caste ou la communauté. Mais, comme tous les solides buveurs, on buvait ce qui était disponible, quelles que soient les préférences.

Nous fabriquions différentes sortes de chefs ineptes, et nous les avalions tous.

La M.C.I. était une affaire en pleine expansion.

Elle employait des millions de personnes. C'était de loin le plus gros employeur de l'Inde.

Le jeune Rajiv venait des hautes terres de la dynastie, mais hésitait quant à son arôme. Il cherchait trop à réaliser un mélange. Et, s'étant heurté aux limites de la conscience individuelle dans la vie publique indienne, il s'embourbait. Le terrain était difficile, impitoyable. Des hommes meilleurs que lui en avaient touché le fond, et d'autres, plus tard, s'y échoueraient. À mesure que les mois s'écoulaient, il allait peu à peu perdre sa lucidité et, même si je ne m'en rendais pas compte alors, mettre en œuvre un processus qui verrait le grand parti indien de l'Indépendance devenir un simple mixeur, tout juste bon à écarter les sources d'irritation, tandis que les Indiens se mettaient en quête d'un couteau solide pour tailler des identités bien nettes.

Des hommes dangereux procuraient les couteaux solides.

Des lames mortelles aiguisaient les identités.

Au moment où s'achevait le millénaire, et où mon métier de journaliste, mon amour et ma vie étaient derrière moi, des identités tranchantes comme un rasoir s'activaient pour se taillader et s'éventrer.

Il y avait trop de cadavres à compter. Trop de chagrins à consoler.

Mais, en 1988, tout ce chaos était pour nous de bon augure. Il fournissait de la matière première à notre usine. Chaque nouveau désastre avait des répercussions dans nos bureaux : les téléphones sonnaient, des réunions se tenaient, des gens couraient ici et là, le Roi du Belvédère rayonnait ou dardait des regards noirs, Hailé Sélassié s'affairait frénétiquement, Shulteri souriait nonchalamment, et les mots affluaient et refluaient.

Sur le mât glissant, l'égocentrisme et l'activité étaient si intenses que chacun finissait par croire qu'il créait l'information au lieu de simplement la rapporter. La testostérone déferlait dans les couloirs fluorescents. Clairsemant les cheveux, épaississant l'intrigue. En fermant les yeux, on pouvait voir surgir des hommes nus avec une érection vibrante. La lumière ricochait sur leurs glands étincelants. Les veines noueuses palpitaient avec une sombre intensité. Je n'avais jamais rien vu de tel.

La Fraternité des Glands Étincelants.

Chevaliers modèles, dotés d'un code de mots polysyllabiques.

Les soldats de tranchée se baissaient au bruit de leurs pas. Les femmes minaudaient de loin, se cachaient dans les encoignures, ou se sauvaient précipitamment.

Je remarquai une autre chose étrange. Même ceux qui n'avaient pas encore acquis une érection saillante possédaient une vision dilatée de leur personne. Un reporter arrivé au bas du poteau et qui commençait à déraper, se parait d'un air érudit. C'était le mirage de l'estime de soi. Chacun imaginait que sa propre valeur était proportionnelle au nombre de ses lecteurs. Sans lien avec ses connaissances ou son véritable talent.

Un peu comme le gouvernement. Fonctions, nominations, larbins, tous ces éléments extérieurs qui définissaient le sentiment que l'on avait de soi.

La loi universelle des hommes. On n'est pas celui que l'on voit dans le miroir. On est celui qui brille dans le regard d'autrui.

Salut à toi, Sélassié !

Salut à vous, bandeurs !

Salut, Fraternité des Glands Étincelants !

Au milieu de toute cette excitation, je perdis la notion du temps. De nombreux mois passèrent. Un jour où je quittais les bureaux coulisses brillamment éclairés par le couloir exigu pour gagner la sortie, quel ne fut pas mon effarement en découvrant que non seulement toutes les boutiques étaient fermées mais le parking vide. Ma moto, que j'avais garée à midi entre une Maruti et une Ambassador au milieu d'une marée de véhicules, était maintenant seule. Même l'infirme qui assurait la permanence avait plié bagage, laissant à sa place son jeune assistant, Pakora. Celui-ci était assis sur le bord du trottoir, vêtu d'un short sale ; il décortiquait des cacahuètes qu'il expédiait ensuite dans sa bouche. Il m'adressa un salut de la main quand je détachai ma moto, et je lui lançai une roupie. Les traînards diurnes avaient disparu et les animaux nocturnes – souteneurs, arnaqueurs, dealers, jeunes prostitués – s'éparpillaient au milieu des colonnades et dans le parc.

Je demandai l'heure à Pakora. Onze heures.

Une peur sans nom s'empara de moi.

Les rues étaient désertes. Quand je passai, moteur broutant, devant le jardin Lodhi, je m'aperçus que l'hiver était fini. D'habitude, sur cette portion de route,

je frissonnais et m'arc-boutais. Or, ce soir-là, l'air
embaumait. Je relevai la visière de mon casque pour lui
offrir mon visage. La nuit était claire. Sur l'autopont de
Safdarjung, j'aperçus dans toute sa longueur l'ancien
aéroport de Delhi, où seuls atterrissaient désormais des
planeurs éviscérés. Il y avait un feu rouge au croisement
de AIIMS mais si peu de circulation que je le traversai
sans même ralentir.

Fizz était assise sur la terrasse. Elle avait lu, mais la
lumière était maintenant éteinte. Le livre gisait sur le
banc de pierre à côté d'un bol de chips de banane. Elle
les achetait au Café Madras, dans le marché de Green
Park. J'avais horreur de ça. De ce goût crayeux. J'ap-
portai la bouteille de Old Monk et sortis l'autre chaise
de rotin. Nous en avions acheté deux, ainsi qu'une
petite table avec un plateau de verre, à Panchkuin Road.
La vitre ronde reposait inégalement sur le piétement
de rotin, et restait sale quoi que l'on fît. Je nous servis
deux verres, ajoutai un peu d'eau, et m'assis, les pieds
sur le banc de pierre. Le quartier était silencieux. Le
feuillage du flamboyant émettait de temps à autre un
bruissement doux. Fizz portait un châle sur les épaules,
mais il ne couvrait pas ses bras minces. Elle avait posé
son verre sur le sol dallé. Ses doigts étaient croisés
sur ses genoux. Inutile de parler pour savoir que nous
étions en crise.

« Je suis désolé, dis-je.

— Ton travail te plaît de plus en plus, n'est-ce pas ?

— C'est un truc idiot. On se laisse prendre au jeu.
Et il y a tellement d'imbéciles qu'on se sent obligé de
rectifier un peu les choses.

— Ils aiment ce que tu fais ?

— À leur façon crétine, oui. Mais ça ne signifie rien.
Écoute, pour eux je suis juste un serreur de boulons.

Peut-être meilleur que d'autres. Mais un simple serreur de boulons. Si je tombais raide mort demain, ils m'éjecteraient de mon siège pour me remplacer dans la seconde. D'ailleurs, là-bas, il n'y a que des serreurs de boulons, malgré la haute opinion que certains ont d'eux-mêmes ; quiconque tomberait raide mort serait éjecté de son siège et remplacé dans la seconde. C'est une bonne usine, efficace. Je suis payé pour serrer les boulons. Nous le faisons tous. Mais, oui, ils aiment probablement ma façon de faire.

– Tu es donc un très bon serreur de boulons. Le meilleur. »

La voix de Fizz était lente, monotone. Elle me regardait droit dans les yeux. Elle avait pesé la question avec soin. Malgré son air désinvolte, Fizz avait un instinct inné pour pénétrer dans le cœur de choses.

« Oui, c'est vrai, je suis bon. Mais je ne suis qu'un serreur de boulons. »

Le hibou, dans le parc, n'avait pas encore commencé à hululer. Nous l'avions baptisé Maître Ullukapillu. Chaque soir, nous tendions l'oreille. Nous avions inventé un jeu : il s'agissait d'interpréter les hululements. Ce qui nous permettait de faire dire ce que nous voulions à Maître Ullukapillu. De « Donne-moi un verre d'eau », à « Éteins la lumière, s'il te plaît », en passant par le sens des textes sacrés.

« Tu es un très bon serreur de boulons, reprit Fizz. Le meilleur.

– Que s'est-il passé ? Qu'est-ce qui te tracasse ? Je t'ai dit que j'étais désolé de rentrer tard.

– Tu es un serreur de boulons si excellent que tu pourrais probablement travailler pendant ton sommeil. »

Je me tus, ne sachant où nous menait cette discussion. Enfin retentit un hululement. Tranchant et clair. Si l'on n'y prêtait pas attention, il pouvait passer inaperçu, comme un bruit nocturne indéfini.

Fizz esquissa un mouvement de la tête et ajouta : « Maître Ullukapillu est d'accord avec moi. Tu es le meilleur des serreurs de boulons.

– Maître Ullukapillu dit de laisser tomber. Il sait que des serreurs de boulons, il y en a à la pelle.

– Peut-être, mais pas des bons. Pas les meilleurs. »

L'irritation me gagnait peu à peu. J'avais envie de la rembarrer, cependant je savais que Fizz n'était pas en colère. Elle était calme, au contraire. Elle voulait me dire quelque chose.

« Bon, d'accord, je suis le meilleur, admis-je. Je suis le meilleur serreur de boulons du monde. Alors, qu'attends-tu de moi ?

– Que tu t'en inquiètes, monsieur Chinchpokli. »

Elle prit son verre, le vida d'un trait, se leva, s'approcha du bord de la terrasse et, cueillant une branche du flamboyant, se tapota la paume avec ses feuilles duveteuses.

« Te souviens-tu de ce que tu disais à propos du pandit ? poursuivit-elle.

– Dis-le-moi.

– Un petit succès est un désastre. »

Pandit Har Dayal, qui se décomposait au fond du lac Sukhna, avec son fils et son petit-fils, tandis que ses aphorismes s'épanouissaient.

Fizz répéta lentement : « Un petit succès est un désastre. »

Puis elle ramassa son verre, son livre, les chips de banane, et rentra.

Je demeurai longtemps assis dehors, sirotant le rhum.

Maître Ullukapillu hulula, une fois, deux fois. Il se rapprochait, probablement sur les fils électriques qui parcouraient la rue. Je m'efforçai de décrypter son message.

Je pense qu'il disait : « Le meilleur serreur de boulons du monde. »

Je téléphonai le lendemain au bureau pour prévenir que je serais absent. Shulteri insista. « Tu ne te sens pas bien ? Tu ne peux pas venir au moins quelques heures ? » Il se reposait de plus en plus sur moi. Dans son ascension du mât glissant, il avait besoin de bonnes épaules pour prendre appui. Surtout si ces épaules n'ambitionnaient pas de se lancer à leur tour dans l'escalade. Je n'étais pas d'humeur à lui fournir des explications, ni à inventer un mensonge. Je coupai la communication. Shulteri rappela un peu plus tard, et je sortis pour permettre à Fizz de lui répondre que je n'étais pas là.

Je marchai jusqu'au Parc aux daims, passai devant les lugubres enclos grillagés remplis d'animaux aux yeux morts, et traversai le pont pour rejoindre le District Park. C'était plus agréable. Le soleil plus accessible. Il y avait de la pelouse partout. Des vanneaux à caroncule jaune inspectaient l'étang asséché et craquelé sous les ruines de Hauz Khas, l'ancien réservoir royal. Ici, point de cage avec des daims inertes et des lapins inanimés. Sous les papris, on entendait le battement d'ailes soudain d'un coucal. Une huppe perforait la terre de son bec en épingle. Des drongos en smoking noir luisant cherchaient leur festin de midi. De maigres jardiniers retournaient lentement de leurs mains souples la terre et le fumier dans les massifs de roses. Des nurses avec des landaus s'égaillaient par petits groupes, dépiautant des cacahuètes et bavardant. La promenade du matin pour bébé, tandis que le couple parental à double salaire se fraie un chemin dans le monde.

Fizz disait toujours : « Quand nous aurons des enfants, nous cesserons tous les deux de travailler. »

Couple sans revenu. Deux enfants.

Sur les sentiers boueux, de jeunes et jolies mamans flânaient. L'air absent, tirées par un berceau, négociant les étroits couloirs où la vie les menait.

Mari unique, revenu unique, enfant unique. Âme unique.

Je m'assis sur la pente verdoyante, juste en face de l'étang, mais me relevai aussitôt. Mieux valait marcher. Je m'étais leurré moi-même. J'avais prétendu que je travaillais – que je mijotais, fermentais –, alors qu'en réalité je me rapprochais de plus en plus du mât glissant. Et Fizz venait de briser le barrage de sérénité. J'étais retombé dans la rivière fougueuse. Elle rugissait et me ballottait, et je devais commencer à ramer très vite.

Un petit succès est un désastre.

Le meilleur serreur de boulons du monde.

À notre retour du Café Madras, où nous avions dîné d'uttapams, nous nous étions couchés. Peu après, Maître Ullukapillu avait poussé son premier hululement, un essai un peu hésitant.

« Maître Ullukapillu dit que, pour suivre le fil de leur vie, les hommes sages tiennent compte de leur femme », dit Fizz.

J'attendis dans l'obscurité, sa main dans la mienne. Le hululement suivant se fit entendre et je traduisis : « Maître Ullukapillu dit que l'on ne peut pas construire une maison sans un plan. »

Au troisième hululement, Fizz poursuivit : « Il dit qu'un bon architecte met ses plans sur le papier et ne les garde pas dans sa tête. »

Un moment s'écoula. Maître Ullukapillu réfléchissait à la suite. Nous demeurions silencieux. Les seuls bruits étaient le tic-tac de la pendule et, de temps à autre, le grognement de mécontentement du réfrigérateur. Dans la diffuse clarté bleu nuit, je discernais la gravure d'Ezra suspendue dans son cadre sur le mur d'en face. J'aimais sa barbe et son nez pointu. Il ressemblait à un comte russe illuminé, crevant ses chevaux sous lui, buvant une barrique par jour et violant toutes les jeunes filles qui croisaient sa route. Ses yeux étaient enfoncés dans des cernes noirs. Mais je savais son regard dur posé sur moi. Masquant à peine son mépris pour les succès mineurs. Pourtant il était lui-même un serreur de boulons talentueux. L'artisan magistral. Tom pouvait en attester. *Il miglior fabbro*.

Le hululement s'éleva. Tranchant et clair, il perfora la nuit.

Je ne laissai pas à Fizz le temps de parler. Je la devançai : « Maître Ullukapillu dit : "La parole n'est rien, tout est dans l'action." »

Et je roulai sur elle, chassant tout ce que le maître voudrait ajouter.

Nous achetâmes une petite table de travail au marché de brocante de Lajpat Nagar. Elle avait deux tiroirs à gauche et un barreau de bois transversal pour les pieds. Les tiroirs, munis de fausses vieilles poignées de cuivre, s'ouvraient par à-coups. Le plateau lustré, à la chaude patine brune, paraissait ancien. Du moins je le croyais. Car lorsque Fizz le tapota d'un petit coup sec, il rendit un son creux, et lorsqu'elle le gratta, le mastic utilisé pour boucher les fentes resta sous ses ongles.

Elle éclata de rire.

« Je crois que cette table a vu le jour hier ! »

Cela n'avait aucune importance à mes yeux. J'avais juste besoin d'une table de travail. Nous achetâmes aussi une chaise pour aller avec. Le pied arrière gauche avait un centimètre de moins. Je demandai au vendeur ventripotent – qui ne cessait de se récurer le nombril tout en exaltant les vertus de sa marchandise – de le réparer avant de nous le livrer en charrette.

Dans les allées tortueuses et encombrées de la brocante fusaient des conversations virulentes sur les meubles authentiques et les faux. Tout le monde n'avait qu'un mot à la bouche : tek, tek, tek. Tout le monde voulait du tek, réclamait du tek, mettait en question le tek. En tendant l'oreille, on pouvait aussi isoler, dans le vacarme ambiant, le son des antiquités neuves – tek-tac, tek-toc, tek-tac – que des artisans fabriquaient à l'arrière des stands.

La table et la chaise trouvèrent leur place dans la petite chambre, dont la fenêtre s'ouvrait sur la ruelle de service en désuétude, envahie d'herbes et de détritus. La vue donnait sur l'arrière des minuscules maisons. Des grilles de fer oppressantes emprisonnaient les courettes exiguës et les vérandas étranglées. Le grand principe architectural de la classe moyenne indienne : air, lumière, sécurité. Mais surtout sécurité, sécurité, sécurité.

Des cordes à linge couraient partout, avec des pinces en plastique de couleur accrochées dessus comme des bourgeons sur une branche. Vers midi, après l'heure de la lessive, les bourgeons fleurissaient dans une débauche de vêtements. À les observer, on pouvait dresser une carte intime des habitants. Je remarquai d'audacieuses petites culottes dans certaines maisons.

La ruelle même était un enchevêtrement de câbles, téléphoniques ou électriques, dont les tentacules s'étendaient à l'intérieur des maisons de la façon la plus anarchique. Le jour où j'installai la table, j'aperçus un joli corbeau gris-noir suspendu la tête en bas en face de notre fenêtre. Sa mort était récente. L'électrocution ne l'avait pas endommagé. Les plumes luisaient, la tête était intacte. On aurait dit un cormoran en train de plonger. Les ravages du temps et des insectes n'étaient pas encore intervenus.

« C'est un mauvais présage ? demandai-je à Fizz.

– Le corbeau annonce toujours une visite. Dans ton cas, c'est la muse.

– Mais celui-ci est à l'envers, et mort.

– Il a attendu trop longtemps. Il est probablement mort à force d'attendre. »

Fizz fit placer de simples étagères de contreplaqué sur les murs. Le menuisier expliqua qu'il s'agissait d'une nouvelle sorte de contreplaqué, résistant à l'eau et aux termites, qui survivrait aux livres. Il répéta cela une bonne dizaine de fois. L'obsession d'éternité de tous les hommes. En regardant les livres, j'aurais pu lui répondre que nombre d'entre eux étaient déjà morts.

Les livres étaient restés entassés sur les cartons retournés pendant des mois, les piles précairement appuyées l'une contre l'autre. À présent ils arboraient un air assuré et important. Fizz les rangea par taille. En laissant glisser les doigts sur les dos colorés – creux-arête, creux-arête –, on avait l'impression sensuelle de jouer du xylophone.

Fizz accrocha à la fenêtre un rideau de voile jaune pâle, qui se gonflait sous la brise et laissait généreusement pénétrer le soleil. Au travers, j'apercevais le corbeau suspendu. Il resta là plusieurs semaines, s'abandonnant lentement aux éléments. Pendant un temps, il ressembla à un cerf-volant déchiré, effiloché, perforé. Puis, un jour, il disparut. Je me penchai à la fenêtre et il me sembla que le paysage avait subi un changement dramatique.

La Brother était posée sur la table, dévoilée comme un plat. Son ventre rouge brillait, et ses belles touches noires, flottant en suspension, étaient une invite pressante adressée à mes doigts. Pound déménagea de notre chambre pour occuper le mur face à la table. Il me suffisait de lever les yeux pour croiser son regard sombre. Le Tagore aux teintes d'or prit place près de la porte. Sur la table, une lampe en aluminium à bouche large, accroupie au-dessus de la machine à écrire, la surveillait comme un contremaître zélé. Une carpette bon marché de couleur brune fut déployée sur le sol pour apporter un peu de chaleur. Toutes les issues d'évasion étaient bloquées. Lorsqu'on fermait la porte, l'arôme puissant de la cire des meubles vous submergeait. Il lui fallut plus longtemps qu'au corbeau pour disparaître.

Pendant plusieurs matins, je n'écrivis pas véritablement. Je poussai la Brother de côté et m'efforçai de tracer une carte routière pour le roman. J'entrepris de dessiner un arbre pour les personnages, et un autre pour l'intrigue. Je griffonnai de nombreux brouillons, les raturai, froissai les feuilles de papier, en commençai d'autres. Fizz se retira peu à peu dans un état de déférence. Je sortais souvent prendre l'air, fuyant à la fois l'odeur capiteuse de la cire et la jachère de mon esprit. Chaque fois que j'émergeais du bureau, Fizz était lovée sur la causeuse du petit salon en train de lire. Elle levait la tête d'un air entendu et ne disait rien, sauf pour me demander si j'avais besoin de quelque chose.

Le temple de l'art était dressé. Maintenant, on attendait les miracles.

Je demandai à Shulteri de m'inscrire systématiquement sur le tableau de service de l'après-midi. Cela réservait les matinées pour l'autel. Le temple exerça presque immédiatement sa magie sur ma vie professionnelle. Je perdis tout intérêt pour le mât glissant de la réussite. Le numéro d'escalade Hailé Sélassié/Shulteri me parut soudain pathétique. Je me moquais comme d'une guigne de qui avait les faveurs du Roi du Belvédère, combien il déversait de graisse et sur qui. Je me repliai dans les tranchées obscures du secrétariat de rédaction. Mon langage recouvra la raison. Peu à peu, ma prose se débarrassa de la grandiloquence qui l'avait gagnée. La révision des articles redevint fonctionnelle.

Un petit échec était-il plus honorable qu'un petit succès ?

Je ne crois pas que le pandit se soit prononcé sur cette question.

Curieusement, Shulteri fut presque soulagé de me voir revenu à mon indifférence initiale. Le mât couvert de graisse était déjà surchargé. Il accommoda volontiers mon emploi du temps. M'encouragea à mener une vie hors du bureau. Un équilibre sain, disait-il. Je quittais mon poste chaque soir à l'heure où les magasins fermaient. Shulteri rentrait par le dernier métro, bien après minuit, les bras serrant fermement le mât, les yeux fermement fixés sur le belvédère.

La première semaine, je perçus la perplexité de Fizz : elle n'entendait aucune musique de touches crépitantes. Mais elle ne posa aucune question, se retint, attendit un commentaire de ma part. Enfin, un matin, une phrase me vint : « Le jeune sikh n'était jamais allé là où il ne pouvait emmener son cheval. »

Saisi d'une moite excitation, j'ajustai la première feuille de la rame de papier préparée et la tapai. Les touches de la machine sonnèrent dans la maison comme la cloche éclatante d'un temple, et je pus presque entendre un soupir exploser dans le salon. Je fis jouer nerveusement les articulations de mes doigts, et la deuxième phrase se forma : « À ses yeux, les chevaux et les hommes disposaient du même espace dans le monde. »

Ce jour-là, lorsque je partis travailler au journal, je flottais. Je n'avais écrit que deux paragraphes mais peu importait. Le moteur avait fini par démarrer. Les changements de vitesse, l'accélération viendraient plus tard.

Le soir, quand le hibou hulula, Fizz me dit : « Maître Ullukapillu voudrait savoir si tu veux nous raconter ce qui se passe. »

Je glissai le bras sous sa nuque et la serrai contre moi.

Au deuxième hululement, je dis : « Maître Ullukapillu pense qu'il y a un temps et un endroit pour chaque chose. »

Fizz enfouit son visage sous le drap et, quelques minutes plus tard, marmonna d'une voix mouillée :

« Tu es sûr que c'est ce qu'il voulait dire ?

– Oui. Oui, oui, oui. »

Je ne repris pas l'ancien manuel, même si certaines de ses injonctions subsistèrent. Cette fois, je décidai que la discipline était une vertu surfaite. Je choisis de laisser la muse me guider où bon lui semblait. Je n'établis aucun plan de travail. Ne relevai aucun comptage des mots. La seule règle que je m'imposai était une présence minimum de deux heures par jour dans mon bureau. Si l'inspiration venait, je restais. Sinon, je me levais et sortais sans culpabilité.

La spontanéité de l'art.

Avec le recul, je ne recommanderais pas cette stratégie. Peut-être convient-elle aux poètes mais certainement pas aux prosateurs. Attendre un élan lyrique risque de vous plonger dans un tonneau de suffisance. Et d'improductivité. Six élans, six poèmes, justifient une vie de poète. Six pages, ou même soixante, ne permettent pas à un romancier de frapper à la porte de la postérité.

Au cours de la première semaine, j'écrivis quelques paragraphes chaque matin. C'était une sensation agréable. La noyade des « Héritiers » datait d'un an, et le retour à l'écriture me donnait le sentiment d'être vivant et méritant. J'appréciais aussi l'absence de l'ancien régime de travail. J'avais l'impression d'être moins calculateur, moins cynique. Mes précédentes méthodes me donnaient la nausée. Les règles, le comptage des mots, les tics, qui étaient devenus un substitut à l'écriture.

Par-dessus tout, j'aimais le cliquetis de la machine. Au journal, siège de modernité, j'utilisais un ordinateur pour la première fois de ma vie. Il manquait aux touches légères et souples du clavier la musique de la machine à écrire. Et le sentiment de solidité. Les mots qui palpitaient sur l'écran scintillant paraissaient éphémères, insipides, tandis que les caractères noirs sur le papier blanc avaient quelque chose d'ineffaçable. Au journal, j'avais l'impression de créer des guirlandes virtuelles. À la maison, je composais un produit durable.

C'est étrange. Les dures réalités de mon travail journalistique semblaient factices, et les tendres fictions tapées sur ma machine réelles.

Le monde n'est jamais ce qu'il paraît, ont coutume de dire les vieux Hindous.

Pendant ce temps, Fizz avait fait la tournée des écoles. Elle s'ennuyait et nous avions besoin d'argent, bien que nous refusions toujours d'en parler. Mais il n'y avait aucun poste pour elle. Une épidémie de diplômes avait déferlé sur l'Inde. Aptitudes, talent, expérience, étaient de bons atouts, mais ils devaient s'accompagner de médailles. Les Indiens de la classe moyenne partaient à l'assaut des diplômes sur leurs chevaux fringants comme s'ils lançaient la charge de la brigade légère. Double maîtrise, mastère de gestion, mastère de droit, doctorat de philo – mariages, situations, réputations, tout semblait dépendre de ces épithètes sans fin. Dans la plupart des cas, il fallait plusieurs années aux postulants pour découvrir qu'ils montaient des chevaux à bascule qui ne les menaient nulle part.

Une large proportion d'Indiens se balançaient sur des diplômes sans débouchés.

Fizz ne possédait qu'une simple licence, et n'était même pas allée chercher son diplôme. L'arrogance de nos jeunes années. Ses tentatives étaient vouées à l'échec. Les fantassins l'auraient volontiers raillée si elle n'avait semblé posséder une écurie sémillante.

Je cherchai d'autres pistes dans les tranchées. De toutes les suggestions recueillies, la plus plausible me parut être la correction d'épreuves dans l'édition. Un fusilier de ma tranchée avait autrefois travaillé dans une célèbre maison d'édition. À l'en croire, c'était un véritable scandale. La maison proposait de rééditer de prestigieux titres étrangers, mais se contentait en général de les pirater. Et quand elle acquérait les droits, elle ne rendait jamais de comptes honnêtes. Récemment, l'éditeur avait également entrepris de publier des livres du cru : mauvaises biographies d'hommes d'affaires et de politiciens, qui payaient d'avance le papier et l'impression. À cela s'ajoutaient, à l'occasion, des ouvrages de recherche prévendus à une institution quelconque. Il s'était également essayé à publier quelques romans, qui avaient disparu sans laisser de trace. Les romanciers qui l'approchaient devaient probablement être mal traités.

La maison d'édition s'appelait Dharma Books. Les livres vertueux.

Le patron avait une grosse moustache qui lui envahissait les joues comme les favoris d'un bandit de Chambal Valley. Il fumait le cigare et conduisait une Mercedes blanche. Il se nommait Dum Arora. Il ne lisait quasiment jamais un livre. Sa fortune provenait des concessions de pompes à essence et de dépôts de gaz. Dixit mon camarade de tranchée, Dum Arora lui avait un jour révélé le titre de son roman favori : *Jonathan Livingston le goéland*. Dum affirmait y avoir appris le sens de la vie. Et les images d'oiseaux étaient extraordinaires.

C'était la raison pour laquelle, disait mon camarade de tranchée, il était agréable de travailler pour Dum Arora. Il payait peu, mais en temps et en heure, et vous laissait tranquille. Il offrait cinq roupies par page pour réviser les textes, et trois roupies pour corriger les épreuves. S'il vous invitait chez lui, il vous offrait du Johnnie Walker Black Label dans une grande bouteille. Il se montrait alors généreux. Vous pouviez boire la bouteille entière si vous en étiez capable. Lorsque vous arriviez chez lui, Dum Arora beuglait : « *Haanji, johnny-shonny ho jaye ?* » On se tape un petit johnny-johnny ?

Le barbier venait chez lui teindre ses gros favoris. Le lendemain, on décelait des traces noires sur sa peau.

Fizz le rencontra. Il se montra direct et amical. Il discourut avec passion de son amour des livres. Ils ne lui rapportaient pas d'argent mais lui procuraient un sentiment de spiritualité. Et l'argent, comme chacun sait, ne signifie rien ; seules comptent les questions divines. Tout le reste, nous le laissons derrière nous. Dieu seul nous accompagne. Dum Arora proposa à Fizz trois roupies pour les révisions. Elle répliqua qu'on lui avait parlé de cinq roupies. Il accepta. Il lui en paierait cinq parce qu'il voyait en elle une personne gracieuse et sincère.

Il lui confia la révision de la biographie d'un bureaucrate, retraité depuis longtemps. Le manuscrit était épais, joliment tapé, et merveilleusement relié. C'était une ode à sa personne. Remplie de toutes les choses magnifiques qu'il avait réalisées dans les districts. De son dévouement au service de la population. Quand il m'arrivait de jeter un coup d'œil par-dessus l'épaule de Fizz, je voyais ses gribouillis ronds envahir les feuillets, avec des flèches dans toutes les directions pointant les corrections.

Elle disait : « Là, on vient de le féliciter pour avoir lancé la construction d'un abri à vaches collectif. »

Ou bien : « Il explique qu'il vient de recevoir une standing ovation pour son discours sur les réformes municipales au Rotary Club. »

À la fin de la journée, elle s'étirait les membres d'un geste théâtral et annonçait : « Quinze pages. Soixante-quinze roupies. »

Mon propre travail avançait bien. J'avais le sentiment d'être tombé sur une idée formidable, née de notre voyage fou à Delhi et d'articles lus dans les jour-

naux. Ce livre serait l'exact opposé des « Héritiers ». Il
serait moins prolixe, ne partirait pas dans tous les sens,
ne couvrirait pas plusieurs générations. Il serait bâti
autour d'une seule anecdote. Une anecdote, un voyage,
un personnage. Je ne chercherais pas à faire un collier,
mais à ciseler un diamant parfait. Il me semblait avoir
compris la force du détail pour illustrer l'universel.

Le jeune sikh n'était jamais allé là où il ne pouvait
emmener son cheval.

C'est ainsi que j'avais commencé. Mon histoire
raconterait la vie d'un jeune orphelin sikh, élevé dans
un pensionnat sikh d'un petit village du Pendjab. Intro-
verti, obsédé par son instruction religieuse et militaire
– un saint guerrier –, il ne franchit jamais les limites
du pensionnat. Hormis les leçons de son Granth Sahib
et les récitations du gurbani, il n'a qu'une passion : les
chevaux de l'école.

Ils sont sa famille. Il passe de longues heures à les
monter, à les nourrir, à les bouchonner. Il est plus à
l'aise avec eux qu'avec les autres élèves, qui parlent
de leur famille et de leurs amis. Parfois, il s'éveille la
nuit avec une obsédante sensation de solitude. Alors
il se lève et rejoint les chevaux à l'attache sous le
tamarinier. Il s'allonge entre eux, les écoute s'ébrouer,
piétiner, caresse leurs flancs soyeux et palpitants, et le
calme l'envahit. Souvent il s'endort là.

Les chevaux lui chuchotent à l'oreille. Il aime les
entendre.

Un jour, quand il a vingt et un ans, un incident
survient – je n'avais pas encore décidé lequel –, qui
l'oblige à entreprendre un voyage jusqu'à la capitale du
pays, Delhi. Il demande la permission au saint homme
qui dirige le pensionnat, roule sa couverture, attache
son épée, prend sa lance, monte sur son cheval, et se

met en route. Il se rend à Amritsar, visite le Temple d'or, cherche son chemin, et arrive à la gare.

C'est ici qu'intervenait le pivot de mon histoire. Le jeune homme entre dans la gare, trouve un train en partance pour Delhi, et monte à bord avec son cheval. Personne n'ose l'en empêcher. Il est revêtu de sa tunique religieuse bleue, il a son épée, sa lance, et un regard qui ne souffre aucune discussion. Le voyage à travers les plaines du Pendjab et de l'Haryana est aussi mémorable pour lui que pour tous ceux – voyageurs et fonctionnaires – qui le rencontrent. Chacun, en croisant sa route, est forcé de voir les choses sous un autre jour.

Lorsque le train entre doucement dans la gare de New Delhi, l'enfer se déchaîne. Le jeune saint guerrier descend de la voiture avec son cheval. Les passagers s'égaillent. Les marchands à la sauvette reculent. Les coolies ôtent leur turban et se grattent la tête. Les employés des chemins de fer sont appelés. La police arrive. Les médias arrivent. L'Hindoustan médiéval a débarqué au beau milieu de l'Inde moderne.

L'innocence et la perplexité face à la ruse et à la perplexité.

Un étrange dialogue s'engage.

J'avais lu des livres de ce genre. Des contes moraux. Le cosmos dans une amande. Un incident illuminant l'univers. Ce serait un livre court. Qui se développerait lentement. Mais qui poserait de vastes questions. Je l'imaginais sur les rayonnages : papier épais, gros caractères, résonance discrète.

J'espérais que mes reportages au Pendjab et ma connaissance de Delhi me suffiraient.

Je ne précipitai rien. Certains jours, mes doigts n'effleuraient même pas les touches de la Brother. J'arpentais la petite pièce de long en large, attendant une phrase potable, une idée exploitable. Ou bien je m'asseyais sur ma chaise, les pieds sur la barre d'appui du bureau, et je testais la résistance du bois. Étonnamment, même le mauvais bois résiste mieux qu'on ne l'imagine. Comme les individus.

Pendant tout ce temps, Pound ne me quittait pas de son regard noir, et je sentais Tagore dans mon dos.

Je déplaçais le récit tel un filet d'eau sur le sol carrelé d'une salle de bains. Une inclinaison invisible déviait sa course, comme celle d'un escargot. Je décrivais chaque tour du nouage de turban, chaque tasse d'eau fraîche, chaque crin de la queue d'un cheval, chaque affûtage de l'épée. Allant contre ma nature, je devins minimaliste. Je ratissais les pensées de mon jeune héros, les aérais avec la patience oisive d'une grand-mère vidant de vieilles malles.

Je trouvais excitant d'essayer de pénétrer dans l'esprit d'un être simple et solitaire. Je m'aperçus que je devais peler la connaissance ordinaire, couche après couche, pour parvenir à cet état. Je devais également trouver une cadence en anglais qui pût faire écho au phrasé rural et au panjâbi. Je me servis pour exemple des deux sardars maladroits qui nous avaient transportés à Delhi.

Je reprenais les phrases une par une.

Je ne montrai rien à Fizz.

Le cliquetis périodique de la machine l'apaisait.

Les mois s'écoulèrent. L'année s'acheva. Nous nous fîmes des amis. Elle, moi, nous. Ils envahissaient notre barsati plusieurs soirs par semaine. Dessinateurs, artistes, acteurs, journalistes, cinéastes, activistes – autres marginaux en quête d'une porte et d'une vie.

Nous sortions pour aller dîner, boire, voir des films. Parfois, les conversations débutaient dans la soirée et s'achevaient bien après minuit. Nous discutions politique, littérature, cinéma, castes, communautés, villes. Les lignes de faille s'ouvraient dans tous les sens et le bouillonnement de l'Inde devenait étourdissant. Social, politique, individuel; région, religion, langue, caste, communauté. Les lignes de faille qui avaient été scellées et suturées cinquante ans auparavant pour créer une nation se défaisaient, point après point.

Le règne de Rajiv Gandhi touchait à sa fin. Une nouvelle bête, engraissée aux mythes religieux, s'éveillait. S'apprêtait à dominer le pays. À remplacer d'autres bêtes.

Un million de mutineries se préparaient.

Fizz et moi vivions tout cela avec un sentiment d'irréalité. Cette vieille et tenace sensation de jouer la comédie, de faire notre numéro sur scène tandis que notre vraie vie était ailleurs. Aujourd'hui, je me rends compte que ce n'est pas une chose inhabituelle. De nombreuses personnes traversent les jours en imaginant que leur vraie vie est ailleurs. Pour finir, ils n'ont rien. Comme moi.

Ni les jours qu'ils ont traversés.

Ni les jours qu'ils croyaient à venir.

Je ne dis pas que c'étaient de mauvais jours. Nous nous amusions. Nous découvrions et apprenions des choses. Parmi les plus gratifiantes, il y en avait surtout deux : boire du whisky et observer les oiseaux. Certains soirs, nous nous consacrions à l'une, et certains matins à l'autre. Nous fîmes l'acquisition d'une paire de jumelles Minolta d'occasion au Palika Bazaar. Elles étaient trop lourdes pour les garder suspendues au cou et il fallait les tenir solidement à la main. Mais c'était un vrai miracle de grossissement. Rien de commun avec les jumelles de plastique que nous connaissions étant enfants. Nous jouions tout le temps avec les Minolta ; il m'arrivait souvent d'observer simplement Fizz dans la pièce. Pour capter chez elle plus que je n'avais déjà capté.

Nous quittions joyeusement la maison avant l'aube pour nous promener. Le parc du district, la corniche, le barrage Yamuna. Puis, plus tard, les sanctuaires de Sultanpur et Bharatpur. Je découvris des oiseaux que j'avais vus toute ma vie. La vue d'un martin-pêcheur bigarré ou d'un insaisissable barbu à plastron rouge me procura bientôt une euphorie presque aussi forte que le whisky, dont nous commencions à distinguer les différentes saveurs, même lorsque nous éliminâmes progressivement l'eau de l'équation pour goûter à la véritable brûlure de l'alcool.

Un jour, à Connaught Place, alors que je faisais la queue à la banque, j'aperçus un calao gris perché sur un margousier. Je faillis pousser un cri d'excitation et me précipitai à la fenêtre obstruée de barreaux. C'était la première fois que j'en apercevais un. Je n'avais même pas imaginé que l'on pouvait en voir au cœur de la ville béton. Des regards intrigués se braquèrent sur moi, et le caissier dut me héler d'un ton irrité lorsque vint mon tour de passer au guichet.

Oui, les journées n'étaient pas mauvaises. Parfois, j'arrivais presque à me faire croire que je menais ma vraie vie. Mais, subitement, la bobine se terminait, les lumières se rallumaient, et j'étais arraché de ma rêverie. Ceci n'était pas ma vie. C'était un film. Agréable mais pas réel. Ce sursaut pouvait advenir à n'importe quel moment. La plupart du temps, quand je revenais à moto du journal, dans les premiers rougeoiements du soir, la visière levée, le vent dans le visage. Ou bien lorsque je me trouvais avec des amis, mais en retrait de la conversation. Dans ces instants-là, j'avais l'impression que toutes les personnes qui m'entouraient vivaient leur vraie vie et que la mienne était un mensonge.

Ma vie était un mensonge. Et je ne pouvais indéfiniment me bercer d'illusions.

Seul mon engagement indéfectible envers Fizz m'avait toujours paru réel. L'essentiel de mon existence convergeait vers son corps. Nous faisions l'amour plusieurs fois par jour. Le reste du temps, au journal, devant la Brother, sa pensée m'obsédait – je songeais à ce que nous avions fait, à ce que nous allions faire. Parfois, l'extase surpassait le religieux. Je me faisais l'effet d'un derviche tourneur ayant saisi le fil qui démêle l'univers et ne le lâche plus.

La rotation doit se poursuivre jusqu'à ce que l'univers entier soit démêlé.

Jusqu'à la perte de conscience.

Jusqu'à ce que l'on goûte l'oubli au cœur de l'univers.

Je trouvais l'oubli jour après jour, et n'imaginais rien d'équivalent. Je comprenais pourquoi les anciens vénéraient et redoutaient l'extase sexuelle. Elle permettait à chaque individu d'atteindre son propre dieu. Nul besoin d'un prêtre ou d'un roi pour indiquer le chemin. Seul l'amour, sans la loi du prêtre ni du roi, est nécessaire. La clé de l'univers ne repose pas entre les mains du prêtre ni du roi. La clé de l'univers repose dans le corps de l'amant ou de l'amante.

Je possédais la clé et ouvrais chaque jour la porte de l'univers.

Pourquoi me serais-je soucié du Roi du Belvédère, du mât ou du manque d'argent, puisque j'avais Fizz ? À cette époque, nous faisions ensemble des découvertes sur lesquelles nous n'avions rien lu ni entendu. Nous nous dépouillions de toutes les hontes dont les années nous avaient emmaillotés. Derrière les hontes, nous mettions au jour des réactions d'une innocence que nous aurions eu peine à imaginer. Une gaieté rare, qui n'ôtait rien mais qui donnait. Je m'aperçus que pour faire trembler la terre, il faut non seulement la nudité du corps, mais aussi la nudité de l'âme.

Lorsque des amants dénudent leur corps, ils copulent.

Lorsque des amants dénudent leur âme, ils goûtent au divin.

Chaque fois que j'étais étendu, nu, sur Fizz, j'avais conscience que nous étions nus de corps et d'âme.

Nous étions aussi des pionniers chroniques.

Nous explorions des contrées où nous étions certains, comme tous les amants, d'être les premiers à pénétrer.

Nous devinions que le corps d'un amant recèle des secrets illimités.

Nous nous rendions compte que, selon les heures, les mêmes secrets révèlent des vérités différentes.

Je parcourais toutes les crevasses et les replis de Fizz, y puisais un enchantement permanent.

Parfois, l'intensité était telle que nous tremblions avant même de nous frôler. Nous étions comme des démineurs, nerveux à la perspective de ce qui risquait d'advenir au premier effleurement. J'étais dur, tendu, impérieux, et différais l'instant du contact. Fizz était empourprée, ses lèvres frémissaient. Dès que nous nous touchions, c'était l'explosion ; nous devenions à la fois bruts et sublimes, bêtes et anges, chair et lumière. Fizz et moi.

Parfois, le plaisir était si insoutenable que j'éprouvais l'envie de croquer un morceau de sa chair et de le mastiquer. D'autres fois, j'aspirais seulement à pousser un gémissement qui emplirait le paradis.

Je savais alors que rien de ce que font deux personnes qui s'aiment n'est jamais mal.

Je savais alors que personne – ni loi, ni parent, ni ami – ne peut exercer une quelconque juridiction dans le pays des amants.

Je savais alors que ceux qui ont connu un amour véritable comprennent que la clé de l'univers repose dans le corps de l'amant.

Je possédais la clé et j'ouvrais chaque jour la porte de l'univers.

L'univers que je découvrais était exclusivement composé de désir.

Au journal, les choses commencèrent à se dégrader. J'avais progressivement perdu tout intérêt pour les exercices frénétiques des individus et leur prose. La Fraternité des Glands Étincelants paradant dans les couloirs ne m'avait jamais terrorisé ; peu à peu, elle perdait tout attrait de curiosité. Une érection est excitante parce qu'elle va et vient. Mais une turgescence ininterrompue est ennuyeuse. Quant à la prose, bien sûr, elle m'éprouvait de plus en plus. Elle était perpétuellement sous cortisone, artificiellement gonflée. Elle présentait les choses de façon déformée.

Quelquefois, en la lisant, je m'attendais à y voir pousser des abcès.

En retour, j'étais devenu un objet de profonde déception pour les satrapes du bureau. Peut-être même un objet de risée. Je restais résolument tapi dans ma tranchée, tirant les salves obligatoires mais refusant l'engagement direct.

Mauvaise attitude. Les brutes qui se comportaient ainsi risquaient de démolir la logique du mât. La maladie pouvait se propager. Au regard de mes débuts prometteurs, il y eut plusieurs tentatives pour me confier davantage de responsabilités. Je les déjouai toutes. Je devins paranoïaque. Je faisais le maximum pour éviter tout contact avec les gros godemichés. Je refusais de leur parler. Je ne voulais à aucun prix croiser leur regard.

Lorsque j'avais fini de remanier un texte, je le reprenais méticuleusement pour en supprimer toute trace de sagacité, le rendre parfaitement plat, afin qu'aucun regard, aucune sensibilité ne pût accrocher à sa surface.

Un jour, Shulteri m'invita à déjeuner et déclara : « Je ne te comprends pas.

– Je suis un journaliste chancelant », répondis-je.

Il versa dans la mélancolie et ouvrit son cœur. Il me dit que le Roi du Belvédère était peut-être un dieu pour tous les collaborateurs du journal, mais que ses dieux à lui étaient ailleurs : des dieux littéraires, tous morts. Il était venu au journalisme douze ans plus tôt parce qu'il ne voyait pas d'autre moyen d'approcher l'écriture. Il avait espéré traverser le journalisme pour entamer une carrière d'écrivain, mais s'était laissé piéger. Il avait connu quelques succès, gagné de l'argent. Les années avaient passé. Il s'était marié, avait eu deux fils. Il possédait un bel appartement, une voiture Maruti rouge. Son fils aîné étudiait dans une école coûteuse, où l'on servait le déjeuner dans un panier, avec des serviettes de table bien pliées. C'est le terme qu'il utilisa : serviettes de table.

Il expliqua que, parfois, il avait du mal à trouver le sommeil quand il songeait à ce qu'il avait voulu entreprendre et à ce qu'il était finalement devenu.

Je fus déconcerté. La désinvolture équivoque à laquelle j'en étais venu à l'associer s'était volatilisée. De même que les stigmates de l'escalade. Je le scrutai pour savoir s'il se jouait de moi. Mais de cela non plus il n'y avait aucun signe.

Nous mangions des parathas dans un café, près du petit centre commercial. L'établissement avait connu des jours meilleurs. Les serveurs étaient moroses, et leur uniforme trahissait la négligence. Ils portaient des tuniques blanches froissées et des sandales de caoutchouc. Les plats – même de simples galettes fourrées – mettaient du temps à arriver. Et si l'on demandait quelques accompagnements – pickles, oignons, beurre –, ils arrivaient comme des notes de bas de page, en fin de repas.

Shulteri mangeait peu. J'avais fini mon paratha, lui n'avait grignoté qu'une demi-bouchée. Pendant un instant, je me demandai si j'avais enfin devant moi l'homme véritable.

« Il n'est jamais trop tard, remarquai-je.

– C'est ce que je me dis. »

C'était étrange de le voir sans son sourire moqueur. À quel moment se l'était-il forgé ? Dans son jeune âge, quand il croisait le fer avec ses pairs ? Ou plus tard, quand il avait eu besoin d'un camouflage pour se mouvoir dans un monde étranger ?

« Tu penses que je me leurre ? poursuivit-il.

– Nous nous leurrons tous, non ? »

Il était assis là, devant son assiette intacte, son visage de rongeur figé. Le silence s'était congelé à notre table comme du beurre froid lorsqu'il reprit : « Je vais t'expliquer quel est le problème. »

J'attendis. Il regardait au loin.

« Le problème est que les gens comme moi viennent de nulle part. Nous sommes issus des marges de la terre. De nulle part. Il faut beaucoup de temps pour parvenir au centre du monde. Et plus encore pour s'y tailler une place. Ce n'est pas facile, ensuite, de l'abandonner. Ce n'est pas facile de céder le territoire qu'on a annexé au centre du monde. Non, pas facile.

– C'est vrai, ce n'est pas facile », acquiesçai-je.

L'appartement, la Maruti rouge, les serviettes de table.

Comme il se taisait, j'ajoutai : « Mais ce n'est pas non plus très difficile. Il suffit, je crois, de se rappeler les choses essentielles. Si…

– C'est sans importance », coupa-t-il d'un ton soudain enjoué.

Le sourire moqueur avait réapparu. Le corps avait recouvré sa décontraction. Shulteri était trop fier pour supporter la condescendance. Il s'était laissé aller un bref instant, pour s'aérer. Pas pour recevoir une leçon.

« De toute façon, enchaîna-t-il, je crois à la valeur de ce que nous faisons. Le bon journalisme est très précieux.

– Tu as raison. »

Ce fut la première et la dernière fois que je vis son sourire moqueur s'effacer. Bizarrement, au lieu de le rendre plus amical, sa brève confession l'indisposa à mon égard. Peut-être craignait-il d'avoir révélé son angoisse sous le masque. Les veines vulnérables étayant la rayonnante érection. Je suppose que, dans le code guerrier des Glands Étincelants, le moindre soupçon de flaccidité était un désastre.

Privé de la protection de Shulteri, je n'avais plus personne pour surveiller mes arrières. Je sentis que je pourrais persévérer quelque temps encore dans la tranchée sans encourir une expulsion. Un serreur de boulons de troisième ordre. Mais j'étais seul. Victime de choix pour le premier caprice individuel ou collectif qui dévasterait le service.

À la fin de la décennie, les clivages se firent de plus en plus sentir. Au journal, j'avais cessé d'exister. Tel un esprit frappeur, j'entrais et sortais, serrant quelques boulons inconséquents. Personne, sur le mât glissant, ne jetait un regard dans ma direction. Le pays était plongé dans un tremblement de castes, et les Glands Étincelants couraient en tous sens pour le commenter. Chacun était convaincu que le sens de la justice mal inspiré d'un homme larmoyant allait prendre l'Inde à contre-pied. Que la pointe de la pyramide des castes soutiendrait bientôt toute la base. L'élite était en proie à la panique. Je savais qu'elle ne soutiendrait rien d'autre que son propre luxe.

Le maître, la maîtresse, et la margarita givrée.

Mais l'élite n'avait pas besoin de s'affoler. L'homme larmoyant suivait sa voie, et disparaîtrait avant longtemps. Celui qu'il avait battu, Rajiv Gandhi, serait bientôt mort. La pyramide des castes reprendrait sa place, pointe en haut. Et l'homme larmoyant marcherait vers l'horizon et tomberait du bord de la terre.

Il démontrerait qu'il est aisé de battre un ennemi redoutable, mais beaucoup plus ardu de battre un moi inepte.

L'élite de l'Inde serait sauve. Elle avait survécu à cinq millénaires de rudes défis, et damé le pion aux congénères de Bouddha : Mahariva, Kabir et Gandhi. Elle leur avait complu, les avait cooptés, puis soigneusement disposés sur la cheminée. L'homme larmoyant, dans quelque temps, dans très peu de temps, serait réduit à un point sur l'écran.

Le maître, la maîtresse, et le margarita givré.

Défendus par la Fraternité des Glands Étincelants.

J'avais tout loisir pour réfléchir à la question parce que ma tâche se compliquait sur la Brother. Les jours s'écoulaient sans que je frappe une seule touche. J'étais profondément déchiré quant à la qualité de ma prose. Parfois, en lisant le lent déroulement de la vie du saint guerrier, il me semblait avoir créé quelque chose d'une certaine valeur. Je pénétrais dans son esprit et m'étonnais de son émerveillement simpliste devant le monde. Je l'accompagnais auprès de ses chevaux et son amour pour eux m'émouvait. Je suivais ses ablutions quotidiennes et leur qualité rudimentaire me touchait. Je montais dans le train avec lui et son cheval, et la réaction des autres voyageurs à son égard m'intriguait.

Puis, tout aussi rapidement, le lendemain, je relisais mon texte et sa fausseté me consternait. Je me colletais avec cette énigme : pourquoi seule une fiction réaliste serait-elle bonne ? Mon histoire tenait, elle se lisait bien. N'était-ce pas suffisant ? Comment affirmer que *Tess d'Urberville* n'était pas bidon ?

Ma bravoure ne durait pas.

Deux jours de certitude et d'écriture, et la Brother devenait muette.

J'avais dévoilé à Fizz une vague idée du sujet, mais ne lui avais rien fait lire. Elle attendait patiemment, sans rien demander, pourtant je voyais une ombre d'anxiété voiler son visage chaque fois que j'émergeais du bureau sans que la machine ait émis un seul son.

Il y avait pire. Nous avions de fréquentes prises de bec. Des petits riens déclenchaient des engueulades. Un robinet mal fermé. Le journal mal replié. La porte non verrouillée. La lumière non éteinte. Le pain oublié. Le lait tiède. Le thé non préparé. Le rideau non tiré.

Le livre non écrit.

La route non prise.

En général, nous oubliions ce qui avait provoqué la dispute car elle dérivait sur toutes sortes de sujets. Nous grattions de vieilles blessures : famille, amis, deuils, souvenirs, choses faites à l'autre et choses pas faites. Fizz lâchait des coups. Je tranchais dans le vif. Nous nous insultions, nous nous blessions.

Un jour, elle me jeta un plat de concombre à la figure.

Je lisais, vêtu de mon lunghi, assis sur la causeuse. Elle était en colère contre moi parce que je n'avais pas appelé le plombier pour réparer la chasse d'eau. La fuite durait depuis plusieurs jours et le harcèlement de Fizz m'irritait. Peu m'importait d'utiliser le seau pour vider la cuvette des toilettes. D'ailleurs, pourquoi n'avait-elle pas, elle, appelé le plombier ?

Elle m'apostropha : « Tu as téléphoné au plombier ? »

Prenant une voix de fausset, je répondis : « Le plombier ? Le plombier ? Téléphoné au plombier ?

— Tu lui as demandé de venir réparer, oui ou non ?

— Tu vas la faire réparer, oui ou non ? Tu vas la faire réparer, oui ou non ?

— Arrête de faire l'idiot !

— Arrête de faire l'idiot ! Arrête de faire l'idiot ! »

Elle prit le plat et le lança dans ma direction. Le plat rebondit sur mon épaule, et son contenu se déversa sur mon torse nu. Les rondelles de concombre, imbibées de citron, de piment et de sel, se collèrent à ma peau. C'était frais.

Je restai assis, regardant l'eau s'égoutter. Je n'en croyais pas mes yeux.

« Espèce de garce ! Tu es folle !

– Le grand écrivain Chinchpokli ! »

Elle ouvrit violemment la porte et s'en alla. Plus tard, elle m'avoua avoir ri en descendant l'escalier et en marchant dans le parc. Lorsqu'elle revint, j'avais pris un bain et nettoyé les dégâts.

Ces batailles, qui éclataient comme des crues subites, cessaient aussi vite, emportant avec elles les frustrations accumulées pendant plusieurs jours. Elles étaient bénéfiques, purifiantes, et nous laissaient apaisés.

Toutefois, d'autres survenaient sans fanfare ni trompette, sur un ton mineur, mais s'éternisaient dans une lente combustion. Elles débutaient par un ressentiment muet, engendrant lui-même un autre ressentiment muet. Elles restaient masquées, comme le rougeoiement d'un allume-cigare de voiture. Chaque fois que l'on tirait l'allume-cigare, il était incandescent, et de plus en plus en brûlant. C'étaient les plus mauvaises fâcheries, échelonnées sur de longues bouderies. Nous ne parlions pas et la colère se calcifiait. Finalement, il fallait couper le moteur pour que l'allume-cigare refroidisse.

À un certain moment, nos corps commençaient à s'agiter, à éprouver un besoin maladif de s'étreindre. Nous tournions l'un autour de l'autre, cherchant l'ouverture idéale, l'instant propice pour déverrouiller la situation sans dire un mot. Une sorte de connexion électrique, entre nous, donnait le signal. Cela pouvait survenir la nuit, dans l'obscurité, avec une caresse hésitante. Sur la moto, avec une pression soudaine. Sur la terrasse, avec un regard urgent. À ce moment-là, nous réagissions bien. L'initiateur n'était jamais rejeté; il recevait toujours une réponse passionnée.

Nos luttes s'achevaient dans une étreinte merveilleuse. Nous appelions cela l'amour-bagarre, et nous l'attendions avec impatience alors même que nous étions engagés dans une bataille sévère.

Je me demandais souvent combien il faudrait de conflits avant que la passion commence à s'effilocher. Le tranchant à s'émousser. Par miracle, cela n'arrivait pas. Néanmoins mon anxiété persistait.

Je pressentais que les orages croissants de notre relation avaient moins à voir avec nous qu'avec l'activité déclinante de la Brother. Que les étoiles et les crânes, les pics et les déclivités, l'abyssale satiété et la clé de l'univers étaient, d'une manière ou d'une autre, en rapport avec ma capacité à rassembler des mots sur le papier. Lorsque les feuillets restaient blancs, tout le reste le devenait aussi. Bien sûr, je pouvais tricher. Taper n'importe quoi. Remplacer le récit par le son.

Laisser l'illusion devenir réalité.

Mais je n'étais pas encore si bas.

De son côté, Fizz était quelque peu perplexe quant à son travail chez Dharma Books. Plusieurs mauvais manuscrits lui étaient passés entre les mains. Nous n'avions pas la moindre idée de ce qu'ils devenaient une fois publiés. On ne les trouvait dans aucune librairie. Personne ne les mentionnait. Ils semblaient s'évanouir dans quelque obscur bibliocachot, destination de la plupart des livres. Rares sont ceux qui résistent à sa force de gravité. Avec le temps, même les plus grands y sont aspirés. C'est merveilleusement hygiénique. Si tous les bibliocachots se mettaient à régurgiter leur trop-plein, le monde serait englouti sous un océan de papier sans valeur.

Mauvaise prose, mauvaises idées, descriptions exécrables.

La disparition de ses ouvrages ne décontenançait pas Dum Arora. Nous en venions à croire la rumeur, à savoir que les titres publiés par Dum étaient un confortable arrangement passé avec les services gouvernementaux. Les ouvrages allaient directement de l'imprimerie aux entrepôts de l'État, en évitant habilement les librairies et les lecteurs. Occasionnellement, ils faisaient l'objet de comptes rendus tortueux dans les journaux que personne, j'en étais convaincu, ne lisait.

Si cette histoire était vraie, le bibliocachot du gouvernement était gigantesque.

Fizz ne tirant aucune vanité de son travail, cela ne la perturbait nullement. Dum la payait en temps et en heure, et il était toujours poli.

La collaboration de Fizz avec Dharma Books eut des retombées surprenantes. Elle rencontra une femme hors du commun, et participa à un projet hors du commun, lequel nous procura autant de sujets de conversation que de distraction pendant de nombreux mois.

Cette femme était une universitaire huppée, diplômée de Harvard et d'Oxford en sociologie et psychologie. Elle avait épousé un homme immensément riche qui fabriquait des pièces détachées d'automobiles. Nous n'avons jamais su de quelles pièces il s'agissait. Il fumait la pipe et lisait *The Economist*. Désespérément aimable, il ponctuait sa conversation de « Puis-je », « Me permettez-vous », « Si vous voulez bien », « Je vous en prie ». Je remarquai qu'il déployait de grands efforts pour mettre les femmes à l'aise.

Par contraste, sa femme ne perdait pas de temps en raffinements. Elle avait une beauté dure – semblable à celle d'Indira Gandhi ou de Margaret Thatcher. Un visage aiguisé qui tranchait dans le vif. Elle avait les cheveux courts et souples, striés de mèches d'argent. Sa voix opérait comme un ouvre-boîtes – froide, mesurée, coupante –, qui vous sectionnait. Nous la surnommions Méchante Reine. Ni Fizz ni moi n'entendîmes jamais dans sa bouche un mot tendre sur quiconque ou sur quoi que ce soit. Fizz disait que ses chauffeurs et ses domestiques étaient eux aussi ouverts comme des boîtes de soupe. Chaque fois que leur patronne leur adressait la parole, il y avait du sang par terre. Mieux valait détourner les yeux.

Mme Khurana aspirait, je pense, à conserver une vision implacable et perfectionniste du monde. Il existe des gens très intelligents de ce type, pour qui douceur rime avec faiblesse, et qui sont violemment opposés aux deux. L'apprentissage empirique – et souvent la richesse – leur donne le mépris de la sentimentalité. Le monde est dur ; il a évolué selon les principes darwiniens ; rien ne sert de transiger sur ce point. Leur vaste connaissance de l'articulation de la langue ne laisse aucune place au limon des subtilités ordinaires.

Mme Méchante Reine avait tout : diplômes, dollars, confort, classe, enfants, réflexion. Mais elle n'avait d'indulgence pour personne, y compris pour elle-même. Sa vie était le produit de ses efforts. Elle ne devait rien à personne. Ceux qui n'avaient rien ne devaient s'en prendre qu'à eux-mêmes. Elle affrontait le monde avec sa hachette et s'y taillait un chemin.

Le monde est un terrain hostile.

Dum Arora envoya donc Fizz chez Mme Khurana, qui cherchait une assistante de recherche intelligente.

« C'est une dame très gentille, très assurée, lui dit-il. Diplômée d'Oxford et de Harvard. Mais elle est un peu en colère.

– En colère contre quoi ?

– Contre le monde. Elle est en colère contre le monde. Il y a des gens comme ça. Certains sont furieux contre leurs parents. D'autres contre leur femme. D'autres contre leurs enfants. Et certains sont furieux contre le monde. Mme Khurana est très en colère contre le monde. Mais c'est une dame très gentille. Une dame qui n'a pas froid aux yeux. »

Fizz se rendit chez elle. Mme Khurana habitait une grande maison dans Maharani Bagh, avec du mobilier colonial ancien et des tableaux modernes. On fit d'abord asseoir Fizz dans un immense salon, on lui offrit un verre d'eau, puis on la conduisit dans un bureau tapissé de moquette, avec des bibliothèques en tek et des lampes articulées. Un silence étouffé planait dans la maison et les domestiques marchaient sur la pointe des pieds. J'attendais dehors, près du haut portail en fer, appuyé contre ma moto sous un albizzia. L'arbre déversait des pompons jaunes sur la route. J'en ramassai quelques-uns, intacts, et, d'un souffle, les fis voleter en l'air. Le gardien en uniforme gris et casquette grise à filet doré me jeta un regard dégoûté.

Ce jour-là, Mme Méchante Reine n'était pas en colère contre le monde. Juste très sévère.

Elle procéda à un interrogatoire. Sa première question fut : « Avez-vous des rapports sexuels réguliers ?

– Tout dépend de ce que vous définissez par "réguliers" », répondit Fizz avec un sourire.

L'entretien se déroula bien. Mme Méchante Reine elle-même ne fut pas imperméable au charme naturel et pacifique de Fizz. Elle menait une étude sur les habitudes masturbatoires du mâle indien. C'était, à son avis, un domaine insuffisamment documenté. Elle cherchait une personne pour l'aider à collecter des données. Il fallait mener des entrevues en tête-à-tête, prendre des notes et les rapporter. Pas de fioritures. Pas de belles phrases. Pas de mise en ordre. Rassembler simplement le matériel. Et se faire payer. Cent cinquante roupies par entretien.

« Souvenez-vous. Pas de roman, pas d'embellissements, pas d'ajouts.

Rapporter les propos tels quels. La qualité de l'analyse dépend de la qualité des données.

Montrer de l'empathie. Inciter à la confession.

Garantir la confidentialité. Paraître érudit.

Encourager les descriptions graphiques.

Se montrer proche. Ne pas s'impliquer.

Cent cinquante roupies par homme.

Payés cash à l'arrivée.

Vous en sentez-vous capable ?

Ah oui, *Nota bene* : discrétion absolue. Vous pouvez en parler avec votre mari, mais c'est tout.

Deux personnes seulement connaîtront les identités. Vous et moi. Bon, d'accord, peut-être aussi votre mari. Si vous le souhaitez. Mais je ne vous le conseille pas. »

Fizz lui promit une réponse dans les deux jours. Mme Méchante Reine ajouta : « N'oubliez pas, Fiza, c'est une étude sérieuse. Ne vous laissez pas égarer par le sujet. Pensez simplement que vous rassemblez des informations sur les habitudes excrétoires des cigales. »

Elle s'interrompit un instant, satisfaite de sa comparaison. Puis elle esquissa un sourire dur avant de poursuivre : « C'est très bien. Très bien, les cigales. Mais oui ! Les hommes sont comme les cigales. Ils se frottent, ne cessent de se frotter eux-mêmes, à longueur de temps. Leur frottement perpétuel est le fond sonore de notre vie. Pauvres petites cigales ! »

Le soir, Fizz me présenta un projet pilote.

« Tu le fais ?

– Oui.

– Encore maintenant ?

– Oui.

– Oui ?!

– Oui.

– Quand as-tu commencé ?

– À huit ans.

– Ça peut se faire à huit ans ?

– Oui.

– Comment est-ce arrivé ?

– Par un agréable accident.

– Non. Comment ? Où étais-tu ?

– Aux toilettes. Assis sur la cuvette. Il y avait du soleil, dehors. La fenêtre était ouverte.

– Et ?

– Je me suis frotté. Frotté.

– Comme une cigale ?

– Comme une cigale.

– Et ?

– Je ne m'étais jamais senti si bien. La terre a tremblé. Les oiseaux chantaient. Mon esprit s'est ouvert comme une fleur.

– Ensuite ?

– J'ai adopté une stricte discipline.

– C'est-à-dire ?

– Au moins deux fois par jour. Que je sois très occupé ou non.

– Quelqu'un le savait ? Tes parents, des domestiques, des amis ?

– J'en suis sûr. Tous.

– Tu n'avais pas honte ?

– Pas assez pour m'arrêter.

– T'es-tu jamais fait surprendre ?

– Une fois. Au lit. Sous la couette. Par mon cousin.
Je lui ai dit que c'était sur ordre du médecin. Je venais
d'avoir la jaunisse.

– Il t'a cru ?

– Je ne sais pas. Il voulait savoir si ça empêchait
d'attraper la jaunisse.

– Et ?

– J'ai répondu oui.

– C'est efficace ?

– Je n'en jurerais pas. Mais c'est un antidote universel contre la torpeur et les démangeaisons testiculaires.

– Où l'as-tu fait ?

– Tous les endroits ?

– Oui.

– Salles de bains, chambres, trains, bus, bibliothèques,
salles de classe, cinémas, avions, bord de route.

– Sur le bord d'une route ?

– Une fois. Provoqué par une fugitive exposition.

– De quelqu'un de ta connaissance ?

– Non. Une personne de passage.

– Ton lieu favori ?

– Le lit.

– Le plus inhabituel ?

– Le siège arrière d'une moto. Une Royal Enfield. À
treize ans. Avec mon cousin. Ma queue s'est échappée
de mon short et a frotté contre le siège vibrant. Ça s'est
passé très vite. Regarde, maman, sans les mains !

– Arrête ta comédie. On parle de cigales.

– Pardon.

– À quoi penses-tu quand tu… pendant que tu le
fais ?

– À des femmes.

– Quoi, précisément ?

– Tout. Voir, faire, prendre…

– D'accord, ça va. Quel est le déclencheur ?

– Un livre. Un magazine. Un film. Une image. Un son. Une odeur. Mais surtout un souvenir. Un souvenir.

– Quel souvenir ?

– Des choses passées. Manquées. Vues. Imaginées.

– Tu penses à quelqu'un que tu connais ?

– Parfois.

– Et sinon ?

– Une personne entrevue. Une personne que j'aimerais connaître.

– C'est vraiment le hasard !

– Comme la vie.

– Est-ce que tous les hommes le font ?

– Oui.

– Même quand ils peuvent faire l'amour pour de vrai ?

– Oui.

– Est-ce que certains hommes préfèrent cela à l'amour ?

– C'est possible.

– Et toi ? Ça t'arrive ?

– Je refuse de répondre à cette question. Cela pourrait être utilisé contre moi.

– Il s'agit de cigales !

– Pardon. Oui. Non.

– Quoi ?

– Non. Ça ne m'arrive pas. Pas vraiment.

– Existe-t-il plusieurs façons ? Je parle de techniques.

– J'en suis certain.

– Et toi ?

– J'ai une approche conservatrice.

– Ce qui signifie ?

– La main qui écrit. Parfois une variante. La main qui lave. *Apna haath jagannath.*

– Pardon ?

– Nous sommes tous bénis par la main de Dieu.

– Tu as autre chose à me dire ?

– Je confesse que, à ton insu, j'ai abusé ainsi de toi à plusieurs reprises. L'esprit est un animal immoral. »

À cet instant, Maître Ullukapillu hulula.

« Ça suffit, dit Fizz. N'ajoute rien. Tu es écœurant. »

Le lendemain, elle retourna voir Mme Méchante Reine pour lui annoncer qu'elle était disposée à faire un essai. L'universitaire lui donna un questionnaire permettant de structurer les entretiens, guère différent du pilote imaginé par Fizz. Et elle lui répéta ses injonctions au sujet de l'empathie, la confession, la proximité, la distance, la discrétion, la rigueur académique. Et l'excrétion des cigales.

Fizz choisit Philip comme premier candidat. Il vint chez nous pour devenir un sujet d'étude. Il était entre deux bains, immergé dans une période de paresse. Il offrait un spectacle de charme inintelligible, et s'exprimait avec de mols haussements d'épaules, grattements de tête et sourires faibles. Un élève de maternelle à sa première interview.

Il finit par se lever et demanda : « Je peux avoir du rhum ? »

Mieux vaut du rhum dans le bide que de la merde dans le cul.

Il était onze heures trente du matin.

Fizz apporta la bouteille de Old Monk.

Il se servit un grand verre, le but d'un trait, et commença à parler.

« L'astuce, m'expliqua Fizz plus tard, réside dans l'attitude et le ton. J'ai compris. Il faut afficher un air calme. Ne jamais sourire. Si on y est obligé, sourire avec la bouche, jamais avec les yeux. Parler d'une voix ferme. Ne jamais bafouiller. S'exprimer avec clarté et assurance. Se limiter aux faits. Et on s'aperçoit qu'on est en train de parler des habitudes excrétoires des cigales. »

Faites-vous cela la tête en bas ?

Les figues sont-elles le seul fruit qui vous donne envie de le faire sur-le-champ ?

Est-ce que la tremper dans la crème anglaise chaude change le goût de la crème anglaise ?

Vous la mettez dans une prise à courant faible ou fort ? Et que faites-vous s'il y a des étincelles ?

Froid. Clinique.

Le monde est dur.

Traiter tous les hommes comme des cigales.

Mme Méchante Reine fut ravie du premier essai de Fizz. Elle lui remit immédiatement cent cinquante roupies, poliment dissimulées dans un aérogramme à lisière bleue et rouge, avec son nom souligné d'un trait. Deux billets. Un de cent, un de cinquante, tenus par un trombone jaune. Fizz me donna l'argent et glissa le trombone dans son sac.

Ce soir-là, nous sortîmes, nous nous soûlâmes et, au retour, nous fîmes l'amour. Pour la première fois, la vie sexuelle d'un tiers pesait sur la nôtre. Tandis que je m'activais sur Fizz, et en elle, je commençai avec hésitation à lui poser des questions sur son premier entretien, et quand elle me révéla lentement les secrets les

plus intimes de Philip, une griserie s'empara de nous,
si forte qu'elle nous coupa le souffle. Fizz disparut de
longs moments, et je dus lutter pour rester où j'étais, à
ce point exquis entre la vie et l'oubli.

Ce point où l'on est le plus vivant avant d'être mort.

L'étude propulsa notre vie amoureuse vers de nouvelles contrées. Au moment précis où je commençais à
croire que nous touchions le fond de ce qui peut exister
entre deux personnes, nous découvrîmes le ménage à
trois fantôme. Cinq ans plus tôt, la seule mention d'un
autre homme m'aurait ravagé. Maintenant, elle m'excitait.

Avant que nous en ayons terminé avec Philip, il y eut
Ravi. Puis Alok, Anil, Udayan. Ils nous rendirent visite
dans notre lit pendant quelques jours, chacun avec un
menu différent. Nous ne prononcions pratiquement pas
un mot en nous couchant, mais nous étions hérissés par
l'attente, durs et relâchés, humides et brûlants, corps
et âme. Puis, à l'instant de pénétrer en Fizz, la parole
se débridait. Je posais des questions, elle répondait.
Je posais des questions, elle répondait. Nous parlions,
parlions, parlions. Au cœur de la nuit, animés d'un
mouvement indolent. Dans le fourreau de son désir,
je disais des choses qui m'auraient déchiré le cœur à
tout autre moment. D'ailleurs, souvent, plus tard, assis
devant la Brother ou pris au piège dans la tranchée du
secrétariat de rédaction, mes paroles me déchiraient le
cœur. Je devais alors me tenir solidement la tête pour
étouffer ma voix avant qu'elle n'étouffe ma raison.
Avant qu'elle transforme un jeu amusant en un duel
fatal.

Le ménage à trois fantôme.

Le problème était que cela n'avait rien d'un batifolage fantasmatique normal. Ni des taquineries anonymes auxquelles se livrent les amants. Cela reposait sur une connaissance réelle d'hommes réels. C'était un peu comme avoir un amant en chair et en os dans notre lit. Après nos ébats, lorsque nous cherchions à recouvrer notre souffle et que nos mains moites s'étreignaient, nous avions la sensation tenace d'être violés.

De la profanation d'un espace intime.

Mais avant même que nous commencions à nous colleter avec la dynamique de ce que nous avions découvert par hasard, non loin de là, le destin était en train de s'infléchir pour récrire nos vies.

Pour nous donner le pouvoir de rendre nos rêves réels.

Et, selon la plus ancienne des paraboles, pour nous dévoiler le ver de l'intérieur.

Bibi Lahori

Dans un petit village proche de Kurukshetra – où, dans l'Antiquité, les Pandava et les Kaurava avaient mis le monde au point mort en se livrant bataille, et joué jusqu'à son terme le Mahabharata pour imposer le modèle merveilleux et moralement ambigu permettant la compréhension de l'humanité entière – dans un petit village, donc, une femme résolument optimiste se préparait à mourir.

Le plus grand livre du monde, le Mahabharata, nous enseigne que nous devons vivre et mourir suivant notre cycle karmique. Ainsi fonctionne le principe parfait récompense-châtiment, cause-effet, qui régit l'univers. Nous vivons dans notre existence présente ce que nous avons inscrit dans la précédente. Mais le grand thriller moral nous commande également de nous révolter contre le karma et ses ordres despotiques. Il nous apprend à le renverser. À le changer. Il nous conseille d'écrire nos vies futures comme nous vivons notre vie présente.

Le Mahabharata n'est pas un manuel d'instruction religieuse.

Il est beaucoup plus. C'est une œuvre d'art.

Il établit que les hommes chuteront toujours dans le gouffre instable qui sépare le tiraillement de la moralité et l'attrait de l'immoralité.

C'est dans cet espace mouvant d'incertitude que les hommes deviennent des hommes.

Non des animaux, non des dieux.

Le Mahabharata considère la vérité comme relative. Définie par le contexte et les motivations. Il encourage les plus nobles des hommes – Yudhishtra, Arjuna, et Krishna lui-même – à mentir afin de servir une vérité plus haute.

Le monde, pour le Mahabharata, est gouverné par le désir. Or ce désir est une chose insaisissable. Le désir engendre la mort, la destruction, l'affliction. Mais le désir crée aussi l'amour, la beauté, l'art. Il est notre plus grande perte. Et il est l'unique raison de nos actes.

Agir c'est vivre. L'action est karma.

Ainsi, le Mahabharata pardonne même à ceux qui désirent immodérément. Il pardonne à Duryodhana, l'aîné des Kaurava, symbole des forces du mal. L'homme qui désire sans cesse ni retenue. L'homme qui provoque la guerre pour mettre fin à toutes les guerres. Il lui accorde le paradis, et l'admiration des dieux. Dans le désir et dans l'action, cet homme le plus honni de tous remplit le mandat de l'homme.

On doit connaître le monde avant d'en avoir terminé avec lui. On doit agir par désir avant d'y renoncer. Il n'y a aucun mérite à renoncer à ce que l'on ne connaît pas.

Le plus grand des livres du monde sauve la volonté personnelle de la religion, et la rend à l'homme.

La religion est le fantasme disciplinaire d'un maître d'école.

Le Mahabharata est le joyeux chant de vie d'un maestro.

Dans ses récits à l'intérieur des récits, il présente la religion comme un cocon filé, qu'il retourne et met à nu. Et la laisse s'interroger sur ses follicules empoisonnés.

Il offre aux hommes la chance d'être magnifiques. Des architectes, hantés par leurs doutes, d'une petite part de leur vie. Des Duryodhana capables de gagner même lorsqu'ils perdent.

C'est ici, sur l'ancien champ de bataille du Mahabharata, que la vieille dame gisait, mourante. Elle avait, de bien des manières, honoré l'esprit du lieu. Elle s'était révoltée contre son karma, l'avait subverti, changé. Elle était une victime des maîtres d'école à l'esprit dérangé et de leurs fantasmes disciplinaires, de leurs religions sermonneuses.

Dans les derniers jours de 1947, une calamité pressentie depuis longtemps s'était abattue en pleine nuit sur sa ferme. Un soir, les élèves des maîtres d'école avaient saccagé sa propriété des environs de Lahore. Son grand gaillard d'époux – dont elle avait appris très tôt à éviter le poids écrasant par d'adroites manœuvres – avait été traîné dehors, dans la cour principale. On avait écartelé ses bras puissants et, tandis qu'il rugissait et enrageait, on l'avait éviscéré avec des dagues argentées.

Les élèves travaillaient en silence. Ils exécutaient leur ouvrage. Ils ne paradaient pas.

La femme ne fut pas surprise quand il cria son nom avant de mourir. Sheila !

Sa voix avait la même intensité que lorsqu'il criait avec elle, la nuit.

La plupart des ouvriers agricoles étaient morts ou en fuite. Accroupie sur le sol, elle observait la scène, ses beaux yeux bleus juste au-dessus du rebord de la fenêtre. Leur tâche accomplie, les assassins essuyèrent méticuleusement leurs dagues sur le kurta blanc de son mari. Ensuite, alors qu'elle était cachée sous le lit, ils saccagèrent la maison. Ils ne brûlèrent pas la propriété car ils savaient que l'un d'entre eux viendrait bientôt la revendiquer.

Ils pourchassaient seulement les vivants.

Elle n'osa sortir que quelques heures plus tard, quand les chacals commencèrent à hurler. Le premier lança un long gémissement dans la nuit. Puis le chœur entra en action. Elle ne pleura pas. Si l'on évitait de regarder l'estomac béant et la torsade d'intestins rouges, son époux paraissait dormir. Il n'y avait pas la moindre égratignure sur son visage. Elle fouilla les poches de son kurta. La bourse de peau fauve s'y trouvait. Elle la prit, ainsi que la montre Fabre-Leuba à chiffres romains, sa grosse bague en or, et le médaillon qu'il portait au cou, avec une photo de lui et de son père sur Oxford Street, à Londres, en manteau et chapeau melon. Elle ôta également, avec difficulté, le bracelet de son poignet droit. Il était maculé de sang. Elle dut l'essuyer sur le kurta, où les assassins avaient essuyé leurs dagues. Sur le bracelet était gravé son nom : Sansar Chand, en lettres cursives, avec une petite arabesque au-dessus du S et du C.

De toute évidence, les hommes n'étaient pas venus pour voler. Ils étaient venus pour purifier.

Les pilleurs arriveraient plus tard.

Elle rentra dans la maison et ôta tous ses ornements corporels, y compris les étroits anneaux de ses orteils. Ensuite elle ouvrit les coffres et en sortit argent et bijoux. Elle mit de côté les petits objets de grande valeur : bagues et pierres de narines, avec une exception toutefois : un lourd bracelet de cheville en argent reçu de sa mère, qui l'avait elle-même reçu de la sienne. Elle en fit un petit paquet, enveloppé de mousseline, qui tenait dans ses paumes, puis rangea le reste des bijoux dans un petit coffret en bois, muni de charnières et de cadenas en fer.

Ensuite, elle ouvrit les portes de la massive armoire en tek de Birmanie, cala le miroir de Bénarès gravé à l'intérieur, plaça une bougie allumée devant, prit ses ciseaux à tissu et commença à couper ses cheveux longs. Elle les soignait depuis qu'elle était petite fille. Ils étaient luxuriants et lui tombaient jusqu'aux hanches. Ils étaient merveilleusement drus sous la lame des ciseaux, et rendaient le plus gratifiant des sons. Elle les coupa très court, le plus nettement possible.

Dans la lumière jaune et vacillante, elle se vit devenir un bel adolescent aux traits délicats. Petit nez fin, petites oreilles parfaites, bouche gracieuse et bien dessinée, et puis ce trait de résistance : le menton saillant, fendu d'une ombre de sillon. Lorsqu'elle baissa les yeux, sa chevelure était massée sur le sol comme un pantalon bouffant.

Elle se déshabilla. Hormis les duos de chacals, la nuit était silencieuse. Les élèves du maître d'école s'étaient peut-être retirés pour dormir, eux aussi. Comme le reste de sa personne, ses seins étaient petits mais fermes. En dépit de deux accouchements, les mamelons étaient roses et non brunis. Mais denses. Sansar Chand aimait les tirailler avec ses lèvres bulbeuses jusqu'à ce qu'elle crie. Elle les effleura du pouce un instant. Ils étaient dressés. La peur montait en elle. Elle déchira une bande du drap, lui donna une forme avec les ciseaux, puis, retenant son souffle, se banda étroitement la poitrine. Les pointes de ses seins saillaient comme des bornes kilométriques. Elle s'appliqua à apaiser sa respiration, posa doucement ses paumes sur ses seins, et attendit. Quand elle ôta ses mains, la bande de drap blanc était une large route lisse ceignant son monde.

Elle roula les billets de banque qu'elle avait trouvés en un mince cylindre et, l'enveloppant dans un morceau de fine mousseline blanche, l'attacha avec un petit lien. Après quoi, posant son pied gauche sur le bord du lit, elle ferma les yeux, entrouvrit doucement son corps avec sa main gauche, et y glissa l'argent. Ce n'était pas plus difficile que de recevoir Sansar Chand en elle chaque soir.

Elle choisit plusieurs vêtements de Kewal, son fils aîné, et les essaya. Kewal et son frère cadet, Kapil, avaient été envoyés à Delhi dès les premiers troubles entre Gandhi et Jinnah, hindous et musulmans, Inde et Pakistan, près de six mois auparavant. Sansar Chand se promettait d'aller les rechercher dès que tout serait rentré dans l'ordre. Ce qui lui seyait le mieux, c'était le pantalon de collège kaki de Kewal. Il n'avait que douze ans mais marchait sur les traces de son père. Sa mère était si petite qu'on pouvait la soulever d'une seule main. Elle n'avait jamais pesé plus de quarante-deux kilos. Il lui fallut nouer une ficelle autour de sa taille pour maintenir le pantalon.

Lorsqu'elle eut complété sa tenue avec une chemise et une veste, elle ressemblait à un joli adolescent prêt à partir pour l'école.

À un fantasme de petit maître d'école autoritaire.

Elle enterra le coffret aux charnières de fer dans le trou creusé deux semaines plus tôt dans un angle de la salle de prière, jeta de la terre dessus, la tassa avec ses mains, y versa un peu d'eau et piétina la boue. Puis, ne voyant aucun autre camouflage possible, elle ramassa un tas de linge, propre et sale, et le posa dessus. Ensuite, elle prit un petit sac de toile, y mit le paquet de bijoux enveloppé de mousseline, quelques vêtements de Kewal, et y ajouta une poignée de mathis, des biscuits secs dont elle n'était pas gourmande mais qui se conservaient bien.

Il restait une dernière chose à faire.

Elle se rendit aux cuisines et en rapporta des brassées de bois qu'elle disposa sur le corps écartelé de son mari. Il lui fallut quatorze allers et retours pour le recouvrir. À chaque voyage, elle devait enjamber les cadavres mutilés de Kallu et de Raka, auxquels les élèves avaient témoigné moins de respect. Ils avaient le visage taillade, la gorge tranchée. Elle n'eut pas le courage de regarder avec attention, mais ce qui gisait à côté de leurs bouches ouvertes et sanglantes semblait être leurs pénis coupés. Petits bouts de viande ensanglantés.

Et non circoncis.

Des phallus coucous. Un coup je te vois, un coup je ne te vois pas.

Elle savait que les autres étaient différents. Ici, pas de cache-cache hindou.

Elle n'osa pas aller dans les quartiers des ouvriers agricoles. On apercevait leurs cabanes basses depuis la cuisine. Les poutres de bois, le toit de chaume, la lampe-tempête accrochée au clou près de la porte. Dans l'éclaboussure de la lampe, en travers du seuil, gisait le corps longiligne de Jarnail, dont les pieds disparaissaient dans l'obscurité. Le turban dénoué, il était face contre terre, noyé dans son épaisse chevelure. Visiblement, il avait péri en combattant. Son dos était lacéré, du sang avait giclé partout, même sur les murs de terre. Il tenait encore sa dague dans sa main tendue.

Les deux poules blanches – baptisées Collector Sahib et Collector Memsahib – qui logeaient dans la cabane avec les ouvriers agricoles, trottinaient autour de son cadavre tels des officiers de marine en inspection.

Heureusement, le bois était sec et déjà coupé pour les fourneaux des cuisines. Elle n'eut pas de difficultés pour le porter et le disposer sur le corps de son mari. Dessus, elle versa, non sans mal, en utilisant une grande cruche de cuivre, les deux boîtes de beurre clarifié de la réserve. Son odeur douceâtre et écœurante emplit l'air nocturne.

Elle retourna dans la maison chercher son sac de toile, puis s'assit pour reprendre son souffle, à côté de son mari recouvert de bois enduit de beurre clarifié. Elle resta accroupie là longuement. Pas un humain ne bougeait sur toute la propriété. Depuis treize ans, il lui suffisait d'élever la voix pour qu'une douzaine de pieds accourent à pas pressés. Sheila était arrivée ici à l'âge de quatorze ans, jolie et minuscule épouse de Sansar Chand. Mais il lui avait fallu très peu de temps pour s'imposer comme la maîtresse des lieux.

Elle avait soigneusement écouté les instructions de sa mère. Sa mère qui lui avait répété, inlassablement, que les hommes sont des serpents. Leur mythe dépasse de très loin leur réalité. La plupart des serpents n'ont pas de dents. Certains ont des crochets mais pas de venin. Et avec ceux qui ont effectivement des glandes à venin, il faut se comporter en charmeur expérimenté. Ce n'est pas difficile. Il suffit de continuer de bouger et de les forcer à regarder ce que l'on veut qu'ils regardent. Au moment propice, on peut enlever les crochets à la plupart d'entre eux. Avec le temps, on apprend à se mouvoir avec une telle autorité naturelle qu'ils ne portent jamais leurs yeux là où l'on ne le souhaite pas.

Les femmes qui affrontent les hommes de face, assurait la mère de Sheila, ne vont nulle part ; ou, plus exactement, elles perdent cœur et foyer. Les femmes qui traitent les hommes comme de rampantes créatures des ténèbres qu'il faut soumettre par la ruse, dirigent le monde.

Traite les hommes comme des serpents. Leur mythe dépasse de loin leur réalité.

Sheila était suffisamment femme, à quatorze ans, pour comprendre les paroles de sa mère. Dès le début, elle traita Sansar Chand comme une créature rampante des ténèbres. Très vite, elle apprit à faire gémir de plaisir cet homme irascible de douze ans son aîné. Avec instinct et calcul, elle sut se servir et jouer de son corps de manières que son mari n'avait jamais imaginées. Elle le contraignit à modérer son ardeur en contrôlant à volonté ses gémissements. Elle comprit très vite, à son immense satisfaction, qu'un homme qui aime une anguille frétillante est dépité par un poisson inerte.

Elle devenait à sa guise anguille ou poisson. Sansar Chand n'avait aucune chance.

Il apprit très tôt à complaire à son exaspérante épouse. Elle dispensait des récompenses trop délicieuses pour qu'il s'en prive, même un jour ou deux.

Sheila offrit à Sansar Chand quelques-uns des instants les plus agréables de sa vie. Mais elle-même en profita très peu. Ses calculs constants, les conseils pratiques de sa mère lui ôtaient toute aptitude au plaisir. Les moteurs de son désir étaient endommagés et irréparables. Le stratège, dans sa tête, tuait l'officiante, dans son corps. Au lieu d'être la locomotive de tous ses voyages, le lieu de repos de tous ses agissements, la fin heureuse de toutes choses, l'acte d'amour devint pour elle l'instrument d'autres accomplissements.

La mère de Sheila était une femme amère, mal-
traitée, qui tremblait devant son mari et osait à peine
parler en sa présence. Jamais elle ne vécut auprès de
lui un seul instant de tendresse. N'ayant connu ni désir
ni liberté d'action, elle conditionna sa fille à la survie.
D'une existence entière passée dans la soumission et
l'observation, elle apprit ce qu'il fallait faire pour tirer
les rênes de sa propre vie. Peu lui importait l'absence
d'un désir qu'elle-même n'avait jamais connu. L'important pour elle était l'absence de contrôle qui avait
marqué sa vie.

Elle transmit à sa fille l'art du contrôle.

Sheila devint ainsi une femme libérée du désir, et
enchaînée par des entraves mineures.

Le beurre clarifié commençait à couler et à tacher
le sol. Elle distinguait à peine son époux sous l'amas
de bois. Elle jeta un coup d'œil alentour. Les champs
commençaient à se déployer juste au-delà des murets
de terre du domaine. En ce moment, ils couraient loin
dans la nuit, avec leurs pousses de blé tendre. Dans
l'enceinte de la ferme, on percevait juste un cliquetis
près de l'abreuvoir, où les buffles étaient enchaînés.
Entre les ruminations, on entendait parfois une bête
qui s'ébrouait ou s'agitait. Les trois chiens bâtards, un
jeune et deux vieux, qui aboyaient la plupart des nuits
s'ils sentaient un intrus, dormaient tranquillement près
de la porte, immobiles.

Les chiens survivent parce qu'ils perçoivent l'équilibre de la force.

Sheila avait oublié la bougie. Elle retourna en chercher une. La flamme vacilla follement dans la brise
mais résista. Sheila ramassa un morceau de bois imbibé
de beurre clarifié et plaça la bougie dessous ; le bois mit
une minute à chauffer avant de s'embraser. Ensuite,

elle tourna autour de son mari avec le morceau de bois crépitant et alluma le bûcher en récitant le Gayatri Mantra, l'unique hymne religieux qu'elle connaissait. *Aum bhoor bhuwah, swaha, tat savitur varenyam bhargo devasaya dheemahi dhiyo yo naha prachodayat.*

Encore et encore.

Lorsque les flammes commencèrent à danser et à bondir avec des sons graves et chantants, elle jeta le morceau de bois dans le brasier, tourna le dos, ramassa le sac de toile et la lampe-tempête, et s'en alla. La porte en rondins était entrebâillée. Les élèves ne l'avaient pas refermée. Elle se glissa silencieusement dehors, la mèche de la lampe très basse, quitta la piste de terre menant à la route principale et se fondit dans les champs verts. Presque sans un bruit, les trois chiens suivirent ses pas, petits et assurés.

Le ciel était immense et semé d'étoiles acérées.

La lune gonflée comme une femme à son sixième mois de grossesse.

Le dernier chacal tourmentait le monde avec une voix venue de l'enfer.

Une fois franchies les limites du domaine, avant de contourner le bosquet de manguiers de son voisin, elle jeta un regard en arrière. Sa ferme lui sembla lointaine. Au milieu, une trouée orange dévorait la nuit.

Sheila survécut à tout. La vie ne pouvait simplement pas la vaincre. Il lui fallut plus de cinq ans pour rebâtir une ferme et une maison, mais pas un seul instant au cours de ces cinq années elle ne douta de posséder à nouveau un jour tout ce qu'elle avait perdu. Dans les semaines et les mois qui suivirent son départ de la ferme dans la nuit étoilée, elle devint un simple pion

en mouvement perpétuel parmi des millions de pions
en mouvement perpétuel. C'était une partie dont les
joueurs d'échecs avaient perdu la maîtrise. Les hindous, les musulmans, et l'homme blanc.

En fait, ils semblaient avoir fui la table de jeu,
renoncé à feindre tout contrôle, toute logique ou tout
dessein. Désormais, alors que les rois et les cavaliers
s'embusquaient dans les marges, les pions s'entrecho-
quaient stupidement, provoquant un Armageddon.

Sheila bougeait sans cesse. Et habilement. Elle évitait les heurts avec les autres pions, se faufilait sur
l'échiquier houleux. Elle marcha, marcha, seule ou en
groupe. Voyagea en bus, assise ou debout. En train, sur
le toit ou dans les travées. Elle vit plus de cadavres que
quiconque ne le devrait en une vie entière. Des deux
côtés, les maîtres d'école avaient bien instruit leurs
élèves.

Hommes et femmes, enfants et nourrissons. Gisant
en tas ou isolément. Leurs vêtements teints de la même
uniformité sang et boue. Gorges tranchées, viscères
déversés, seins coupés, têtes écrasées, pénis hachés.
Un coup je te vois un coup je ne te vois pas. Elle s'ha-
bitua aux regards exorbités et vides, à cette négligence
propre à ceux qui meurent dans la précipitation. Bras et
jambes tordus, difformes, cous pliés de travers.

Certaines images se consumèrent en elle. Et la han-
tèrent chaque jour, jusqu'à la fin de sa vie. Blottie
dans une petite gare près de Tarn Taran, coincée entre
de nombreux corps qui se collaient pour chercher
un peu de chaleur et de sécurité, alors qu'une aurore
rouge pointait au-dessus des champs, elle vit un long
train passer lentement devant le quai, effarouchant les
oiseaux matinaux. Elle ouvrit les yeux. Le train roulait presque sans bruit. Tous les corps pressés autour

d'elle dormaient. Elle s'aperçut que le train, lent et silencieux, était rempli de gens immobiles. Un tableau riche en personnages. Certains avaient le front fracassé. Certains, la gorge ouverte. Beaucoup étaient allongés sur d'autres, toujours avec cette même négligence, ce désordre. Toutes les portières étaient ouvertes, et les allées regorgeaient de corps inanimés. Avec un lent clac-clac-clac, les compartiments défilèrent. Pas un doigt ne bougea, pas un sifflet ne siffla, pas un vendeur ne cria. Elle contempla cette immobilité, comme dans un rêve. À une portière de l'avant-dernier wagon gisait un adolescent à la peau claire, avec une moustache duveteuse et des cheveux bouclés. Sa tête pendait presque à l'extérieur. Il regardait fixement Sheila. De ses yeux profonds et paisibles. Puis les roues hoquetèrent sur un aiguillage, ébranlant le compartiment. Le dernier tendon lâcha et la tête de l'adolescent au teint clair, à la moustache duveteuse et aux cheveux bouclés, aux yeux profonds et paisibles, roula et rebondit sur le quai comme un ballon. Elle hurla. Tout le monde sursauta. Elle enfouit sa tête dans ses bras. Le train continua de rouler, rouler, et devint le fantasme mouvant des maîtres d'école disciplinaires.

Elle comprit, alors, que tuer un autre être humain est un simple acte de foi.

Dès l'instant où vous l'avez fait, cela revient à abattre un poulet.

Vous en tuez un, un jour, pour un repas. Si c'est nécessaire, vous en massacrez un millier pour une cérémonie.

Or, à cette époque, l'Inde et le Pakistan nouveau-né donnaient un banquet pour l'éternité.

Six cent mille poulets, ce serait parfait.

Taille et forme indifférentes.

Viande casher ou pas. Sans importance.
Livraison assurée. À mille miles à la ronde.
Merci, monsieur.
À la prochaine.

À la ferme, la nuit des dagues étincelantes, elle avait
dû se barder d'indifférence. À présent, tout lui revenait,
avec l'immense lassitude d'un savoir terrible. Quand
on savait ce qu'elle savait, sur quoi se lamenter ? Elle
devint encore plus forte. Elle survécut à la détresse et
aux conditions sordides des camps de réfugiés, elle
retrouva ses fils, s'introduisit dans les méandres de
l'administration pour réclamer le dédommagement de
la perte du vaste domaine de son mari, et, l'ayant obtenu
– plus de cent hectares de broussailles et de forêt –, elle
sortit le cylindre d'entre ses cuisses et les bijoux de leur
sac de mousseline. Après quoi elle s'attaqua à domes-
tiquer sa terre.

Salimgarh avait été abandonnée par ceux qui fuyaient
dans l'autre direction. Sur son nouveau domaine, il y
avait une maison vilainement pillée. Certains jours,
Sheila s'asseyait dans la cour et se demandait si une
femme avait fui d'ici, au milieu de la nuit, avec les seins
bandés et le vagin rempli. Si les hommes de son entourage avaient eu leur pénis haché menu et posé près de
leurs oreilles. Si, en ce moment même, cette femme se
tenait dans l'ancienne cour de sa maison à Chowdhury
Kalan, à quelque six kilomètres à vol de corbeau des
bazars trépidants de Lahore, près du harsingar planté
par Sheila, ce jasmin nocturne qui se parait chaque nuit
de fleurs blanches et parfumées, et s'en dépouillait au
matin. En fin d'automne, Sheila déployait des draps
sous ses branches et, chaque matin, ils étaient recou-

verts de magnifiques petites fleurs blanches avec leur
tige dorée. Ensuite, elle en disposait des petits tas odorants dans toute la maison.

Sansar Chang appelait Sheila sa fleur de harsingar.
Qui s'épanouissait la nuit et irradiait de beauté le jour.

Salimgarh n'avait pas un tel arbre. Et Sheila tenait
rigueur à la femme enfuie de n'avoir pas laissé un jasmin nocturne derrière elle.

Comme aucun homme valide n'était disponible pour
venir nettoyer sa terre, Sheila alla trouver le superintendant de la police et le persuada de lui confier
les condamnés de la prison du district. C'étaient des
hommes coriaces et revêches – meurtriers ou dacoits.
Ils arrivèrent enchaînés.

Elle montait son grand cheval brun pour surveiller le
travail. Ses cheveux, encore courts, étaient enfouis sous
un casque colonial. Elle avait pris goût aux pantalons
kaki de Kewal, mais elle se les faisait désormais tailler
sur mesure.

La semaine de l'arrivée des prisonniers – ils étaient
vingt, gardés par deux policiers armés de vieux fusils –,
elle en blessa un d'une balle dans la cuisse lorsque, avec
un regard concupiscent, il l'invita à s'asseoir dessus.
L'homme s'appelait Jagga. Ancien lutteur de village et
tueur à gages dans les conflits de terrains. La terreur de
la région. Le superintendant avait recommandé à Sheila
une réaction instantanée. La nouvelle se répandit dans
tout le district. Le mythe de Bibi Lahori était en marche.
Bientôt, on parla de Sheila comme de la Bibi qui avait
l'habitude de chasser à courre avec l'homme blanc et
qui s'était littéralement frayé un chemin avec son fusil
jusqu'à Salimgarh dès le début des émeutes provoquées
par la Partition. Les autres prisonniers apprirent ainsi à
bien se tenir. Et comme elle les nourrissait généreuse-

ment, leur donnait une once d'huile de moutarde par semaine pour se frotter la peau et le cuir chevelu, ils apprirent également à la respecter.

Plusieurs d'entre eux, une fois leur peine purgée, revinrent travailler à la ferme. Enfant, on me raconta leur histoire, et j'en croisai certains, très âgés. Bija le Chuda, qui avait tué à la hache quatre brahmanes après qu'ils eurent violé sa sœur. Dhuus le Majhbi, qui mesurait deux mètres et avait un jour terrassé un cheval d'un coup de poing sur la tête. Gama le Jat, capable de boire un seau de lait d'une seule lampée. Bira le Marasi, qui saisissait les serpents par la queue et les écrasait contre les arbres.

Ces hommes-là lui jurèrent allégeance.

Les hommes s'inclinent plus aisément devant une maîtresse femme que devant un homme fort. Devant un homme, ils le font avec ressentiment et par peur. Devant une femme, ils le font par méconnaissance et crainte. Les hommes connaissent les déclics des hommes faibles, et des hommes forts, et des femmes faibles. Mais ils ne savent rien des déclics des femmes fortes. Ils ignorent ce qui les fait fonctionner ; ils ne savent pas déchiffrer leur ADN.

Aucun homme, jamais, n'est l'égal d'une femme forte.

Il a fallu la mort d'Indira Gandhi pour que les hommes forts de l'Inde retrouvent leurs couilles.

L'histoire regorge d'exemples similaires. Chaque famille. Regardez autour de vous.

Une fois les bois éclaircis, les renards tués, les serpents écrasés, les cerfs, les yaks, les daims et les cochons sauvages mangés, Bibi Lahori entreprit de labourer et de semer.

Comme toutes les maîtresses femmes, Sheila devint le pivot de son univers : villageois, fonctionnaires locaux, policiers, commerçants, intermédiaires de marchés de gros. Autour d'elle, le monde était dessiné par des hommes et des femmes endurcis qui, en perdant tout, avaient appris la valeur de chaque journée vécue. Tous étaient indestructibles. Et elle était la plus coriace de tous.

Non compromise par le désir. Maudite par l'absence de désir.

Face à sa volonté de fer, ses fils devinrent des empotés. Elle les expédia dans un coûteux pensionnat d'Ajmer et les regarda grandir au milieu des Rajput, caste descendante des guerriers kshatriya, et de leurs fastes. Avec l'âge, ses fils lui évoquèrent des noix de coco : flottant très haut au-dessus du sol, sous un dais luxuriant, s'imaginant appartenir à un autre monde. Il suffisait d'une bourrasque un peu forte pour qu'ils s'écrasent à terre, pensait-elle. Ni l'un ni l'autre, même par jeu, n'apprit à manier la charrue, à traire une bufflesse, ou à juger un épi de blé.

Les deux fils épousèrent des jeunes filles choisies par leur mère. Issues de la caste kshatriya, jolies, le teint clair, promptes à s'empâter. Licenciées ès lettres, et maîtresses de maison parfaites, capables de préparer tout un repas végétarien en à peine trois heures, et de tricoter un pull en trois jours. Les deux fils trouvèrent un emploi tranquille en ville. L'un devint expert-comptable, s'installa à Bombay, et engendra une lignée manhattanienne qui déserterait non seulement Salimgarh mais aussi l'Inde. Kapil, quant à lui, devint un bureaucrate, employé dans une société qui présentait la vente de savons et de shampoings comme une vocation exemplaire. Son travail le conduisit dans les petites villes et bourgades du fin fond de l'Hindoustan, ce qui resserra ses liens avec l'Inde, même si c'était au travers du cocon luxueux et sécurisant des vastes bungalows, des domestiques, des chaînes stéréo Grundig, des voitures silencieuses et des clubs huppés, résidus de l'Empire tenus par de bedonnants colonels à la retraite.

Je suis né de Kapil. Le médecin fut appelé à la maison pour ma venue au monde. À ce que l'on raconte, je pris mon temps. Et après qu'il m'eut claqué les fesses pour m'arracher mon premier cri, je m'interrompis tout net et le foudroyai du regard.

Plus tard, quand les choses tournèrent à l'aigre, ma mère expliqua que j'avais désapprouvé le mode de vie de mon père dès le commencement.

Il m'arrivait de protester du contraire. En vérité, ce mode de vie m'inspirait un ennui profond et, au-delà de l'ennui, un dégoût croissant. J'exécrais les clubs british, leurs minables soirées dansantes saisonnières sur parquet lustré, sur l'air de *These boots are made for walking*, les salles de billard avec des jeunes gens proprets et des marqueurs de score vieillissants pariant des whiskys-soda, les hommes à jambes maigrichonnes et les femmes à jambes grasses, en tee-shirt et tennis blancs, jouant de la raquette et s'affairant autour des courts de badminton, les bars surannés fréquentés par des mâles d'âge mûr tirant une jouissance phallique à se percher sur de hauts tabourets. J'abhorrais les plaisanteries puériles de ces hommes et la familiarité avec laquelle ils m'assénaient des tapes sur les omoplates. J'abominais les toilettes à la peinture écaillée, toujours éloignées de l'animation centrale, où ces messieurs sournois – des oncles – pouvaient m'acculer dans un coin et poser leurs mains moites sur mon short, puis saisir ma main pour la poser sur le leur. Je haïssais la taille, la graisse, la moiteur, l'insistance de ces hommes frustrés. Je détestais mon impuissance face à eux.

Et face à mon père. Il m'ennuyait et, peu à peu, de mon ennui jaillit un mépris profond. Le monde de la vente des savonnettes, du lancement de produits, de l'étude des marchés, ne me parlait pas. Le discours de mon père sur le management, le marketing, les profits m'insupportait. Chaque fois qu'il rentrait d'un voyage d'affaires et entamait son refrain sur le profil du nouveau consommateur, j'avais envie de hurler. L'idée d'analyser les individus en termes de potentiel d'achat m'épouvantait. Le savon ascenseur social. Le dentifrice standing. Le shampoing vedette de cinéma. J'avais envie de jeter les assiettes contre les murs, de renverser la table de la salle à manger, de me lancer dans une danse grotesque.

En retour, mon père me prenait pour un farfelu. Il débinait systématiquement les livres que je lisais. Au début, je les cachais sous mon matelas, parmi mes manuels scolaires, entre mes vêtements dans l'armoire, en prenant bien soin de ne pas écorner les pages. Puis, les années passant, ma crainte disparut et je les empilai un peu partout dans ma chambre, y compris sur le réservoir de la chasse d'eau des toilettes. Mon père entrait, jetait un coup d'œil au livre que j'étais en train de lire, lançait un regard de mépris aux piles entassées dans la pièce, marmonnait quelque chose entre ses dents, et s'en allait.

Il ne manquait jamais une occasion de lâcher une raillerie sur les garçons faibles comme des filles. Des garçons, disait-il, qui passaient leur temps à lire des « romans stupides ». Des garçons qui ne boutonnaient pas leur braguette. Des garçons sans avenir.

Nous étions simplement coupés l'un de l'autre. Déconnectés. Notre cohabitation forcée était un de ces faits navrants de la vie.

La compagnie de ma mère était pour moi plus facile. Elle ne jugeait pas. D'ailleurs, elle avait passé sa vie à être un objet de jugement. Je pouvais l'écouter, des heures durant, parler de sa jeunesse, de ses années de collège. De ces choses qui briseraient le cœur de tous les fils, si seulement ils prenaient la peine d'écouter. Le passage des jeux, des espiègleries, et de l'imaginaire au train-train abrutissant, le jour funeste où la famille, la tradition et le clan conspirent pour réduire l'arbre à l'état d'une caisse.

Conditionner et fermer toutes les possibilités de vie.

Je regardais les photos sépia où ma mère, coiffée d'une queue-de-cheval et arborant des bracelets neufs, riait avec abandon. Puis je croisais ses yeux devenus mornes et mon cœur se brisait. Les années perdues. L'arbre taillé en petit bois alors qu'il était en pleine croissance. La vie perdue. Certains jours, lorsque je me reposais sur mon lit après une conversation avec elle, je songeais que si j'avais un seul vœu à formuler ce serait de lui rendre toutes ces années, absolument toutes, libérées de la présence de mon père et des hommes qu'elle avait connus.

Aujourd'hui encore, en écrivant ces mots, alors que tout est révolu, il me suffit de la revoir, en queue-de-cheval, éclatant de rire, montrant ses bracelets, pour qu'un désert envahisse mon cœur. Alors, je suis obligé de quitter mon bureau pour faire un tour. Monter jusqu'au point d'eau, contempler la vallée, et laisser le calme revenir en moi.

Je me suis exercé à ne pas songer à ma mère.

Il ne faut pas cultiver le chagrin. C'est un choix de vie médiocre.

Dans des villes comme Bareilly, Jhansi, Allahabad, j'étais le compagnon de ma mère. Je l'escortais chez

le médecin, au cinéma, au marché. Ce que j'aimais le
plus, c'était la suivre au bazar aux primeurs, trois fois
par semaine. Je ne pense pas que mon père y ait mis
les pieds une seule fois dans sa vie. C'était au-dessous
de son standing. Je portais le panier en plastique vert
et l'aidais à examiner et choisir. J'aimais la texture
des légumes et des fruits. Je les caressais, établissais
le contact avec eux. Poivrons et tomates : du bout des
doigts. Choux et pommes : à pleine paume. Mangues :
avec le nez. Noix de coco : l'oreille.

Par-dessus tout, j'adorais le baratin mélodieux des
vendeurs : *Gobhi-alu putchee-putchee; alu-gobhi
putchee-putchee. Ek rupaiya pyaaz – khaye mian
nawab; kaye mian nawab – ek rupaiya pyaaz.* Nombreux, parmi les crieurs, me faisaient penser à des
musiciens hindous classiques jouant des motifs mélo-
diques fascinants sur les mêmes mots. Doux, grave,
aigu, étiré, petit galop, trot, grand galop. *Bhindi-tori,
bhindi-tori; le le bhindi, le le tori; tori le le, bhindi
le le, le le bhindi, le le tori; tori-bindhi, bindhi-tori,
thodi bindhi, todhi tori; tori-bindhi, bhindi-tori.* En
scandant leur chant, ils entraient en transe, et il suffisait
de fermer les yeux pour s'imaginer dans une école de
musique où des élèves se chauffaient la voix.

Les couleurs avaient également une grande importance. À tel point que, plus tard, la couleur des aliments
devint pour moi aussi essentielle que leur goût. J'avais
horreur des légumes qui, une fois cuits, se muaient
en une bouillie brunâtre. J'aimais le vert brillant des
bhindi, le jaune des masur dâl, le cuivre du potiron, le
rouge de la pastèque coupée en tranches, l'orange de la
papaye taillée en dés, le rouge des pommes entières, le
vert feuillage des goyaves, le blanc neige du lait caillé.

J'aimais déguster avec mes yeux autant qu'avec mes
papilles.

Cela me venait de mes séjours à Salimgarh, où tous les produits de la ferme, qui arrivaient couverts de terre et de feuilles, étaient abondamment lavés à l'eau claire avant d'atterrir dans la cuisine.

J'aimais Salimgarh. Avec ses vastes panoramas, ses champs ouverts de moutardiers, de pois chiches, de canne à sucre et de blé, ses bosquets de goyaviers, de jujubiers et de manguiers, les semailles continuelles, la croissance, les moissons de céréales, les récoltes de légumes, les troupeaux de buffles et de bœufs, le cheval solitaire, avec ses paysans filiformes, ses parfums terreux et l'absence totale des règles précises de l'étiquette, la ferme de Bibi Lahori était le pays des merveilles. L'exact opposé de notre maison de bureaucrate, avec ses calculs savants de savonnettes et ses élucubrations sur la psychologie des consommateurs.

Enfant, j'allais à Salimgarh chaque été et chaque hiver, saisons rudes l'une et l'autre. L'été, on ne pouvait sortir nu-pieds de presque toute la journée, et on devait se fortifier en buvant sans cesse des verres de katchi lassi – moitié eau, moitié lait, avec beaucoup de sucre et des glaçons taillés dans le gros pain de glace qui arrivait chaque matin de la ville dans un sac de sciure. L'hiver, il était impossible de toucher l'eau sans la chauffer, et c'est à Salimgarh que j'appris à boire le thé au lait, préparé sans relâche par les cuisinières pour les innombrables visiteurs et les laboureurs, qui tenaient les gobelets de cuivre entre leurs mains ou contre leurs joues pour se réchauffer et aspiraient ses vapeurs parfumées. C'est là que je découvris la saveur singulière du surrrchai. Tout le monde à Salimgarh, y compris Bibi Lahori, faisait surrr…

J'allais toujours à Salimgarh avec une armée de livres, et je m'immergeais dans le papier pendant les longues heures où je devais rester claquemuré. Mon père détestant autant sa mère que les visites à la ferme, je n'avais à craindre aucune réprimande.

Lorsque je pouvais sortir – tôt le matin et tard le soir en été, à midi en hiver –, je me promenais simplement dans les champs. Longer les étroits talus était amusant. On pouvait jouer : compter les pas d'un angle à un autre, marcher à reculons, sauter sur un pied. Le matin, les ouvriers agricoles apportaient des datuns et je mâchonnais vaillamment le bâtonnet jusqu'à ce qu'il soit effiloché, puis, après avoir tout craché, je me rabattais sur ma brosse à dents. La Bibi disait : « Voilà les fils que mes fils ont engendrés ! Je suis sûre qu'ils se torchent aussi les fesses avec du papier après s'être lavés à l'eau ! »

Certains jours, pour me sentir viril, j'allais déféquer à l'air libre avec les garçons de ferme. Il y avait près du lit à sec de la rivière, juste au-delà des limites du domaine, une petite parcelle dédiée à cet usage. Le lit de la rivière lui-même était planté de melons. Le terrain à merde était aride, cuit par le soleil, avec des déclivités, des montées, et des zones de joncs aiguisés. On se déployait, on dénichait un massif non souillé, on poursuivait la conversation, et on chiait. Chacun se munissait d'une bouteille d'eau. Au retour, la boue humide qui entourait le puits servait à se nettoyer les mains. Je me conformais au rituel. Mais, sitôt à la maison, je me précipitais dans la salle de bains et sur le savon rouge.

Juste derrière le terrain réservé, de l'autre côté de la rivière, il y avait un no man's land. Là, les broussailles étaient denses, et les hautes herbes tranchantes comme un rasoir formaient un mur presque ininterrompu. Derrière se trouvait la zone de défécation des femmes. Ce sanctuaire était respecté beaucoup plus scrupuleusement que les toilettes d'hôtel, avec leurs silhouettes de dames dessinées sur la porte. Parfois, néanmoins, alors que j'étais accroupi, luttant contre les crampes, il m'arrivait d'entrevoir un postérieur à la peau claire à travers une trouée dans les broussailles, et une soudaine bouffée de chaleur m'envahissait.

En vérité je détestais ces excursions surtout pour leur inconfort physique. Dès que mon besoin de conformisme s'estompa, je cessai d'y prendre part. L'autre chose que je détestais était de marcher dans les champs de canne à sucre. Les feuilles vous entaillaient la peau. Mais, à l'époque, il y avait tellement d'hectares plantés de canne qu'on les traversait forcément à un moment ou à un autre.

La canne à sucre, à Salimgarh, me marqua pour de bon. Enfant, je mastiquais les tiges de canne à sucre, buvais du jus de canne à sucre, et mangeais interminablement la mélasse que l'on mettait à épaissir dans de grandes cuves bouillantes, dans le coin nord du domaine, sous deux gros manguiers. Les caries s'installèrent précocement chez moi et ne me quittèrent jamais. Si ma vie avait trois leitmotive, ce seraient les livres, Fizz et le mal de dents. Analgésiques – aspirine, Combiflam et autre Brufen –, remèdes maison – clous de girofle, pâte de girofle, poches de glace, compresses de brique chaude –, je connus tout cela très jeune.

Parvenu à l'adolescence, j'avais appris à surfer sur les maux de dents comme un champion surfe sur les vagues de l'océan. La plupart du temps, je savais gérer les algies modérées. Je tétais la dent malade toute la journée, en extrayais la douleur, goûtant le mélange saumâtre de sang et de pus. La nuit, je coinçais ma joue sur mon poing et l'écrasais contre l'oreiller. La vie continuait. Au bout d'un temps, l'irritation de la dent se calmait. Le passage de la normalité à la souffrance, et réciproquement, équivalait au trajet entre la mer lisse et les rouleaux, et inversement.

Mais les jours de rafales, où un nerf endommagé était mis à vif, où les vagues se déchaînaient, où la douleur était brutale, je devais faire mes preuves. L'élancement était si intense qu'il m'était impossible de l'isoler à l'intérieur de ma bouche ; il me faisait exploser la calotte crânienne. Alors, je devais me refermer sur moi-même, séquestrer tous mes sens, et, à l'instar des grands sportifs, parvenir, au milieu d'une activité frénétique, à un état de zen absolu. Avec un équilibre immobile, je chevauchais la forte houle, et lorsque les vagues s'écrasaient, je flottais tranquillement jusqu'à l'arrivée de la prochaine déferlante. Je me retirais dans une partie silencieuse de la maison, fermais les yeux, et surfais. Dans ces moments-là, le moindre bruit, le plus infime mouvement, pouvait saper mon équilibre et me jeter à terre ; je manquais de m'évanouir sous la violence de la crise.

Pour finir, je devins un junkie de la douleur. Parfois, quand les vagues s'étaient apaisées et que je flottais dans un coin tranquille, je titillais le nerf avec le bout de ma langue ; dès que l'élancement me martelait de nouveau le crâne, je recommençais à surfer. Savourant la peine, savourant la paix. Peine, paix. Élancement, reflux. Peine, paix. Élancement, reflux.

Une fois que vous êtes devenu un maître, vous ne surfez plus sur les eaux dangereuses par hasard, vous allez les chercher.

Toutefois, même les maîtres surfeurs ont une carrière limitée. Au début des années quatre-vingt-dix, je pensai être parvenu au terme de la mienne. Mes dents n'étaient plus seulement dans l'alternance peine légère ou douleur brutale, flottage ou surf. Elles pourrissaient.

Comme chez un vieil homme. Plusieurs avaient éclaté, et leurs fragments émergeaient au milieu des repas. Certains jours, quand j'embrassais Fizz, elle se plaignait de s'accrocher les lèvres dessus. Je mangeais uniquement du côté gauche, le droit étant devenu un champ de mines de nerfs à vif et de fossés perfides. Il n'était pas question de mordre dans un carré de chocolat ou dans un fruit cru.

J'avais besoin d'une reconstruction de grande ampleur.

Si la ferme de Salimgarh m'imposa une agonie dentaire durable, elle me donna également d'utiles leçons de patience.

Même si nous partagions très peu de temps libre avec elle, observer la Bibi me permit de comprendre que la force n'a rien à voir avec la taille et le sexe. Paysans aux muscles noueux, propriétaires grands et baraqués, fonctionnaires du gouvernement en costume, négociants gras et gros, policiers en uniforme venaient tous solliciter son aide et ses conseils. Ils se perchaient sur le bout de leur chaise, dans la véranda, parlaient avec déférence, argumentaient avec douceur, et prenaient congé avec force salamalecs et courbettes. La Bibi exposait toujours son point de vue sans élever la voix. Je ne la vis coupante qu'avec mon père. Elle avait trop de mépris pour sa mollesse, d'esprit et de corps. Elle le surnommait Pappu-Tappu, ce qui évoquait l'image d'un gros garçon boudeur. Mon père détestait aller à Salimgarh. À ses yeux, sa mère était une folle, une femme au cœur de pierre, un monstre d'autorité.

Parfois, après s'être fait traiter de Pappu-Tappu, il piquait une colère et s'écriait : « Je suis sûr que c'est elle qui a descendu Bauji ! »

À présent, c'était Bibi Lahori qui se mourait. Des cellules malignes avaient investi son corps. Les rayons X du médecin avaient révélé les petites ombres blanches. Il avait levé le cliché devant le mince tube néon, ôté ses lunettes, enlacé d'un bras les épaules du petit-neveu de la Bibi – le petit-fils de sa sœur, Anil, mon cousin, qui avait grandi auprès d'elle à la ferme après la mort accidentelle de son père –, et lui avait conseillé de la ramener chez elle et de la choyer.

Le docteur était vieux, lui aussi. Il connaissait Bibi Lahori depuis toujours. La grande plaque en fer, devant son cabinet, le déclarait comme RMP, médecin agréé. Mais il n'était pas le genre de RMP de campagne qui n'a aucun remords à tuer quelques patients chaque semaine. Il n'était pas vraiment docteur en médecine, pourtant il connaissait tout ce qu'il convient de savoir sur la médecine. Mille patients vous en apprennent autant que cent livres. Et le docteur avait soigné des dizaines de milliers de patients. Des arbres généalogiques entiers avaient défilé entre ses mains. Naissances, décès, morts de ceux qu'il avait mis au monde. Je l'avais consulté pour des brûlures et des fièvres, mon père pour des problèmes de dysenterie, de rhume, de blessures, d'ulcères. Son fils et sa fille exerçaient dans des hôpitaux américains, à Los Angeles et à Boston, avec une hyperspécialisation en neurochirurgie et chirurgie orthopédique. Pourtant, ni l'un ni l'autre n'était capable, comme leur père, de secourir un patient d'une parole ou d'un geste.

Il avait dit à la vieille dame : « Ce n'est rien, Massiji. Une infection mineure. Je vais vous donner un traitement. Prenez un peu de repos. »

La vieille dame était plus menue que jamais. Elle pesait à peine trente-cinq kilos. On pouvait la soulever d'une seule main. Je le savais : j'avais essayé, autrefois, pour rire. Sa peau claire était comme du papier fait main. Froissée mais craquante. Son nez fin et sa bouche délicate témoignaient de sa beauté passée. Mais son menton résolu et ses yeux bleus démentaient son apparente fragilité. Ils n'avaient pas l'élasticité de l'eau mais la certitude du ciel.

Même dans sa maladie, elle demeurait une matriarche. Le centre de son monde.

Elle regarda le docteur droit dans les yeux. Il avait toujours été un homme calme. Elle l'avait vu jouer avec ses fils dans la cour de la ferme. Sa mère, une bavarde invétérée qui venait faire les pickles de légumes en mars et les pickles de mangue au début de l'été, parlait sans cesse de la nature patiente de Gattu. Elle racontait que, lorsqu'il était enfant, il laissait sans broncher les poussins venir picorer les grains de riz qui tombaient lorsqu'il mangeait assis par terre. À l'âge de deux ans, il était resté planté dans une rizière, de l'eau jusqu'aux cuisses, pendant plus d'une heure, jusqu'à ce qu'un ouvrier vienne annoncer qu'un nouvel arbrisseau poussait dans la ferme ! Bibi Lahori avait vu Gattu attraper la polio et demeurer en arrière, boiteux, tandis que tous ses camarades détalaient, non seulement à Kurukshe-tra, mais dans de plus grandes villes : Bombay, Delhi, Madras, et jusqu'à Londres et New York. Gattu était plus âgé que Kewal et Kapil, et tellement plus brillant. Alors que les fils de Bibi Lahori fréquentaient l'école huppée de Ajmer, Gattu faisait ses études dans les établissements municipaux et publics.

Jamais il ne montra la moindre rancœur. Il trouva la paix – et un sens à sa vie – en luttant contre les maladies locales. Il était de ces hommes qui découvrent le monde sous leur arbre et n'ont nul besoin d'aller dans la forêt.

Un Bouddha casanier.

Il savait la Bibi mourante. Il lui donnait six mois.

« Gattu, est-ce que je vais mourir ? lui demanda-
t-elle.

– Nous allons tous mourir, Bibiji, répondit-il, avant
d'ajouter en riant : Mais y a-t-il une chose capable de
vous tuer ? Vous ne mourrez pas avant que l'Inde et le
Pakistan soient de nouveau une seule nation.

– Je me tuerai moi-même pour ne pas voir ce jour. »

Quand elle revint le voir, un mois plus tard, les lésions
s'étaient multipliées. Elle s'était encore affaiblie, mais
refusait de l'admettre. *Oncle* Gattu me raconta tout ceci
par la suite. Il m'expliqua qu'elle avait une résistance
intimidante. Quand il examina le deuxième jeu de
radios, il ôta deux mois à son premier pronostic vital.
Or elle survécut un an et demi, par la seule force de sa
volonté.

Nous apprîmes qu'elle avait le cancer six mois après
le diagnostic. Ma mère me téléphona, mais elle ne m'incita pas à aller à Salimgarh. Ma colère avait refroidi
depuis longtemps et j'attendais que l'on m'encourage.
Je pense que ma mère avait des doutes sur la réaction
de la Bibi, et peut-être sur la mienne. De plus, on avait
caché la vérité à Bibi Lahori sur son état et ma venue
soudaine risquait de l'alarmer et de l'alerter.

Fizz, de son côté, me répétait que je devais oublier
tous ces calculs et lui rendre visite. La vie n'est pas de
l'arithmétique, mais de la chimie. Il faut se fier à l'alchimie des choses.

Je l'entendis, mais ne réagis pas.

« Fiza ! » s'était écriée Bibi Lahori lorsque je lui
avais annoncé la nouvelle.

« Fiza ! Une musulmane ! N'y a-t-il plus une seule hindoue vivante au monde ? Tu n'as donc rien compris, pauvre imbécile ? Jamais, tant que je vivrai ! »

Nous étions à Salimgarh. Dans la cour. J'étais venu tout exprès pour lui parler. J'aimais beaucoup Bibi Lahori, et elle avait pour moi une grande importance. Mes parents, qui redoutaient de l'affronter, m'avaient demandé d'aller la prévenir. En descendant du bus local venant de Shahabad, et sur la route de terre menant à la ferme, je n'avais ressenti aucune appréhension. C'était le soir. Le soleil rouge plongeait à l'horizon. À la ferme, c'était le deuxième plus beau moment de la journée. Le premier était l'aube : l'air était frais et vif, un lavis de rosée frémissante recouvrait tout, la lumière était limpide, de la fumée montait des cuisines, et partout les oiseaux chantaient. Ce soir-là, j'aperçus les jeunes sillons d'espoir dans les champs fraîchement labourés, et les derniers laboureurs qui dételaient leurs bœufs. En me voyant, tous levèrent la main. Des oiseaux de rizières arpentaient les sillons, inspectant le travail de la journée. Un immense croassement s'élevait du bosquet de manguiers, où les corbeaux conféraient avant de prendre position pour la nuit. Les puits régurgitaient encore de l'eau. Bientôt ils se tairaient. Un peu plus tard, au milieu de la nuit, des ouvriers attitrés se lèveraient pour venir les ranimer.

Ma mère et mon père avaient abondamment manifesté leur anxiété, mais je n'en gardais aucune trace. J'étais le petit-fils préféré de Bibi Lahori, et je savais qu'aucune dispute ne peut tenir face à l'amour et à la passion.

Mais j'avais oublié que je me trouvais devant une personne qui n'avait connu ni l'un ni l'autre. Qui les avait convertis en une stratégie de survie. La Bibi avait la dureté de la corne, mais c'était aussi une infirme. Elle avait le don de la réussite, pas celui du bonheur.

Elle était capable de vaincre les dieux, pas de les toucher.

Fiza !

N'as-tu donc rien compris, pauvre imbécile ?

Toutes les jeunes filles hindoues sont-elles mortes ?

De fait, elle avait toujours expliqué à ses fils, et à nous, que nous pouvions faire ce que nous voulions de notre vie, sauf épouser des musulmanes. Même les Indiennes du Sud pouvaient convenir, même des filles d'autres castes, et même, au pire, des chrétiennes. Mais pas ça. Pas des musulmanes. Jamais. Elle sentait encore, dans ses seins et dans son vagin, la douleur de sa fuite, autrefois. Sa haine avait permis sa survie.

Sa haine avait arrêté sa vie.

Fiza !

Pas tant que je serai vivante !

Qu'il en soit ainsi.

J'étais parti sans me disputer. Il était neuf heures et demie, et le dernier bus déjà loin. J'avais marché jusqu'à Shahabad, sur la route nationale, où les voitures et les bus fonçaient furieusement. Ensuite j'avais poursuivi à pied, pendant vingt kilomètres, jusqu'à Ambala, à l'abri des rangées d'eucalyptus patauds à la peau pâle. J'étais arrivé à la gare avant l'aube. On sentait l'odeur des parathas qui commençaient à frire dans les dhabas. Ma colère était devenue froide et dure. Bibi Lahori s'apprêtait à subir l'une des rares défaites de sa vie.

Plus tard, mon père tenta de me raisonner ; puis je pense qu'il tenta de la raisonner, elle, mais s'entendit répondre qu'il était un plus grand imbécile d'avoir engendré un imbécile tel que moi. « Pauvre Pappu-Tappu ! Je t'ai envoyé dans une grande école et tu es devenu un grand idiot. J'aurais mieux fait de te garder

ici. Au moins, tu serais devenu un petit idiot. Je me féli-
cite que ton père n'ait pas vécu assez longtemps pour
vous voir, toi et ton frère, et tes imbéciles d'enfants. »

Piqué au vif, mon père sentit ses propres préjugés,
enterrés depuis longtemps, remonter à la surface. Il me
défia. Je l'envoyai se faire foutre. Il me rendit le compliment. C'était parfait. Une longue et pénible comédie
s'achevait. Nous en avions terminé l'un avec l'autre.

Au fond de la scène, ma mère oscillait comme un
pendule.

Je ne revis plus Bibi Lahori après ce jour. Peu après
notre mariage, je cessai également de voir mon père.
Ma mère passait de temps à autre et me donnait de leurs
nouvelles. Je savais que la Bibi ne mentionnait plus
mon nom. Ma mère affirmait que mon exil avait creusé
une profonde cicatrice dans l'âme de la vieille dame. Je
n'en avais aucune preuve, et j'en doutais. N'avait-elle
pas, avec une efficacité peu sentimentale, sitôt après
avoir assisté au massacre de son époux, recouvert son
corps de bois imbibé de beurre clarifié pour le brûler ?
Les gens de son espèce surmontaient la vie, ils ne la
ressassaient pas.

Non compromise par le désir. Maudite par l'absence
de désir.

J'avoue que mes souvenirs de Bibi Lahori finirent
aussi par me lâcher. L'admiration que je lui avais vouée
pendant des années se mua en une sorte d'appréciation
aigre. Je ne savais pas s'il était sage d'approuver une
dureté qui ne laisse place à aucun sentiment, fût-elle
dotée d'un formidable pouvoir de survie autarcique.

Quelle épaisseur doit avoir la peau d'un survivant
avant qu'elle conduise au coma ?

Puisque la Bibi n'était pas morte au terme des six
mois dont l'avait créditée Gattu, et qu'elle était encore

de ce monde six autres mois après, j'étais convaincu qu'elle n'allait pas disparaître. Je commençai à croire qu'elle écraserait le cancer comme elle avait écrasé tous les autres obstacles de sa vie. Et je cessai de tergiverser pour savoir si je devais ou non lui rendre visite.

Ainsi, je ne la revis pas avant sa mort. En dépit des prévisions du docteur, aucun de ses proches n'était à son chevet lorsqu'elle rendit son dernier soupir. Ses fils passaient régulièrement mais n'étaient pas disposés à demeurer sur place. Seul le devoir les guidait. Pas les sentiments. Et elle, bien sûr, était trop fière pour demander de l'aide. Même au jeune Anil, qui vivait sous son toit et dormait dans l'alcôve devant sa chambre. Anil me raconta que, la nuit, il l'observait se traîner péniblement jusqu'aux toilettes. Le cancer avait gagné ses intestins et son incontinence l'épouvantait. Elle tentait de la dissimuler. De se mouvoir en silence. Anil feignait de dormir. Elle mettait un temps infini à gagner les toilettes puis à revenir. Parfois, il s'assoupissait et se réveillait alors qu'elle entreprenait une autre expédition.

Je demandai à Fizz de m'accompagner à la crémation de Bibi Lahori. Tout le village, et bien davantage, envahissait la cour et le chemin de terre. Hommes, femmes, enfants ; jeunes, vieux ; paysans, négociants, fonctionnaires. J'embrassai solennellement des dizaines de personnes que j'avais croisées au fil des années. Bien entendu, tout le monde me connaissait. Le petit-fils prodigue qui avait défié la Bibi à cause d'une fille musulmane. Nombre d'hommes et de femmes – dont certains m'avaient porté dans leurs bras – fondirent en larmes en me voyant. Fiza s'était couvert la tête avec un chunni. Certains l'embrassèrent aussi. Leurs vêtements dégageaient l'odeur âcre de la sueur et de la fumée de bois.

Bibi Lahori fut exposée sur le sol de la cour centrale. Une longue plainte régulière emplissait l'espace. Un groupe de vieilles pleureuses professionnelles officiaient, se martelant en rythme les mamelles. Ma mère nous embrassa. Elle avait les yeux gonflés. Mon père, en costume noir, paraissait calme. Il me serra la main puis, avec hésitation, celle de Fizz. Bien que hommes et femmes fussent séparés, je gardai Fizz près de moi.

En me serrant dans ses bras, Anil m'expliqua que la Bibi s'était réveillée au petit jour et l'avait appelé pour lui demander de la soulever de son lit et de l'étendre sur le sol. Elle savait que son heure était venue. Il ajouta qu'il avait à peine allongé ses jambes qu'elle était partie. Ses dernières paroles avaient été : « Ô Sansar Chandya, je t'ai fait attendre, n'est-ce pas ? »

Tout le monde dit que, de mémoire d'homme, c'était la plus grande procession funéraire qu'ait connue la région. Avec les deux fils de Bibi Lahori, Anil et mes cousins Kunwar et Tarun, je glissai mon épaule sous son brancard. Elle était légère comme un linceul. On eût dit que nous portions seulement les tiges de bambou. Le site de crémation, situé à la sortie du village, était bondé. La foule se tenait accroupie sur le muret d'enceinte en brique inachevé. Lorsque l'adjoint du préfet arriva dans une Ambassador blanche, un frémissement parcourut l'assistance. C'était un homme jeune, en chemise saharienne crème et lunettes à monture dorée ; il avança au milieu du cortège funèbre qui s'écartait devant lui, tel un potentat parmi ses gens. Plusieurs approchèrent pour lui toucher les genoux. Il portait un bouquet de fleurs – quelques tubéreuses, des glaïeuls et des œillets. Il se dirigea droit vers mon père et Kewal Taya, tous deux impeccablement vêtus de costumes noirs et de cravates, et leur serra solennellement la main. Je détournai les yeux quand il jeta un regard circulaire pour voir s'il y avait d'autres hommes de la famille à qui présenter ses condoléances.

Le prêtre entama le chant des derniers sacrements.

Après que Kewal Taya eut brisé le crâne de la Bibi à travers les flammes avec un échalas de bois, chacun alla se laver les mains à la pompe et ramassa une brindille. Ensuite, sur la route de terre à l'extérieur de l'enceinte, rangés en phalanges tels des soldats romains, nous nous agenouillâmes, le dos tourné au feu crépitant. Puis, au signal du prêtre, chacun cassa d'un coup sec sa brindille et jeta les morceaux par-dessus son épaule. Nos liens avec la femme dont le corps brûlait derrière nous étaient rompus. Le cercle de la vie était clos.

Lorsqu'elle se réincarnerait, elle établirait de nouvelles relations avec chacun d'entre nous. Réglerait d'anciennes dettes. Achèverait les transactions de cette vie et de la précédente. Donnerait et prendrait.

Voici ce que Abhimanyu, le martyre, dit à son père d'antan, le grand Arjuna, venu chercher son fils mort dans le palais d'Indra, le roi des dieux. Le jeune Abhimanyu, âgé de quatorze ans, tué lors d'un combat glorieux contre une troupe de puissants guerriers Kaurava car il osa pénétrer dans le chakravyuh – le cercle des énigmes –, bien qu'il ignorât comment en sortir. Le jeune Abhimanyu, modèle éternel de tous les hommes excellents, qui font ce qui est juste, même s'ils ne connaissent aucune échappatoire. Le jeune Abhimanyu, jouant aux échecs avec les dieux, qui demanda à son père affligé, Arjuna, conduit par Krishna : « Pourquoi pleures-tu si fort ? Qui es-tu ? » Ce à quoi Arjuna répondit : « Je suis ton père, et je pleure sur ta mort prématurée. » Alors, dans un éclat de rire, Abhimanyu s'écria : « Tu étais mon père ! Et de nombreuses vies avant cela j'ai été le tien ! Ne te conduis pas sottement. J'ai accompli mon karma. J'ai fait mon devoir de guerrier et j'ai péri avec gloire dans la bataille. Toi, homme, va faire le tien ! »

Dans la prochaine pièce, chacun aura un nouveau rôle.

Bibi Lahori et moi. Nous referons les additions. Nous réglerons nos comptes.

Une fois tout le monde dispersé, je m'attardai avec Fizz. Nous nous assîmes sur le muret de brique. Étant bas et inachevé, il était facile d'y trouver un coin confortable. Le jour tombait. Des escadrons de perruches criaillantes regagnaient leur base à la vitesse de l'éclair. Les arbres entourant le site de crémation – pipals, manguiers, margousiers, gommiers rouges, tamarins, banians – palpitaient d'activité. L'intouchable qui s'occupait du site de crémation s'était retiré dans son appentis, dans le coin le plus éloigné, et aidait sa femme à allumer le feu pour cuire le repas. Ses deux fils, pieds nus et short bouffant, jouaient aux billes au milieu des monticules de crémation. Je tenais la main de Fizz dans la mienne. Au bout d'un moment, les cendres grises de Bibi Lahori commencèrent à voltiger et à se poser sur nous.

Lorsqu'il fit noir, nous nous levâmes sans un mot et repartîmes vers la ferme. La Bibi brûlait encore de flammes orange, et, dans un coin du site de crémation, s'élevait la lueur orange plus petite du dîner du gardien. Des files de chauves-souris noires voletaient au-dessus de nous.

À la ferme, de petits groupes d'amis et de parents étaient assis çà et là. L'atmosphère était détendue et tranquille. Des verres de thé circulaient. Les deux frères orphelins sirotaient du whisky à l'intérieur, dans le salon. Peut-être étaient-ils passés aux implications logistiques du décès de la Bibi. J'allai m'asseoir près de Gattu, le docteur, qui me raconta l'histoire des derniers dix-huit mois. Ensuite on servit le dîner, puis je prévins ma mère que nous devions partir. Elle comprit. Anil nous conduisit dans la nouvelle Maruti bleue de Gattu jusqu'à l'arrêt de bus de Pipli. Je le serrai dans mes bras. Il était jeune et plein de bonté.

Nous nous assîmes sur le banc de ciment, harcelés par des nuages bourdonnants de moustiques. Ils formaient des spirales au-dessus de notre tête et, quand nous bougions, les spirales bougeaient avec nous. De nombreux bus roulant à folle allure passèrent avant que l'un d'eux s'arrête. C'était un vieux tacot Haryana Roadways. Nous nous assîmes dans le fond. Je tins la main de Fizz et ne prononçai pas un mot durant les trois heures de trajet jusqu'au terminus de la gare routière de Delhi. Il était minuit passé lorsque nous arrivâmes chez nous.

Je remuais en elle, la tête pleine d'un amour à rendre fou, cherchant à étouffer cette longue journée, lorsque Maître Ullukapillu hulula.

Fizz posa une main sur mes reins pour me freiner, et je m'arrêtai.

« Maître Ullukapillu dit que c'est trop bon. »

Je l'embrassai sous l'oreille droite, aspirai doucement sa chair entre mes lèvres, la forçant à tourner lentement la tête.

« Maître Ullukapillu a raison. C'est trop bon. »

Comme les années futures allaient le révéler, Maître Ullukapillu était un oracle du tonnerre.

LIVRE III

Artha : argent

La Maison sur la Montagne

Lorsque ma mère m'annonça la nouvelle par téléphone, un an s'était écoulé depuis la mort de la Bibi. Dans l'intervalle, Rajiv Gandhi avait été dévoré par une créature qu'il avait lui-même engendrée, la mosquée Babri Masjid à Ayodhya, ville natale mythique de Rama, avait été détruite à mains nues dans un déploiement savamment orchestré de sentiments sauvagement ataviques – monstres d'une engeance nouvelle –, et mon roman « Cosmos dans une amande » avait vagabondé avant d'échouer dans une impasse.

Dieu avait été réduit à la taille de briques.

Notre intelligence collective glissait au-dessous de nos bites.

Quant à la MCI – Manufacture des Chefs Ineptes –, l'activité y battait son plein.

Bien entendu, je ne parvenais plus à tirer suffisamment de matière de mon innocent sikh et de ses heurts avec le monde moderne. À l'instar de mes précédents manuscrits, j'avais atteint le stade où je manquais de chair pour envelopper les os de mes idées. L'histoire du jeune saint guerrier et de son cheval me semblait désormais mieux convenir à une nouvelle. Mais ce genre littéraire ne m'attirait guère. Sans même l'annoncer à Fizz, j'avais quasiment abandonné le projet.

Cette fois, mon échec me faisait honte. J'allais déchoir dans l'estime de Fizz. J'étais le pire des baratineurs. Un beau parleur et un verbeux. Je lançais des idées que j'étais incapable de mener à terme. Fizz avait lu quelques passages et m'encourageait sans faillir. Mais j'avais depuis longtemps succombé à mes incertitudes, et me demandais si la création littéraire pouvait vraiment se réaliser dans la confiance et la conviction.

Certains jours, lorsque je m'asseyais à ma table de travail – dont l'odeur de cire avait disparu depuis longtemps –, que les yeux alphabétiques noir et blanc de la Brother me scrutaient pour capter mon inspiration, que mon esprit se décarcassait pour entrevoir un fil narratif, il me semblait que jamais je ne serais capable d'écrire la moindre chose valable. J'étais persuadé que tous mes mots filaient droit vers le bibliocachot.

De désespoir, je cherchais Fizz et noyais brièvement ma désolation dans son corps. Et quand celle-ci refaisait surface, je retournais la noyer derechef. La passion de Fizz, son désir me rendaient ma compacité. Cependant il y avait des jours où mon besoin d'elle était si continu, si chronique, qu'elle ne pouvait y faire face. Alors elle m'abandonnait simplement son corps et me laissait y puiser la paix.

Le doute sapait mon sommeil. Je me réveillais en sursaut, désespéré, saisi par l'urgence de me précipiter sur la Brother pour vérifier si j'avais quelque chose dans les tripes. Je restais étendu, cherchant vainement à deviner ce que Fizz pensait de moi. Je songeais au passé car, pour la première fois, je ne parvenais pas à imaginer l'avenir. Dans l'heure laiteuse de la nuit, j'écoutais sa respiration paisible. Puis je commençais à humer sa peau, dans l'espoir d'effacer tout le reste : souvenirs, doutes, existence.

Pendant des heures, je couvrais lentement son corps de baisers, inhalais ses caches secrètes, familières et moites, et j'étais rassuré, oblitéré.

Passion totale et paix totale. Dans le corps d'une seule personne.

Un jour, de nombreux mois après mon retour de Salimgarh, une idée déclencha mon excitation : j'allais romancer la vie de Bibi Lahori. Je découvrais soudain qu'un matériau très riche se cachait dans mon propre jardin. Et maintenant qu'elle était morte, je pouvais, me semblait-il, exploiter sa vie. Mais, cette fois, je procédai avec prudence. Je laissai le « Cosmos dans une amande » mijoter sur la Brother, et ouvris un grand cahier à spirale pour consigner ce que je savais sur la Bibi. Deux semaines plus tard, après avoir raclé toutes les niches poussiéreuses de ma mémoire, je n'en avais extrait que seize pages. Cela incluait nos conversations au fil des années, les histoires circulant à son sujet, et tout ce que j'avais pu grappiller ici et là. Au mieux, de quoi faire une autre nouvelle.

Je rangeai le cahier à spirale dans le tiroir de la table et retournai à la Brother.

Fizz et son corps m'empêchaient de sombrer. Je me gavais d'elle pour combler le vide de mes journées. Toutefois, les choses n'allaient pas très bien entre nous. Nous parlions peu, nous faisions peu de chose ensemble. La faute m'incombait entièrement. Une fois mon ardeur épuisée, j'étais un piètre compagnon. À la maison, j'étais absent, tracassé par mon manque d'inspiration, je traînaillais entre des livres que je lisais en diagonale et la Brother qui tournait au ralenti.

Le reste du temps, je le passais au journal, effondré dans une tranchée, sans combattre ni mourir. Oublié depuis longtemps par la Fraternité des Glands Étincelants. Mon cerveau se dissolvait lentement dans un cloaque d'anxiété et de doute grandissant. Je me tenais éloigné même de mes compagnons de tranchée. Il m'arrivait parfois de ne pas échanger un seul mot avec eux de toute une journée. Lorsque Fizz et moi sortions avec des amis, je n'étais pas vraiment là. Je savais que c'était un monde de faux-semblants qui cesserait bientôt. Et que ma vie, enfin, commencerait.

Ou s'achèverait, purement et simplement.

J'étais maussade, hostile. Je me retirais brusquement en moi-même, que ce soit au milieu d'un repas au restaurant ou dans une fête. Si quelqu'un tentait de combler le fossé, je me levais et je partais. Cela se produisit un nombre incalculable de fois. Nous rentrions sur la moto qui broutait dans la nuit chaude et humide de Delhi, nous montions silencieusement l'escalier jusqu'à notre barsati, et nous allions nous asseoir dehors, sur la terrasse balayée par les branches bruissantes du flamboyant, sans prononcer un mot. Dans de tels moments, Maître Ullukapillu lui-même n'aurait pu engager une conversation.

Dans de tels moments, Fizz et moi étions sur des planètes différentes.

Étrangement, Fizz n'en fit pas une histoire et m'accorda le répit dont elle pensait que j'avais besoin.

Mais, chahutée par mes sautes d'humeur, elle chercha une distraction et découvrit la télévision. La prophétie de Philip était en passe de se réaliser ; dans les deux années qui suivirent la guerre du Golfe, la télévision par câble avait poussé dans les chambres à coucher indiennes comme autrefois la monnaie-du-pape dans les vieilles bouteilles de scotch au milieu des salons indiens de nos parents. On se préparait avec entrain à mourir de divertissement.

Fizz n'allait pas jusqu'à s'infuser les feuilletons et les jeux télévisés. Ce qui la branchait, c'était CNN. La boutique des infos globales s'était implantée dans notre chambre : Fizz levait le rideau de fer à la première heure le matin, et le fermait à la dernière heure le soir. Les présentateurs et présentatrices blancs et brushés, à l'accent américain, qui martelaient des informations cruciales pour notre bien-être de leur ton grave et pressant, ne nous quittaient pas une minute et me rendaient dingue. Même leurs sports m'étaient étrangers. Ils débitaient, à bout de souffle, des résultats de football américain et de base-ball auxquels je ne comprenais pas un traître mot. Quand j'arrivais à mettre la main sur la télécommande, je tentais de capter une vieille comédie musicale indienne. Mais, sitôt que j'avais le dos tourné, CNN revenait en force.

Fizz devint une accro. Elle collectionnait des mystères absurdes sur le monde, des anecdotes éphémères qui n'auraient jamais dû effleurer notre vie et disparaissaient aussitôt écloses. Elle suivait les actualités américaines déjantées : fusillades, kidnappings, projets de lois, élections, concerts, bagarres, incendies, sauvetages, rencontres au sommet, talk-shows, Wall Street, Manhattan, le Pentagone, Beverly Hills, Silicon Valley, techniques de flirt à la mode, implants mammaires, et tout ce fatras Mickey Mousien qui avait autant de rapport avec notre vie que les habitudes alimentaires de l'empereur Bokassa. Certes, il était intéressant de savoir que ledit empereur mangeait ses domestiques au dîner. Mais après ? Certes, il était intéressant de savoir que l'Amérique existait et avait ses dysfonctionnements comme nous avions les nôtres. Et après ?

Souvent, lorsque je lisais au lit, je protestais en jetant à Fizz un regard irrité. Elle coupait le son et continuait de fixer l'écran. Je lui lançais un regard insistant et elle me disait : « Tu crois qu'il me faudra longtemps pour apprendre à lire sur les lèvres ? »

Parfois nous rentrions bien après minuit, ivres et fatigués. Nous nous effondrions sur le lit et, au moment de m'enfoncer dans le sommeil, j'entendais un léger déclic et la familière lueur bleutée de CNN emplissait la chambre. Une urgence avait lieu quelque part sur la planète. L'Amérique expliquait au monde ce que le monde devait savoir. Fizz regardait un bulletin d'informations complet en sourdine avant de se coucher. Cela me rendait fou. Je me persuadai que les journaux télévisés 24 heures sur 24 étaient une maladie occidentale qui menaçait de submerger l'Orient. Il fallait l'éradiquer comme la petite vérole. Elle provoquait des démangeaisons qui laisseraient une cicatrice indélébile sur notre sensibilité.

Mes tentatives pour expliquer mes craintes à Fizz échouèrent.

« Essaies-tu de me dire que la conscience est une mauvaise chose ? » répondait-elle.

Mais non, pas du tout ! avais-je envie de crier. Ça n'a rien à voir avec la conscience. Ce sont des histoires médiocres. Qui chassent les bonnes. Si nous prêtons seulement attention aux histoires qui sont devant notre nez, nous cesserons d'écouter celles qui sont dans notre tête. C'est un désastre !

Mais jamais je ne prononçai ces mots car je me faisais l'effet d'un imposteur. Au cours de toutes ces années, j'avais été incapable d'extraire de mon cerveau une seule bonne histoire.

Dans ces limbes des infos de CNN, des tranchées éditoriales, des enquêtes sur l'onanisme, de Brother au point mort, d'ennui généralisé et de sexe intermittent, un soir, très tard, le téléphone sonna. Exceptionnellement, la communication était nette. C'était ma mère.

« J'ai une nouvelle à t'annoncer.

– Tu l'as entendue sur CNN ?

– Pardon ? »

Lorsque je raccrochai, je ne sus comment réagir. Sur l'écran, un présentateur blanc à la mâchoire saillante, rasé de près, parlait avec gravité. Il portait des lunettes finement cerclées et une cravate à pois. Suivirent des images de nombreux hommes blancs en costume sombre se serrant la main avec une agressivité contrôlée. Le volume était à zéro et je n'entendais rien. Je supposai qu'il s'agissait encore d'une de ces rencontres au sommet destinées à faire valoir les droits des riches.

Fizz me jeta un regard interrogateur.

« Que se passe-t-il ? lui demandai-je.

– À toi de me le dire. »

Je balançai mes jambes hors du lit, marchai vers la porte, enfonçai les mains dans ma poche de lunghi et me retournai.

« Un traumatisme récent ? demanda Fizz.

– Je crois que nous sommes riches. »

Allons droit au but : la Bibi m'avait légué une part de ses terres. De toute évidence, il y avait une limite à la punition des mariages inacceptables, bien que, dans la tradition indienne, les liaisons inacceptables soient censées se terminer dans le meurtre ou le suicide.

Ce legs représentait une infime partie de ses biens. Mais c'était beaucoup plus que ce que Fizz et moi aurions pu imaginer. Une fois les comptes soldés, les taxes prélevées, les bakchichs versés, 5 732 740 roupies furent déposées sur mon compte : le montant de la vente des dix hectares qui m'avaient été octroyés – cinquante ans de mon salaire actuel. Lorsque je déposai le chèque à la banque, le guichetier malayalam, à la moustache en trait de crayon et aux cheveux généreusement huilés, se leva pour me serrer la main par-dessus le comptoir. C'était la première fois qu'il m'adressait un sourire.

Entre le coup de téléphone de ma mère et l'arrivée du chèque, deux mois s'écoulèrent. Ce fut une période étrange et tendue. Nous ne parvenions pas à atteindre un état d'euphorie. Notre manne et son origine nous embarrassaient. Nous nous sentions à la fois riches et diminués. Les premiers jours, le sujet fut soigneusement évité. Chacun attendait que l'autre donne le ton.

Un soir, sur la terrasse, je finis par dire : « Dois-je refuser ?

– Bien sûr, si ça te tracasse. »

Ce n'était pas ce que j'avais envie d'entendre. Je ne voulais pas de son honnêteté, je voulais qu'elle me donne des raisons convaincantes de ne pas refuser. Je voulais être le probe, l'intègre que l'on ramène vers le bon sens.

Aussi répondis-je d'un ton irrité : « Ça ne me tracasse pas ! C'est simplement que j'étais en désaccord avec la Bibi et que cet argent ne m'appartient pas. Mais, en partant de ce principe, il n'appartient à personne ! Et les autres outsiders n'étaient pas davantage d'accord avec elle !

– Si c'est ce que tu ressens, accepte, dit Fizz. Mais empresse-toi de l'oublier une fois que ce sera fait. Ne passe pas ta vie, ensuite, à ruminer !

– Alors, il vaudrait peut-être mieux que je refuse. »

Ce petit jeu de yo-yo entre nous dura des semaines. Nous savions, je crois, que nous ne refuserions pas cet héritage, mais nous avions besoin d'épuiser le sujet jusqu'à ce que notre malaise s'estompe. Nous avions besoin de nous persuader que nous acceptions cet argent avec réticence.

En vérité, le malaise ne s'estompa jamais. Ni deux mois, ni deux ans plus tard, ni quand tout fut terminé. Nous apprîmes assez vite à ne pas nous quereller sur le sujet, mais chaque fois que nous mangions ces fruits tombés du ciel, il subsistait un arrière-goût amer.

Notre premier achat fut une jeep Gypsy gris-bleu, avec deux portes, un hard-top et une large portière de coffre à l'arrière. Fizz apprit à conduire la première, dans une de ces écoles improvisées qui vous font rouler au pas le long des trottoirs et perturbent la circulation. Après quoi elle me donna des leçons. Nous vendîmes la moto. Nous avions un peu honte de l'avouer, mais nous étions ravis de la Gypsy.

Notre engagement à ne pas parler argent demeurait, mais son abondance commençait à nous entamer subrepticement. En passant devant la vitrine tape-à-l'œil d'un magasin d'ameublement du bazar de Vasant Vihar, nous remarquâmes un luxueux lit double, doté de tablettes pour ranger des livres. Nous l'achetâmes. Dans la Gypsy, nous fîmes installer un appareil stéréo Sanyo sophistiqué avec quatre haut-parleurs au lieu des deux habituels. Et nous fîmes l'acquisition, avec une impassibilité de joueurs de poker, d'un magnétoscope Panasonic afin de regarder les vieux classiques de cinéma dont nous rêvions depuis longtemps. Un jour, je fus alarmé en me surprenant à projeter avec impatience une expédition de shopping : triste distraction de ma vie de non-écrivain.

Nous nous trouvions devant un dilemme singulier. Ne pas dépenser l'argent, c'était lui donner une importance excessive, l'entasser comme une chose de valeur, et c'était terrible. Le dépenser, c'était se comporter en matérialistes notoires, se transformer en unités de consommation, pour reprendre l'algèbre de mon père sur les pertes et profits, et c'était terrible.

Nous vivions donc dans la crainte de l'argent. Qu'il soit en banque ou dans nos mains.

Nous redoutions, je crois, que l'argent altère notre identité profonde et notre façon d'être. Nous tentions de rester fidèles à nous-mêmes. De prétendre qu'il n'existait pas. Je ne quittai pas mon emploi, et Fizz continua ses travaux de correctrice pour Dharma Books et ses enquêtes pour Mme Méchante Reine. Au lit, nous répétions les anciens gestes et en inventions de nouveaux. Et même si nous continuions de dormir collés l'un à l'autre, désormais il y avait quelque chose entre nous, qui s'enfonçait dans nos côtes, qui nous étranglait le cœur et la voix.

Cinq millions sept cent trente-deux mille sept cent quarante roupies.

Si quelqu'un nous avait soudain subtilisé tout cet argent, je suis certain que nous en aurions ressenti un soulagement.

D'ailleurs, c'est ce qui se produisit. Et cela survint de la même façon aléatoire que l'arrivée de l'argent.

Un soir, Fizz revint du marché de Green Park avec des samosas chauds et des jalebis. C'était un dimanche de novembre et le temps changeait. J'étais assis sur la terrasse, les pieds sur le banc de pierre, en train de me débattre avec Dante. Tous ces atermoiements affligés et frénétiques des chrétiens sur la culpabilité et le paradis n'avaient pour moi aucun sens. C'était assez rudimentaire. Quitte à choisir un charabia sur l'au-delà, je préférais le tape-à-l'œil karmique de la version hindoue. Il y avait là une grande marge de manœuvre. Catch contre jeu d'échecs. Il ne s'agissait pas d'immobiliser la conscience dans une double clé au cou, mais de préparer habilement son évolution vers des niveaux supérieurs. Je profitai de l'arrivée de Fizz – ses joues rosies par la fraîcheur de l'air, ses boucles vivantes et mouvantes – pour mettre le livre de côté. Le maquettiste avait choisi une couverture noire qui lui donnait un air de mauvais augure.

Fizz posa les sacs sur le banc et rentra chercher une assiette et la bouteille de sauce tomate. Je glissai la main dans le cornet de papier rempli de jalebis pour en piocher un. C'est alors que j'aperçus l'entrefilet. Il était au-dessus de la ligne de flottaison des beignets gluants et annonçait : Propriété en montagne à vendre.

Je fourrai plusieurs jalebis dans ma bouche et déchirai soigneusement le papier en m'efforçant d'éviter une fuite de sirop. Lorsque Fizz réapparut, j'avais un morceau de papier collé sur le bout de l'index. Je l'étalai sur le banc et nous l'examinâmes avec attention. L'annonce était brève. Il s'agissait d'une maison ancienne près de Nainital, sans autre précision de lieu. À mille sept cents mètres d'altitude. Prix intéressant. Et un numéro de téléphone à Delhi.

On vida les jalebis sur l'assiette afin de déchirer le sachet entièrement, le retourner, et essayer de repérer la date du journal. Pas la moindre indication. C'était une page de petites annonces. Il était même impossible d'identifier le journal puisque aucun de nous ne lisait cette page dans ceux que nous achetions.

On décida de téléphoner. Mais lequel de nous deux ? Après discussion, cela tomba sur Fizz.

La conversation fut brève. Une femme répondit. L'annonce était parue trois semaines plus tôt. Oui, la propriété était arborée. Oui, la maison était ancienne. Oui, bien sûr elle était habitable. Il y avait un autre numéro de téléphone. Celui de son oncle. C'était lui qui se chargeait des négociations.

Cette fois, ce fut mon tour. Après maintes vociférations, l'oncle prit enfin le récepteur. La ligne était très mauvaise. Il parlait un anglo-indien nasillard, ponctué de mots hindis. Il m'expliqua que la propriété était un endroit merveilleux.

« Vous pouvez me croire, monsieur. C'est une maison historique. Oui, il y a des arbres. Le paysage est superbe. C'est juste près de la route. Avec une vallée de chaque côté. De vieux murs de pierre. De vieux parquets de bois. Oui, oui, bien sûr il y a des arbres. Et toutes sortes d'oiseaux. Et des singes. Des langours. Croyez-moi, monsieur, il y a des léopards qui se promènent dans le parc. Parfois aussi des tigres. Des tigres ? Des tigres ! Corbett Park n'est pas loin, monsieur ! Oui, il y a l'électricité. Et de l'eau de source. *Ekdum saaf. Ekdum meetha*. Oui, oui, monsieur, il y a des arbres ! Venez quand vous voulez. Mais vite ! Croyez-moi, monsieur, une fois que vous y serez, vous ne voudrez plus partir.

— Quel prix en demandez-vous ?

— Croyez-moi, monsieur, ça vaut trois millions. Je n'en voulais pas moins de deux et demi, mais je vous la laisse à deux. Parce que c'est vous. »

On épingla le morceau de papier gluant de sirop et les numéros de téléphone dans la cuisine. Et l'on n'y fit aucune allusion de toute la semaine. Là encore, chacun attendait que l'autre aborde le sujet. Le vendredi soir, nous flemmardions sur la terrasse en nous réchauffant avec un verre de whisky et faisions des projets pour le week-end, quand je dis à Fizz : « Si on tentait le coup ? »

Je rappelai l'oncle. La personne qui répondit dut le solliciter longuement pour le convaincre de venir au téléphone. Lui aussi semblait avoir été arraché à une séance d'alcoolisation sur sa terrasse. Il m'invectiva immédiatement. « Qui êtes-vous, espèce de murgi-chor ? Comment ça, la maison ? Quelle maison ? Je ne vends pas de maison aux escrocs ! C'est vous qui allez me vendre la vôtre, salaud de Dilliwalla ! »

Je m'apprêtais à répondre à ses insultes lorsque le téléphone lui fut ôté des mains.

« Désolée, me dit une voix de femme. Il n'est pas bien.

– C'est au sujet de la maison.

– Vous pouvez venir demain. Il ira mieux, demain. »

J'entendais le type tempêter derrière elle. « Acheter ma maison ! C'est moi qui achèterai la sienne ! Et celle de son père, et du père de son père ! Et celle du père de la mère de son père ! »

La femme cria : « Tais-toi, Taphen ! » Puis elle m'indiqua le chemin. Fizz prit des notes et je les répétai à haute voix. Hapur, Garhmukteshwar, Gajraula, Moradabad, Rampur, Bilaspur, Rudrapur, Haldwani, Kathgodam, Jeolikote, Gethia.

Bientôt, ces noms deviendraient le mantra de notre vie.

On quitta Delhi bien avant l'aube, et on atteignit Hapur avant le petit jour. Il faisait froid et les vitres de la Gypsy étaient fermées. Les petites villes s'animaient déjà, les vendeurs de fruits et légumes commençaient à s'installer le long de la route. Une fois le Gange franchi à Garhmukteshwar, et dépassée l'odorante Gajraula, le soleil était haut et nos vitres baissées. La brise fraîche nous caressait le visage. Nous bavardions, nous nous sentions merveilleusement bien. Nous n'avions pas parlé si légèrement et joyeusement depuis longtemps. Du présent, de l'avenir. Perchés sur les fils électriques, des geais et des martins-pêcheurs bigarrés se préparaient pour leurs raids matinaux. Dans les champs, hommes et animaux travaillaient déjà dur.

Le chaos de Moradabad était un sévère rappel à la réalité. Il fallut remonter les vitres contre le vacarme et les fumées du marché, avec ses ateliers de mécanique, ses rickshaws, ses bus, ses vélos, ses marchands ambulants, ses dhabas, sa gare ferroviaire, ses collégiens, ses tracteurs ; la circulation allait dans tous les sens, observant des règles inventées dans un asile de fous. Le marché s'étirait en longueur comme une bouderie d'enfant. Quand on s'en extirpa enfin, ce fut pour s'échouer dans un embouteillage interminable provoqué par un passage à niveau. Nous en étions si loin que nous n'apercevions même pas l'endroit où les rails traversaient la route. Bizarrement, le calme ambiant nous inquiéta. La plupart des automobilistes descendaient de leur véhicule pour se dégourdir les jambes, se prélasser au soleil, s'accroupir au bord de la route, acheter des journaux hindis, des tranches de goyave verte et des radis blancs. Certains s'étaient même allongés au soleil pour piquer un petit somme. D'autres urinaient dans les fossés, à l'ombre des troncs lisses et pâles des eucalyptus, jetant des regards vers ceux qui les hélaient de la route. Il y avait des chiens partout : des bâtards au pelage bariolé, filasse, à l'air galeux ou atteints par la rage, totalement indifférents à la foule.

Notre première leçon de patience nous fut ainsi donnée sur la route de notre eldorado.

On finit, comme les autres, par descendre de la jeep, acheter des radis et des goyaves épicés de chat masala, lire le journal hindi local. Fizz s'assit sur le capot tiède de la voiture. J'allai pisser dans le fossé. Le soleil commençait à taper. On acheta du faux Pepsi. Ce n'était pas si mauvais. À tour de rôle, nous remontions la file d'attente pour voir jusqu'où elle s'étirait. Elle ressemblait à un python qui aurait avalé une clarinette, puis une guitare, puis un saxophone, puis un violoncelle, et se serait assoupi au soleil. La file serpentine enflait, rétrécissait, s'élargissait, s'étirait, dans une totale incohérence. Poids lourds innombrables, voitures particulières, bus, bicyclettes, tracteurs, charrettes, tricycles, vans transportant des buffles, camions chargés de poulets criaillant, chars à bœufs remplis de foin, voitures à cheval débordant de sacs rebondis, vieille jeep Willys au nez si relevé que l'on n'imaginait pas le conducteur capable d'apercevoir la route, tous étaient coincés, imbriqués dans tous les sens, agglutinés dans une ultime bousculade avant la perte de mobilité totale. Le python semblait avoir sombré dans le coma, incapable de se ranimer.

Puis tout à coup, un frémissement le parcourut. Un mouvement, un bruissement. Le train n'était ni visible ni audible. Pourtant, des hommes, des femmes et des enfants remontèrent à bord des véhicules. Nous aussi. Les moteurs vrombirent. Au loin, un sifflement retentit, une trépidation parcourut le sol, il y eut un cliquetis de roues d'acier ; sans avoir rien vu, on comprit que le train était passé. Tout était figé. Les derniers pisseurs avaient émergé des fossés pour regagner leur voiture. Le serpent semblait retenir son souffle. Puis, dans un rugissement et un crachat soudains, il entra en action. D'abord il se souleva, ondula, s'ébranla. Ensuite, le serpent venant en sens inverse commença à se mouvoir vers nous. Et le nôtre à se redresser : tout ce qui dépassait s'aligna, dans un tumulte de cris et d'insultes. Le serpent devait passer par un sas étroit et il s'effila de lui-même pour s'y faufiler. Après de longues minutes de klaxons, coups de freins et bousculades, on franchit la bosse de la double voie ferrée, tandis que le second serpent avançait en face.

L'industrie qui fleurissait aux abords du passage à niveau – vendeurs de goyaves, radis, canne à sucre, cacahuètes, aloo tikki, kulcha, golgappa, dâl – se reposait maintenant sur les talus d'herbe, regardant passer en cahotant sa clientèle itinérante.

Au train suivant, la rangée de marchands s'étofferait.

Au train suivant, ils feraient sauter la banque.

Moins de trente kilomètres plus loin, juste avant Rampur, on faillit pousser un cri d'effroi en voyant se former un autre serpent. Mais, cette fois, le train venait de passer et le serpent se remettait en mouvement. On lui attrapa la queue et on continua d'avancer.

De notre chance à ces deux passages à niveau dépendrait désormais le degré de pénibilité de nos voyages.

On nous avait prévenus de guetter, à Rampur, l'embranchement pour Nainital. On l'aperçut sur la gauche, juste après le marché, au milieu de douzaines de camions en stationnement. Sur les sept kilomètres suivants, la route se faufilait entre d'autres marchés bondés, des dépôts de bois d'œuvre, des ateliers de réparation automobile, des marchands de pneus, des enclos à bestiaux. Puis, de façon inattendue et splendide, la route s'ouvrait soudain sur un panorama de champs verts et dorés, parsemés d'arbres. La chaussée était perforée comme un visage grêlé par la petite vérole, et les cahots provoquaient un tel vacarme dans la Gypsy qu'il fallut éteindre la musique. Mais, avec les vitres baissées et les arbres des bas-côtés modérant le

soleil, le vent qui soufflait des champs était un baume.
Les fumées et le tumulte de la route principale s'étaient
estompés, la circulation réduite à un filet, et le seul son
était le chuintement des pneus sur le goudron.

Fizz souriait, les cheveux lissés en arrière par le vent,
sa main droite dans ma main gauche.

Après le virage abrupt de Bilaspur, et le pont à une
voie où les voitures roulaient en sens alterné, on continua de bringuebaler jusqu'à Rudrapur, tandis que défilaient d'autres arbres et d'autres champs verts et dorés.
Rudrapur possédant les mêmes avenues larges et les
mêmes ronds-points que Chandigarh, sa traversée fut
rapide. En quelques minutes, on se retrouva de nouveau entourés de champs. Mais c'étaient des kapokiers,
maintenant, qui bordaient la route.

Ensuite, on tourna à gauche, on traversa une voie
ferrée désaffectée, et l'on déboucha sur une large route
forestière. Le vent frais nous sifflait aux oreilles. Là, les
arbres des bas-côtés étaient principalement des pipals,
des banians, des sals, des kapokiers. Juste derrière, se
dressaient des plantations d'eucalyptus et de peupliers.
C'était une réserve forestière et, pour la première fois
depuis notre départ de Delhi, on n'apercevait pas la
moindre habitation humaine. La circulation était minimale et il fallait juste surveiller les bandes de singes qui
inspectaient les accotements.

Peu avant la sortie de la forêt, les premiers champs
et les premières habitations réapparurent. Fizz leva les
yeux et s'exclama : « Oh ! la montagne ! »

C'étaient bien les contreforts de l'Himalaya,
silhouette sombre qui verdissait à l'approche de Haldwani. La traversée des villes jumelles de Haldwani
et Kathgodam effaça très vite les plaisirs de la forêt.
Rues étroites, embouteillages interminables, circula-

tion houleuse de cycles, de scooters, de voitures, de bus, échoppes se déversant à moitié sur la chaussée, vendeurs ambulants plantés au milieu de la rue, bétail vagabondant partout. Au moment où nous étions sur le point de craquer, la voie se dégagea d'un coup. C'était la sortie de la ville et l'on attaquait le premier tronçon de route sinueuse. Avec le début de la pente apparurent les premiers signes montagneux : toits inclinés de tôle peinte en rouge ou vert, talus herbeux d'où jaillissaient d'éclatantes bougainvillées, murs et escaliers en pierre taillée, lichen et mousse dans les fissures des caniveaux et sur les façades des maisons, hommes au visage ridé accroupis sous les vérandas soutenues par de vieux piliers de bois, bandes de poulets en quête de grains, chèvres efflanquées en perpétuelle mastication.

Dès le premier virage escarpé, notre humeur s'égaya. À chaque lacet, le monde devenait plus vert. Les sals cédèrent la place à de hauts pins alignés en rangées irrégulières. En contrebas, on apercevait un lit rocailleux où courait un mince ruisseau argenté. De l'autre côté, la montagne s'élevait de nouveau, inhabitée à l'exception de quelques champs en terrasses, verts mais parsemés de plaques sombres là où la terre avait glissé.

L'air fraîchissait de plus en plus, et cette fraîcheur toute neuve était entêtante. Le sourire de Fizz était d'un tel abandon qu'il aurait pu alléger tous les chagrins du monde. Sur la stéréo, Dev Anand chantait un air du film *Hum Dono* : « *Mein zindagi ka saath nibhata chala gaya.* »

La route était large et lisse, relevée dans les virages, et montait avec une aisance gracieuse.

Certains virages étaient traversés par un ruisseau limpide. Parfois on apercevait une clôture en barbelé ou une barrière en fer, mais pas une seule habitation. De temps à autre se dressait une petite cabane de tôle ou de bois, où l'on vendait des casse-croûte tout emballés, des chocolats, des friandises, des cigarettes, des beignets de légumes, des colas. Partout, des hommes au physique maigre et nerveux étaient accroupis, fumant des bidis, sirotant du thé, regardant le monde défiler.

Après un virage en épingle à cheveux, il se mit à bruiner. Un crachin fin comme un tulle, qui se déposa sur mon avant-bras droit. Fizz sortit la tête par la fenêtre, les yeux fermés ; quand elle la rentra, sa peau perlée brillait. Jamais je ne l'avais vue si heureuse.

Soudain, à la sortie d'un deuxième virage abrupt, surgirent une flopée d'échoppes vendant à manger. La première était une dhaba en ruine, avec des bancs et des tables de bois dans une véranda ouverte. Fizz proposa un arrêt déjeuner.

La gargote s'appelait Do Gaon. Deux villages. Il n'était pas encore midi. Nous roulions depuis plus de six heures.

Le jeune aubergiste dormait paisiblement, mais il se leva d'un bond à notre approche et s'affaira sur ses marmites. Il prépara son tandoori pour les rotis et commença à assaisonner un peu de dâl et du chou-fleur sur un fourneau à gaz. Juste à côté de la dhaba se trouvait une fontaine dont l'eau jaillissait par la gueule d'un lion. On s'aspergea le visage ; l'eau fraîche émoustillait les pores. Dans les échoppes, c'était l'heure creuse. En dehors de nous, il n'y avait que quelques autochtones, assis sur leurs talons en train de fumer. Ils nous observaient sans curiosité. C'était une route touristique.

Assis face à face, nous regardions le ciel crachoter. Il n'est rien de plus beau que la pluie en montagne. Contrairement à la plaine, il n'y a aucun flou dans ses formes. On capte chaque trait d'eau. Quand la pluie accélère, on peut encore la suivre. Lorsqu'elle s'incline, on peut adopter son angle. Nous étions cernés de

pentes verdoyantes, avec des sous-bois broussailleux
et des arbres vénérables mais intimidants. Des plantes
rampantes bondissaient d'une cime d'arbre à une autre,
les attelant ensemble. Une grive siffleuse perchée sous
l'avant-toit ébouriffait ses plumes. Elle était dodue, probablement engraissée par les restes de la dhaba. Notre
peau était vivante, fourmillante. Les poils sur mes bras
frémissaient. Fizz était épanouie, son visage rosi, ses
yeux brillants. Nous vivions un moment très spécial, et
nous le savions. Notre vie commune avait été jalonnée
de moments semblables, mais le dernier remontait à
longtemps. Nous le vivions pleinement l'un et l'autre,
nous le classions pour nous y référer plus tard.

« Je me sens chez moi, ici, dit Fizz.

– Oui, c'est étrange. On a l'impression de rentrer à
la maison. »

Je ne dis pas cela seulement pour sceller l'instant.
J'avais vraiment la sensation de retourner dans un
endroit familier. Un lieu où j'avais vécu, ou que j'avais
cherché toute ma vie. Je ne me suis jamais senti chez
moi dans les villes de la vaste plaine du Gange où j'ai
passé mon enfance ; je ne songeais qu'à les fuir dès que
l'occasion se présenterait. Sauf à Salimgarh, autrefois,
mais cela aussi avait pris fin depuis longtemps. Pendant
de longues années, Fizz avait été ma seule maison. À
présent, un étrange sentiment d'appartenance montait
en moi. C'était à la fois rassurant et perturbant. Assis
sous la pluie fine, cerné de ces pentes verdoyantes et
enchevêtrées, pelotonné dans un silence troublé de
temps à autre par le râle du changement de vitesse d'une
voiture et le glouglou de l'eau jaillissant de la gueule
du lion de la fontaine, observant la grive qui nous
observait, humant le pain frais sorti du four et la fumée
du tandoori, percevant la joie qui irradiait du corps de

Fizz, je songeais que j'avais peut-être trouvé le point géographique, sur cette terre, que nous cherchons tous. Le seul endroit sur la planète où nous sommes ancrés, et vers lequel nous devons retourner, si loin que nous ayons vagabondé.

Notre addition se montait à vingt-huit roupies.

« Je pourrais passer ma vie ici, dit Fizz.

– Sans CNN ? »

Je conduisais lentement, observant les usages montagnards, frôlant la paroi et klaxonnant à chaque virage. La montée n'était pas raide, pourtant nous étions déjà haut ; nous avions contourné plusieurs montagnes et perdu de vue depuis longtemps le lit asséché de la rivière. Il faisait frais. La bruine cessa et le ciel s'éclaircit. Mais l'air semblait avoir été lavé, les feuillages et la chaussée luisaient.

De temps à autre, Fizz demandait à s'arrêter. Elle ne voulait pas se presser. Elle était comme le pèlerin conscient que la véritable dévotion qu'inspire la destination réside dans la richesse du voyage. Elle repérait une saillie de la route ou une vue panoramique et stop ! il fallait faire halte.

Je garais la voiture. On s'approchait du bord – il n'y avait pas de précipices vertigineux, seulement des pentes qui s'écoulaient dans un océan d'arbres, de buissons, de terrasses. Des pentes amicales. En cas de chute, on pouvait se raccrocher tous les dix mètres. Hormis les pins, il y avait de nombreux chênes – laids dans leur noueuse asymétrie – et des éruptions de bambous vigoureux, à tiges vertes ou jaunes. Ici et là se dressait un kapokier raide comme un piquet, magnifique d'apparence, mais creux au-dedans.

Je tenais la main de Fizz et nous respirions à fond pour emplir nos poumons d'air grisant. Lorsque je n'entendais aucun halètement de moteur, je me serrais contre son dos et enfouissais mon visage dans sa chevelure pour inhaler l'odeur de sa peau. Parfois elle tournait la tête et j'avais alors accès à toute sa personne. Une fois, on s'arrêta sur un promontoire, près d'un énorme rocher qu'un grand pipal avait enlacé de ses racines comme un joueur de base-ball enserre une balle pour lui donner de l'effet. L'arbre semblait même pousser du gros rocher lisse et il fallait regarder attentivement pour repérer l'endroit où son artère principale pénétrait dans la terre.

« Je le veux pour mon jardin, déclara Fizz.

– D'accord. »

On s'arc-bouta contre le rocher – il était deux fois plus haut que nous – et, prenant appui sur nos talons, on poussa de toutes nos forces. De près, on voyait les fines vrilles des racines qui avaient envahi les pores invisibles de la roche et agrafaient l'arbre solidement.

« Un, deux, trois, ho ! hisse ! » criai-je.

Même un mur a du jeu, comparé à ce rocher.

« L'amour déplace les montagnes, dit Fizz.

– Si tu mets trop souvent l'amour à l'épreuve, il finit par faiblir.

– Tu penses que l'amour sait qu'il est mis à l'épreuve ?

– Oui, je crois.

– Alors, on ferait peut-être mieux de revenir subrepticement une autre fois ?

– Oui, c'est une tactique possible. »

À l'endroit où une borne indiquait : Jeolikote 3 km, un homme s'avança sur la route et leva la main. J'arrêtai la voiture. Il posa une main sur la jeep et déclara : « Il est une heure dix. »

Puis il tendit sa paume. Fizz y déposa dix roupies. Il se répandit en remerciements, recula vers l'accotement, et s'assit sur un bidon de goudron scié en deux et rempli de terre. Il était jeune, mais vêtu d'un vieux pantalon kaki au bas retroussé, et il avait les cheveux coupés ras comme une recrue de l'armée. Il ne portait pas de montre à son poignet. Ses paupières étaient fermées. Bien qu'aveugle, il tenait sa tête bien droite et non inclinée comme la plupart.

Plus tard, Taphen le Jongleur – alias Stephen – nous expliqua que nous avions bien agi car, sur cette route, ignorer le jeune aveugle était dangereux. Il était garant de succès et de sécurité. Tous les conducteurs de poids lourds et de bus, tous les hommes d'affaires qui descendaient à Haldwani pour conclure un marché ou qui montaient à Nainital pour passer du bon temps, s'arrêtaient devant l'aveugle afin d'acheter sa protection.

« Croyez-moi, monsieur, dit Stephen, si vous ne lui aviez pas donné d'argent, je ne vous aurais pas vendu la maison. Il serait arrivé quelque chose. Je ne sais pas quoi. Quelque chose. Votre tête ne m'aurait pas plu. La mienne ne vous aurait pas plu. Quelque chose. »

Une pompe à essence signalait l'entrée de Jeolikote, qui s'incurvait ensuite avec la route, avant de s'ouvrir sur un marché bondé et des magasins généraux. Au-dessus des boutiques, des habitations étaient accrochées au petit bonheur sur le flanc de la montagne. La plupart étaient de modestes chalets, mais certaines avaient deux étages et des toits fraîchement repeints. Il flottait une atmosphère de chantier en pleine activité. Un camion rempli de briques était garé là, sa benne béante, des tas de sable et de gravier s'amoncelaient sur le trottoir, et, juste en contrebas de la route, des poutrelles d'acier pointaient, prêtes à recevoir des fondations de maisons.

Au fil des années, j'allais apprendre à m'y habituer. Les montages étaient en continuelle construction.

J'arrêtai la jeep à l'extrémité du marché et descendis. Un vieil homme assis sur ses talons au bord de la chaussée, vêtu d'un pyjama étroit et sale, tirait de vigoureuses bouffées sur son bidi. Il avait une barbe de plusieurs jours. Je lui demandai le chemin. Sans se lever, il répondit : « Gethia ? La grande maison ? Taphen ? Là-bas ! »

Il pointa le doigt sur l'autre versant de la large vallée. Sur la montagne d'en face, plus haute que celle où nous étions, au sommet d'un éperon rocheux bordé d'arbres, se dressait une maison solitaire. Elle avait deux cheminées dont, même à cette distance, on apercevait les petits chapeaux.

Quelques minutes après la sortie de Jeolikote, on devait bifurquer à droite vers Almora, franchir un pont à une voie qui enjambait une gorge étroite, puis gravir une route escarpée pendant quelques kilomètres. L'air était plus vif. La vallée s'évasait ensuite généreusement sur la droite ; des maisons et un hideux ashram se dressaient sporadiquement le long de la route. Après avoir contourné la montagne, on dépassait le sanatorium de Gethia, puis une garde très digne composée de douze vieux pins argentés jusqu'à la borne indiquant : Bhowali 10 km. Là, il fallait ralentir. La sortie du virage se trouvait sous l'aplomb de la maison.

L'autre face de la borne indiquait : Kathgodam 24 km.

Je dus faire une légère marche arrière pour trouver le chemin sinueux qui montait à la maison. Il était envahi d'herbes et n'avait visiblement pas accueilli de véhicules depuis longtemps. La jeep s'y engagea sans difficulté. Je la garai sous un grand cèdre, à côté d'une vieille Ambassador blanche qui n'avait plus ni sièges ni roues. Posée sur des briques, la voiture pointait son capot vers le tronc large du cèdre, tel un grimpeur accroupi s'apprêtant à l'escalader. Une volée de marches en pierre menait à la maison.

Nous avions à peine fait le tour des murs épais et des terrasses derrière la maison, que Fizz avait pris sa décision.

« Je la veux », dit-elle.

Moi, je m'étais décidé en voyant le cèdre déodar.

Un chien aboyait dans le lointain. Toutes les deux ou trois minutes, il s'interrompait pour grogner, puis recommençait à japper. Bientôt, un autre l'imita.

Le sentier menant à la terrasse arrière était envahi d'herbes folles et de grosses touffes de laîche dorée, et il fallait se tenir la main pour ne pas glisser sur les éclats de pierre qui couvraient le sol. Les ruines d'une ancienne bâtisse se dressaient sur la terrasse. En fait, elle se réduisait à une grande pièce. Il ne subsistait rien d'autre, sinon la dernière rangée de pierres taillées et un mur avec un encadrement de fenêtre pourri qui pendait à demi, avec ses gonds de fer rouillé. Du toit, il ne restait qu'une lamelle de chevron brisé, pointée vers le ciel tel un doigt accusateur.

Étrangement, lorsqu'on se tenait dedans, tout entouré de ciel et de vent, on avait l'impression d'être à l'intérieur d'une pièce.

Le toit de la maison principale était parallèle à cette ruine, en contrebas. Si j'avais sauté en prenant mon élan, comme si le diable était à mes trousses, j'aurais atterri sur la tôle qui commençait à rouiller et à s'écailler à la manière d'un carton humide abandonné au soleil. De part et d'autre, la vallée descendait, divisée en deux : d'un côté Dr. Jekyll, de l'autre Mr. Hyde.

Côté Jekyll, on voyait les terrasses brunes bien dessinées et les habitations animées en pointillé, avec leurs
toits verts et rouges, leurs murs au blanc de chaux, et,
au-delà, Jeolikote, avec ses petits groupes de boutiques
et le fil de route grise qui l'attachait à la montagne
comme un rang de perles. Côté Hyde, aucune trace de
vie humaine, juste un long glacier d'arbres verts, des
versants sombres et inhospitaliers de chênes et de pins
dévalant vers des profondeurs insondables.

On découvrit un petit chemin enfoui. J'écartai devant
Fizz les branches épineuses de tilleuls chétifs qui l'en-
travaient, et on accéda à une autre terrasse, plus petite.
C'était l'endroit le plus élevé de la propriété. Un ancien
réservoir y était scellé et on entendait le gargouillement
de l'eau. Un couple de magnifiques pies bleues à bec
rouge apparut sur l'escarpement ; elles jouaient à chat,
leur longue queue flottant au vent. Tout autour de nous,
ce n'étaient que cimes boisées. L'éperon rocheux sur
lequel nous étions montait encore un peu à travers des
bosquets de hauts pins et de chênes, jusqu'à son point
culminant, à quelques centaines de mètres. Le soleil
du début d'après-midi nous tombait dessus presque à
pic, mais une brise forte soufflait, qui rafraîchissait la
température.

Au-dessus de l'ample cuvette de la vallée, un aigle
sculptait gracieusement de larges cercles.

De la terrasse supérieure, les deux cheminées de la
maison principale ressemblaient à des poings serrés.
J'aurais pu, sans effort, lancer un caillou et atteindre
le toit.

Fizz s'appuya contre moi et dit : « Je la veux.

– Et CNN ?

– Même sans CNN. »

Les jappements de chiens se rapprochèrent. Une
voix, en bas, cria : « Vous êtes là-haut, monsieur ?

– Stephen ?

– Oui, Stephen, pour vous servir, monsieur ! »

Stephen avait une soixantaine d'années, des lambeaux de cheveux sur le crâne, les articulations craquantes, le teint cireux et les dents gâtées. Il se laissait traîner par quatre chiens braillards au bout de laisses dont deux étaient de simples bouts de corde. Il les attacha à la rambarde de fer en haut des marches de pierre, et les chiens tirèrent, griffèrent, aboyèrent tant et tant que l'on dut battre en retraite de l'autre côté de la maison pour s'entendre.

« Croyez-moi, monsieur, ce ne sont pas de gentils toutous mais les chiens de l'enfer ! Ils peuvent mettre en fuite une panthère ! »

Il fallait s'écarter pour discuter avec lui, tant son haleine empestait le whisky. Son gilet marron était couvert de poils de chiens de teintes différentes. Il y en avait même sur son pantalon gris.

Il vit notre regard et, découvrant ses dents pourries d'un sourire cadavérique, il reprit : « Croyez-moi, monsieur, le seul ami de l'homme est le chien. Avec le temps, la dame ne vous laisse plus l'approcher. Les chiens se moquent de votre figure et de votre odeur. Ils ne voient que votre cœur. » Là-dessus, il adressa un clin d'œil à Fizz et ajouta : « Sans vouloir vous offenser, madame. Mais nous autres hommes, on n'arrive jamais à comprendre votre race. »

Nous étions devant la cuisine, entre la maison et la vallée de Jeolikote. La pente, à nos pieds, était entrecoupée par une série de terrasses irrégulières. La première, cinq mètres plus bas, ressemblait à une grosse part de gâteau ; au-delà, les paliers étaient plus resserrés, par dénivellations de deux ou trois mètres, formant un escalier qu'un géant aurait pu descendre jusqu'en

bas. Des buissons de lantana garnissaient les anfractuosités de toutes les terrasses. Taphen sortit de sa
poche de pantalon un flacon de Bagpiper où il ne restait
que deux doigts de whisky. Il s'approcha du lavabo
fixé au mur extérieur, mit le flacon sous le robinet, y fit
couler un peu d'eau, et avala le tout d'une seule rasade.
Puis, avec un geste du bras, il dit : « Rien de tel que le
Bagpiper pour faire chanter le cœur d'un montagnard !
Venez, monsieur. Je vais vous montrer la plus fabuleuse maison de tout le Kumaon. »

Et il ouvrit la plus fabuleuse maison de tout le
Kumaon en soulevant la moitié droite de la porte d'entrée par petites secousses légères jusqu'à ce que le
verrou cède. À l'intérieur, il faisait sombre. On resta
quelques minutes dans la salle à manger, avant de
pouvoir distinguer quelque chose. Mon regard fut tout
d'abord attiré par les lourds chevrons qui soutenaient
l'étage supérieur et le plancher de bois cloué dessus.
Le parquet était un rêve d'enfance. Nous avions toujours vécu au milieu du ciment et des briques. Puis je
remarquai la large cheminée occupant le mur du fond,
où gisaient encore quelques bûches calcinées. Je pris la
main de Fizz et dirigeai son attention sur la cheminée,
devinant, sans la regarder, son excitation.

Toutes les fenêtres étaient obstruées de planches
clouées sans soin. Le bois avait éclaté sous les coups
de marteau, et les points de lumière qui filtraient permettaient de naviguer dans la maison. On suivit Taphen
dans un spacieux salon, lui aussi doté d'une cheminée,
identique à la première. Au-dessus du manteau était
accroché un Christ peint en bleu, blanc et brun sur une
croix de bois. Le sol était inégal et encombré de gravats. C'est dans cette pièce que se trouvaient les deux
poutres maîtresses de la maison, larges comme des

troncs d'arbres et maintenues ensemble par des ceintures d'acier. Même un profane tel que moi savait qu'il était impossible, de nos jours, d'acquérir des poutres semblables, légalement ou illégalement.

« Quel âge a cette maison, Stephen ?

– Elle est très vieille, monsieur. Très, très vieille. Plus vieille que vous. Plus vieille que moi. Croyez-moi, monsieur, c'est une maison historique. Vous êtes dans l'histoire. De grands hommes sont venus ici. Gandhi s'est tenu là où vous êtes.

– Gandhi ? Le Mahatma ?

– Qui d'autre ? Oui, monsieur, le Mahatma Gandhi s'est assis à cette table pour boire le thé. Lui et la dame. Ils discutaient de non-violence, de manifestations, de toutes ces histoires de liberté.

– Vous plaisantez, Stephen.

– Mais non, monsieur. Croyez-moi, ça s'est passé ici même. Le Mahatma avait son dhoti blanc. Il sirotait son thé en souriant. Il était venu rendre visite à Kamla Nehru, au sanatorium de Bhowali.

– Jawaharlal Nehru l'accompagnait ?

– Non, monsieur. Nehru était en prison. Croyez-moi, monsieur, son pays passait avant sa femme. Sans vouloir vous offenser, madame.

– J'aimerais vous l'entendre dire devant votre épouse, Stephen », lui dit Fizz.

Il gloussa de rire.

« Je ne suis pas Jawaharlal Nehru, madame ! »

L'escalier menant à l'étage se trouvait contre le mur du fond. Je suivis Stephen, Fizz me suivit. Une marche était dangereuse et il nous en avertit. L'escalier débouchait sur un hall où donnaient plusieurs portes. Trois d'entre elles conduisaient à des chambres, et une autre à un long balcon courant sur toute la longueur de la maison. Habitués aux sols durs, nous marchions avec précaution sur le plancher. Chaque pas provoquait un craquement intimidant. Notre prudence fit rire Stephen.

« Croyez-moi, monsieur, un éléphant pourrait danser le fox-trot avec un rhinocéros sans le moindre problème. »

Pour le prouver, il se mit à sauter sur place en fredonnant l'air de *Come September*. Pah-pah-pah-paan-paan-paanpah-paan-paan. Paanpah-pah-paanpah-pahpah-pahnpah…

Le plancher vibra. Nous étions surpris, et ravis.

« Du calme, Stephen, dit Fizz. Vous allez démolir ma maison. »

Il faisait nettement plus clair au premier étage. La lumière filtrait par le balcon et les interstices du plancher. Je montai à l'échelle pour jeter un coup d'œil au grenier. Il était vaste et désolé, avec deux fenêtres obstruées de planches à chaque extrémité ; le toit était rafistolé et des fuites avaient pourri le bois.

On redescendit. Au bas de l'escalier, à droite, Stephen s'arrêta et se mit à batailler contre une porte que nous n'avions pas remarquée en montant. Après plusieurs tentatives, il parvint à l'ouvrir.

« Voici la dernière pièce, dit-il avec superbe. Ou plutôt les dernières pièces. »

On entra. Il suffisait de lever les yeux pour découvrir le ciel au-dessus de nos têtes, d'un bleu magnifique, sectionné en deux par un mince chevron. C'était tout ce qui restait du toit. La pièce du premier étage était manquante. Dans le mur de pierre, on apercevait les chicots de poutres qui soutenaient autrefois le plancher. Certaines étaient sciées net, d'autres éclatées comme si on les avait brisées sur le genou. Nous étions dans une boîte sans couvercle. On aurait pu se croire sur un court de squash en plein air, sans la dévastation, au sol, qui évoquait ces maisons bombardées que l'on voit dans les films sur la bataille d'Angleterre.

Le sol était jonché de décombres, de bois pourri, de touffes d'herbe détrempée, de crottes de chèvres, d'agrafes et de clous rouillés, de branches mortes, de sacs déchirés, de bouteilles vides, de boîtes en fer-blanc cabossées, de feuilles de tôle recourbées. Une porte et deux fenêtres dégondées étaient posées contre un mur, moisies et sans vitres. Les murs inébranlables se dressaient autour de nous sur une hauteur de deux étages, exposant leur solide squelette de pierre sous le plâtre couleur moutarde qui s'effritait.

Même dans la lumineuse clarté du jour, sous le ciel limpide, avec l'incessant bavardage de Stephen, l'endroit était irréel. C'était une vision soudaine de l'issue de toute chose. La robuste maison qui se dressait de l'autre côté était en voie de devenir cette ruine.

Le délabrement inscrit au cœur de toute création.

Ce sentiment macabre allait me revenir périodiquement au début de la rénovation de la maison. Chaque fois que l'on montait une rangée de briques, chaque fois que l'on sciait, rabotait, clouait du bois neuf, chaque fois que la bétonneuse déversait du ciment, chaque fois que l'on découpait et posait des feuilles de tôle, je ne voyais que leur future décrépitude.

Le processus de la mort déclenché par l'acte de création.

En plantant des graines, je ne voyais pas les arbres mais les bûches qui alimenteraient un feu. Et toujours l'image qui me hantait était cette double pièce, très haute, sans plancher ni toit, et les décombres de ce qui avait jadis été vivant et gisait maintenant à mes pieds, mort.

« Croyez-moi, monsieur, une fois ces pièces recons-
truites, vous ne voudrez plus les quitter. Ce seront les
plus belles. »

Je contemplai les gravats, l'absence de plancher et
de toit, l'unique chevron soutenant le ciel.

Chacun ne voit et n'entend que ce qu'il veut.

Vous entendez le bruit d'une porte qui se ferme, et
moi d'une porte qui s'ouvre.

Devais-je demander à Taphen si Abul Kalam Azad[1]
était lui aussi venu boire le thé avec la dame ?

Quand on sortit, il s'attarda un moment à l'intérieur.

« Je vous rejoins dans une minute », dit-il.

On l'entendit refermer le verrou grinçant. Nous
étions dans la véranda, sous les planches décrépites du
balcon : bois gris-noir, pourrissant, troué. Taphen réapparut par le côté de la maison, souriant. Il avait sauté
par la fenêtre de la cuisine et l'avait refermée derrière
lui.

« C'est l'endroit le plus sûr du monde, certifia-t-il.
L'unique vol dans le voisinage remonte à cinq ans. On
a dérobé huit choux dans un champ de Prem Singh. La
police a fait une enquête. Ils ont attrapé le voleur et
l'ont obligé à travailler pendant un mois sur le champ
de Prem. »

Stephen nous fit ensuite visiter le terrain. Il y avait
une autre ruine sur la terrasse devant la maison. Seul
subsistait le socle de pierre. Selon Stephen, c'était une
ancienne serre. Près du portail d'entrée, il y avait une
bâtisse à deux niveaux, et une autre près du portail de
derrière, toutes deux délabrées, les portes et les fenêtres
endommagées, les tôles du toit soulevées. La propriété
entière était envahie de végétation et l'on pouvait à

---

1. Leader musulman, compagnon de Gandhi et de Nehru dans la
lutte pour l'indépendance. (*N.d.T.*)

peine s'y frayer un chemin : lantana, graminées, buissons et plantes rampantes investissaient tout l'espace. Les arbres avaient besoin d'élagage ; beaucoup étaient devenus des touffes.

Lorsqu'on fut sous le déodar, je demandai à Stephen : « Cette guimbarde va avec la maison ?

– Croyez-moi ou non, monsieur, même si elle n'en a pas l'air, cette voiture a transporté bien des gens célèbres. »

Louis et Edwina Mountbatten, je présume ! eus-je envie de lui répondre.

On se serra la main, sur la promesse de revenir le voir bientôt.

Il regarda Fizz et lui dit : « Madame, si vous achetez cette maison, jamais vous n'oublierez Stephen. »

Paroles plus prophétiques qu'on ne pouvait l'imaginer.

Stephen se laissa entraîner par ses chiens. Je remarquai que celui à la fourrure pie, avec une patte arrière cassée, était le plus agressif ; il montrait les crocs et grognait à tout propos. Même les trois autres se tenaient à l'écart. On suivit le cirque ambulant à distance, tenus en respect par le chien boiteux qui se retournait pour bondir vers nous. Au portail du bas – en vérité, il n'y avait plus de porte, seulement des piliers de pierre délabrés –, on traversa la route. À côté de la borne indiquant Bhowali 10 km, il y avait un petit accotement de pierre. En s'asseyant dessus, on jouissait d'une vue en contre-plongée sur la maison. La pierre nue était tiède.

En quelques minutes, la chaleur du soleil nous rendit rêveurs. Derrière nous, la vallée dégringolait, verte et sombre. En face s'élevait la montagne, avec la maison au sommet, et les cheminées au sommet de la maison. À côté se dressait le déodar, avec ses trois pointes qui culminaient au-dessus du toit et des cheminées. Le ciel était vaste et bleu, parsemé de croûtes de nuages blancs. On entendait l'écho de moteurs accélérer ou décélérer. Les sous-bois bruissaient d'activité, surpeuplés de mésanges, de rouges-gorges, de pinsons, de sittelles et d'une multitude d'autres petits oiseaux impossibles à identifier, qui voletaient et jacassaient. Nous humions, nous regardions, nous écoutions, nous existions.

Nous savions l'un et l'autre ce que nous allions faire.

« Tu sais, monsieur Chinchpokli, je pourrais passer ma vie ici.

– À cause de la voiture qui a transporté des gens célèbres ?

– Non, du charme de Stephen. Il porte si élégamment les poils de chien. »

Nous restâmes assis là longtemps, jusqu'à ce que le soleil tombe derrière la montagne en face, dans une explosion rouge sang. Des villageois passèrent d'un pas tranquille, des voitures, des bus, des camions. On nous jetait des regards intrigués, mais personne ne nous dérangea. La température chuta avant le soleil. Je dus baisser mes manches de chemise, et Fizz s'enveloppa dans sa dupatta. Nous remontâmes à la maison et sur la terrasse supérieure, où le réservoir continuait de gargouiller, pour contempler le coucher du soleil sur la vallée. Un peu partout, des points lumineux commençaient à perforer la pénombre qui s'épaississait. Des balises brillaient sur des pentes inaccessibles qui, de jour, semblaient inhabitées. Les hommes allaient décidément partout.

À nos pieds, la maison reposait dans une obscurité totale. Ses deux cheminées ressemblaient maintenant aux oreilles dressées d'un animal géant. Le ciel, qui s'assombrissait une seconde avant, se pailletait d'étoiles la seconde suivante. Nous n'en avions pas vu autant depuis Kasauli, des années auparavant. Nous nous tenions la main et pivotions lentement pour tout embrasser du regard.

« J'ai une idée, dit Fizz. Si je trouve le nombre exact d'étoiles, on achète la maison. D'accord ?

– D'accord. Et si tu te trompes, on monte dans la Gypsy et on s'en va.

– Laisse-moi une minute. »

Elle commença à compter les étoiles. Ses lèvres remuaient en silence.

« Ça y est, reprit-elle. Trois millions deux cent soixante-dix mille sept cent trente-deux.

– Bravo ! La maison est à toi ! »

Je la pris dans mes bras et l'étreignis. Fort. Rien au monde n'équivalait son parfum, le contact de son corps. Elle surpassait tout ce que j'avais vu de toute la journée, de toute ma vie.

Plus tard, elle me dit : « On l'a trouvé, n'est-ce pas ?

– Oui, je crois. »

L'unique endroit de la planète où nous sommes ancrés, et où nous devons retourner, si loin que nous ayons vagabondé.

L'unique endroit capable de nous rendre la complétude que nous avions peu à peu perdue au fil des années. L'unique endroit où la Brother pourrait crépiter dans un délire ininterrompu.

Un raclement furtif dans les buissons au bas de la côte interrompit cet instant décisif. Sans rien distinguer, nous devinâmes qu'il s'agissait du fauve de la région. Nous nous engageâmes précautionneusement devant la rangée de tilleuls – j'écartais les branches armées d'épines vertes et juteuses. La lumière des étoiles et la demi-lune nous éclairaient assez pour nous éviter de glisser. De temps à autre, un aboiement crevait la nuit toute jeune. Sous le déodar, à côté de la Gypsy, l'Ambassador sans roues avait l'air d'un gros scarabée endormi. Je m'attendis à la voir s'envoler lorsque je mis le contact.

Le déodar lui-même, dont le tronc épais se divisait en trois bras raides piquant le ciel – par la suite, nous apprendrions qu'on l'appelait le Trishul –, évoquait une sentinelle d'une autre ère, une ère préhumaine. L'arme de Shiva laissée sur cette montagne, à Gethia. Pour nous garder, nous et nos rêves.

À mes yeux, ce déodar valait à lui seul le prix de la maison.

En descendant la côte pour rejoindre la route, j'aperçus une longue silhouette sombre se couler dans les ombres noires de la bâtisse délabrée. Ce fut si soudain et saisissant que je faillis ne rien remarquer. Quand je me retournai, il n'y avait plus rien à voir.

« Qu'est-ce que c'était ?

– Je n'en sais rien, répondit Fizz. Mais c'était sacrément effrayant. »

Dans le virage, quand les phares de la Gypsy bondirent sur la face rocheuse de la montagne en direction de Nainital où nous projetions de passer la nuit, Fizz ajouta : « Je crois que ça n'avait pas de bras. »

Sur la Route

Nous achetâmes la maison.

Cela dura près de six mois. L'opération fut interminable et les caprices de Taphen nous épuisèrent. Il existait deux Taphen. Le premier, superbe et expansif : « Tout est à vous, monsieur ! Tout est à vous. Vous pouvez l'avoir pour rien ! Qu'est-ce qu'une maison ? Le Seigneur souhaitait nous voir tous vivre à ciel ouvert ! » Le second Taphen était féroce et injurieux : « La maison ne sera jamais vendue ! Jamais ! En tout cas, pas à un murgichodhus tel que vous ! »

L'humeur de Taphen ne tenait pas à l'heure à laquelle on le rencontrait, mais à son ingestion d'alcool. Il était souvent un ange de douceur le soir, et un monstre écumant le matin. Tout dépendait du moment où il avait mis la main sur sa bouteille de Bagpiper. Il fallait s'en remettre au hasard. D'exaspération, je finis par m'engager dans la bagarre. S'il se montrait agressif, je répondais à ses insultes. Nos affrontements étaient très violents.

« Stephen, vous êtes le plus le hideux connard de tout le Kumaon ! C'est de la quinine que votre mère a dû boire quand elle vous portait, pas de l'eau !

– Abruti de citadin de mes deux ! Vous voulez une maison à la montagne ? Venez un peu, que je vous mette mon gros lollu dans votre petit cul de Dilliwalla !

– Stephen, vous êtes le fils d'un serpent !

– Et vous, le pénis d'un porc-épic ! »

Ses trous de mémoire aggravaient les choses. Un jour, la superficie du terrain était de quarante naalis, soit un hectare ; le lendemain : trente naalis ; le surlendemain : trente-cinq. Un jour, il annonçait le prix de vingt-deux lakhs, soit deux millions deux cent mille roupies ; un autre jour, c'étaient deux millions quatre, un autre jour, deux millions.

On ne connut le prix réel qu'en recevant les papiers dûment estampillés pour l'enregistrement.

Quelque temps plus tard, j'appris que, dans la région, on le surnommait Taphen le Jongleur. Sa maîtrise de l'anglais et son alcoolisme invétéré lui permettaient de caracoler dans deux mondes différents. D'un côté, il léchait les bottes des fonctionnaires du gouvernement local, buvait le thé avec les élites en visite, et les charmait avec son anglais mélodieux et sa connaissance de la région ; de l'autre, il buvait, dormait, mangeait avec les villageois et les gens du cru, fidèle à ce qu'il était, c'est-à-dire un montagnard parmi les montagnards. Taphen était un Jongleur parce qu'il passait des accords avec l'administration pour les marchés publics, la réparation de routes et des remblais ; il dérobait des matériaux de construction sur les chantiers, des stocks de médicaments dans les sanatoriums et les hôpitaux, achetait et vendait du bois interdit au commerce, des pierres interdites au commerce, des terres interdites au commerce. Et il déposait scrupuleusement le tout sur l'autel du Bagpiper.

Un jour, alors qu'il était seulement à demi soûl, il m'entraîna derrière sa maison et me montra une fosse de près de trois mètres de diamètre.

« Quand les gens me demandent : "Taphen, qu'as-tu fait de ta vie ?", je les amène ici et je leur réponds :

"Voilà ce que j'ai fait!" Connaissez-vous quelqu'un d'autre qui a fait la même chose ? »

Dans la fosse s'amoncelaient des bouteilles d'alcool de toutes tailles, formes et couleurs. Longues, carrées, rondes, hexagonales, rectangulaires, demi-bouteilles, quarts, en verre vert, brun, jaune, crème, clair ou transparent. Hormis quelques-unes, au sommet du tas, encore munies d'une étiquette usée et détrempée, les bouteilles ne portaient plus aucune marque et s'étageaient sur plusieurs couches. La plupart étaient boueuses, mais il y avait suffisamment de verre pour éblouir les yeux même dans la lumière déclinante du soir.

« Quand j'étais jeune, poursuivit Taphen, le frère de mon père m'a expliqué qu'il existait deux types d'individus dans le monde. Celui qui boit et se conduit comme un homme. Celui qui parle de celui qui boit, et se conduit comme une femme. Et mon oncle m'a dit : "Décide-toi, petit. Tu veux boire et être un homme ? Ou bien parler et être une femme ?" »

Taphen était accroupi, la tête dans les mains, au bord du monument qu'il érigeait à sa gloire. Il ajouta : « Je dois remplir le trou avant de mourir. »

Il restait plus d'un mètre de hauteur à combler.

Taphen était un homme intéressant, mais il me mettait en rage. Fizz était plus ambivalente à son égard. Elle détestait ses embrouilles permanentes et son alcoolisme, mais admirait son amour pour ses chiens.

« Il dort avec eux, disait-elle. C'est quand même quelque chose.

– Qui d'autre voudrait de lui ?

– C'est son penchant pour le Bagpiper qui le perd. Ça arrive à tout le monde, non ? »

Excuses ou non, je fus immensément soulagé d'en avoir terminé avec Taphen lorsque je lui remis le solde au bureau d'enregistrement, dans les hauteurs de Naini-tal, et glissai à l'employée une enveloppe contenant son pot-de-vin, soit deux pour cent de la vente. Je pris mes papiers et sortis dans le soleil matinal. Depuis six mois, il me ponctionnait au compte-gouttes et ses cajoleries me donnaient la nausée.

Mais Taphen, lui, n'en avait jamais terminé. Il me suivit dehors en s'exclamant : « Vous pouvez me croire, monsieur, vous ne m'oublierez jamais ! Je vous ai offert une part d'histoire et de géographie pour une somme dérisoire ! »

Il s'était baigné, rasé et, pour l'occasion, avait revêtu un costume noir brillant et une cravate rouge délavé. Il se fendit d'un compliment à Fizz : « Assurez-vous que les domestiques ne vous manquent pas de respect, madame. »

Taphen prétendait qu'une petite part seulement de l'argent lui revenait ; le reste allait à son armée de frères et sœurs. En effet, cinq personnes dépenaillées, venues de Dehradun, Moradabad et Bareilly, se rassemblèrent sous le grand pin près de la buvette en attendant de toucher leur argent. Les trois hommes avaient l'air défoncé, ravagés par les microbes et le gin, et tenaient une cigarette allumée entre leurs doigts. Les deux femmes s'assirent au bord de la véranda, mal fagotées dans leur sari, rongées par les soucis, le regard vide.

« Tous des ivrognes, commenta Taphen. Moi, je bois et je travaille. Eux, ils boivent et se tapent dessus. »

L'ancien bâtiment colonial était situé au-dessus de l'arrêt d'autobus et du lac. Je demandai à Fizz de descendre en ville avec la Gypsy tandis que je rentrais à pied. Elle ne posa aucune question. Je partis d'un pas alerte, sans prêter attention aux promeneurs ni à l'activité commerciale somnolente. La route était un patchwork d'ombre et de soleil. Lorsque j'atteignis la pointe du lac superbe et son animation bourdonnante – boutiques, bus, touristes, marchands ambulants, poneys –, j'étais imprégné de la douce sensation d'être un propriétaire, et convaincu d'avoir pris la bonne décision.

Aujourd'hui, avec le recul, je m'aperçois que mes antennes devaient être terriblement ankylosées. Par l'histoire, la géographie, une démonologie déchaînée.

Par un marché minable.

Crédit de caisse.

Vous paierez plus tard.

La maison devint une obsession.

C'était comme de recueillir un enfant déjà grand. Un bébé est un processus organique dans lequel vous pénétrez lentement, progressivement, jour après jour, semaine après semaine, année après année. Mais si vous héritez d'un adolescent, cela exige un engagement total et immédiat. Il vous faut deviner, analyser, comprendre, corriger, et tout cela à la fois car le temps manque. Si vous rencontrez des défauts de caractère, vous devez aborder le problème de front. Il n'y a pas de temps à perdre en suggestions et manœuvres subtiles.

Armés de l'héritage de la Bibi, nous avions fondu sur la maison, bien décidés à la plier promptement à nos volontés. La première étape du défrichage révéla que nous avions plus que nous ne le pensions. À mesure que les quatre manœuvres du village faisaient courir leur faux – à cinquante roupies la journée – dans les hautes herbes et les buissons, des chemins inattendus émergeaient. Sous la supervision de Fizz, des massifs non identifiés devinrent des chênes, le déblaiement de gravats élargit les terrasses.

Taphen passa nous voir, couvert de poils et escorté de son quartet jappeur, et s'exclama : « Madame, on se croirait presque revenus à l'ancien temps. »

Damyanti, son épouse, femme râblée originaire de Shahjahanpur, dans la plaine, où elle avait exercé le métier d'institutrice, ricana : « L'ancien temps, tu parles ! Madame, ce n'est pas Taphen le Jongleur que vous avez devant vous, c'est Cheikh Chilli ! Vous savez, l'ancien comique qui racontait des histoires drôles. Si vous écoutez la moitié de ce qu'il dit, vous allez perdre la raison. Quand Taphen me faisait la cour, il me berçait avec des récits mirifiques sur les réceptions de Noël, les gâteaux au rhum et le vin de prune, sur les journaux anglais qui venaient de Delhi, et la grande voiture dans laquelle tous les enfants pourraient monter. À mon arrivée, j'ai découvert une petite fosse remplie de bouteilles vides. Et aujourd'hui, trente ans plus tard, j'ai une grande fosse remplie de bouteilles vides ! »

D'une voix de fausset, Taphen s'exclama : « Cheikh Chilli ? Hi, hi, hi ! Creuse un grand trou ! Et remplis tout ! »

— Et voilà ! s'écria sa femme. C'est tout ce qu'il est capable d'enseigner. Mon fils aîné, Brian, est conducteur de bus à Pithoragarh. Lui aussi il fait collection de bouteilles. Il a juré de creuser une fosse plus grande que celle de père.

— Creuse un grand trou, et remplis tout ! chantonna Taphen.

— Vous voyez ? Quel imbécile ! Heureusement, mon autre fils, Michael, est un bon garçon. Je l'ai protégé de son père. Lui, il me ressemble. Il ne boit pas.

— Il ne boit pas, ricana Taphen. Il fait des piqûres. À droite, à gauche, au milieu ! Siiiiccchhh !

— Tais-toi, ivrogne, le coupa sa femme. Michael est aide-infirmier à Haldwani. C'est vrai qu'il veut faire des piqûres à tout le monde. Quand il vient nous voir, il n'apporte pas de cadeaux, mais des seringues. Il dit que la santé est le plus beau cadeau qui soit. Tout le monde déteste ce pauvre Michael. Il vient avec un grand sac noir et se promène en baissant le pantalon des gens pour les piquer. Regardez-moi. J'ai eu plus de cent piqûres. Dans les bras, le ventre, les cuisses, les fesses. Il me dit : "Tiens, maman, ça, c'est pour le tétanos, ça c'est pour la rage, ça pour l'hépatite A, et ça pour la B." Il me dit : "Tiens, maman, voilà la piqûre de Dieu." Les gens qui me rendent visite demandent avant d'entrer : "Est-ce que Michael est là ?" Entre eux ils se disent : "Tu as vu Michael ? Il t'a piqué ?" Et quand ils l'aperçoivent de loin, les enfants se mettent à crier : "Attention ! Voilà Michaelpique !" Et ils se sauvent en braillant. Ça me donne envie de pleurer. Cette fripouille de Taphen et son Brian sont des ivrognes, mais tout le monde les invite ! Alors que mon pauvre Michael, qui ne cherche qu'à aider, personne ne veut de lui ! »

Taphen se remit à chanter : « Dieu Tout-Puissant, le joli trou ! Pique-moi un coup ! Creuse un grand trou ! Et remplis tout ! »

Il prit le goulot du quart de Bagpiper entre ses lèvres et renversa la tête.

D'un air dégoûté, sa femme ajouta : « Il a même demandé à Michael de lui faire une injection de whisky. »

Ce soir-là, je dis à Fizz : « Je t'en supplie, tiens ces abrutis à l'écart ! Je ne peux plus les supporter. Tout ce sang mêlé a dû leur déranger le cerveau.

– Voyons, chéri, tu n'as pas honte ? Et ce pauvre Michael ? Tu ne veux pas l'inviter ? Pour une petite piqûre ? Une petite piqûre divine ?

– Ça, je sais où m'en procurer ! »

Nous étions dans la pièce au-dessus de la salle à manger. Le plancher était noirci par l'âge, et certaines lattes si fendues que l'on pouvait voir le rez-de-chaussée au travers. Le sol craquait de façon sinistre chaque fois que l'on y posait le pied et nous n'arrivions pas encore à nous sentir à l'aise en marchant sur le parquet. La seule fenêtre de la pièce ouvrait sur la vallée de Jeolikote, et son embrasure donnait une idée de l'épaisseur des murs de pierre. Le rebord mesurait soixante centimètres et l'on pouvait s'y asseoir avec le même sentiment de sécurité que sur un canapé de salon.

De la fenêtre, on jouissait d'une vue plongeante jusqu'à Beerbhatti, à droite, et, à gauche, jusqu'à Jeolikote. On apercevait également l'embranchement de la route Ek, N° 1, pour Nainital et Almora. Dans l'anfractuosité de la première terrasse, au-dessous, se trouvait le massif de lantana avec l'engoulevent. L'oiseau n'avait pas encore commencé son toc toc toc. Il n'était même pas dix heures. Épuisés par les travaux de nettoyage, nous nous couchions toujours très tôt. Ce soir-là, la lune était pleine ; elle se déversait dans notre chambre et inondait la vallée d'une clarté argentée. La route qui la traversait formait un ruban brillant, lentement parcouru par des vers luisants. Sur le sommet ondulé de la montagne, une rangée de pins marchaient à la queue leu leu, soldats à casque pointu en patrouille de nuit. Assis sur l'appui de fenêtre, nous regardions la vallée, jambes entremêlées, mains enlacées.

Depuis l'achat de la maison, quatre mois plus tôt, nous avions défriché le terrain – fauché, coupé, brûlé –, regroupé les pierres en tas bien nets sous Trishul, le déodar. On avait fait venir une grue de Haldwani pour transporter la voiture de Mountbatten près de l'épicerie-bazar du village, un peu plus haut sur la route. En une semaine, le thakur avait enlevé les portières, mis des planches à l'intérieur et transformé le véhicule en salon de thé. Nous découvrions aussi les subtilités de l'architecture, de sa mise en œuvre dans les montagnes, et faisions la connaissance des corps de métiers.

En cela, Taphen nous fut très utile au début ; il eut donc toute liberté pour aller et venir, et nous raconter des foutaises. Jusqu'au jour où nous apparut l'étendue des qualités de Rakshas. Nous avions besoin d'une poigne sérieuse pour arranger la maison et la rendre vivable. Nous avions besoin de charpentiers, de maçons, de manœuvres, de plombiers, d'électriciens. Nous avions besoin de savoir où acheter les matériaux – bois, pierre, sable, briques, ciment, graviers, métal. De connaître les règlements de zonage, les caractères climatiques de la région. De savoir quand frappaient les bourrasques, les pluies, les tempêtes de grêle. Quelle épaisseur devaient avoir les fenêtres, les portes, les tôles. Ce qu'il en était vraiment de la menace des singes, des panthères et des loups. Et des animaux moins nuisibles : mites et cloportes.

Une salle de bains convenable. Tel était notre principal défi. La maison n'en possédait pas. Il y avait une pièce immense, absurdement contiguë à la cuisine, avec un trou dans le sol. Plus exactement, le trou était creusé dans une dalle de ciment d'un mètre de côté, dans un angle, entourée d'un muret de briques jusqu'à mi-hauteur et protégée par une demi-porte aux gonds grinçants. Une vilaine petite enclave dans une vaste pièce. Une fois accroupi au-dessus du trou, on avait une vue sur le reste de la salle de bains, par-dessus le muret et la porte : le robinet en cuivre sur le mur opposé, le petit miroir suspendu au-dessus, le ventilateur crasseux, l'étroit lavabo de ciment, avec les savons, les dentifrices, les huiles et les shampoings attendant leur tour de service. De temps à autre, l'un de nous faisait ses besoins et l'autre ses ablutions, et nous bavardions. Quand on se relevait, ankylosé par les crampes, il fallait s'appuyer quelques minutes sur le muret pour se dégourdir, puis traverser la pièce pour remplir un seau d'eau, et revenir.

« C'est un exercice matinal très équilibré, qui fait appel à tous les muscles, des biceps au sphincter », remarqua Fizz.

Les premiers habitants de la maison, semble-t-il, utilisaient des chaises percées et des pots de chambre. Le trou avait été aménagé par nos prédécesseurs. Pour notre part, nous projetions d'installer des salles de bains à côté des chambres. Encastrer la plomberie constituait un obstacle, mais le problème le plus ardu était de percer les murs de pierre de soixante centimètres pour relier les salles de bains aux chambres. Celles-ci se trouvant au premier étage, avec un plancher de bois, cela décuplait la difficulté. Jusqu'à présent, nous n'avions trouvé aucune solution.

Le sous-bois était animé par les stridulations des insectes. La lune traçait sa course à travers le toit étoilé de la vallée et, sur les pentes, les lumières s'éteignaient peu à peu.

« Si la montagne ne vient pas à Dieu pour la piqûre, Dieu devra apporter la piqûre à la montagne », dit Fizz.

Elle dégagea sa main droite de la mienne, et la posa sur mon pantalon de jogging. Mes hanches bougèrent involontairement.

« Pourquoi crois-tu que Taphen déteste Rakshas ?

– Oui, dis-je.

– Aujourd'hui, il m'a encore prévenue : "Madame, méfiez-vous de ce rat. Croyez-moi, il n'a qu'un bras mais il a deux paires d'yeux. Non seulement deux paires d'yeux, mais huit oreilles. Non seulement huit oreilles, mais quatre-vingts idées. Les gens racontent qu'il parle aux esprits. Si vous pensez quelque chose, il le devine. Votre bon monsieur perdra son pantalon sans même s'en apercevoir."

– Oui, oui. »

Sa main était pleine, à présent. Je flottais au-dessus de la vallée. Comme un aigle en plein midi.

« Il m'a dit : "Je suis un ivrogne, madame, mais ce type est un drogué. Croyez-moi. Je cours à ma tombe – comme nous courons tous –, mais lui ira en prison. Ne passez pas par la case départ. Ne recevez pas deux cents roupies. Allez directement en prison."

– Oui, oui, oui. »

Mon pantalon était sur le plancher. Le monde n'était maintenant pas plus grand qu'une petite main. Et je planais, planais, plus haut que tous les aigles de toutes les vallées du monde.

« À mon avis, il ne faut pas écouter Taphen, ajouta Fizz. Je suis sûre que Rakshas est un type très bien. »

J'avais les yeux fermés. Mais je savais qu'elle avait bougé. Elle bougeait. Elle n'était plus sur le rebord de la fenêtre. Maintenant, elle y était.

Rakshas-Taphen, Rakshas-Taphen, Rakshas-Taphen, Rakshas-Taphen, Rakshas-Taphen. Cela sonnait comme des caresses rythmées.

Chaud et sec, chaud et humide, très chaud et très humide.

Rakshas-Taphen, Rakshas-Taphen, Rakshas-Taphen…

Fizzetmoi, Fizzetmoi, Fizzetmoi…

Hindou-musulmane, hindou-musulmane, hindou-musulmane…

Bon-mauvais, bon-mauvais, bon-mauvais…

Dedans-dehors, dedans-dehors, dedans-dehors…
Amour-sexe, amour-sexe, amour-sexe…
Rakshas-Taphen, Rakshas-Taphen, Rakshas-Taphen…

Plus tard, alors que nous étions assis, nus, enveloppés dans une couverture, Fizz s'appuya sur moi. Il y avait très peu de lumières dans la vallée, et elles étaient distantes. Des lumières de vérandas et de portails, gardiennes des dernières heures de la nuit. Un sentiment de soulagement nous envahit. Nos corps étaient devenus si indécis en présence l'un de l'autre ces derniers temps que, lorsqu'ils s'embrasaient, nous avions l'impression de cicatriser. Les coupures se fermaient, la peau repoussait. Bizarrement, alors qu'elle faisait planer nos esprits, la maison avait peu troublé nos corps. D'habitude, les situations nouvelles, les décors nouveaux, tout ce qui nous rapprochait nous électrisait. Or, ici, nous n'avions pas grimpé au plafond comme nous l'avions supposé le jour de notre première visite. Et nous en avions une conscience aiguë. Nous ne savions que faire. Sans le formuler, je pense que nous mettions cela simplement sur le compte de la fatigue physique.

Depuis l'achat de la maison, nous étions devenus des routards impénitents. Nous y montions chaque week-end. Sans exception. Nous quittions Delhi le samedi avant l'aube, et Gethia le lundi avant l'aube. Je m'étais arrangé avec Shulteri : je disposais de mon samedi en échange d'horaires allongés en semaine, et je prenais le dernier service le lundi. Comme j'étais invisible, il s'en fichait totalement. Dans le courant de l'année, il avait perdu du terrain sur le mât : le Roi du Belvédère avait jeté pas mal de graisse dans sa direction. Aussi se démenait-il furieusement pour recouvrer sa position en hauteur. Si d'aventure il avait eu une idée de roman dans la tête, je ne doutais pas qu'elle lui soit maintenant tombée dans les pieds.

Chaque samedi, Fizz et moi nous réveillions à quatre heures du matin et prenions place dans la Gypsy à quatre heures trente. La veille au soir, avant de nous coucher, nous avions préparé et chargé nos affaires. Le siège arrière et le coffre étaient bourrés de bric-à-brac ménager. Clous, verrous, gonds, prises électriques, rouleaux de fil électrique, tringles à rideaux, couverts, verres, ustensiles de cuisine, abat-jour, clés anglaises, ouvre-boîtes, tournevis, tire-bouchons, seaux, serpillières, draps, nappes, oreillers, couettes, rideaux, cintres, pinces à linge, insecticides, antimoustiques, shampoings, savons, serviettes; boîtes en plastique remplies de thé en vrac, de biscuits, de lait en poudre, de légumes secs, de riz, de farine, d'épices, de condiments; boîtes de conserve de lait condensé, haricots, rasgullas, et, parfois, quelques horribles saucisses achetées au supermarché INA. À cela s'ajoutaient quelques bouteilles de bière, de whisky et de vin, coincées entre les draps.

Calés sur le sol, on trouvait aussi de jeunes arbustes – sisso, pipal, banian, jacaranda, flamboyant, cassier, chêne argenté, arbre orchidée, margousier, kapokier, rince-bouteilles, bambou. Certains dans des récipients en plastique terreux, venus tout droit de la pépinière Jor Bagh, d'autres dans de petits pots dérobés à la véritable forêt, que Fizz avait fait pousser sur la terrasse du barsati. Les branches étaient positionnées avec soin, tantôt délicatement recourbées contre le toit, parfois passées par la fenêtre, d'où elles saluaient les passants d'un mouvement ondoyant.

Et puis il y avait nos livres – qui avaient commencé à déménager sur la montagne par petits groupes –, une boîte de cassettes : notre menu musical du week-end, et enfin la Brother, qui effectuait les allées et venues avec nous, posée sur le siège arrière, encapuchonnée dans son étui noir, attendant, comme moi, de voir la lumière.

Cela faisait des mois qu'elle n'avait pas fait craquer ses jointures. La maison sur la montagne était devenue pour moi un prétexte pour fuir son regard. Je la gardais cloîtrée en permanence, entrais et sortais du bureau sans même lui jeter un coup d'œil. Le roman du jeune sikh avait sombré depuis longtemps dans le coma, la dernière feuille de papier encore prisonnière du rouleau, ensevelie dans les ténèbres. Il attendait d'être euthanasié et jeté irrémédiablement dans le bibliocachot.

Nous partions avec une Thermos de thé chaud. Delhi dormait. Nous filions le long des avenues désertes, franchissions le pont Nizamuddin, traversions Hapur avant que les premières lueurs du jour éclairent le ciel. Ensuite, villes et bourgades défilaient, l'une après l'autre, embouteillage après embouteillage, passage à niveau après passage à niveau. Nous avancions par à-coups vers les hauteurs. Dix minutes après la sortie de Kathgodam, et après Haldwani la triste, nous prenions le premier virage et abordions la première côte. Alors, tout s'envolait et notre humeur se mettait à chanter comme Julie Andrews sous amphétamines.

Nous avions l'impression d'être Kerouac et Cassady arpentant la grande plaine du Gange – gravissant la montagne à toute allure, jusqu'à mille six cents mètres, pour redescendre ensuite à Delhi. Comme ces gamins en planche à roulettes, sur la chaîne des sports ESPN, qui montent et descendent des parois incurvées, sans tomber, sans s'arrêter, dans un rythme qui possède sa propre logique et sa propre finalité.

En peu de temps, cette route devint la plus familière de ma vie. Je connaissais ses lignes et ses courbes voluptueuses, les perfections et imperfections de sa peau, les dangers tapis dans ses ombres et ses passages exempts de toute traîtrise.

J'appris le code en vigueur sur la route. Comment doubler jusqu'à la tête d'un embouteillage pour couper brutalement quand il commence à se fluidifier. Comment dépasser à gauche en roulant sur le bas-côté – une fois, à Hapur, je roulai ainsi pendant un demi-kilomètre en longeant les devantures des boutiques, chassant hommes, enfants, sacs et poulets, alors qu'un bouchon monstre bloquait la route d'un bout à l'autre. Comment éviter les chars à bœufs et les tracteurs à remorque – mastodontes ruraux qui n'ont rien à perdre. J'appris à ne jamais céder le passage à quiconque, car personne ne vous cède jamais le passage. À ne doubler que les camions, jamais les bus – contrairement à la sagesse populaire, les conducteurs de bus possèdent une méchanceté que ne peuvent égaler les camionneurs. À ne jamais poursuivre un différend automobile dans un poste de police – cela nous arriva une fois, à Gajraula : après deux heures d'interrogatoire exaspérant, on nous conseilla de laisser tomber.

Nous découvrîmes les meilleures dhabas pour le thé, pour les parathas et pour les sandwichs. Dans la frénésie de ces quelques mois, j'avais confirmé le soupçon qui couvait en moi depuis longtemps, à savoir que la plupart des dhabas indiennes sont tenues par des idiots. Je ne parle pas d'imbéciles, mais d'attardés mentaux. Je pense que leurs parents – peu au fait des grandes institutions psychiatriques des villes – considèrent

les restaurants comme des débouchés professionnels
et thérapeutiques pour leurs enfants plongés dans les
ténèbres de l'ignorance. Quant aux rusés propriétaires
de dhabas, ils apprennent à ces garçons les noms de
cinq plats, et les rudiments du service et de la plonge.
Et je ne serais pas surpris qu'ils se contentent de les
nourrir, sans jamais leur verser le moindre salaire.

La structure de commandement de la plupart des
dhabas semble être la suivante : un propriétaire malin,
un cuisinier sain d'esprit, un chef serveur également
sain d'esprit, et une troupe d'idiots congénitaux. Il en
existait un spécimen caractéristique juste avant Moradabad : le Punjabiyan Di Pasand, où tout le personnel,
sauf le propriétaire, était déséquilibré. Un jour, en faisant le tour de la bâtisse pour aller pisser, je jetai un
coup d'œil par la fenêtre ouverte des cuisines. C'était le
plein été. Le cuisinier était assis devant les fourneaux,
coiffé d'un casque colonial taché de sueur et de crasse,
et chantait à tue-tête une chanson de film hindi. En
m'apercevant, il se mit à frapper son casque avec sa
louche et s'exclama : « Dâl fry de Chirrimirri ? »

Derrière lui, un jeune garçon déguenillé, qui lavait
des assiettes sous un robinet, se mit à sourire et à
baver et à frapper deux plats en fer-blanc l'un contre
l'autre, tout en gazouillant d'une voix forte : « Dalfry !
Dalfry ! Dalfry ! Chirrimirri-chirrimirri ! Chirrimirri-
chirrimirri ! » Et le duo de fous entama un numéro
musical de jugalbandi endiablé, l'un tambourinant sur
son casque de carton-pâte, l'autre sur du fer-blanc, souriant gaiement et scandant : Dalfry-dalfry ! Chirrimirri-
chirrimirri ! Dalfry-chirrimirri ! Dalfry-chirrimirri !

Soudain retentit un rugissement à l'extérieur de la
cuisine. « Fudhihondayo ! La ferme ! C'est quoi, ce
boucan ? Vos mères se sont fait violer ? »

Les deux garçons se turent aussitôt, comme s'ils avaient reçu une balle en pleine tête.

Je fermai ma braguette et m'éclipsai en courant.

Sans mentionner le cuisinier, cette dhaba n'avait même pas un chef serveur sain d'esprit capable d'encaisser la note. Après le repas, on devait aller au comptoir régler l'addition directement auprès du patron, un sardar revêche.

En vous rendant la monnaie, celui-ci s'excusait : « C'est pas de leur faute. Ce sont des innocents. C'est le monde qui a perdu la raison. »

J'étais convaincu que, en ratissant toutes les dhabas de l'Inde, il était possible de lever une armée de demeurés et de faire la guerre contre les troupes des sains d'esprit. Dans le fracas de la bataille, nul ne saurait qui était qui.

Fizz et moi n'avions jamais parcouru les routes ainsi. Dans notre jeunesse, ni elle ni moi n'avions été élevés dans la culture de la moto ou de la voiture ; nous n'avions jamais fait de tourisme, ni visité au pas de course des temples ou des monuments. Le voyage ajouta un nouvel élément à notre vie commune. Nous vivions pour la route et il nous fallut nous équiper : panoplie de lampes torches, petite hache en guise de protection, pantalons de jogging et tee-shirts confortables, musique pop pour chaque trajet. Pendant la semaine, nous parlions de ce qu'il fallait acheter, emporter, pour le voyage, pour la maison. Nos trousses de toilette n'étaient jamais déballées. Peu à peu, nous sortions de la vie de nos amis.

J'adorais conduire. La route ouverte, le paysage qui défile, le monde contrôlé par un volant. Le samedi

matin, avant l'aube, la Gypsy quittait l'allée sous la
lueur jaune des réverbères et j'étais heureux. Fizz l'était
plus encore, douchée, fraîche, éclatante, la Thermos de
thé dans la main. Il y eut un trajet inoubliable, dans
les derniers jours de mars, au cours duquel sa main
ne quitta pas ma cuisse. Par un curieux artifice de la
mémoire, le voyage tout entier est resté gravé dans mon
esprit.

Je conduisais dans une sorte de brouillard et pourtant
rien ne m'échappait.

Les marchés matinaux en bordure de route, avec les
oignons serrés et les pastèques vert sombre, les charrettes branlantes, remplies de grosses pommes de terre
luisantes comme des pommes. Les champs surpeuplés d'épis de blé virant du vert au doré – souvent une
section de vert succède à une section dorée, l'enfant
plus lent mûrissant à son rythme tandis que son frère
a déjà progressé. Des bennes et des camions de canne
à sucre – à l'évolution plus disparate encore – blo-
quant la circulation et grimpant vers les moulins dans
les montagnes, chargés de tiges coupées et fagotées,
leurs lances sucrées oscillant dangereusement hors des
remorques et menaçant les passants, tandis que des
carrés de hautes cannes chevelues se dressent encore
dans les champs, bordés par un océan de blé nain. Les
tas de bouse de vache, fumant toute la journée dans des
vapeurs fétides, telles des bombes d'un âge lointain
se préparant à exploser. Les cheminées phalliques des
innombrables fours, débitant les briques rouges qui sac-
cagent le paysage. À Brajghat[1], lieu célèbre du site de

---

1. Lieu saint fréquenté toute l'année par des pèlerins, que des
hommes de foi, vivant dans cabanes, emmènent dans des barques
rudimentaires sur le Gange pour leur permettre d'y jeter leurs
offrandes. (*N.d.T.*)

crémation de Gandhi, la vaste plaine du Gange réduite à un ruisseau, et assaillie par les cabanes de Dieu et les fragiles esquifs. Le ciel bleu sale ; un voile de poussière suspendu dans l'air. Des affiches publicitaires criardes, placardées sur tous les murs disponibles des maisons, des dhabas, des boutiques. Publicités pour les colas, les cigarettes, les bidis, les savons, et, souvent, des offres intrépides pour une solution unique à tous les problèmes sexuels. Appelez le docteur Doctorlola, ABC-DEFG (Londres), HIJKLMNO (Amérique), et trouvez la vigueur de la journée au cœur de la nuit ! Et, partout, la camomie qui prolifère, avec ses missiles pulmonaires à pointe blanche, étouffant plantes et humains. Aussi prolifiques que la camomie, les symboles de l'Inde nouvelle, les cabines téléphoniques PCO et STD, par dizaines, dans chaque village, chaque échoppe. L'Inde rurale appelant frénétiquement le monde entier. Allô, bonjour, nous allons bien, nous ne sommes pas encore morts !

Et les magasins de pneus, et les ateliers de mécanique, et les gargotes, et les gens, partout, accroupis, marchant, mangeant, dormant, déféquant, urinant, pédalant, regardant – absolument partout. Depuis notre maison de Delhi jusqu'à la réserve forestière de Rudrapur, sans une virgule, sans un point-virgule, sans une pause, un *Finnegans Wake* d'humanité, impénétrable et bien trop abondante.

En contrepoint apaisant : la marche d'un million d'arbres. D'abord, les eucalyptus à peau pâle, flanquant la route sur plusieurs rangées d'épaisseur, longs de membres mais bas de stature, souvent abandonnés dans les mares d'eau qu'ils génèrent. Puis les sissos, au corps tordu mais aux feuilles en forme de gouttelettes d'un vert éclatant. Et, autour de chaque tronc, un badigeon de peinture blanche annonçant que c'est une propriété de l'État, et non un bien privé. Puis, quand on traverse le cœur de l'Inde, les bosquets de manguiers bagués, aux fleurs tapageuses, qui deviendront les seigneurs de tous les fruits, éclatantes de blancheur dans le dais généreux de feuilles vert sale, obligeant une nation à retenir son souffle dans la crainte d'une tempête et du chancre.

« Cette année, nous prendrons des bains de mangue », dit Fizz.

Je me contentai de gémir.

Après Rampur, les sept kilomètres de bric-à-brac de camions et de commerces, puis la ceinture agricole de Bilaspur et de Rudrapur. Là commençaient à apparaître les rangées géométriques de jeunes peupliers. Les entreprenants paysans migrants de la région testaient de nouvelles frontières commerciales. Le peuplier : l'arbre à rendement rapide, que l'on peut débiter et vendre au bout de sept ans. Des deux côtés de la route, au milieu des champs de blé vert et or, de jeunes arbres entraient timidement en possession de leur joli feuillage. La plantation des peupliers suivait deux modèles. Alignés en haie de démarcation, cernant les cultures sans projeter sur elles une ombre mourante. Ou bien plantés à intervalles précis de 2,5 mètres, traçant des lignes droites dans tous les angles de vue comme dans un jeu de dames chinois. Même dans leur tendre enfance, ils mesuraient deux fois la taille d'un homme, et seule la fragilité de leur torse trahissait leur âge.

Par contraste total apparaissait une variété d'anciens ficus, monumentaux par leur stature et leur envergure. Certains banians, certains pipals, et d'autres, impossibles à identifier. Comme il convenait, ils poussaient solitaires et séparés, près d'une école de village, devant un tribunal local, au milieu d'une place de marché, dans la cour d'un commissariat de police. Fizz, sa main chaude sur ma cuisse, me dit : « Ce sont les lions du royaume végétal. Les peupliers sont les daims. »

Le plus magnifique des lions se prélassait au dernier virage, avant le passage à niveau de Rampur. Un banian mammouth, sur un tertre de boue au milieu d'une mare stagnante. Il aurait fallu six hommes pour mesurer la circonférence de son tronc, et un millier de personnes auraient pu dormir sous son ombrage, sans cesse élargi par ses racines suspendues. À son pied poussait un petit temple de pierre, surmonté d'un drapeau triangulaire safran. Une pâte également safran enduisait le tronc. De loin, il était difficile de savoir quel dieu résidait là, mais on peut assurer sans se tromper que l'arbre était assez grand pour abriter toute la trinité hindoue.

Les derniers grands arbres avant la montagne étaient les sculpturaux kapokiers. On commençait à les voir en grand nombre à l'approche de Rudrapur, et ils se multipliaient après la sortie de la ville, sur la route de la réserve forestière qui allait jusqu'à Haldwani. Les kapokiers étaient des guerriers zoulous : grands, le dos droit, les membres robustes. Ce jour de la fin de mars, la plupart n'avaient ni feuilles ni fleurs, et leurs bras et leurs doigts nombreux s'agrippaient au ciel. Ils marchaient à grands pas, superbes, le long de la route ; on les apercevait qui gravissaient la montagne jusqu'à Jeolikote. Pendant la traversée de la réserve forestière, Fizz posa la tête sur ma cuisse et je devins le roi de la route, le roi de la vie, le roi du monde. J'étais aussi haut que les kapokiers, avec des veines d'acier. Mais ma force était une illusion – qui se désintégra à la fin de la forêt, quand Fizz releva la tête – et c'était, je le découvris des années plus tard, le cas des kapokiers.

En vérité, leur bois est fragile et ils sont à la merci d'un accident.

J'avais d'autres souvenirs de ce voyage.

Après Gajraula, quand je m'arrêtai pour pisser – je dus attendre longtemps avant que le sang reflue –, Fizz me montra les vagues de marijuana qui ondoyaient près de la route. On pouvait cueillir les feuilles, les frotter avec soin dans ses paumes pendant des heures et confectionner les carottes noires de paix et de nirvana. Ou bien on pouvait les moudre dans du lait et s'offrir des hallucinations. Fizz en cueillit quelques tiges et les jeta à l'arrière de la Gypsy pour les faire sécher. L'odeur d'herbe me fit graviter dans des royaumes encore plus élevés.

Enfin, tout au long de la route, se succédaient des éclaboussures glorieuses de champs de moutarde en pleine floraison, andains jaune d'or éblouissant, aussi entêtants à regarder que la marijuana à fumer.

Après l'embranchement de la N° 1, à la sortie de Jeolikote, quand on avait attaqué le lacet menant à la maison, j'étais comme un homme affamé que l'on a conduit cent fois à la table du dîner et ramené sans lui servir à manger, sinon quelques amuse-gueules.

Fizz m'avait servi le repas entier un peu plus tard, dans la nuit. Un festin propre à étourdir un roi.

Mes cris avaient dû envahir la vallée.

Mais c'était le seul autre incident électrique des derniers mois dont je me souvenais, ce soir-là, alors que nous étions assis, nus, sur le rebord de la fenêtre. Il était minuit passé. Les montagnes diurnes – hommes et véhicules – dormaient. Les montagnes nocturnes – animaux et camions – étaient en mouvement. Nous avions conscience que ce qui venait de se produire n'était pas arrivé depuis un long moment. En général, nos journées à Gethia étaient consacrées aux choses concrètes de la vie. Intéressantes, révélatrices, satisfaisantes, pleines de découvertes nouvelles, mais des choses concrètes.

Fizz et moi n'avions jamais connu cela.

Nous avions vécu par la magie de nos peaux.

En son absence, la panique nous gagnait.

Mais, soyons juste, les choses concrètes de la vie allaient bien. Et recelaient toutes sortes d'expériences nouvelles.

On ne tarda pas à trouver de bons artisans.

À mettre au jour les vertus infinies de Rakshas.

À résoudre le problème des salles de bains.

Et, de ce fait, à commencer à dénouer le fil de nos vies.

L'homme clé était Bideshi Lal. Maître charpentier, il avait avec lui une équipe d'ouvriers dont le plus jeune avait six ans. DoInchi prêtait ses petites mains pour tenir les planches quand il fallait les clouer ou les raboter ; ensuite, quand ses compagnons se reposaient, il ramassait les copeaux et les fourrait dans des sacs pour le feu du soir. À l'occasion, ses aînés lui sculptaient une arme : une épée, un pistolet, une grenade en forme de bouteille. Lorsque personne ne le regardait, DoInchi jouait à la guerre, lançait des attaques frontales contre le poirier près de la véranda et envoyait la grenade dans les hautes herbes ennemies.

L'arbre était assailli au son de : Dhish ! Dhish !

Et la grenade explosait au son de Dhummmm ! Dhummmm !

Plus tard, alors que DoInchi récupérait du tumulte de la bataille, Rakshas lui demandait : « Combien de Pakistanais as-tu tués, aujourd'hui ?

– Cent dix, répondait le garçon en souriant.

– Arre, bahadur ! s'exclamait Rakshas en lui tapo-
tant l'épaule. Je fais ça avec une seule main ! Demain,
tu dois en tuer deux cent vingt ! »

Bideshi Lal et ses ouvriers venaient de Baheri, dans
les piémonts himalayens. Bideshi avait trente-cinq ans
et dix enfants : neuf filles et un fils, le benjamin. Son
ouvrier le plus âgé avait vingt et un ans. Tous étaient
petits, maigres, et dotés de pieds et de mains préhen-
siles. Ils étaient capables de rester perchés pendant
des heures sur des rebords en ruine et des toits pentus
en maniant inlassablement le marteau. Je m'attendais
toujours à une chute, mais ils avaient une aisance et
une précision parfaites. De temps à autre, le visage de
l'équipe se modifiait. Une tête familière disparaissait,
remplacée par une nouvelle. Seul un des garçons était
immuable ; il lui était interdit d'escalader les murs et
les toits, bien qu'il sût raboter, scier et clouer aussi bien
que ses camarades.

C'était le plus fort de tous ; il avait de gros bras
musculeux et s'appelait Chatur – intelligent – Lal. Il
marchait un peu de biais et ne se séparait jamais d'une
poule brune que les autres surnommaient sa bégum.
Chatur arrivait sur le chantier, sa poule sous le bras, et
quand il travaillait le bois avec la régularité d'un piston,
lissant les aspérités pour obtenir une surface soyeuse,
il attachait sa bégum à une longue ficelle nouée à sa
patte. Pendant la pause déjeuner, tandis que les jeunes
gens déballaient rotis et pickles, Chatur prenait la poule
sur ses genoux et la laissait picorer à sa guise dans sa
main. Je ne l'ai jamais entendu parler. Mais, parfois, au
crépuscule ou tôt le matin, il déambulait à la recherche
de sa bégum en appelant : « Aa aaa, aa aaa, aa aaa ! »
D'autres fois, quand il la tenait serrée sous son bras, il

me semblait qu'il lui murmurait à l'oreille, mais je n'ai
jamais pu saisir ses paroles.

Chatur était le fils du frère aîné de Bideshi Lal. Un
bloc de ciment lui était tombé sur le crâne quand il
avait cinq ans et la commotion lui avait ralenti le cerveau. Il ne comprenait pas grand-chose, mais il était
gentil, patient, et savait parler aux animaux. Comme je
compatissais, Bideshi Lal me dit : « À certains d'entre
nous, Dieu retire la cervelle. À d'autres, le corps. » Le
fils unique de Bideshi, son dixième enfant après neuf
filles, avait eu la polio et marchait avec difficulté.

Bideshi nous amena Dukhi Ram, le chef maçon, originaire du Bihar, si émacié que ses joues paraissaient se
toucher à l'intérieur de sa bouche. Il était difficile de lui
donner un âge. Il pouvait avoir entre quarante-cinq et
soixante-cinq ans. Il parlait le dialecte bihari, dont Fizz
et moi ne saisissions que quelques mots. Si Bideshi
adorait faire la conversation, échafauder des hypothèses
et des théories, Dukhi Ram détestait qu'on lui pose des
questions. Son principe était simple : expliquez-moi le
travail et laissez-moi tranquille. Il portait un petit dhoti
blanc et se tenait toujours assis sur les talons. Je ne l'ai
jamais vu debout, sauf pour marcher.

Ses ouvriers venaient du district de Madhuban. Ils
étaient quatre, tous âgés d'une vingtaine d'années. Alors
que les ouvriers de Bideshi fumaient des bidis, ceux de
Dukhi chiquaient en permanence du tilleul et du bétel.
L'un d'eux, un type trapu à la peau sombre, aux lèvres
épaisses et aux cheveux bouclés, avait une belle voix
et, parfois, la nuit, on l'entendait chanter des airs du
folklore empreints de nostalgie. Les jeunes ouvriers de
Bideshi étaient gais, ils se taquinaient et riaient. Ceux
de Dukhi avaient un air triste. Les premiers possédaient
l'assurance joyeuse des hommes dont les racines et le

foyer sont à portée de main, tandis que les seconds, à plusieurs jours de voyage de chez eux, en terre inconnue, souvent engourdis par le froid, portaient en eux la tristesse de l'exil.

Dukhi et son équipe travaillaient uniquement la brique et le ciment. Ils étaient capables de construire des murs, de les enduire, et de couvrir les toitures – entrelacer les pièces de tôle chantournées, aligner les coffrages et y verser le ciment. Mais ils ne touchaient pas à la pierre, taillée ou non.

Le pierreux nous fut amené par Rakshas. Il venait de Bhumiadhar, en haut de la route. Il était vieux et portait un calot Gandhi, comme Pratap. Mais, contrairement à Pratap, il n'avait aucun goût pour la politique ; il avait simplement autrefois travaillé comme fonctionnaire subalterne et n'avait jamais pu se défaire de l'habitude du bonnet. Rakshas nous le présenta sous le nom de « Goli », pilule en hindi. Par respect, nous l'appelâmes Goliji. Rakshas s'esclaffa : « Goliji !!! On l'appelle Goli parce qu'il a failli tuer la moitié du village en distribuant des médicaments au hasard, quand il était garçon de salle au sanatorium ! »

C'était un régal de regarder Goliji travailler. Il avait des avant-bras puissants. À petits coups de marteau et de ciseau assurés, il taillait et dressait les pierres. C'était une tâche lente et fastidieuse ; un mètre de mur pouvait prendre à Goli et Rakshas plusieurs jours. En comparaison, les maçons travaillaient à toute allure. Une truelle de ciment, bang. Une truelle de ciment, bang. Ils pouvaient ériger des parois entières en une journée.

Une partie de la troupe était constituée d'intermittents. L'électricien, le plombier, le peintre, le ferronnier, les polisseurs de bois et de pierre, tous allaient et venaient, de Haldwani et Nainital, à la demande. Et puis il y avait les journaliers du village, prêts à n'importe quelle besogne pour soixante roupies par jour.

L'armée régulière se composait seulement de Goli, Rakshas, de l'équipe de Bideshi et de celle de Dukhi. Ils logeaient sur place : Rakshas dans les dépendances près du portail du bas, les autres dans les dépendances du haut. Ils affichaient un air de propriétaire et s'impliquaient dans la réalisation des travaux. Pendant leurs pauses, on les entendait discuter soutènement de murs, angles de toit, taille de fenêtres, largeur de poutres, écartement de chevrons, emplacement de fosses septiques, qualité de bois, sal contre cédrèle, pin de Nouvelle-Zélande contre pin du Kumaon, fenêtres à gonds contre fenêtres à guillotine, dalles de céramique contre marbre blanc, toit de tôle ondulée contre toit façon Nainital.

L'armée avait un commandant en chef et un généralissime.

Le commandant en chef était Rakshas, avec son moignon matraque.

Il menait les soldats au combat chaque matin en agitant son moignon, luttait côte à côte avec eux, et les engueulait sans relâche.

Le généralissime était Fizz.

Elle dessinait les plans, présidait la chaîne d'approvisionnement et faisait le point quotidien.

Avec son approche pratique et son absence d'agressivité, Fizz avait très tôt fait des incursions dans les rangs des fantassins. Au lieu de l'impérieux Memsahib, ils l'appelaient affectueusement Didi. Quant à moi, bien sûr, j'étais « sahib », le con de payeur immémorial. En fait, ce fut l'ingénieuse reconfiguration de la circulation à l'intérieur de la maison imaginée par Fizz qui les conduisit à la saluer comme leur chef suprême.

Fizz résolut notre problème de salles de bains un soir, sous le cèdre déodar. Nous étions assis sur le banc de grès que nous avions construit contre le mur d'enceinte. C'était le plein été et nous avions eu, quelques heures plus tôt, un avant-goût des coups de vent balistiques qui soufflaient chaque après-midi entre deux et trois heures, passant comme des bolides sur la maison. Le vent arrivait en rugissant de Jeolikote et fonçait vers Bhumiadhar. Tout ce qui se trouvait dehors – vêtements, chaises, livres – était balayé et projeté dans tous les coins de la propriété. Si vous tentiez de lui tenir tête, vous étiez repoussé, centimètre par centimètre. Si vous ouvriez les yeux, vous couriez le risque de voir vos paupières pelées comme des bananes. Un premier gémissement perçant, une première bourrasque annonciatrice, et tous les ouvriers posaient leurs outils, ramassaient leurs bidis, leur tilleul et leur tabac, et couraient s'accroupir en ligne à l'abri de la maison, en écoutant le vent hurler. Une demi-heure plus tard, le vent s'éloignait dans un dernier claquement de voiles. Le silence s'abattait. Pas une herbe ne bougeait.

Alors, avec un mouvement de son moignon, Rakshas annonçait : « C'est terminé. Il est parti. Bougez votre cul fripé et retournez au travail ! »

Rakshas disait que les coups de vent sont les esprits de la montagne, qui dorment quarante-neuf semaines par an et, en se réveillant, ravagent tout sur leur passage pendant trois semaines. Leur but est de rappeler aux hommes que la nature leur est supérieure. Rakshas disait que, parfois, les hommes deviennent tellement arrogants qu'ils ne tiennent pas compte de l'avertissement. Alors la terre se met à glisser. Il disait que les esprits de la montagne ne sont pas méchants mais que, si on les dédaigne trop souvent, ils sèment la mort et la destruction.

Assise sous Trishul, le déodar, Fizz leva les yeux sur la maison et déclara : « Une véranda. La solution, c'est une véranda. On aurait dû y penser plus tôt. La solution est toujours une véranda ! »

Elle m'éjecta du banc, ramassa un morceau de craie et dessina son plan sur le banc rouge. Un grand carré figurait le corps principal du bâtiment. Elle y attacha deux petits carrés de chaque côté. Celui de droite était la bergerie, actuellement un grand appentis avec un toit effondré, une demi-porte et des murs imprégnés d'une forte odeur de crotte de chèvre ; celui de gauche était le second grand appentis adossé à l'autre mur, où était l'actuel « cabinet de toilette » avec le trou dans le sol. Ensuite, avec l'angle grinçant de la craie, Fizz traça un demi-cercle qui reliait le mur extérieur de la bergerie avec le mur extérieur du « cabinet de toilette ». La ligne ricochait sur les angles de la véranda de devant et l'agrandissait considérablement.

D'un geste seigneurial, Fizz me tendit la craie et demanda :

« Qu'est-ce que tu en dis, monsieur Chinchpokli ?

– Pas mal. Donc, on utilise la véranda en salle de bains. C'est ça ?

– Oui, noble maître. Tu utilises la véranda dans l'esprit Chinchpokli, et moi j'utilise la salle de bains. »

Elle me reprit la craie, aplatit avec détermination les toits pentus de la bergerie et du « cabinet de toilette » de part et d'autre de la maison, ajouta des élévations sur les toits ainsi nivelés, et, dessus, dessina des toits inclinés.

« Le sol sous nos pieds, reprit-elle. Ching Chow dit qu'un homme ne doit pas chier sur un sol en pente.

– Oh ! Ça, c'est une idée ! »

Au bas de son talentueux dessin, elle signa Fiza, avec une fioriture, et jeta la craie par-dessus son épaule.

L'idée était brillante. Entourer la maison d'une véranda, doter celle-ci d'un toit en ciment, construire dessus les salles de bains, ouvrir les cloisons des chambres du premier étage pour les faire communiquer avec les salles de bains. Organique et simple. Ça n'altérait pas fondamentalement la structure d'origine. Ça l'agrandissait. En fait, la véranda deviendrait une sorte de ceinture de ciment protégeant le bois ancien et la maison de pierre. Elle offrirait en outre de larges espaces communs sur les deux niveaux dans les périodes de mauvais temps. Une fois les détails peaufinés, on s'aperçut également que l'on y gagnerait trois chambres supplémentaires.

Avec des rotations enthousiastes de son moignon, Rakshas s'exclama : « Si toutes les femmes du monde avaient l'intelligence de la Didi, tous les hommes du monde seraient heureux ! »

Me jetant un regard de côté, Bideshi Lal renchérit : « À certains, Dieu donne un cerveau. À d'autres, il donne de l'argent. »

Et Dukhi Ram, accroupi sur ses talons, conclut : « Alors, on commence ? »

Ses lugubres ouvriers le regardèrent d'un œil torve.

Un peu plus loin, DoInchi fit exploser le poirier avec une grenade. Dhummm !

Fizz répondit à Dukhi Ram : « D'abord, Goliji. Vous, après. »

Fizz ne voyait pas d'inconvénient à construire les nouvelles pièces, la cuisine redistribuée et les salles de bains en brique puisque les murs seraient plâtrés, mais elle tenait à ce que le soubassement de la véranda soit en pierre afin de préserver l'harmonie avec la maison originale. Nous étions présents le matin où Goliji, coiffé de son calot Gandhi, prit une pelote de ficelle blanche, en attacha un bout autour d'une grosse pierre, et, l'ayant alignée avec la paroi extérieure de la bergerie, la déroula en ligne droite sur trois mètres cinquante et la fixa à une autre pierre. Ses coordonnées étaient prises. Rakshas testa la ficelle en la pinçant comme une corde de guitare. Le reste de la troupe se regroupa et observa.

Rakshas et Goliji, aidés par les tâcherons, creusèrent d'abord une tranchée peu profonde sous la ficelle tendue. La couche de terre s'épuisa assez vite et les pioches entrèrent en contact avec la roche. Rakshas plongea la main dans sa poche et en sortit une vieille pièce de monnaie avec un trou au milieu et une sorte de serpentin de cuivre. Il les attacha ensemble avec plusieurs fils rouges de mauli et les enterra révérencieusement à la tête de la tranchée. Une douzaine de bâtons d'encens furent allumés – leur odeur douceâtre était prégnante même en plein air –, et tout le monde s'inclina pour se concilier les esprits de la maison. Une boîte de laddoos orange fut ouverte et chacun en lança un dans sa bouche.

Goliji choisit une grosse pierre sur le tas dressé près de là, et commença à en lisser les arêtes gênantes avec le ciseau. Puis il la souleva et, vacillant sous le poids, la porta à l'extrémité de la tranchée, côté bergerie, où il la laissa tomber. Il s'agenouilla et la bougea jusqu'à ce qu'elle soit bien calée. Cela fait, il retourna au tas de

pierres et, tel un acheteur de fruits exigeant, se mit à les
tâter, à les palper, jusqu'à ce qu'il en trouve une de la
forme et de la taille souhaitées, et la gratifia de quelques
coups de ciseau amoureux. Après quoi il répandit un
peu de mortier sur la première pierre – les maçons utilisaient un mélange de gros gravier pour les pierres, et du
gravier fin pour les briques –, posa la deuxième dessus
avec soin, et la tapota gentiment avec son marteau pour
qu'elles soient parfaitement alignées.

Rakshas entama la même opération à l'autre extrémité de la tranchée ; d'une seule main, il travaillait
aussi vite que Goliji, mais pas avec la même finesse.

Fizz et moi restâmes assis là toute la journée à les
observer. En fin d'après-midi, le mur émergeait à l'air
libre, et nous découvrîmes que des pierres irrégulières
recèlent autant de symétrie intrinsèque que des briques
fabriquées à la chaîne.

Le dessin était posé. Une phase nouvelle serait
enclenchée un week-end, nous ferions le point le week-
end suivant, et commencerions le pavage une semaine
plus tard. Tandis que Rakshas et Goliji s'occupaient
de la véranda, les ouvriers de Dukhi restauraient les
dépendances près du portail du haut. La pierre était une
denrée rare et, si l'on trouvait à en acheter légalement,
terriblement chère. Nous avions donc décidé de récupérer les pierres anciennes des dépendances du haut pour
la maison principale, et de reconstruire les communs en
briques, moins précieuses.

Contrairement à la cavalerie des maçons – briqueteurs
ou pierreux – qui avaient rejoint la bataille avec une
préparation minimale, les ouvriers de Bideshi étaient
comme les archers qui doivent apprêter des centaines
de flèches à délicates ailettes de plumes avant d'entrer
en lice. Sans relâche, de l'aube au crépuscule, les jeunes

gens sciaient, rabotaient, entassaient les planches de pin indien et de palissandre que nous avions achetées dans le grouillant dépôt de bois à Haldwani. Ils avaient installé leur établi de rabotage dans le salon ; toute la journée, on avait l'impression qu'un insecte géant s'activait. Schcik-schcik-schcik. Le soir, quand il s'endormait, un étrange silence s'abattait sur la maison. C'est alors que DoInchi, avec ses petites mains, remplissait de gros sacs avec les copeaux blonds, et que Chatur, l'attardé aux muscles surdéveloppés, sa poule sous le bras, emportait les sacs dans les dépendances.

À la veillée, ils prenaient tous place autour du feu de camp alimenté par les copeaux. Parfois, l'ouvrier de Dukhi aux grosses lèvres chantait sa nostalgie vers la vallée. Son chant émouvant flottait jusqu'à nous, assis loin d'eux sur la terrasse derrière la maison.

Il nous arrivait de repartir le dimanche soir, mais la plupart du temps, nous partions le lundi matin, avant l'aube, et atteignions la périphérie de Delhi vers neuf heures. Selon la circulation, il nous fallait ensuite une heure ou deux pour rentrer chez nous. C'était toujours déprimant d'être de retour, et pourtant, descendre de la montagne était agréable.

Les routes étaient désertes, les versants endormis ; les étoiles brillaient encore avant le tomber de rideau, et souvent une lune s'attardait dans le ciel, jetant sur la vallée une clarté magique. Parfois on pouvait éteindre les phares et rouler pendant des kilomètres dans une obscurité argentée, oublier l'espace d'un moment qui nous étions, où nous étions, et quelle était la nature de toute chose. Une fois, au-dessus du pont de Beerbhatti, près de l'immense cédrèle au tronc plus large que notre déodar, nous aperçûmes la queue d'un léopard disparaître dans les buissons. Cette vision nous rendit euphoriques pour plusieurs jours.

Mais en approchant de l'hinterland de Delhi, la détresse nous saisissait. Il faisait chaud, des nuages de poussière flottaient, et le dernier tronçon après Hapur était aussi étroit qu'un pantalon de churidar où plusieurs jambes essaieraient de se faufiler. Les bus déboulaient comme des chauves-souris surgies de l'enfer, et des épaves de véhicules accidentés – boîtes de métal froissées, comme écrasées par une main de géant – gisaient sur le bas-côté.

Lorsque la circulation devenait plus facile – peu après l'embranchement de Ghaziabad, la route se transformait en une généreuse artère à quatre voies –, un nouveau type de désagrément survenait : on roulait entre des rangées de bâtisses inachevées. Barres de fer saillantes, sols à demi terminés, murs non plâtrés, fenêtres et portes manquantes, balustrades en attente. Le paysage suggérait que personne ne désirait plus terminer une construction, chacun préférant se laisser la possibilité d'ajouts perpétuels. Les Indiens le savent, nous vivons éternellement : inutile donc d'achever quoi que ce soit. Mais ce qui apparaissait sur ce dernier tronçon, des deux côtés de la route, était une accablante extension urbaine embryonnaire. Inhospitalière, sans une tache de verdure. Des petites maisons nues, aux briques scellées avec un vilain ciment, se bousculant pour aspirer un peu d'air. Des cubes, pour la plupart, sur deux niveaux, avec à peine une fenêtre. Les allées qui les séparaient étaient en terre battue ; la boue bouchait les caniveaux ouverts ; des monceaux de détritus poussaient partout où ils pouvaient trouver prise ; des porcs noirs et velus fouissaient dedans en quête d'une

pitance ; des petits cloaques vert sombre accueillaient
homme et buffle.

C'était la zone floue. Ici vivaient les bâtards ignorants de la modernité et de l'antiquité.

Une existence sans la dignité de la campagne et sans
les possibilités de la ville.

Le vieux talisman de la terre régénératrice était resté
bien loin derrière.

Peu d'entre eux échapperaient à ces quartiers délabrés et termineraient le voyage.

Très peu. Extrêmement peu.

Et même ceux qui y échapperaient, arriveraient dans
une cité de sable.

Saucisses dans une machine à saucisses géante ;
chauffeurs, gardes, manœuvres, cyclistes, paysans,
serveurs, coolies, garçons de bureau, plongeurs, lavan-
dières, balayeurs, mendiants.

Procession de pèlerins allant du petit enfer au vaste
enfer.

Abandonne tout espoir, toi qui t'aventures ici.

De voyage en voyage, nous voyions la lugubre extension urbaine se répandre comme de l'urticaire. En allant
vers la ville ou en la quittant, sur le bord de la route
ou en retrait. Un décor sans espoir. Une peau frottée à
vif, sans baume ni secours. Les pluies elles-mêmes, qui
sauvent tout dans le sous-continent, n'arrivaient pas à
donner un semblant d'éclat. Il n'y avait aucune végétation susceptible de briller sous la pluie. Les boîtes de
briques nues, la poussière et la boue devenaient juste
un peu plus déprimantes dans l'humidité, et des escadrons de moustiques se posaient partout, complétant
l'aspect infernal. Les jours où le vent soufflait vers la
route, une puanteur fécale envahissait les narines et
s'incrustait pendant des heures, résistant à l'eau, au
savon, au parfum.

Devant ce développement urbain, il était difficile d'imaginer que des âmes vengeresses puissent réussir une opération de sauvetage.

Même Gandhi aurait dû se creuser longuement la cervelle pour trouver une réponse appropriée.

C'était moins pénible lorsque nous quittions Delhi, car alors l'urticaire était masquée par l'obscurité et la brume, et nous avions l'esprit fixé sur les montagnes qui nous attendaient. Notre seule inquiétude était les passages à niveau et les serpents qui enflaient de part et d'autre.

Les montagnes nous soutenaient même à Delhi. Mon hémorragie d'écriture m'avait rendu exécrable. Tant que nous visitions les magasins de sanitaires et les quincailleries de Kotla Mubarakpur et Hauz Khas, ou les négociants en pierres sur la route de Mehrauli, je me sentais bien. Fizz dirigeait les opérations, je suivais.

Nous discutions de la maison pendant des heures : l'architecture, les matériaux, les panoramas, les arbres, notre projet de quitter Delhi dans quelques années pour nous y installer. Les cours pour adultes que nous donnerions dans les dépendances, le centre médical où nos amis médecins viendraient soigner les villageois une fois par mois, le camp d'été annuel pour artistes, la retraite d'écrivain aménagée dans la pièce dominant la vallée sombre et sauvage, la terrasse où nous ferions pousser des herbes aromatiques. Nos filles, qui verraient le jour à Nainital et grandiraient dans la maison, deviendraient des esprits libres, capables d'identifier un arbre ou un oiseau avant un personnage de dessin animé.

Ficus religiosa avant Porky Pig.

Le barbu vert avant Yosemite Sam.

Et Fizz d'insister : « Ce n'est pas moi qui leur ferai la classe ! Elles iront à l'école et suivront les cours de morale des religieuses !

– C'est ça ! Alors, on vend la maison ! »

Dans la montagne, nous étions heureux ; nous passions des heures dehors, sur la terrasse, sirotant du thé ou du whisky. Après quinze ans, nous avions redécouvert le Scrabble et affiné notre talent : les mots de sept lettres affluaient. Nous consacrions beaucoup de temps à entretenir les arbustes que Fizz continuait de nous procurer et de planter avec une fécondité féroce.

Nous étions heureux d'y être, et d'en parler, mais dès l'instant où la maison n'était plus en question, je me repliais en moi-même et n'avais plus rien à offrir. Au cours de ces longs mois, je ne crois pas avoir suggéré une seule sortie au cinéma, au restaurant ou chez des amis. Quand Fizz en prenait l'initiative, soit j'acquiesçais, soit je laissais sa proposition sombrer dans un silence évasif.

Aujourd'hui, avec le recul, mon attitude me consterne. Très souvent, il m'arrivait de me lever au milieu d'une soirée entre amis en déclarant que je voulais rentrer chez moi. De sortir d'un cinéma au milieu du film sous prétexte que je le trouvais insupportable. D'insister pour quitter un restaurant avant la fin du dîner parce que je trouvais la cuisine immangeable ou le décor disgracieux. Sitôt rentré, je m'isolais sur la terrasse, sous le flamboyant, et Fizz se réfugiait dans les bras de CNN. Parfois elle dormait lorsque j'allais me coucher, mais c'était rare. Dès la lumière éteinte, nos corps se cherchaient, l'ancien rythme reprenait ses droits, nous reconstituions le puzzle cœur poils chaleur moiteur dureté douceur odeur saveur mémoire désir, et il en résultait un plaisir et une paix tenaces.

Fizz encaissait la plupart de mes sautes d'humeur, consciente que je combattais d'étranges démons. Mais quelquefois elle se rebiffait, et les répliques cinglaient entre nous sans merci. Je la traitais de garce frivole, elle me traitait de grand écrivain Chinchpokli. Je lui disais que je n'avais plus rien à offrir et que j'avais le cerveau au point mort. Elle disait que je devenais complètement parano et que je devrais me faire examiner le cerveau pour vérifier son état.

Après quoi nous nous figions sur nos positions, jusqu'à ce que nos corps tendent une passerelle, ou que la maison sur la montagne nécessite une discussion.

À plusieurs reprises, je tentai de m'enfermer dans le bureau avec la Brother, mais rien ne se produisit. Absolument rien. Je relus ce que j'avais écrit sur mon jeune sikh moyenâgeux et jugeai que tout sonnait faux – de la merde dans une amande. J'étudiai les notes de mon cahier à spirale et n'y découvris pas la moindre idée ni la moindre image digne d'intérêt. Je m'efforçai de pondre une phrase qui me rappellerait que j'étais capable d'écrire, et ne parvins même pas à composer un syntagme. Je marchais de long en large dans le bureau, tandis que la *Neuvième* de Beethoven jouait impitoyablement. Bien des heures plus tard, quand je quittais ma retraite, mon humeur était invariablement plus sinistre que lorsque j'y étais entré. Mes doutes sur moi-même s'étaient accrus, ainsi que ma propension à me montrer odieux.

Il suffisait d'un simple regard à Fizz, quand elle me voyait émerger du bureau, pour deviner que j'étais aussi en friche qu'un eunuque.

La plupart du temps, je broyais du noir, mais je ne me rappelle plus à quel propos. La seule chose dont je suis sûr aujourd'hui est que je n'étais pas un cas exceptionnel. D'innombrables personnes, tourmentées par la certitude de n'être pas à la bonne place, sont inaptes à la découvrir. Crabes sans eau, incapables de nager, incapables de mourir. Ils accomplissent les rituels vitaux, mais se débattent dans le désert. Et la plupart d'entre eux n'ont pas une Fizz pour rendre tout cela supportable.

Je continuais de travailler au journal, mais, dans cette ambiance tendue, je m'étais rendu si servile que je faisais figure de pitoyable créature. Je savais qu'on se moquait de moi en permanence, néanmoins je ne souhaitais pas me défendre. Je ne savais même pas ce qu'il y avait à défendre. J'aurais pu démissionner, cependant c'était une étape que je redoutais de franchir. Il me semblait, je crois, que la routine du bureau me rattachait au sol et que, si je la coupais, je dériverais pour de bon. Jusqu'à des lieux où personne ne pourrait m'atteindre et d'où je ne reviendrais jamais. Et, bizarrement, le salaire avait une importance. Il me procurait un sentiment d'autonomie. Car, en dépit de toutes nos rationalisations, l'argent demeurait une gêne entre Fizz et moi.

Cinq millions sept cent trente-deux mille sept cent quarante roupies.

Qui nous donnaient des coups dans les côtes.

Pour les mêmes raisons, sans doute, Fizz n'arrêta pas ses activités de pigiste. Elle continuait d'accepter des manuscrits débiles de Dum Arora pour les préparer à une rapide expédition dans un bibliocachot, et de consigner des interviews pour Mme Méchante Reine. Avec le temps, cette dernière se révéla aussi dure qu'elle le paraissait. Elle se taillait un chemin dans la vie avec son visage en lame de couteau.

Mieux connaître les gens ne la conduisait pas à s'adoucir. Fizz la voyait toujours en colère contre le monde, sarcastique et moralisatrice. Comme si elle seule détenait une vérité navrante. Fizz ne réussit jamais à déterminer précisément la source de son angoisse. Elle pressentait que cela avait peut-être un rapport avec le fait que son mari était un propre-à-rien fortuné – recherchant sur la scène sociale des liaisons intenses –, et elle-même une intellectuelle nourrie aux vitamines féministes. L'image qu'elle avait d'elle ne collait pas avec sa situation dans la vie. Elle était un orchestre de jazz dans une discothèque de palace. Elle ne voulait pas quitter l'hôtel de luxe, sachant pourtant que sa musique n'y trouverait pas d'amateurs. Mais, obstinée, elle avait décidé que le public importait peu ; quant à l'hôtel qui l'avait emprisonnée, il lui inspirait un mépris indéfectible.

Le monde est rude. Traiter les hommes comme des cigales.

Fizz, avec l'empathie qui la caractérisait, ne la détestait pas activement. Elle parvenait à regarder au-delà de sa carapace et à s'impliquer dans le travail. C'était le mari qu'elle trouvait insupportable, avec son charme huileux et son regard libidineux. Sa femme le traitait avec une courtoisie glaciale, du genre : ravie d'être avec vous, espèce de triste salopard. Chaque fois que Fizz quittait leur maison, son enveloppe à la main, elle me disait : « Tirons-nous d'ici. Le dégueuchic horror show est terminé pour la semaine. »

Les glanures de Fizz sur l'onanisme continuaient de nous divertir. Elle devint une analyste éloquente du sujet. Selon elle, les hommes ont une imagination dont personne ne leur fait le crédit. Il n'y a aucun jeu auquel ils ne se soient prêtés. Enlacer des machines à laver en pleine vibration. Se caresser entre des coussins de Skaï. Recevoir une effroyable fellation canine, de petites décharges électriques avec des prises à courant faible. Assaillir de larges robinets jaillissants d'eau chaude. Se frotter contre une chair moelleuse dans un autobus bondé. Violer des gâteaux, des petits pains, des pastèques, des puddings. Regarder en douce, se faufiler en douce, se branler en douce, éjaculer en douce. Utiliser vêtements, chaussures, sacs, draps, serviettes. Fantasmer sur des amies, des collègues, des professeurs, des cousines, des bonnes, des tantes, des voisines, des infirmières, des enfants, des belles-mères, des vedettes de cinéma, du sport, de la télé, des épouses d'autres hommes, des filles d'autres hommes, des mères, et même des frères, des oncles, des pères, des amis. Un labrador fut également mentionné.

Les dévots d'Onan possédaient une panoplie de pratiques fascinante.

Et Onan les récompensait instantanément chaque fois qu'ils le vénéraient.

« Le roi d'Onan est plus riche que le roi d'Oman, m'assura Fizz.

– Parce que pomper son propre plaisir rapporte davantage que pomper son pétrole ?

– Ne sois pas vulgaire.

– Excuse-moi. Alors, au vu de tes considérables recherches, qui est le roi d'Onan ?

– En vérité, le roi d'Onan est son plus grand esclave. Celui qui succombe au moindre stimulus est le roi. En succombant, il conquiert. En capitulant, il surmonte la peur, les préjugés, la superstition, le désir, l'avarice.

– Et la jaunisse ?

– Oui, la jaunisse aussi. En s'explorant lui-même, il atteint une paix profonde. Une non-quête, fût-elle temporaire. En apprenant à s'aimer lui-même, il apprend à aimer les autres. Il est un vrai maître soufi. Accompli et généreux. Les grands onanistes sont les grands amants.

— Et, au vu de tes considérables recherches, docteur Doctorlola, qui sont-ils ?

— Mon héros ! » s'exclama Fizz.

Le Fil de la Raison

Ils découvrirent la cache en notre absence.

Le téléphone sonna un soir, après vingt et une heures trente, quand le tarif des communications longue distance était réduit de moitié. Bideshi appelait de l'épicerie du thakur ; derrière lui, j'entendais Dukhi qui essayait de le presser. La ligne était mauvaise et, par instants, leurs voix inaudibles. Je parvins toutefois à saisir qu'ils demandaient l'autorisation d'ouvrir quelque chose. Mais quoi, je n'en avais aucune idée. En dépit de mes questions et de leurs réponses répétées, je ne comprenais rien.

Irrité, je finis par conclure : « Nous venons dans deux jours. On verra à ce moment-là.

– Bien, sahib ! Donc vous êtes d'accord pour l'ouvrir !

– Attendez samedi, je vous dis.

– D'accord, on va l'ouvrir ! »

Après avoir raccroché, je me demandai pourquoi Bideshi et Dukhi m'avaient appelé. Normalement, quand ils avaient une hésitation, ils passaient par le commandant en chef manchot. Où était Rakshas ? J'essayai de rappeler la boutique du thakur le lendemain matin, en vain. Ensuite, cela me sortit de l'esprit.

Le samedi, vers dix heures, lorsque l'on gara la Gypsy sous Trishul, les ouvriers de Bideshi faisaient

une pause thé. DoInchi venait juste de faire exploser
le poirier et récupérait sa grenade. Chatur était assis au
soleil, sa bégum sous son gros bras musclé, et lui parlait
à voix basse. La poule le regardait d'un œil intéressé et
interrogateur.

Rakshas arriva du côté de la maison, maniant un
bâton à la façon d'une raquette de tennis. En le voyant,
le coup de téléphone confus me revint en mémoire.

« De quoi parlais-tu ? lui demandai-je. Que voulais-
tu ouvrir ? »

Il me jeta un regard inexpressif.

« Moi, rien. Je ne voulais pas. Ils m'ont dit qu'ils
vous avaient demandé la permission. Les imbéciles. »

Dukhi, assis sur ses talons, leva un regard penaud
et soupira : « Moins on parlera, mieux ça vaudra. On a
creusé la montagne et on a déterré une souris.

– Arre, sahib, dans quel état on était ! dit Bideshi.
On croyait toutes nos peines terminées. Mais Dieu ne
donne aux pauvres que la sagesse. Les diamants sont
pour les riches ! »

C'est en ouvrant l'épais mur de pierre de la pièce
de derrière – la pièce « bombardée » et remplie de
décombres où, le premier jour, j'avais contemplé le ciel
par le toit béant – qu'ils avaient découvert un coffre en
bois dissimulé dans le mur sous une fenêtre. Le coffre
était suffisamment large, et lourd, pour déchaîner leurs
fantasmes cinématiques, et ils faisaient confiance à
Fizz pour partager le trésor.

L'extraction du coffre n'avait pas nécessité de précautions particulières : il était placé dans une cavité en
pierre, et l'espace vide de deux centimètres qui le séparait de la paroi était bourré de petit bois noirci et pourri.
Un gros cadenas en fer d'un modèle ancien, ouvrant
avec une clé creuse qu'il fallait tourner plusieurs fois,
le fermait. Après m'avoir téléphoné et douteusement

obtenu mon autorisation, ils avaient bataillé avec le cadenas pendant des heures, et fini par envoyer l'un d'eux à Haldwani chercher un serrurier.

Le coffre était maintenant dans le vestibule du premier étage. Fizz en tomba amoureuse au premier coup d'œil. Il était fait de lattes de cèdre épaisses, maintenues par des saisines en fer. Les ouvriers l'avaient nettoyé et le bois aux chaudes tonalités brillait. Le gros cadenas, couvert d'une pellicule de rouille qui s'effritait, pendait la gueule ouverte comme un chien essoufflé. Le serrurier, s'aventurant hors de sa zone de compétence, l'avait irrémédiablement endommagé. Fizz caressa le coffre du plat de la main, palpa son ossature de fer – saisines, rivets, boulons –, et la surface lisse du bois, avant d'ôter le cadenas et de soulever le couvercle. Il n'y avait pas d'électricité, et je dus demander aux ouvriers regroupés autour de nous de s'écarter de la porte pour donner un peu de lumière.

Dukhi, accroupi comme à son habitude, cria : « Qu'est-ce que vous attendez, bande de tire-au-flanc ! Vous imaginez que, cette fois, on va trouver des briques d'or ?

– Donnez-en un à chacun, dit Bideshi d'une voix stridente. À l'école, ils passaient leur temps à les fuir ! Pas un seul n'a dépassé le cours moyen ! Et maintenant, les voilà qui se précipitent pour en avoir ! »

Le coffre était divisé en quatre compartiments égaux, chacun rempli jusqu'en haut de livres apparemment identiques. Les quatre volumes visibles étaient reliés de cuir fauve. Et lorsque je me penchai pour prendre le plus proche, je vis que le deuxième de la pile était pareil, et ainsi de suite.

Avec son sourire niais, Bideshi m'encouragea : « Continuez, sahib, continuez ! La blague ne fait que commencer. »

Je priai les garçons de transporter le coffre dans notre chambre, près de la fenêtre donnant sur la vallée de Jeolikote, où il y avait de la lumière et une chaise. Bideshi, Dukhi et leurs ouvriers guettaient notre réaction.

« Voyons de quoi il s'agit, dis-je. Pour certaines personnes, c'est peut-être plus précieux que de l'or.

– Arre, sahib, répondit Bideshi. Le destin nous donne seulement deux repas par jour. Si quelqu'un nous offrait de l'or, entre nos mains il tournerait en sable.

– C'est un très beau coffre, Bideshi, intervint Fizz. Vous pouvez m'en faire un semblable ?

– Arre, Didi, je vous en ferai un beaucoup plus beau ! » promit Bideshi avec sa fanfaronnade chronique.

Le coffre contenait soixante-quatre carnets reliés de cuir fauve, rangés en quatre piles de seize. Chaque carnet avait plus de cinq centimètres d'épaisseur. Quand j'ouvris le premier pour l'examiner, la première page était blanche, et la deuxième couverte de haut en bas d'une petite écriture ronde, en lignes serrées et montantes. Je sautai à la dernière page, également couverte, jusqu'à la fin, de la même écriture ronde et serrée. J'ouvris des pages au hasard, et chacune était engorgée d'une succession interminable de petites lettres rondes. On aurait dit de minuscules mots à roues, avançant sans cesse. C'est à peine si l'on distinguait des paragraphes, les débuts et les fins des pages. Les mots n'avaient aucun espace pour respirer, comme si l'auteur avait redouté qu'ils prennent vie et sautent hors du carnet.

J'en ouvris un deuxième. Aucune différence. L'intérieur des volumes était aussi identique que l'extérieur. Des pages et des pages de petits mots roulants, tracés à l'encre bleu roi ; un papier épais, légèrement crissant, dont la couleur avait viré au bistre et continuait de s'assombrir. Fizz faisait comme moi, prenant les carnets l'un après l'autre pour les analyser et chercher les différences. De toute évidence, les garçons avaient effectué les mêmes sondages, car il n'y avait pas un brin de poussière sur les livres et l'intérieur du coffre était propre. S'il existait un ordre dans les carnets, impossible de le détecter; et s'il y en avait eu un dans leur classement original, les manipulations l'avaient brouillé.

Un examen attentif permettait cependant d'identifier ceux qui avaient été rangés dans le fond. Leurs pages étaient collées et il fallait les détacher lentement en partant des coins. Le seul autre indice quant à la chronologie était l'encre, affadie dans de nombreux carnets, presque illisible dans certains. Il y avait également quelques pages tachées – pendant ou après l'écriture, difficile à affirmer.

Notre exploration dura plusieurs heures. Lorsque Rakshas vint nous appeler pour déjeuner, nous étions assis au milieu de piles de cuir fauve. De toute évidence, quelque chose le tracassait. Il n'avait pas son exubérance coutumière; son beau visage raviné était crispé et grave, et son moignon maussade, immobile. Je pris soudain conscience qu'il avait été absent de l'agitation des dernières heures.

« Qu'est-ce que tout ça, Rakshas ?

– Il ne faut jamais déterrer le passé, répondit-il, figé sur le seuil. On a déjà bien du mal avec le présent. Mais ces pauvres imbéciles des plaines ne connaissent rien.

– Qu'est-ce que c'est que tout ça, Rakshas ? répétai-je.

– Je ne sais pas, dit-il sans me regarder. Je ne sais rien. Je sais seulement qu'il faut laisser le passé en paix. Mon père disait que le présent appartient aux actifs, l'avenir aux penseurs, et le passé aux perdants. Il ne faut pas toucher au passé. »

Le soir, sachant que nous étions arrivés de Delhi, Taphen passa nous saluer. Selon son habitude, il empestait le whisky et ses vêtements étaient couverts de poils de chiens. Mais il affichait une mine sombre qui ne lui était pas coutumière. Nous nous assîmes sur la terrasse pour admirer le soleil qui mourait sur la vallée. Un convoi militaire montait de Beerbhatti ; les camions vert olive, roulant à égale distance, faisaient rugir la montagne.

« Qu'en avez-vous fait ? demanda Taphen.

– De quoi ? Du coffre ? Des carnets ? Ils sont dans notre chambre.

– Vos ouvriers n'auraient jamais dû les sortir. Maintenant, il faut les brûler. Croyez-moi, madame, il ne faut jamais toucher au passé. Par ici, tout le monde sait ça. C'est pourquoi la paix règne dans les montagnes, et le trouble dans les plaines. Vous autres, vous déterrez des temples, des mosquées, des gens morts et des idées mortes, vous faites resurgir les anciens soucis et vous les mélangez aux nouveaux, et ça fait des soucis de plus en plus gros. Mon fils Michael me dit : "Papa, je te fais une piqûre qui tiendra la maladie éloignée." Dans les plaines, vous prenez les vieilles maladies pour les injecter dans les nouvelles, et vous créez une maladie si monstrueuse que personne ne peut en guérir. Les gens disent que le passé est important. Moi je dis que le passé est un piège. Croyez-moi, madame, il n'existe pas dans le monde un seul homme assez sage pour tirer les leçons du passé. Les hommes n'en tirent que des ennuis.

– Que sont ces carnets, Taphen ?

– Je ne sais pas, sahib. Je vous dis juste une chose. Enterrez-les, brûlez-les, jetez-les. Pourquoi jouer avec le passé ? Qu'y a-t-il de bon là-dedans, pour nous ? »

Le soleil avait sombré derrière les cimes et sa clarté semblait diffusée par un abat-jour. La vallée, baignant dans la dernière lumière, était claire et paisible. Une partie du convoi nous avait dépassés et poursuivait son escalade vers Bhumiadhar, Bhowali et le cantonnement de Ranikhet. Même le bruit régulier des camions ne pouvait déchirer la paix du jour déclinant.

« Taphen, vous me cachez quelque chose, dis-je.

– Au contraire, monsieur, je vous en ai dit beaucoup. Je vous ai dit de laisser tranquille ce qui est enfoui. Le monde a besoin de vivants, pas de fantômes. »

Je m'employai à lui arracher d'autres informations mais rien n'y fit. Il s'entêta à affirmer qu'il ne savait rien, sinon qu'il ne fallait pas exhumer le passé. Il faisait nuit lorsqu'il se leva pour partir. Les versants des montagnes et la vallée étaient vivants, vibrants de milliers de lumières. La lune, qui entamait tout juste son ascension, était faible ; dans dix jours, ronde et pleine, elle illuminerait la vallée.

Taphen tenait à se faire raccompagner jusqu'au tournant de la route. Il n'amenait plus ses chiens car ils devenaient fous furieux à la vue des ouvriers, et l'on craignait, s'ils s'en prenaient à la poule de Chatur, que celui-ci contre-attaque avec une hache. Mais il n'y avait plus personne pour escorter Taphen. Les ouvriers s'étaient repliés dans leurs quartiers, pour se laver, se reposer, faire la lessive et la cuisine. Et il n'était pas question de solliciter Rakshas. Taphen était nerveux. Finalement, il me demanda de l'accompagner.

En chemin, il m'expliqua qu'il avait une peur bleue de l'obscurité. À l'âge de dix-neuf ans – il était alors un solide gaillard –, le démon lui avait sauté dessus au portail du bas. Le démon, précisa-t-il, mesurait plus de deux mètres ; il avait des braises rougeoyantes en guise d'yeux, et de longues serres à la place des doigts. Quand il ouvrait la bouche, il en sortait un hurlement grave et lointain. Et il n'avait pas de dents, juste un abîme obscur et infini. Taphen, qui faisait partie de l'équipe de boxe du collège, avait essayé de se défendre, mais le démon l'avait soulevé par le cou et maintenu en l'air sans effort. Son chien s'était mis à miauler comme un chat et tapi sous le caniveau. Juste au moment où Taphen croyait sa dernière heure arrivée, un camion avait surgi du virage. Illuminé par les phares, le démon l'avait lâché et s'était enfui.

Nous étions au bas du chemin en lacet qui montait chez lui. En haut, avant la dernière côte, une ampoule nue accrochée à un arbre à savon jetait un halo de lumière jaune.

« Vous voulez que je vous raccompagne jusqu'en haut, Stephen ?

– Non, ici je ne crains rien. C'est du côté du portail que j'ai peur.

– Pourtant, Rakshas y habite. Et seul.

– Rakshas est hindouiste, monsieur. Le démon ne veut que les âmes chrétiennes. »

La journée avait été longue – nous avions quitté Delhi à quatre heures du matin –, et nous étions prêts à nous coucher avant dix heures. Après deux whiskys, Rakshas nous avait servi le dîner sur la terrasse. Il était resté silencieux et hostile en nous apportant le dâl, le ghobi et le riz, puis en débarrassant la table. Dans l'obscurité, les lumières qui brillaient sur le flanc de la montagne, à Nainital, formaient une cascade de diamants scintillants. Tout en haut, là où la cascade commençait, on apercevait les flèches sombres de Saint-Joseph.

Fizz rentra la première. Quand je la rejoignis, un peu plus tard, elle était en train de remettre tous les carnets dans le coffre. Je l'aidai. Quatre piles de seize carnets chacune. Quand ce fut terminé, Fizz rabattit le couvercle, raccrocha le cadenas endommagé à la bouche béante et, bizarrement, posa notre valise sur le coffre.

Je la regardai. Elle avait agi machinalement.

Une fois sous la couette, alors qu'il faisait si sombre que l'on ne se discernait même pas, elle me demanda : « À ton avis, ce n'est pas un problème ? »

Je serrai sa main très fort dans la mienne.

« Mais non, voyons. Ne laisse pas ces deux dingues t'effrayer.

— Ils se comportent de façon bizarre. Et c'est la première fois qu'ils sont d'accord sur quelque chose.

— Ce sont des montagnards. Les montagnards raffolent des histoires à dormir debout. Ce dingue de Taphen m'a raconté qu'il a rencontré le démon, un jour. Près de notre portail.

— Et que s'est-il passé ? gloussa Fizz. Le diable s'est enfui ?

— Non. Il a soulevé Taphen et l'a maintenu en l'air au-dessus de la route. Devant la borne de Bhowali.

— Bon, ça va. Arrête. Tu me fiches la frousse.

— Il paraît que le démon avait des braises rougeoyantes à la place des yeux et un trou béant à la place de la bouche.

— Ça suffit ! »

Je l'attirai dans le creux de mon bras et mis mes lèvres sur son front. Elle reposait, la tête sur mon torse, une jambe et un bras en travers de moi. Son tee-shirt s'était relevé et son corps était tiède. Sur ses jambes, les poils commençaient tout juste à repousser et je trouvai leur contact excitant. Cette rugosité naissante me semblait beaucoup plus sexy qu'une surface lisse et soyeuse.

« Tu as lu quelques passages des carnets ? me demanda-t-elle.

— Non. Je les ai juste feuilletés pour voir si certains étaient différents.

— À ton avis, qu'est-ce que c'est ?

— Des carnets de notes, visiblement. Une sorte de journal intime.

— Qu'allons-nous en faire ? »

Le premier toc de la nuit s'éleva, sourd. Pour la énième fois, je me promis d'inspecter le massif de lantana. Je savais qu'en restant assis en silence plusieurs heures sur la terrasse, je finirais par entrevoir l'engoulevent.

« Alors ? insista Fizz. Qu'allons-nous en faire ?

— Les lire. Les comprendre. Les vendre un million de dollars à un abruti de Londres. Les jeter s'ils sont ennuyeux.

— Qui les a écrits, à ton avis ?

— Un névrosé sérieusement atteint. Il faut l'être pour noircir autant de pages.

— Et il n'avait même pas de Brother.

— Exact. Un vrai fou.

— Non, pas un fou, monsieur Chinchpokli. Juste un homme inspiré et discipliné. La question est de savoir si tu es capable de faire ce qu'il a fait.

— La véritable question, docteur Doctorlola, est de savoir s'il est capable de faire ceci. »

Je roulai sur elle, l'épinglant face contre le drap. Mes mains recouvrirent le dos des siennes, de part et d'autre de sa tête. Ma bouche se posa près de son oreille gauche. L'odeur de sa peau et de ses cheveux m'envahit. Je commençai à grossir, là où elle était la plus mûre, et elle bougea pour me faire plus de place. Et mon désir grandit, il devint un animal qui flaire le chemin de sa tanière. Il glissa dans la moiteur, déferla. J'embrassai la nuque de Fizz, juste sous la ligne des cheveux, à l'endroit d'impact idéal. Elle gémit, se cambra. Mon désir la pénétra, se déchaîna contre sa chaleur.

« Est-il capable de faire ceci ? répétai-je.

– N'importe qui en est capable », répondit-elle d'une voix lointaine.

Je me soulevai de sa houle, y replongeai.

« N'importe qui ?

– Personne », souffla-t-elle d'une voix plus lointaine encore.

Mes lèvres glissèrent de sa nuque au coin de sa bouche. Sa moiteur devenait audible. Chaque fois que je demandais : « N'importe qui ? » elle répondait : « Personne. »

Et chaque fois d'une voix plus lointaine.

Je repoussai du pied la lourde couette. Il y avait davantage d'espace pour la manœuvre. Je lui chuchotai dans l'oreille : « Personne ? » Elle répondit : « Seulement toi. » Et je dis : « Personne ? » Et elle dit : « Seulement toi. » Au bout de dix fois, elle n'était plus en mesure de m'entendre et je n'étais plus en mesure de l'entendre, mais nous étions aussi totalement ensemble que nous l'avions toujours été.

Plus tard, en rajustant la couette, elle reprit : « Sais-tu, monsieur Chinchpokli, que tes réponses sont toujours une question ? »

Et moi, tout en dévalant le toboggan du sommeil, je murmurai : « Dans toutes tes questions, il y a nos

réponses ! » sans la moindre idée de ce que cela signifiait.

Le lendemain, je restai au lit jusqu'au soir.

Lorsque je me levai enfin et pris un bain, les ouvriers
avaient rangé leurs outils et Fizz contemplait le coucher
du soleil, assise sur la terrasse. Le matin, à mon réveil,
je lui avais demandé de me passer l'un des carnets et
j'avais commencé à le feuilleter en buvant mon thé.
Ensuite, j'avais petit-déjeuné et déjeuné au lit, et réussi
à lire en dépit des coups de marteau, du rabotage et du
caquetage des jeunes gens dans toute la maison.

En m'apportant à déjeuner, Rakshas m'avait lancé
cette remarque, sans sourire : « Mon père disait que les
hommes les plus sages sont ceux qui connaissent les
limites de leur sagesse. »

Fizz était trop occupée à discuter avec les maçons et
les charpentiers pour se soucier de moi. Les rares fois
où elle fit un saut dans la chambre, elle ironisa : « Le
grand seigneur Chinchpokli en plein travail ! »

Je vis le jour évoluer à travers la fenêtre qui faisait
face au lit. Les feuilles du chêne s'animèrent avec le
bavardage matinal des oiseaux ; les feuilles du chêne
étincelèrent sous le polissage du soleil de midi ; les
feuilles du chêne dansèrent avec le vent fouettard de
l'après-midi ; les feuilles du chêne perdirent leur éclat
et s'apaisèrent avec l'approche de la nuit. Quand je
repoussai la couette – et ses odeurs de sommeil fétides –
pour me lever et me laver, la journée était terminée et
je n'avais lu que dix pages.

C'était assez pour être harponné.

Les mots roues étaient difficiles à déchiffrer, le langage alambiqué, la grammaire et l'orthographe épou-

vantables. Souvent, les phrases semblaient s'enchaîner sans progression logique. Il fallait revenir sans cesse en arrière pour saisir l'essence du récit. Pour une personne au style aussi pauvre, écrire soixante-quatre volumes supposait une incroyable confiance en soi.

Mais le contenu. Le contenu…

Lorsque je rejoignis Fizz sur la terrasse, elle me demanda : « Alors, qu'est-ce qu'il raconte ?

– Lui, rien.

– Comment ça ?

– Elle. »

Contrairement à son habitude, Fizz mit un instant avant de réagir.

« Tu veux dire que c'est une femme ?

– Oui. On aurait dû s'en douter d'après l'écriture.

– Qui est-elle ?

– Je n'ai lu que dix pages. Cela ne suffit pas pour le savoir.

– Probablement une ancienne propriétaire.

– J'imagine, oui. Sinon, d'où pourrait venir un coffre rempli de carnets intimes ? C'est sans doute la "dame" dont parlent les gens du coin. Celle qui a fait construire la maison.

– Tu connais son nom ?

– Pas encore. Taphen la mentionne seulement sous le nom de la Dame. Je ne pense pas qu'il en sache beaucoup plus à son sujet. Je l'ai interrogé deux ou trois fois et il est toujours resté très vague. Je sais seulement que c'était une femme très courageuse, intrépide. D'après Taphen, "même les hommes blancs avaient peur d'elle". Ce sont ses paroles.

– Qu'as-tu découvert ?

– Je te l'ai dit. Très peu. Je n'ai réussi à lire que dix pages. C'est difficile. La syntaxe est déplorable, l'écriture illisible. Ce n'est pas simple à comprendre. »

Fizz se leva pour piétiner et tasser la terre autour du pin argenté que nous avions planté sur la terrasse. Quelques vigoureuses talonnades sur le côté droit, et le jeune arbuste se redressa un peu. Le bord des feuilles était légèrement noirci. Probablement le gel. Fizz essuya les semelles de ses tennis sur une touffe d'herbe et reprit : « Qu'en as-tu tiré ?

– De ces dix pages ? Lady Chatterley dans l'Himalaya.

– Quoi ? »

Il me fallut dix minutes pour m'expliquer. Fizz émettait des petits sons incrédules. Elle ne savait pas si je disais la vérité ou si je la faisais marcher.

« Finalement, c'est quoi ce journal ? Un genre de roman ?

– Je n'en sais rien. Le récit est saisissant, mais j'ignore si c'est réel ou inventé.

– En tout cas, je remarque que tu n'as pas perdu ton talent pour dénicher instantanément les passages salaces ! Soixante-quatre volumes, et tu tombes sur les dix pages croustillantes ! »

Dans la soirée, au moment de me coucher et de reprendre ma lecture, le fragment d'un vague souvenir refit surface. Aussitôt, je laçai mes espadrilles, enfilai une veste et demandai à Fizz d'en faire autant.

« Où veux-tu aller ?

– Voir Taphen.

– Maintenant ?

– J'ai quelque chose à lui demander.

– Maintenant ?

– Maintenant. »

Bagheera, que nous avions eu chez un officier retraité de Bhimtal, n'était encore qu'un chiot de huit semaines, une boule de fourrure noire qui mangeait et dormait toute la journée dans un panier d'osier dans la cuisine. Nous n'avions donc pas de chien pour nous escorter, mais je pris le bâton de bois de santal que nous avions autrefois acheté à Janpath, et Fizz sa petite lampe laser. Le faisceau perça une trouée dans la nuit, et nous franchîmes le portail sans être attaqués par le démon.

Sur le sentier méandreux qui montait de la route jusqu'à la maison de Taphen, le crissement de nos pas sur les feuilles mortes et le gravier déchaîna le hurlement des chiens. L'ampoule nue suspendue sous l'arbre à savon, au dernier lacet du sentier, projetait alentour des ombres sinistres. Le temps de parcourir le dernier tronçon, l'aboi était devenu infernal. Il se développait sur plusieurs registres : jappement féroce, grognement grave, glapissement aigu, hurlement prolongé destiné à ameuter toute la vallée. Mais nous étions déjà venus – au moment de l'achat de la maison – et savions que, dès le rideau de la nuit tombé, Taphen enfermait ses chiens dans deux grandes cages en fer qui encadraient sa porte d'entrée. Le guldaar raffolait de chair de chien et pouvait en tuer quatre de quatre coups de patte. Certaines nuits, le léopard venait s'asseoir devant les cages, et les chiens, fous de peur, se transformaient en pauvres loques miaulantes.

Taphen était ivre mort, affalé dans son fauteuil capitonné. Ses bras minces pendaient de chaque côté, ses doigts frôlaient le linoléum vert. Son verre à demi ambré reposait près de sa main droite. Des centaines de petits cercles, se chevauchant l'un l'autre, marquaient le sol autour du fauteuil, commémorant des années de soirées bienheureuses. Un petit poste de télévision grésillait devant lui. Ici, on ne recevait que la chaîne nationale, Doordarshan, et il fallait secouer l'antenne de toit chaque jour pour capter les images. En ce moment, on ne distinguait que des silhouettes brouillées et de la friture.

On s'assit sur les sièges à fleurs, au dossier et aux pieds cintrés.

« Venez le partager avec moi ! s'exclama Damyanti. Pourquoi Damyanti serait-elle la seule à bénéficier de la sagesse du grand Taphen le Jongleur, le Cheikh Chilli du Kumaon ! »

Et elle alla chercher des verres.

Je me tournai vers Taphen.

« Taphen, dites-moi une chose.

— Pourquoi je vous dirais quelque chose ? Pourquoi je dirais quelque chose à quelqu'un ? Est-ce qu'on me dit des choses à moi ? Et d'abord, qui êtes-vous ?

— Taphen, quand je suis venu chez vous la première fois, il y avait un portrait de femme au mur. Où est ce portrait ? Et qui est la femme ?

— C'est la reine de Saba, et elle dort. Et elle ne couche pas avec des noirauds comme vous ! »

Damyanti était revenue avec deux verres sur un plateau en plastique et nous les offrit avec une demi-bouteille de Bagpiper. Mais je n'étais pas d'humeur à boire.

« La ferme, Taphen ! Répondez à ma question ! »

Fizz posa une main sur mon bras. « On ferait mieux de partir. »

Mais je n'étais pas d'humeur à rentrer. Taphen fixait sur moi ses yeux injectés de sang. Il ramassa son verre, le vida d'un trait, et ouvrit ses cuisses décharnées.

« Non, Taphen, ne dis pas un mot ! intervint Damyanti.

— Pauvre connard de Dilliwalla, tu as déjà tâté du lollu ? Viens, approche, je vais te balader sur un gros lollu bien chaud. D'un seul coup, d'un seul, je te montrerai tout le Kumaon ! En deux coups, toute l'Inde ! En trois coups, le monde entier ! La tour Eiffel et l'Empire State Building ! Viens !

– Moi, je m'en vais, décida Fizz en se levant.

– Tais-toi, pauvre minable, gronda Damyanti. Quel dommage que Michael ne puisse te guérir de cette maladie avec une piqûre !

– Taphen, vous êtes un chien ! lui dis-je. Et vous crèverez comme un chien !

– Tais-toi, m'arrêta Fizz. Qu'est-ce qu'il te prend ? »

Pendant ce temps, Taphen avait ôté sa ceinture et s'efforçait de déboutonner son pantalon gris.

Fizz me tirait par le bras.

« Je vous en prie, dit Damyanti. Partez avant qu'il ne nous couvre tous de honte. »

Les chiens saluèrent notre sortie par des hurlements et des gémissements, se jetant contre les barreaux, la gueule écumante. Les gamelles d'eau en aluminium bosselé et fendu, posées sur le sol des deux cages, tintaient et se renversaient sous leurs piétinements enragés.

Damyanti, qui nous avait suivis dehors, joignit ses deux mains et dit : « Pardonnez-nous. Il devient comme un animal, parfois. Même moi, je ne peux pas prévoir ses crises. »

Je ne laissai pas le temps à Fizz de la réconforter.

« Damyanti, vous connaissez le portrait dont je parlais ? Qui est-ce ? Et où est le tableau ? »

De l'intérieur de la maison, la voix de Taphen explosa :

« Salaud de noiraud ! Tu fais du khusphus avec ma femme ! Viens plutôt discuter avec le lollu de Taphen et tu auras ta réponse ! Qui c'est ? C'est la mère de ta mère ! Et elle couchera avec moi, cette nuit !

– Maintenant, on s'en va, décréta Fizz en me tirant par le bras.

– Monsieur, je vous en prie », implora Damyanti.

Fizz était furieuse. Elle marcha devant moi tout le long du chemin. Le faisceau de sa torche cahotait rageusement. Quand nous fûmes couchés, elle me dit : « Tu es malade ou quoi ? Qu'est-ce qu'il t'arrive ?

– Je suis désolé. »

En vérité, je m'étonnais moi-même. Je croyais avoir appris à esquiver Taphen quand il devenait bestial.

« Et quel est ce tableau qui te rend hystérique ?

– C'est sans importance. »

Fizz se roula en boule et s'endormit en quelques minutes. À force d'aller et venir, de monter et descendre pour surveiller les travaux, il était impossible de ne pas s'écrouler de fatigue. Mais mes muscles, relâchés par une journée entière de repos, n'étaient absolument pas tentés par le sommeil. J'avais envie de reprendre la lecture des carnets, or, s'il y avait une chose que Fizz ne supportait pas, c'était un plafonnier allumé quand elle dormait. À Delhi, j'avais une lampe de chevet ; ici, nous n'avions encore qu'une grosse ampoule de cent watts sur un support en plastique blanc, qui projetait une douche de lumière crue sur nos têtes et les murs de chaux bleue.

Je songeai au portrait. C'était une grande peinture à l'huile dans un profond cadre de bois. Les couleurs n'étaient pas riches, elles étaient même un peu ternies, un peu jaunies. Il n'y avait pas d'arrière-plan, pas de décor, juste le portrait qui emplissait le cadre. La femme avait posé légèrement de biais, l'épaule droite en avant. Une femme blanche, de toute évidence ; la robe au col ample n'ajoutait rien pour s'en convaincre. Les traits étaient anguleux, mais la bouche large et pleine, ce qui donnait un curieux mélange de réserve et d'insouciance. Les cheveux étaient retenus en arrière, couvrant les oreilles et disparaissant dans le fond de la toile, mais épais, gonflés, et non plaqués sur la tête.

Bien que peinte légèrement de profil, la femme regardait droit vers l'extérieur du tableau. Tout le talent du peintre se concentrait dans ce regard. Vivant, direct, d'une franchise déconcertante. L'artiste avait fait preuve d'audace en esquissant un décolleté : le sillon et les deux renflements. Autour du cou, la femme portait un pendentif, un symbole religieux accroché à une chaîne.

Le portrait – entraperçu deux fois au milieu du bric-à-brac du salon de Taphen, notamment des terres cuites aux couleurs criardes représentant Jésus et de touchantes scènes de nativité – s'était incrusté dans ma mémoire à cause de ce symbole religieux : il ne s'agissait pas d'une croix chrétienne mais d'un om. Sur le moment, j'avais pensé que c'était le genre de portrait bon marché que des peintres de publicité itinérants réalisaient en Inde dans les années mille neuf cent soixante et soixante-dix, et casaient à la bonne société des petites villes postcoloniales – des visages anglicisés suggérant grâce et raffinement. Le symbole religieux hindou m'apparaissait comme une petite touche irrévérencieuse de l'artiste.

Dans la chambre obscure régnait un silence absolu. Les derniers chiens en alerte s'étaient endormis et l'engoulevent se faisait discret. S'il avait toqué, je ne l'avais pas entendu. J'étais allongé sur le dos, les yeux ouverts, mais je ne voyais rien, pas même les épais chevrons au plafond. Ma tête était pleine de ce que j'avais lu et mon esprit, qui commençait à me jouer des tours, projetait la femme du portrait dans le carnet relié de cuir fauve. J'essayai de séparer les mots de l'image. En vain. Et tandis que je fixais les ténèbres de mon regard aveugle, la femme se mit à faire les choses qu'elle décrivait. Je fermai les yeux, tirai la couette sur ma tête, passai un bras autour de Fizz et enfouis mon visage dans ses cheveux. Mais je voyais toujours la femme. Elle me regardait droit dans les yeux.

Je soutins son regard, et c'est ainsi que je m'endormis. Puis je fis un rêve très vivace, différent de tous les autres. La dame du portrait s'était glissée dans le lit à mes côtés, et opérait sur moi tout ce qui était écrit dans le carnet. Sa bouche large et pleine provoquait des sensations insoutenables partout où elle se posait ; ses mains m'exploraient de façons qui m'étaient inconnues. Elle se mouvait sur moi, m'envahissait. J'étais manipulé, dompté, consommé jusqu'au gémissement.

Le matin, à mon réveil, j'eus l'impression d'être redevenu un adolescent dont le corps ne se révèle totalement que lorsque son esprit sommeille. Je me souvenais qu'elle avait de gros tétons et un large grain de beauté sous le sein gauche. Une séquence de nos ébats demeurait floue, cependant. Je ne savais pas si elle m'avait fait jouir. Je ne le crois pas. Je portai mon érection vers Fizz et, la tournant sur le dos, la pénétrai avec une urgence que je n'avais pas ressentie depuis longtemps.

Plus tard, résistant à l'envie de rouvrir le journal intime, je m'habillai et décidai de retourner chez Taphen. À cette heure, notre maison bourdonnait de voix qui exigeaient, commandaient, réprimandaient, et de bruits d'outils divers : martelage, rabotage, plâtrage. Rakshas gardait toujours profil bas. Je l'entendis demander à Fizz la raison de notre visite chez Taphen, la veille au soir. La colère de Rakshas était essentiellement dirigée contre moi. Je ne l'imagine pas capable de blâmer Fizz de quoi que ce soit. Ni alors ni plus tard.

Taphen n'était pas chez lui. Damyanti m'apprit qu'il s'était réveillé très malade et avait appelé Michael à Haldwani pour qu'il vienne le chercher et le conduise à l'hôpital. Elle-même paraissait fatiguée. Elle prenait le soleil, assise sur les marches du porche entre les cages, ses cheveux gris dénoués et luisants d'huile. Les quatre chiens faisaient la même chose, vautrés sur le ciment à ses pieds. Ils ouvrirent les yeux et me regardèrent sans bouger. Damyanti m'expliqua que la nuit avait été mauvaise. La panthère était venue au petit matin et avait horriblement perturbé les chiens. Elle avait passé la matinée à nettoyer leurs cages.

Je lui déclarai que je voulais voir le portrait.

Damyanti était sur ses gardes. Son regard éperdu se posait partout, sur ses pieds, le ciel, les chiens, cherchant de l'aide.

Une femme exténuée puisant chaque jour dans ses réserves intérieures pour faire face.

D'abord, elle prétendit ne pas savoir où le tableau avait été rangé. Puis, comme je refusais de partir et insistais pour fouiller la maison, elle capitula. Le portrait était caché dans une véranda fermée, une sorte de remise derrière leur chambre à coucher, à côté d'une série de chaises cassées. On l'avait recouvert d'un drap élimé vert, imprimé de lis blancs. Quand j'ôtai le drap et soulevai le tableau pour le caler sur une des chaises, je m'aperçus que ma mémoire avait beaucoup surévalué son état.

Le bas du cadre était fendu et des éclats pointaient ; la peinture était craquelée sur les bords et de minuscules pelures se détachaient ; la poitrine crémeuse avait été endommagée par des objets pointus : stylos ou crayons, et frayée par des meubles. Quelqu'un, probablement un enfant, avait même essayé de marquer les seins avec des points de crayon noir à peine visibles. Le om bleu argenté, autour du cou, se détachait davantage au milieu de la détérioration générale de la toile.

Je tirai une chaise et m'assis en face d'elle. Par miracle, le visage avait survécu sans la moindre souillure. La peau était lisse, rosie sur les joues. Le nez n'avait rien perdu de sa finesse. La bouche était une invite, cœur épanoui et mûr du tableau. Sa promesse compensait l'arrogance du nez. Damyanti me laissa pour aller préparer du thé. La femme du tableau me jugeait de son regard direct : un homme mince aux cheveux grisonnant prématurément, en blue-jean et pull bordeaux, avec une barbe de deux jours, un petit clou d'or à l'oreille gauche. Elle lut dans ses yeux qu'il était facile de le hanter ; c'était le genre d'homme qui courtisait les démons. Elle comprenait les individus de son espèce. Elle se demandait s'il savait vers quoi il allait. Cela la fit sourire.

Il me sembla que les yeux du portrait s'étaient plissés. Je tournai la tête vers les pentes de Bhumiadhar tapissées d'arbres pour m'éclaircir les idées. C'était une matinée superbe. Le ciel bleu, le soleil silencieux et puissant, les aigles qui entamaient leur ronde. Damyanti revint avec le thé, une grande chope en céramique avec Donald Duck gambadant dessus. Je revins à la femme du portrait. Elle avait cessé de sourire mais continuait de me regarder.

Je priai Damyanti de s'asseoir.

Elle avait noué ses cheveux aplatis par l'huile, son crâne luisant au travers. Son malaise était manifeste. Comme je réitérai ma demande, elle sortit un petit tabouret d'osier de sa chambre, dont les tresses se défaisaient, et s'assit.

« Qui est cette femme, Damyanti ?

– Je sais seulement ce que Taphen m'en a dit. C'est la dame de Gethia.

– Celle qui a fait construire notre maison ?

– Oui. C'est ce que dit Taphen.

– Que dit-il d'autre ?

– Rien. Il refuse d'en parler. Au début, quand je lui posais des questions, il m'engueulait. Quand il était dans son état normal, il me répondait : "C'était une lady exceptionnelle, unique ! Une déesse, pleine d'amour et de générosité." Et quand il devenait bestial, il hurlait : "Que veux-tu savoir, pauvre folle ? Elle était cent fois plus dingue que toi ! Une salope de churail ! Une sorcière blanche ! Et cesse de poser des questions parce que, si elle te monte entre les jambes, tu décamperas dans la montagne en criant au secours !"

– Bon, mais que savez-vous, Damyanti ?

– Rien, sahib. Ce tableau était autrefois dans la grande maison où vous vivez maintenant. Quand Taphen a mis la maison en vente, il l'a rapporté ici et accroché dans notre salon. Quand je voulais l'épousseter, il se mettait à brailler : "N'y touche pas, salope ! Laisse ça tranquille !"

– Vous lui avez demandé pourquoi ?

– Vous croyez qu'on peut poser une question raisonnable à Taphen, sahib ? Il y a quelques mois, un soir, il était assis là et a piqué une nouvelle crise. Il s'est mis à gueuler "Damyanti ! Damyanti ! Enlève-la ! Emporte-la ailleurs ! Tu vois comme elle me regarde ?

Elle attend quelque chose de moi ! Elle veut me punir d'avoir vendu la maison !" Alors j'ai enlevé le tableau du mur et je l'ai rangé dans la remise. Le lendemain matin, Taphen était redevenu normal, et il m'a dit : "Tu as bien fait, Damyanti. Maintenant, recouvre-la d'un drap. Tu sais ce qu'on dit, par ici : celui qui la regarde dans les yeux est foutu."

– Comment Taphen est-il entré en possession de la maison, Damyanti ?

– Je ne sais pas exactement. Il refuse d'en parler. Mais je crois que son père travaillait pour la dame et qu'elle la lui a donnée.

– Que savez-vous d'autre ?

– Rien. Sinon que, d'après Taphen, la dame sortait rarement. Elle n'allait jamais à Nainital, Haldwani, Bhimtal, Saattal, Naukuchiyatal, Ranikhet ni Almora. Dans le pays, beaucoup ne l'ont jamais vue. Il paraît qu'elle avait un fusil et tirait sur tous ceux qui pénétraient sur ses terres sans y avoir été invités. Taphen dit qu'elle n'aimait pas non plus recevoir des Blancs. Parfois elle éconduisait des officiers anglais venus lui rendre visite.

– Est-ce que Taphen se rappelle l'avoir rencontrée ?

– Il n'en parle pas. Il dit qu'il était trop petit quand elle est morte. Et qu'elle a refusé d'être enterrée dans le grand cimetière avec tous les autres Blancs, là-haut, sur la route de Nainital. Elle tenait à être enterrée à Gethia.

– À Gethia ? Où ?

– Sur la montagne. Au-dessus de la maison.

– Avez-vous un autre tableau d'elle ?

– Non, sahib. Même celui-ci, je n'en veux pas. Il me fait peur.

– Taphen a-t-il autre chose qui lui a appartenu ? N'importe quoi.

– Non, rien. Rien que je sache. Le jour où Bideshi et Dukhi ont découvert le coffre et l'ont ouvert, Taphen est devenu fou furieux. Il s'est mis à aboyer et à hurler comme les chiens quand ils flairent la panthère. Il faisait les cent pas dans la maison en donnant des coups de poing dans les murs. Et il braillait : "Creuser ! Creuser ! Creuser ! Tout le monde veut creuser et les ennuis arrivent ! Ils déterrent le passé des gens, les mosquées, les temples, les églises, les maisons ! C'est comme de se curer le nez ! Plus on fouille, plus on retire de saletés ! Il faut tout balayer et oublier ! Balayer et oublier ! Balayer et oublier !" »

Je me tournai vers la Dame, assise sur sa chaise. Elle soutint mon regard sans ciller. Je plongeai si longuement dans ses yeux bleu-gris que mes paupières devinrent douloureuses. Ils semblaient receler un secret que je brûlais de découvrir.

Quand je me levai, ses yeux me retinrent, me défiant de partir. Je restai cloué. Damyanti s'avança pour jeter le drap sur son visage, et je fus délivré.

« Est-ce que Taphen a discuté avec vous de ce qu'ils ont trouvé dans le coffre ?

– Discuter ? Taphen ? Vous connaissez des ânes qui donnent du lait, vous ? »

Dehors, le soleil était aveuglant. Les chiens indolents ne dressèrent même pas une oreille quand je descendis les marches et m'engageai sur le chemin qui courait à l'ombre entre les rangées de vieux chênes et serpentait jusqu'à la route.

L'après-midi, je laissai la maison toute vibrante de coups de marteaux se faire plâtrer, caresser, cajoler, et m'esquivai discrètement sur le sentier de chèvres montant à l'éperon rocheux. Bien qu'il soit situé au-dessus de la maison, nous ne l'avions pas encore exploré. Mais il s'offrait distinctement à notre vue, avec ses grands pins marchant au pas, en file indienne, qui se regroupaient au sommet pour surveiller la vallée et définir leur stratégie d'attaque.

Ici, l'herbe poussait en épaisses touffes dorées et le sentier rocailleux, glissant, obligeait à avancer avec précaution. Quand on ne marchait pas sur des cailloux acérés, c'était sur un tapis d'épines de pin, qui exigeait une prudence accrue en raison du manque de prise de mes sandales de caoutchouc. Des chèvres mâchonnaient encore sur le flanc de la montagne, mais les bergers ne tarderaient pas à les rentrer au bercail.

Il me fallut à peine quinze minutes pour atteindre la crête. De là-haut, le panorama était spectaculaire. Je découvris des angles de la vallée invisibles de la maison. Sur la droite, tout en bas, s'étirait un lac saisonnier, pareil à une feuille de verre, sans une égratignure sur sa surface. J'appris par la suite que, l'hiver, il servait de terrain de cricket et, pendant la mousson, de piscine. Non loin de là, la vallée se creusait d'un pli supplémentaire, dans lequel étaient serties quelques petites cabanes. Autour de moi se dressaient de vieux pins, dont certains mesuraient quinze mètres et plus. Des buissons épineux couraient au sol, animés d'insectes et d'oiseaux. De la maison, en contrebas, on ne voyait que le toit – sa peau lisse et rouge nettement bordée d'arêtes : le motif typique de Nainital – et les deux cheminées, en chapeau serré.

Malgré tous mes efforts, je ne découvris aucune sépulture. Les massifs de ronces me faisaient obstacle et bien que, de loin, l'éperon parût étroit, il était beaucoup trop étendu pour pouvoir être exploré à fond en quelques heures. Au cours de mes recherches, j'entrevis un morceau de maçonnerie et crus avoir trouvé la tombe. Mais après avoir dégagé les plantes grimpantes, je m'aperçus qu'il s'agissait d'un petit réservoir d'eau abandonné depuis longtemps, fissuré et envahi par la végétation.

À mon retour, Fizz ne fit aucune remarque. Elle était ainsi, peu encline au soupçon, confiante. Leur journée de travail terminée, Bideshi et Dukhi étaient assis dans la véranda de devant et dressaient avec elle les plans pour la semaine suivante. Chatur donnait à sa poule des graines de moutarde à picorer dans sa paume ; après chaque grain, la bégum tournait la tête pour le regarder dans les yeux, la gorge gonflée de nourriture et d'émotion. En revenant de mon expédition sur l'éperon, au moment où je me faufilais sous le barbelé, j'avais remarqué Rakshas, debout près du mur de la cuisine, qui m'observait. Son beau visage était figé. Nous n'avions pas échangé un mot.

Je repris le carnet relié de cuir fauve et allai m'installer sur la terrasse. J'y étais encore lorsque Fizz, son conciliabule avec les ouvriers terminé, rentra prendre un bain. Ensuite j'emportai le carnet avec moi dans le lit. Quand Fizz tenta de lancer la conversation sur notre journée, je lui opposai un mur de silence. Quand elle mit une main sur ma cuisse, je l'ignorai. Et quand, exténuée, elle se tourna pour dormir, je ressentis du soulagement.

J'éteignis l'ampoule nue et allumai la lampe-tempête que Rakshas, sur ma demande, avait laissée près du lit.

« Tu as trouvé d'autres passages cochons ? » s'enquit Fizz d'une voix ensommeillée.

Elle s'endormit aussitôt. Je me calai sur l'épaule gauche et me penchai vers la lampe. Lorsque je cédai au sommeil, le carnet au creux de mon bras, plusieurs heures s'étaient écoulées.

Dans la nuit, je me réveillai en sursaut. Le dernier millimètre de mèche se consumait. La lampe n'était plus qu'une pointe d'épingle jaune dans le noir. Un obscur instinct m'avait arraché au sommeil. J'écartai la lourde couette. Il me fallut un moment pour trouver mes mules. Avec une précaution extrême, je traversai la chambre en me faisant le plus léger possible – les lattes du plancher jouaient mais ne craquaient pas. J'ouvris la porte sans bruit, longeai le palier sur la pointe des pieds en marchant sur l'extrémité des planches, à l'endroit où elles reposaient solidement sur le mur de pierre. Dans l'escalier, je comptai les marches et évitai la sixième. Au rez-de-chaussée, les ténèbres étaient moins denses. La lune filtrait par les fenêtres. Je traversai le salon doucement. Quand j'entrai dans la salle à manger, elle était assise dans le vieux fauteuil capitonné. Ses traits fins captaient le clair de lune.

Je compris qu'elle m'attendait.

Elle portait une longue robe de soie bordeaux. Bien que le corsage fût décolleté, un col haut ceignait sa nuque et ses cheveux. Ses yeux – la plus grande réussite du peintre – me fixaient avec une mystérieuse intensité. Elle esquissa un sourire lent, sa bouche pleine s'épanouit dans une promesse insouciante. Je m'approchai. Elle avança les mains, les posa sur mes épaules et m'agenouilla devant elle. Et tandis que j'étais là, à genoux devant son fauteuil, elle souleva lentement sa longue robe. Ses jambes étaient charnues, ses cuisses rondes et lourdes, sa peau lisse, éclairée d'une lumière intérieure. Elle ouvrit les cuisses et sa moiteur brilla.

Elle glissa ses mains dans mes cheveux et attira mon visage contre elle. Et l'y retint. Seules mes lèvres et ma langue étaient en mouvement. Ma bouche était remplie d'elle. Sa racine se prit dans mes dents ; son corps s'ouvrit sur les larges ailes de l'aigle. Bientôt je me noyai dans son abondance ; elle tenait ma nuque et me manœuvrait comme un animal. Puis, d'un geste étrange, elle jeta sa robe par-dessus ma tête, et la robe tomba sur moi comme une averse.

J'étais maintenant dans une sombre grotte de soie bruissante. Je n'avais pas besoin de trouver mon chemin ; d'une main ferme, elle me guidait à son gré. Mon désir était intense. Pour la première fois depuis mon adolescence je craignais de me perdre sans même une caresse. Bientôt elle me saisit entre ses orteils et commença à me masser lentement, avec la maîtrise d'une main experte. C'était suffisant pour me mettre en ébullition, insuffisant pour que je me répande.

Je ne savais où commençait mon plaisir, ni où il s'achevait.

J'aspirai les ailes de l'aigle dans ma bouche et m'envolai.

Je montai trop haut. Je ne pouvais plus respirer. Je suffoquais. Soudain, le monde regimba et il se mit à pleuvoir. Mon visage était trempé ; l'eau musquée – remplie d'algues et de soleil – ruissela le long de mon nez et sur mon menton râpeux, et je me mis à chuter, et ses orteils me tiraient plus vite, et je fermai les yeux, et les ailes mouillées caressaient mon visage, et j'étais étourdi et paisible, heureux de cette chute libre sans fin, conscient que c'était le moyen le plus fantastique de partir.

La joie douce de la reddition totale.

À mon réveil, le matin, j'étais vidé. Suivant un rituel familier, Fizz me chercha, sa main chaude sur mon ventre, son souffle frais près de ma bouche. Mais j'étais

fourbu. Je l'enlaçai, l'embrassai sur la joue et capturai
sa main entre nous. Elle fit une autre tentative, m'embrassa sous l'oreille, œuvra pour entrouvrir la porte de
mon désir, mais celle-ci était solidement verrouillée et
cela me peina de voir Fizz batailler. Tout au long de
notre vie, le moindre effleurement, un simple regard
avaient ouvert cette porte en grand. Par contrition,
j'ouvris la sienne. Je posai ma main sur elle et l'aimai,
jusqu'à ce qu'elle soit temporairement libérée de moi.

Ensuite je sortis du lit, pris le carnet relié de cuir, et
allai dans la salle de bains.

J'emportai deux volumes à Delhi. Je rangeai les
autres avec soin dans le coffre, recouverts d'une feuille
de plastique, demandai à Bideshi de réparer la charnière
et y posai un gros cadenas, dont je mis la clé de cuivre
dans ma poche de jean. Pendant le chemin de retour,
nous restâmes silencieux. Cela ne nous ressemblait pas.
Pour une fois, je ne remarquai rien du paysage. J'étais
totalement replié à l'intérieur de ma tête.

Fizz changea de cassette dans l'autoradio et entama
une pénible quête de compréhension dont elle ne verrait jamais le terme.

Pas plus que moi.

Nous nous berçons d'illusions sur la belle ordon-
nance de la vie. En vérité, aucune vie n'est bien ordonnée. Celles qui s'offrent à nos yeux, ou dont nous lisons
le récit, nous semblent claires et nettes parce que nous
en connaissons peu de chose. La partie cachée derrière le visage qui apparaît à la porte des voisins est
insondable. Toute vie est assaillie par ses démons invisibles – avarice, jalousie, tromperie, luxure, violence,
paranoïa.

Aucune vie, grande ou petite, n'est bien ordonnée. Ce n'est qu'une illusion follement poursuivie par les hommes. Le visage aperçu à la porte n'est rien d'autre que cela : un visage à la porte.

Toutes les vies vécues sont une pagaille.

Dans la mienne, la désagrégation avait débuté quelque temps auparavant. Désormais elle se désintégrait complètement ; je disparaissais dans un monde de portes qui s'ouvraient à l'infini, d'énigmes provocantes, d'existences sans frontières.

Pour la première fois, je commençai à percevoir combien la netteté est superficielle.

Combien elle entrave et limite.

Pour la première fois, je compris que les vies bien ordonnées sont des vies comateuses.

Bientôt, ce qu'il y avait de plus net dans ma vie – Fizz – commença à devenir diffus.

Aujourd'hui encore, tant d'années après, il m'est difficile d'analyser comment les choses ont pu évoluer si vite, mais chaque mot lu dans ce journal intime devint un point de suture arraché à notre relation. Je lisais, lisais, lisais, à chaque instant libre, nuit et jour, et les points de suture sautaient l'un après l'autre.

Je plongeai dans les carnets comme une grenouille dans un puits. Je ne voulais pas en sortir. Mon univers se trouva enchâssé dans du cuir fauve. Les carnets étaient un défi : des mots roues, sans chronologie, sans grammaire, sans ponctuation, criblés d'archaïsmes et de fautes d'orthographe. Je devais parfois relire dix fois une phrase avant d'en décrypter le sens. En six mois, je parvins à lire huit volumes seulement, mais ils suffirent à mettre ma vie en lambeaux.

Tout d'abord, je devins très fantasque dans mes horaires de travail. Puis je donnai ma démission. Per-

sonne ne s'en aperçut. Shulteri prit ma lettre et la transmit au Roi du Belvédère avec cette recommandation
laconique : "Acceptez, SVP." Le gros garçon du service
comptabilité vint me retirer ma carte de journaliste, me
fit signer des documents, et m'informa que le solde de
mon salaire me serait versé dans un mois. Je songeai à
faire mes derniers adieux, puis me rendis compte que
personne ne se souciait du chamboulement de ma vie
et que rien, dans le bureau, n'avait changé. L'activité
sur le mât glissant était toujours aussi frénétique, et les
Glands Étincelants, stimulés par de nouveaux concurrents, étaient très occupés à s'écraser réciproquement
leurs semelles sur la tête.

Les lois de la testostérone – exigeant implacablement
compétition et conquête – étaient solidement établies.
Tout homme était une érection incontestable.

Je disparus donc telle une ombre dans l'obscurité.
J'étais devenu si insignifiant que je n'eus même pas
droit au rituel gâteau d'adieu, avec petits morceaux
d'ananas plantés dans la crème et cerise rouge pâle au
sommet.

Ma démission inquiéta Fizz. Mais notre conversation s'était réduite à un filet d'eau dans une rivière
saisonnière en plein été. Nos échanges se bornaient aux
questions pratiques ; nous allions à la montagne chaque
week-end, la maison prenait forme – toits enduits de
poix, salles de bains installées, circuit électrique branché, égouts drainés –, mais, au fil des semaines, les
dernières poches alimentant notre conversation s'assé-
chaient, et il nous fallut bientôt batailler pour trouver
une seule goutte d'eau dans le lit tari de la rivière.

Je cessai totalement de sortir. Quand nos amis passaient, je m'enfermais dans le bureau sous prétexte
d'une chose urgente à terminer. Parfois je consentais

à regarder un film, mais Fizz devinait que c'était une concession faite à contrecœur. Elle avait raison. J'étais impatient de retourner à mes carnets. Il y avait dans ce journal intime quelque chose que je pouvais savourer, boire, chercher. Le bavardage de nos amis m'était insupportable, de même que les petits soucis ordinaires de Fizz.

Peu à peu, elle succomba à des accès de maussaderie. Qui me laissèrent tragiquement indifférent.

De fait, j'étais bien trop occupé à me débattre avec moi-même. Certains jours, j'avais peur de perdre l'esprit. Moi, l'éternel cynique, l'athée qui avait toujours vilipendé les rituels et la religiosité qui imprégnaient ma famille et mon clan, tous pétris de superstition. Ne jamais rappeler quelqu'un qui vous tourne le dos pour partir ; ne jamais se déplacer le neuvième jour d'un voyage ; si un mort vous demande quelque chose dans un rêve, vous aurez des ennuis ; si un chat vous coupe la route, surtout ne continuez pas.

Les gens que je connaissais avaient tous un homme-dieu, un gourou, un savant benêt personnel. Étant enfant, j'avais vu avec écœurement mes parents et des proches – y compris mon colporteur en complet veston de père, et mes cousins rupins Tarun et Kunwar – se mettre abjectement à genoux devant des prophètes, soufis, mystiques, voyants débraillés et illettrés. De saints hommes dont la sagesse était mise à l'épreuve dès l'instant où ils raflaient les offrandes de leurs dévots.

Mon dégoût s'accrut, lorsque je découvris les vastes archives de la littérature et de la philosophie occidentales. Je devins un enfant de l'empirisme et du rationalisme.

Je comprenais Nehru, je ne comprenais pas Gandhi. Je comprenais l'art et la science, je ne comprenais pas le rite et la religion.

Je comprenais le désir sexuel et romantique, je ne comprenais pas la dévotion surnaturelle et extraterrestre.

Quand nous allions à Agra, chez mon oncle, voir le Taj Mahal, le Fort Rouge, Fatehpuri Sikri, il y avait toujours quelqu'un – mon oncle, son frère, n'importe qui –, à un moment ou à un autre, pour raconter une histoire de prodige. « Vous avez entendu parler de Baba GoleBole ? Il ne dit pas un mot et vous bénit d'un coup de pied sur la tête. Quel que soit le vœu que vous ayez à l'esprit au moment précis où vous recevez le coup de pied, il se réalise. Certaines personnes distraites, qui ont fait un mauvais vœu à ce moment-là, l'ont payé très cher. Il y a notamment le cas d'un certain M. Pandey, un employé de la State Bank qui habite un quartier résidentiel. Pandey se dispute avec son épouse sur le chemin de l'ashram. Quand il arrive, il est encore furieux et, à l'instant où il reçoit le coup de pied de Baba GoleBole sur la tête, il nourrit de très mauvaises pensées contre sa femme. Dès le lendemain, celle-ci tombe malade. Elle a des douleurs dans tout le corps. Son état empire et le docteur ne parvient à aucun diagnostic. Finalement, un jour, alors qu'elle est mourante, Pandey se souvient brusquement de son instant d'égarement. Il se précipite à l'ashram de Baba GoleBole. Les assistants du Baba lui répondent qu'il est impossible d'annuler les effets du coup sur la tête. Pandey implore, supplie. Les assistants s'entretiennent en aparté. Il y a peut-être un moyen, une petite chance, expliquent-ils. Pandey doit recevoir un autre coup sur la tête et, au moment opportun, faire le vœu inverse.

Pandey se présente donc de nouveau devant Baba Gole-Bole. Celui-ci est assis sur une estrade haute de deux mètres, les jambes pendantes, des bichchoos d'argent à chaque orteil. Pandey s'incline devant lui, les mains jointes, et reçoit le coup. Cette fois, ses pensées sont en ordre. Deux jours plus tard, sa femme commence à se rétablir. Aujourd'hui, elle est grosse et grasse, en pleine santé, et s'est remise à harceler Pandey. »

Dès le lendemain, ma famille au grand complet allait se faire cogner sur la tête par Baba GoleBole.

Tout le monde a une histoire farfelue à raconter – ou connaît quelqu'un qui en a une – sur le miracle dont il a été témoin. Une guérison miraculeuse, un renseignement miraculeux, une apparition miraculeuse. Un de mes cousins, qui travaillait dans les champs à Salimgarh, affirmait avoir rencontré Parashurama – le légendaire Rama à la hache, pourfendeur des kshatriya –, une nuit où il marchait dans une forêt de gommiers rouges. Mon cousin expliqua que le demi-dieu, haut de trois mètres, avançait à grands pas, sa longue hache à la main, ses cheveux flottant sur les épaules. En le voyant, il se recroquevilla de terreur. Mais Parashurama fit halte et le gratifia d'un sourire radieux. Le pouvoir régénérateur de ce sourire fut tel que mon cousin sentit instantanément ses forces quadrupler. Le lendemain, il mit à terre d'un seul coup de poing un bœuf tirant une charrue qui avait fait un écart.

Ma tante LaddoMassi, la cousine de ma mère, qui habitait une maison en ruine juste à la sortie de Amritsar, avait autrefois réussi à faire parler un réchaud de cuisine. De nombreuses personnes de notre clan avaient assisté à cet exploit. LaddoMassi – qui avait été recalée en classe de sixième mais, en neuf années prolifiques, avait engendré quatre fils et trois filles – prit un réchaud de cuivre à trois pieds, l'astiqua jusqu'à ce qu'il brille, puis le posa au milieu d'un thaal en cuivre, lui aussi rendu brillant grâce à l'huile de moutarde. L'espace autour du plateau était décoré de motifs ésotériques réalisés avec du curcuma jaune, du piment rouge, du sel blanc, du poivre noir, et des feuilles vertes de figuier en forme de cœur. Le soir tombait et la lumière décroissait. Il fallait invoquer le Devta, la divinité du réchaud, après le coucher du soleil et avant la tombée de la nuit. LaddoMassi chanta des incantations. C'était une simple requête, répétée à l'infini. Après une demi-heure de récitation, le réchaud se mit à trembler. LaddoMassi ordonna alors à toutes les personnes présentes dans la cour de fermer les yeux et de ne pas prononcer un mot.

Elle posa la première question : « Devta du Réchaud, dans combien de jours reviendra mon fils parti combattre les insurgés au Nagaland ? » Son fils était capitaine dans le bataillon d'élite des fusiliers gurkhas. Au milieu des oreilles aux aguets et des yeux fermés, quatre petits coups distincts rompirent le silence. Un halètement parcourut l'assistance.

LaddoMassi questionna : « Quatre jours ? »

Aucun bruit.

« Quatre semaines ? »

Un petit coup net tinta.

Chacun put ensuite poser sa question, et la séance se poursuivit longtemps, jusqu'à ce que les trois pieds du Devta Réchaud soient épuisés et ne puissent plus répondre.

La légende familiale affirmait que tous les présages s'étaient réalisés.

Mes cousins manhattaniens et leurs parents rupins avaient eux aussi un gourou, dans la banlieue de Bombay, qu'ils consultaient pour les questions d'argent, d'immobilier, de chagrins et de célébrations. Le jeune Guruji – qui n'avait pas plus de vingt-cinq ans et avait annoncé ses dons extraordinaires en récitant la Gîta dans le ventre de sa mère –, le jeune Guruji, donc, écrivait des mantras avec un stylo-bille sur des bouts de papier déchirés dans un cahier d'écolier, les pliait en petits bulletins et les donnait à ses fidèles. Mes cousins avaient étudié à Stanford et Harvard, et gagnaient beaucoup d'argent en réussissant des opérations d'investissement de plusieurs millions de dollars. Pourtant, le soir, lorsqu'ils rentraient, planants et heureux, de night-clubs à Londres, New York et Bombay, après avoir négligemment flambé des centaines de dollars en nourriture, boissons et lignes de coke, après avoir négligemment pénétré des femmes et des hommes, mettaient leur petit bulletin dans un verre vide, le remplissaient d'eau, et l'avalaient d'un trait avant d'aller se coucher. Les bulletins mouillés étaient ensuite soigneusement mis à sécher sur la table de chevet, avant de réintégrer leur place dans les portefeuilles le lendemain matin. Ayant ainsi ingurgité son tonic divin, chacun était protégé de tout mal et préparé pour toutes les réussites.

Mon oncle disait, et mes cousins lui faisaient écho : « Le monde est rempli de puissances inconnues. Pourquoi courir un risque ? »

En effet, pourquoi courir un risque ?

Au fond, c'est ce que chacun apprenait. Pourquoi courir un risque ? N'importe quel homme-dieu, prophète, gourou, baba, astrologue, magicien, voyant, excentrique, fêlé, pouvait détenir la clé de notre destin. Nous connaissions tous des histoires de ce genre. Pourquoi courir un risque ?

Si bien que personne, en Inde, ne courait de risque. Chacun avait, au fond de sa poche, son bulletin surnaturel. Tout le monde avait accès à quelque tonic divin.

J'avais combattu cela toute ma vie. Il faut cependant convenir que les années avaient écorné mon cynisme. Longtemps j'avais affirmé que, s'il existait un dieu suprême, ses principes étaient déplorablement déphasés. L'essentiel, pour lui, aurait dû être la valeur intrinsèque des individus, leur bonté et leur conduite quotidienne. Quelle portée pouvaient avoir des rites foireux et des hommages de pure forme ? Pourquoi mandait-il une armée d'intermédiaires ringards sous divers déguisements – chacun prélevant une commission –, pour conduire à lui les croyants ? Pourquoi ordonner tous ces salamalecs ?

C'était l'attitude d'un potentat de second ordre et non d'un dieu suprême.

Et si c'était vers un potentat de second ordre que l'on nous conduisait, alors très peu pour moi. Je n'étais pas intéressé. D'un autre côté, s'il était le vrai de vrai, alors je me débrouillais bien, au physique comme au mental.

Je serais l'agnostique que Dieu prend dans ses bras. S'il existait. Et s'il était à la hauteur de sa vocation.

Quod erat demonstrandum.

La réponse que personne ne me donna alors, et que je connais aujourd'hui – quand tout est fini et que plus rien n'a d'importance –, est que toutes les courbettes ne sont pas destinées au puissant King Dong assis là-haut. Elles sont faites pour nous, pour nous apprendre l'humilité. Du moins le devraient-elles.

Ce sont nos travaux dirigés quotidiens en matière de gestion d'arrogance.

La marche sportive de l'ego pour ne pas prendre de poids. Quatre kilomètres en quarante minutes, quatre jours par semaine : la formule des « heart-watchers ». Sept génuflexions en sept minutes, sept jours par semaine : la formule des « ego-watchers ».

Pour nous rappeler que nous savons que nous ne savons pas.

À l'époque, toutefois, l'algèbre de mes croyances était soumise à un examen rigoureux. Étant tombé du statut de mécréant à celui de non-croyant, je présageais d'autres humiliations. De « Il n'existe rien d'autre » à « Qui sait, peut-être », puis à « Oui, il existe autre chose ». Cette glissade m'embarrassait terriblement. J'entendais gronder dans ma tête les échos d'années de disputes acharnées – ma voix débitant mes théories sur l'empirisme, le rationalisme et l'évolution, ma voix et celle de Fizz riant et s'interrogeant sur le jargon qui contaminait les plus sains de nos amis.

Et la voix ricanante de mon père : « Tes connaissances ne sont en vérité qu'une profonde ignorance. »

Ainsi donc, tout en ayant conscience de la crise que je provoquais dans la vie de Fizz, j'avais une conscience plus aiguë encore du chaos grandissant où s'enfonçait la mienne. Et il m'était impossible d'en parler à quiconque. Que dire ? Que j'avais sombré dans un étrange journal intime ? Que le décodage de ses secrets était devenu mon unique obsession ? Que des hallucinations perturbaient toutes mes nuits ? Que je me sentais assailli par une présence ? Que celle-ci flottait au-dessus de mon épaule lorsque je lisais les carnets ? Dans mon lit, lorsque je dormais ? Que, certains jours, je m'éveillais avec une sensation de ravissement, d'épuisement, de ressentiment et de désir ? Que j'étais incapable, malgré mes tentatives de m'arracher à tout cela ? Que je croyais savoir qui était cette présence ? Mais que j'ignorais ce qu'elle me voulait, sinon user sur moi d'une séduction dont l'intangibilité et le pouvoir m'effrayaient ?

Que dire ?

Que je vivais des expériences de sortie de corps ? Que j'étais comme mon cousin qui rencontrait Parashurama dans la forêt, avec sa hache géante sur l'épaule, attendant son heure pour lancer une nouvelle attaque d'envergure contre les kshatriya ? C'était risible, grotesque. J'avais besoin d'un coup de pied de Baba GoleBole sur la tête. J'avais besoin de centaines de coups de pied sur la tête de la part de tous les gens que je connaissais.

Mais je ne pouvais rien dire.

Et Fizz, au désespoir, ne pouvait qu'observer.

Quelques mois après son achat, nous avions donné un nom à la maison et posé une plaque de marbre sur le pilier de pierre du portail du haut. En élégants caractères Trajan, le vieux graveur musulman de Haldwani avait ciselé : Au Commencement, et, dessous, en italique Times, nos deux noms. Il avait parfaitement reproduit le modèle sur papier d'imprimante que je lui avais fourni, et y avait apporté quelques ajouts personnels. En bas, il avait taillé un brin de margousier artistiquement arrondi, aux veines délicatement dessinées.

Au Commencement.

Qu'y avait-il au commencement ?

Avant l'ambition, avant le travail, avant le bureau, avant la situation, avant la signature dans le journal, avant la voiture, avant la maison, avant le mariage, avant le besoin.

Avant le besoin, avant le besoin, avant le besoin…

La pureté de la chose première. La complétude originelle.

Amour et désir.

Cœur et art. Fizz et moi.

Au Commencement.

En élégants caractères Trajan, avec de fins empatte-ments.

Quelle ironie ! Désormais nous dérivions au pays des choses dernières. Où le fruit se gâte sur la branche avant de s'épanouir. Où la pluie brûle tout ce qu'elle touche. Où l'air dessèche les poumons. Où l'amour est sans passion, réduit au souvenir d'un autre temps.

Fizz ne comprenait pas grand-chose. Mais elle com-prenait que mon corps s'était détourné du sien. Il avait brisé le modèle qui avait été la plus grande vérité et la plus grande ivresse de notre vie.

Et, parachevant la trahison, il semblait parti à la recherche d'un autre corps.

LIVRE IV

Karma : désir

Un Américain Singulier

Catherine avait rencontré l'Inde dans le magasin de son père.

Les Curiosités orientales de John étaient une boutique insolite nichée dans Lake Street, à Chicago. La façade était étroite, et en retrait des autres car elle possédait une véranda profonde. Si l'on passait devant un peu trop vite, on avait de fortes chances de manquer sa porte en noyer richement sculpté, ornée d'un tigre bondissant et de clous de cuivre proéminents dans les quatre angles. Mais si l'on passait devant en flânant – ce que personne ne faisait à Chicago même en 1897 –, on ne pouvait manquer les écrans de soie chinoise occultant les fenêtres, le masque de démon cingalais à l'air renfrogné au-dessus de l'entrée, le lourd bouclier de Rajput en fer et bois, orné en son centre de l'insigne du soleil, accroché à côté de la porte sculptée et surmonté de deux étincelantes épées croisées. Si la porte était ouverte, on pouvait apercevoir, médusé, les somptueuses défenses d'un éléphant indien jaillissant du mur du fond, qui encornaient l'atmosphère dense et confinée du magasin.

Et si l'on y entrait, après avoir écarté la tenture parée de minuscules animaux sculptés en bois et en ivoire, on franchissait un sas géographique. La salle était habilement éclairée par des becs de gaz qui projetaient des

vagues d'ombre. John, fin psychologue, maintenait une
lumière tamisée pour rehausser l'ambiance de mystère
qui attirait sa clientèle. Mais même un client aveugle
aurait deviné instantanément qu'il pénétrait dans un lieu
inhabituel. On captait, dès la première bouffée d'air, les
riches senteurs d'épices inconnues, de parfums indiens,
de peaux d'animaux taxidermées, de bois de santal, de
narguilés d'opium, et les fragrances plus subtiles de
fruits séchés, de coffres en cèdre, de soies odorantes et
de thé d'Assam.

Si l'on n'était pas aveugle, on était assailli par un
enchantement visuel exotique, impossible à embrasser en une seule visite. Plus excitantes encore que
les courbes d'ivoire blanc fauchant l'air étaient les
peaux de tigres luisantes, suspendues sur les murs :
les rayures noires et orangées, si esthétiques, la gueule
grondante, les crocs lustrés et menaçants. Chaque animal désincarné avait, à côté de lui, une plaque portant
son nom. Le préféré de Catherine était un fauve à la
tête étroite, avec un œil abîmé. *La Princesse borgne
de Kaladhungi*, Kumaon, Provinces-Unies, 1892. Elle
avait presque l'air inoffensif, comme si elle faisait un
clin d'œil. Le jour où John la vendit, sa fille, alors âgée
de dix ans, fut très contrariée. N'ayant pu la convaincre
qu'un commerçant ne doit pas s'attacher aux objets
qu'il vend, il tenta de récupérer *La Princesse borgne*,
mais le client était un nouveau riche de Boston dont il
ne put retrouver la trace.

Catherine était tout aussi fascinée par les rangées
de hauts bocaux dans lesquels flottaient des serpents
conservés dans du formol. Bongares annelés, vipères,
serpents ratiers, couleuvres à collier, et le splendide
hamadryade, le cobra royal, avec son capuchon menaçant replié dans la mort. Il y avait aussi le python tacheté,

de couleur ocre, dont la longueur et le volume l'empêchaient de tenir dans un bocal, et que John conservait
dans un grand aquarium carré, où il était boudiné et collé
contre les parois de façon obscène. La fillette contemplait les serpents pendant des heures dans un état d'extrême répulsion. Les restes d'animaux l'intéressaient
moins : piquants de porc-épic dans un verre, peaux de
roussettes, de chats et de chiens sauvages, papillons et
scarabées épinglés dans des vitrines, des chouettes et
un calao empaillés, des trophées d'antilopes et peaux
de daims, des éventails de plumes de paon irisées, une
peau de guépard, d'apparence féminine dans sa minceur soyeuse, et la corne recourbée d'un rhino, grise et
tannée, totalement dénuée de charme.

John gardait la corne de rhino derrière le bureau en
acajou où il faisait ses comptes. Parfois, quand ils lui
rendaient visite, ses amis s'amusaient à caresser lentement la corne en riant.

L'une des choses dont raffolait Catherine, c'était
ouvrir les sacs d'épices rares pour en humer l'arôme.
Elle aimait aussi l'odeur des coffres de cèdre, et posait
souvent sa joue lisse sur le bois frais, les yeux fermés,
pour s'imprégner de leur senteur légère. Elle trouvait les
parfums indiens trop capiteux, mais appréciait l'âcreté
singulière des peaux de bêtes, cuir et poils, mortes et
pourtant si vivantes.

Elle adorait également regarder les gravures de
dessins à l'encre et d'aquarelles qui emplissaient une
alcôve, sous les défenses d'éléphant. Pour l'essentiel,
il s'agissait de scènes du sous-continent indien. Des
armées sur le champ de bataille, l'une en vestes et képis,
l'autre en tuniques et turbans. De somptueux défilés,
avec des éléphants caparaçonnés, des guépards tenus
au bout d'une chaîne, des foules à la peau sombre. Des

maharajas, arborant des favoris agressifs, au milieu de réceptions fastueuses, rafraîchis par de gigantesques éventails. Des scènes de bazars grouillants de monde, de marchandises, d'animaux. Des combats de coqs au milieu d'un public enthousiaste et braillard, composé de quelques Européens et d'une majorité d'Indiens. Des terrasses de crémation au bord des fleuves, avec des bûchers funéraires et des indigènes en prière. Des tableaux de chasse, avec un tigre acculé, face à des hommes blancs armés, juchés sur des éléphants, prêts pour l'hallali. Des Indiennes à demi voilées, avec un visage fin, un corps généreux, des yeux en amande.

Dans un tiroir, derrière le comptoir, était rangée une autre série de gravures. Catherine les découvrit à l'âge de treize ans. Les images l'enflammèrent. Grandes comme la paume, elles étaient emprisonnées dans un livre intitulé *Le Kama-sutra indien : l'art de l'amour*, et montraient des hommes et des femmes faisant des choses que jamais elle n'aurait imaginées. Si esthétiques, si riches, si nues, si acrobatiques, si extatiques. Les femmes aux yeux en amande semblaient jouir de l'instant avec assurance et maîtrise. La fillette regardait les images en cachette, le corps brûlant et liquéfié.

L'une, en particulier, la fascinait. Un homme de haute taille, peau sombre et moustache gaillarde, sans turban, torse nu, probablement un serviteur, fait face à une beauté aux yeux en amande, voluptueuse à l'extrême, les seins débordant de son corsage, vêtue de riches brocarts, sans doute une princesse. Des plis du dhoti de l'homme jaillit un pénis anormalement développé ; ses jupes relevées autour de la taille, la princesse enlace de sa jambe droite le dos large du serviteur, et, de sa main gauche, attire le pénis vers le moelleux de son sexe. Il n'y a aucune ambiguïté : la femme est l'assaillant, l'homme docile. Leurs deux visages rayonnent de plaisir. Chaque fois que Catherine regardait cette image, elle serrait ses mains entre ses cuisses, envahie de moiteur et de langueur.

Ce qui l'ennuyait le plus dans le magasin de son père, c'étaient les tables couvertes de soieries et de satins, de manteaux d'astrakan et doublés de zibeline, de châles de cachemire et de robes ourlées de fourrure. Elle n'était pas davantage attirée par les bijoux sophistiqués, colliers et boucles d'oreilles, ornements de nez et anneaux d'orteils, en émeraude, rubis et jade. Même les miroirs en argent ouvragé la laissaient indifférente. Elle ne comprenait pas ces femmes qui venaient au magasin et passaient leur temps à roucouler sur pareilles futilités, aveugles aux autres richesses entassées autour d'elles. Si elles ne souhaitaient rien d'autre, pensait Catherine avec colère, elles auraient mieux fait d'aller dans ces immeubles à façade de marbre de State Street, où des hôtesses courtoises vous accueillaient et vous escortaient dans des salles voûtées remplies de babioles lourdement ornées et de fanfreluches au prix exorbitant. Avant même d'avoir treize ans, Catherine décida que les femmes étaient aveugles aux merveilles du monde et, par timidité, utilisaient leur obsession pour les vêtements et les parures afin de se protéger contre des expériences plus intenses.

Sa mère n'était pas différente.

Malgré son jeune âge, Catherine observait la suprême indifférence de sa mère, ravissante mais phtisique, envers les désirs d'ailleurs de son père. Jamais elle n'avait entendu Emily interroger John sur les endroits du monde où il était allé ni les expériences qu'il y avait vécues. Jamais elle ne l'avait vue manifester la moindre curiosité pour ses voyages ni son magasin.

Jamais elle n'avait vu sa mère autrement que glaciale et manucurée.

Elle ne pouvait l'imaginer faisant les choses qu'elle avait découvertes dans le tiroir. D'ailleurs, elle ne l'imaginait même pas dépouillée de ses vêtements et reconnaissant l'existence de ses seins et de ses endroits secrets.

John avait deux fois l'âge d'Emily lorsqu'il fit sa connaissance. Il venait d'avoir quarante ans et en avait passé vingt-quatre à courir le monde. C'était un Américain singulier : aux aventures plus sages de ruée vers l'or et de conquête de ranchs dans les espaces vierges du continent, il avait préféré sillonner les océans jusqu'au Japon, Java et Sumatra d'un côté, l'Égypte, la Tanzanie et Zanzibar de l'autre. Mais la région du monde qu'il préférait était l'Asie du Sud, le sous-continent indien, infesté de tigres et autres bêtes sauvages, imprégné d'une civilisation très ancienne et d'une vaste culture, gouverné par une poignée d'hommes blancs mais envahi par un million de divinités obscures.

Il avait fait escale à Calcutta, Bombay, Madras, pénétré dans les terres jusqu'à Cawnpore, Agra, Delhi, Lahore, monté à cheval, à dos de chameau et d'éléphant, et parfois à dos d'homme dans des palanquins bringuebalants, traversé des déserts, des forêts, des tempêtes, des moussons, souffert de maladies et d'épidémies, admiré les sublimes monuments moghols, les antiques temples hindous, les austères monastères bouddhistes, et les cimes de l'Himalaya.

Au cours des dernières années, ses voyages terminés, sédentarisé par son mariage, il avait coutume de dire : « Ce pays est la plus sauvage expérience du Seigneur. Nulle part ailleurs – et j'ai voyagé partout où va la mer –, il n'y a de contrée si étrange et merveilleuse. Là-bas, Dieu a tout rassemblé : hommes, animaux, climats, géographie, histoire, maladies, fortune, sagesse, attendant de voir ce qu'il en résulterait. »

Et quand son interlocuteur lui demandait : « Alors, qu'en a-t-il résulté ? », John devenait songeur et répondait : « En vérité, c'est impossible à dire. Peut-être la conscience que l'on peut être riche et pauvre en même temps, craintif et audacieux en même temps, sage et fou, magnifique et pathétique. »

Si on le pressait de s'expliquer, il poursuivait : « L'indigène échappe à tout examen rigoureux. Il suscite l'admiration la plus profonde et le mépris le plus absolu. Il ne se laisse pas percer à jour. Il baigne tout autant dans le charnel que dans l'occulte. Il érige des édifices époustouflants et vit dans des huttes de terre. Il mange très peu et refuse beaucoup. Il est dénué de dignité et en est pourtant imprégné. Il n'a rien à donner mais donne tout volontiers. Il est sous la botte de l'homme blanc mais ne se laisse pas dompter. Il défie l'entendement. »

Sur les huit voyages de John en Inde, il en avait fait deux comme mercenaire et six comme commerçant. Une fois, il avait failli succomber à la malaria dans les forêts de l'Inde centrale, près de Gwalior. Pendant trois semaines, il avait subi des accès de fièvre qui l'avaient tellement anéanti qu'il avait prié pour mourir. Les feuilles amères de l'apothicaire du village qu'on lui avait fait mastiquer étaient restées sans effet ; puis, un jour, la femme du chef du village lui avait donné une amulette de bois représentant le signe sacré de om. Il l'avait mise sous la chemise roulée qui lui servait d'oreiller et, bientôt, la fièvre avait commencé à bais-

ser. Depuis lors, il portait toujours l'amulette à son cou
et, quand il dormait, sous son oreiller.

L'amulette, pas plus que ses récits, n'émouvait sa
femme. En fait, lorsqu'il lui racontait ses aventures,
Emily prenait un air absent. Le bourlingueur coriace,
au regard doux, au nez recourbé, aux cheveux liés en
catogan, avait aperçu sa future épouse un jour où, passant par New York, il était allé à l'improviste rendre
visite à sa tante qui habitait dans la 32ᵉ Rue. Ce jour-
là, Emily était venue livrer une nouvelle édition de la
Bible commandée par la vieille dame. Ses joues étaient
si roses et sa beauté si vulnérable que le cœur de John
avait vacillé.

John était un homme de grande expérience et de
grand appétit, qui avait vigoureusement forniqué dans
tous les pays avec des femmes de tous les genres et de
toutes les couleurs. Avec la curiosité et la bonne humeur
des aventuriers, il avait découvert que – contrairement
aux mythes communément propagés par les hommes –
il n'existait pas deux femmes semblables. Et que ce
qui était le plus dissemblable était précisément ce que
les hommes imaginaient le plus identique. Chaque
fois qu'un pays nouveau se profilait à l'horizon, il se
demandait avec excitation quelles femmes l'attendaient
à terre.

C'était un fin connaisseur des zones secrètes. Il savait
que chaque femme possédait une odeur, une saveur, une
ouverture différentes. Avant et après l'amour, il aimait
placer une bougie afin d'éclairer les replis intimes entre
les cuisses de sa partenaire. Il aimait surtout ce dernier centimètre, où la chair est si douce, où la cuisse se
dilate avant de se fondre dans la crête mystérieuse où
poussent les poils. Parfois il fermait les yeux et tâtait ce
point ultime juste du bout des doigts, et il était trans-

porté. Mais ce qui lui importait le plus était la vision, l'examen et l'analyse attentifs; tel un érudit, il inspectait patiemment son sujet, puis, avec amour, et une grande mémoire photographique, le classait pour une future référence.

Nombreuses étaient les femmes que son regard direct couvrait de honte; d'autres s'exhibaient lascivement. Son étude lui apprit que le créateur était un artiste sans limites : d'une pichenette inventive, il mettait une torsion ici, une boucle là, renouvelant et différenciant son œuvre à l'infini. L'homme qui aspirait à explorer les femmes ne pouvait le faire en une seule vie. John regardait, examinait, enregistrait.

Il y avait les zones secrètes qui affleuraient la peau, s'ouvrant comme une entaille humide dans une mandarine ferme; celles dotées de crêtes doucement gonflées, belles comme une pêche, propres à hanter l'imagination de tous les écoliers; celles, encapuchonnées comme le cobra, évasées à la tête, qui gardaient l'entrée; celles qui s'ouvraient sur les ailes de l'aigle, prêtes à s'élancer vers le ciel; celles qui, accrochées très bas comme les caroncules d'une dinde, quémandaient une bouche téteuse; celles qui étaient retirées si loin qu'il valait mieux les aborder par-derrière; celles qui se portaient si intrépidement vers l'avant qu'on pouvait y pénétrer sans même fléchir un genou; celles qui foisonnaient, luxuriantes et enchevêtrées comme les forêts amazoniennes; celles qui couraient, lisses comme les sables du Sahara; celles dont les racines se dressaient tels des mâts de pavillon, le muscle de leur tige ferme entre les doigts; celles dont les racines continuaient de se dérober, même après plusieurs jours d'exploration; celles qui bâillaient, ouvertes dans une molle attente; celles qui demeuraient étroitement fermées, guettant l'importun ; celles dont les profondeurs ne pouvaient être pleinement sondées même avec le doigt le plus long ; et celles dont le petit doigt touchait le fond à peine entré ; celles qui suintaient copieusement de désir toute la journée ; celles qui s'humectaient à peine quand on les inondait d'amour ; celles qui se réduisaient à un simple tube, un tunnel de chair, prosaïques dans leur dessein ; et celles qui offraient un dédale d'allées aux subtilités exaspérantes, capables d'un charme infini ; enfin il y avait celle, inoubliable, croisée dans les ruelles sinueuses de Calcutta, qui n'était pas une mais deux, côte à côte, séparées par une simple paroi de chair, chacune apte à la pénétration, chacune différente dans son étreinte chaude et moite.

Pour un érudit tel que John, celle-ci fut la découverte ultime. Lorsqu'il les eut toutes les deux longuement aimées et contemplées, il sut que Dieu était un homme bon et un brillant sensualiste qui souhaitait les plus grandes félicités à ses maladroites créatures.

Les études de John lui enseignèrent qu'aucun homme ne pouvait connaître pleinement une femme s'il ne connaissait pas son corps. Or rien, dans son apparence, ne fournissait le moindre indice sur ses mécanismes secrets. Une femme belle, ayant l'audace d'une catin, pouvait fort bien, le moment venu, devenir aussi froide qu'un poisson. Tandis qu'une femme à la timidité de faon était capable, poussée dans ses retranchements, de se muer en une force de la nature, une tigresse défendant âprement sa part de chair fraîche. On avait beau connaître une femme toute sa vie, on ignorait tout d'elle si l'on ne pénétrait pas dans sa sphère intime. À chaque rencontre, il fallait tout reprendre au commencement.

Chaque femme était un défi, et John explorait chacune avec ce même émerveillement que lui inspiraient les pays étrangers.

Et son émerveillement ne cessait jamais.

Une seule règle générale le guidait : chercher un attrait dans le visage. Quel qu'il soit. Un grain de peau, une finesse de traits, une bouche charnue, un regard attirant. Ainsi qu'il l'expliquait à ses amis quand ceux-ci venaient lui rendre visite à sa boutique : « Le corps n'est rien, seul le visage compte. Quand vous faites l'amour à une femme, vous ne voyez que son visage. S'il vous retient, alors cela ne peut jamais être vraiment raté. »

La jeune Emily était dotée d'un visage au charme incomparable. Dès qu'il posa les yeux sur elle, John sentit une trépidation secouer son âme. Ce n'était pas comme s'il n'avait jamais connu l'amour. Tous les hommes connaissent l'amour à l'instant où ils se répandent dans les profondeurs d'une femme. John avait éprouvé ce sentiment, fugitivement, avec toutes ses partenaires, même les plus méprisables. Mais avec Emily, c'était différent. Il ressentait un élan de désir, de protection, de possession. Un besoin de la tenir tout entière entre ses bras et d'en faire le centre de son univers. La servir, la chérir, l'adorer. C'était l'amour – non pas celui qui se limite à l'instant de l'extase, mais l'amour qui vient de bien en deçà et va bien au-delà du charnel.

Les hommes peuvent être tellement ébranlés, de la plus étrange des façons, en une fraction de seconde, dans le plus trompeur des élans, que le cours de leur vie en est altéré à jamais.

Après leur mariage, John découvrit que sa ravissante épouse était ignorante de son corps et incapable d'ardeur. Fort de son expérience, il entreprit patiemment de tracer la géographie de sa délicate charpente. Il pressa, sonda, embrassa, lécha, caressa, suça, observa, évalua – cherchant les déclencheurs de ses sens. Il savait que chaque corps avait un code, lequel ne pouvait échapper longtemps à un amant déterminé. Mais il ignorait que certains codes sont tellement brouillés qu'on ne peut les déchiffrer.

Il alla plus loin, essaya les aphrodisiaques. Il avait toujours conservé un cabinet de poudres et de potions rapportées de ses voyages en Inde et en Extrême-Orient. Ginseng, extrait d'os de tigre, huile de varan, potions à base de Cayenne et de clous de girofle, de poivre et d'ail, de gingembre et de réglisse, de muscade et de safran. Il les utilisa sur Emily, sournoisement et avec assurance, séparément ou combinés, de façon hebdomadaire ou quotidienne, guettant anxieusement l'étincelle de contact.

Mais le corps de la jeune Emily, après des mois de labeur acharné, de cajoleries, de breuvages, demeurait résolument frigide.

Bien entendu, elle ne repoussait pas John. Elle accomplissait le devoir conjugal en demeurant détachée, étrangère à toute forme de désir.

Cependant, une chose étrange et inattendue se produisit en John. Son corps devint dépendant du corps inerte de sa femme. À son insu, Emily détenait en elle le code précis du désir de John. Le contact de sa peau, la courbe de sa taille étroite, le musc de son sexe, la pointe retroussée de ses seins, et même l'odeur sucrée de son haleine embrasaient le voyageur aguerri. Il avait goûté aux festins les plus exotiques du monde, mais ce plat unique était idéalement épicé pour son palais.

Le matin, il se réveillait enfiévré. Même une fois satisfait, son désir ne refluait pas. Le soir, sa tumescence s'épanouissait bien avant qu'Emily ne vienne se coucher. Il n'avait pas connu un tel feu depuis l'adolescence. Il se surprenait à l'épier quand elle était à sa toilette, à la découvrir doucement pendant son sommeil pour la contempler. Parfois, quand elle se tenait face à la fenêtre pour tirer les rideaux, il se jetait à genoux et relevait ses jupes pour enfouir son visage dans l'arrière de ses cuisses, chancelant de désir.

Elle tolérait tout, se donnait à lui sans plainte ni passion. Les leçons acharnées de sa bigote de mère sur la moralité et la responsabilité avaient étouffé en elle la faculté de jouir comme de protester.

Et John, qui avait forniqué avec des houris acrobates et des beautés gémissantes sur quatre continents, s'échinait à comprendre les effets électrisants de la passivité de sa femme. Avec le temps, il cessa même d'attendre une réaction de sa part, prenant son corps quand et comme il le voulait, sombrant de plus en plus dans l'addiction.

Les vérités qui avaient accompagné sa vie tombaient l'une après l'autre.

Il avait toujours affirmé que le désir était une voie à double sens et qu'il était impossible de désirer une personne qui ne vous désirait pas.

Il avait toujours considéré que le charme des femmes résidait dans la variété de leur nature.

Il avait toujours su que le sexe des femmes et la courbe infinie de la Terre seraient les leitmotive de sa vie jusqu'à son dernier jour.

Il avait toujours cru que chaque amante laisse sur l'âme une marque indélébile.

Mais tout cela avait changé.

Avant de se marier, il avait en mémoire le souvenir vivace de toutes ses maîtresses et de la qualité du plaisir que chacune lui avait donné. À présent, de plus en plus obsédé par la jeune et frigide Emily, le souvenir des cuisses, des cambrures, des ouvertures humides et des muscs de cent femmes aimées commença à s'effacer lentement. Et, tout aussi inexorablement, s'émoussa son besoin de parcourir la courbe infinie du monde. Il ne supportait plus de rester éloigné plusieurs mois d'affilée de cette épouse dont la passivité le rendait fou. Il avait un besoin vital de l'euphorie que lui procurait son corps.

John se tourna vers son magasin pour construire un monde de substitution.

Et dans sa tentative de se raccrocher à l'homme qu'il avait été, il entreprit – comme les meilleurs de son temps – d'écrire tout ce qu'il avait vu et appris. La clientèle étant assez rare, il s'installa derrière son bureau d'acajou pour rédiger ses mémoires dans son grand registre de comptes broché ; il voulait tout consigner, avant que les images ne s'effacent, sans savoir pour qui il le faisait, ni quel dessein cela servait. Il écrivit sans maîtrise de langage, mais il n'omit rien de sa vie. Et comme il n'imaginait pas que quelqu'un le lirait, il écrivit sans peur ni artifice.

John était loin de se douter que les mots, une fois écrits, justifiaient eux-mêmes leur existence. Il était loin de se douter que quelqu'un les lisait à peine jetés sur le papier.

Catherine, qui détestait l'Institut privé de jeunes filles de Mrs. Mills où l'on enseignait la danse, la culture générale et le maintien, Catherine, qui maudissait les caniveaux boueux et les rues détrempées de la tapageuse ville de Chicago, Catherine, qui abominait les chiffonniers itinérants et les immigrants italiens braillards vendant leurs fruits à tous les carrefours, Catherine, qui exécrait les policiers irlandais au visage rubicond d'ivrognes et les jeunes vendeurs de journaux criant à tue-tête, Catherine, qu'insupportait le froid de Chicago qui lui rongeait l'âme et les os, Catherine, qui vomissait les magasins huppés de State Street où l'on vendait des colifichets de Paris et de Londres, Catherine, qui honnissait les dames chic se pavanant sur les boulevards en robe de soie et ombrelle de dentelle achetées au grand magasin Potter Palmer, Catherine, qui renâclait à sortir dans le coupé familial avec sa mère exsangue, Catherine, qui détestait aller pique-niquer au lac Michigan avec ses cousines minaudières, Catherine, qui méprisait son oncle maternel de Calumet Avenue et ses manières affectées, Catherine, qui abhorrait les tentatives des amies de sa mère pour figurer dans l'annuaire des femmes du monde les plus en vue de la ville, Catherine, qui haïssait la bonne société de Chicago, où les hommes étaient des dieux et les femmes des appendices décoratifs, Catherine, donc, la jeune Catherine pleine de colère, d'ennui, de frustration et de mépris, trouva dans les mots de son père les nourritures spirituelles qui lui manquaient.

Elle lisait ce que l'aventurier au catogan écrivait. Dès la seconde où John avait le dos tourné, elle se précipitait derrière son bureau. Et quand il n'y avait plus rien à lire, elle regardait les images cachées. Entre les mystérieuses séductions des Curiosités orientales, les émoustillements magiques des mots habités de son père, et les charmes obscurs et alanguissants des gravures érotiques, Catherine devint une femme qui n'avait plus sa place à Chicago.

Si Catherine tenait quelque chose de sa mère, c'était uniquement sa beauté physique. Son âme et son esprit lui venaient exclusivement de John. Le voir blanchir et

dépérir dans ce magasin artificiel l'emplissait de chagrin. Lorsqu'elle eut dix-sept ans, il en avait soixante ;
l'alcool le tuait lentement, ses yeux étaient chassieux
et lointains. De temps à autre, elle lui réclamait des
histoires qu'elle avait entendues de nombreuses fois,
mais il s'interrompait toujours au milieu d'une phrase,
se remémorant quelque lieu de sa jeunesse qu'il ne
reverrait jamais plus.

Rarement, très rarement, avant le premier verre de la
matinée, il faisait un effort pour sa jeune et ravissante
fille ; il redressait les épaules et marchait de long en
large dans le magasin, le catogan agité de balancements,
discourait sur les merveilleux objets dont regorgeait sa
boutique, les montrait, les touchait, les brandissait en
triomphe, exaltait les beautés d'un monde fabuleux.
Mais ces tentatives destinées à inspirer Catherine
retombaient bien vite, et John sombrait ensuite dans un
isolement et un silence plus profonds.

Catherine en avait le cœur brisé.

Elle aurait tout donné pour le voir vivant, viril,
débordant de projets une fois encore.

Elle aurait tout donné pour le réveiller et le convaincre d'entreprendre un dernier voyage.

Objet indifférent de l'adoration de son mari, Emily,
après le tournant de la quarantaine, s'était de plus en
plus immergée dans la religion. Elle avait formé un
Club biblique des sauveurs du monde avec un groupe
de femmes de son obédience. Ces dames se réunissaient chaque jour pour lire des passages de la Bible
à voix haute. Elles dressaient des listes de personnes
dans le besoin. En rencontraient certaines, à qui elles
donnaient des leçons qu'on ne leur demandait pas ; à

d'autres, elles envoyaient des citations bibliques appropriées, recopiées à la main par leurs soins. Il y avait
aussi les œuvres de charité. L'Armée du Salut s'étant
désormais bien implantée à Chicago, Emily et ses core-
ligionnaires aidaient à collecter des fonds et des effets
pour les nécessiteux. Elles dressaient des listes détaillées de tous les actes charitables accomplis – matériels
ou spirituels.

Elles étaient pressées. Il leur fallait accumuler un
maximum de bonnes actions. Emily et ses amies étaient
millénaristes ; elles prédisaient l'Apocalypse. La fin du
monde allait survenir dans moins de cent ans. Grâce à
leurs actes de charité et de foi quotidiens, elles aidaient,
à leur humble façon, à la rédemption du genre humain.

Pour Catherine, sa mère était une fanatique stupide.

« En Inde, nul ne se soucie de la fin du monde, objec-
tait John. Pour les Indiens, le monde est une illusion
imaginée par un dieu espiègle ; il ne s'achève jamais,
et la vie humaine est comme une succession de matchs
sportifs. Tantôt on gagne, tantôt on perd, mais on n'est
jamais interdit de jeu. Si on joue bien, on passe en première division. Si on joue mal, on descend en deuxième
division. À chacun de choisir où il préfère jouer. Dieu
n'est pas un juge sévère ni un bourreau ; c'est un arbitre
inoffensif qui établit les règles et compte les points.
Si on le souhaite, on peut discuter avec l'arbitre et le
contester. D'ailleurs, l'arbitre lui-même n'est pas au-
dessus d'une facétieuse tricherie ou d'une entorse au
règlement.

– Que pense de cette théorie le Club biblique des
sauveurs du monde ? lui demanda Catherine.

– Ces dames y voient une image de Dieu très perni-
cieuse », répondit John.

Pendant les heures où elle ne sauvait pas le monde,
Emily cherchait activement un mari pour sa fille. Un

jeune homme pourvu d'un cœur chrétien et d'un grand
magasin, ou un jeune pourvu d'un cœur chrétien et
d'un petit magasin. Autant projeter un repas végétarien
pour un tigre. Hormis son père, Catherine détestait tous
les hommes de son entourage, jeunes et vieux. Elle
méprisait leur arrogance et leur vanité, leur âme de
commerçant et leur peau blanche répugnante. Seuls les
Noirs la séduisaient, avec leur air de truculence tranquille et d'oppression ancestrale, mélange d'humilité
et de rébellion, leur peau noire et lisse sous laquelle
jouaient les muscles. Mais les Noirs étaient comme des
ombres : on les apercevait partout et pourtant il était
impossible d'engager une conversation avec eux ou de
les rencontrer.

Il y en eut un, cependant, avec qui elle eut une rencontre inattendue et furtive dans la cuisine : Jim, le
jeune Nègre qui venait deux fois par semaine désher-
ber et sarcler le jardin, et lui racontait son enfance en
Alabama. Il lui ouvrit le corps en haletant, et s'arracha
d'elle avant que la douleur ait eu le temps de se transformer en plaisir. La porte de service était entrouverte.
Dehors, le soleil était aveuglant. Le jeune Jim s'enfuit,
secoué par un dernier spasme, laissant derrière lui une
forte odeur de musc.

La même scène se reproduisit, dans la même cuisine, en milieu de matinée, avec le soleil aveuglant
qui dardait dehors ; et de nouveau Jim s'enfuit avant
même que soient apaisées les secousses de plaisir de
son corps, abandonnant Catherine plaquée sur la table
de cyprès, sa joue brûlante contre le bois lisse. L'odeur
forte de musc s'attarda après lui, et il y avait des taches
sur le sol.

Catherine ne renouvela pas l'expérience, mais elle
ne la regretta pas non plus. L'apothéose avait été peu

de chose, mais il y avait eu le plaisir avant et après, dans l'anticipation et dans le souvenir. Elle savait – par instinct et par ses lectures – que la jouissance de l'acte lui-même viendrait, à son heure et avec un autre genre d'homme.

Un genre d'homme qu'elle ne trouverait pas dans cette ville.

Sans que cela fût jamais formulé, Catherine avait tout au long de sa vie été préparée à quitter Chicago. Sans le savoir, elle avait reçu son éducation dans le magasin de Curiosités orientales de John. Il lui semblait parfois moins bien connaître la ville où elle avait grandi que les contrées fabuleuses dont la magie avait échoué dans le magasin de son père. Peu à peu lui était venu un sentiment d'affinité, même avec les reptiles emprisonnés dans leurs étouffants bocaux, et elle se surprenait souvent, le cœur étreint par un désir vague, à caresser la corne de rhinocéros et les peaux de tigres soyeuses. Elle se mit à étudier les innombrables cartes géographiques en parchemin que John conservait dans un classeur, imaginant un itinéraire à travers de vastes étendues d'eau. Et lorsque sa mère entreprit d'inviter des jeunes gens pour le thé, Catherine confia ses aspirations à son père et lui demanda des conseils d'évasion.

John aimait assez la vie et sa fille pour la laisser partir. Son état physique s'aggravant, la pensée de l'abandonner à la garde d'Emily le terrifiait. Il dressa la liste de ses amis à travers le monde, donna à Catherine des leçons sur les ports et les voies maritimes, les navires et les tarifs, les langues et les cultures, les vêtements et les coutumes, la morale et les mœurs, les cuisines et les monnaies, les religions et les rites.

Un matin où la réunion du Club biblique se tenait chez elle, Emily convia un jeune homme, auteur d'une monographie intitulée *La Science de l'Apocalypse et l'art d'y survivre*. Très poli, très pâle, il s'exprimait avec une remarquable éloquence. Ses larges favoris vibraient de passion quand il décrivait les incendies rugissants qui dévoreraient le monde lors du Jugement dernier. Les feux monteraient, rageurs, des profondeurs de la terre et roussiraient les cieux ; les étoiles seraient brûlées et le soleil noirci.

Ces dames écoutaient le jeune homme, le regard sombre et les mains jointes.

« Les hommes qui ont été violents envers d'autres hommes, les hommes qui ont convoité plus qu'ils n'avaient besoin, les hommes qui se sont détournés du Seigneur, les femmes qui ont laissé Belzébuth infiltrer dans leur corps des envies coupables, tous ceux-là rôtiront dans les flammes de l'Apocalypse et n'auront pas droit au repos de la mort. Pour l'éternité. Sans merci ni répit. Sans hier ni demain. »

Les rares femmes qui n'avaient pas les jambes croisées les croisèrent aussitôt.

Le soir même, Emily annonça à John et à Catherine que le jeune homme était celui qu'elle avait choisi pour futur gendre. Le lendemain matin, John – sans même avaler sa première gorgée de whisky – entama les préparatifs d'un ultime voyage. L'après-midi, lorsque Catherine le rejoignit au magasin, tout était prêt. Le matin suivant, ils partirent pour New York. Emily ignorait qu'elle ne reverrait plus sa fille. Catherine, elle, le savait, mais en ressentait peu de chagrin. La fille unique et la mère, bien qu'ayant vécu sous le même toit, étaient restées des étrangères. L'une se préparait à la vie, l'autre à l'Apocalypse. Leurs chemins ne se croiseraient nulle part. Catherine s'efforça d'éprouver de la peine. En vain. C'est seulement à l'heure de sa mort, de longues années plus tard, à des milliers de kilomètres, qu'elle se surprendrait à verser une larme pour sa mère.

Mais, une semaine après son départ de Chicago, sur le quai affairé de New York embouteillé d'émigrants aux traits creusés, elle s'agrippa à son père et pleura comme une enfant. Elle avait dix-huit ans. John n'avait plus de dents, presque plus de cheveux, son nez busqué et sa peau étaient ramollis et gris, ses bras frêles. Malgré sa faiblesse, il serra sa fille contre lui avec une force surprenante. Parfois, un parent transmet un peu de son âme à son enfant – c'est un lien mélancolique, la persistance du désir. Sur le quai, en faisant ses adieux à sa fille, John sentit brutalement que sa vie s'achevait. Il ne voyait plus de raison de retourner à Chicago, de se lever le lendemain matin. Il ôta son talisman – l'amulette de bois figurant le signe sacré de om qui avait vaincu la malaria et le mauvais sort – et l'accrocha au cou de sa fille.

Il n'avait plus besoin de protection ; elle n'en aurait jamais assez.

Et Catherine, pleurant comme une enfant, espéra que son père allait lui demander, ne fût-ce qu'une fois, de ne pas partir ; elle aurait ainsi une excuse de tourner le dos au grand bateau et de revenir dans sa chaude étreinte.

Pendant des semaines, sur le pont roulant du navire, elle remplit l'océan du sel de son chagrin.

Londres laissa Catherine insensible.

L'ami de John, M. Salisbury, était un homme âgé et borgne, portant un cache-œil noir. Il dirigeait une florissante affaire de prêt sur gages et d'antiquités dans Bond Street, très différente du magasin de Curiosités orientales de John. M. Salisbury vendait des babioles – certaines à des prix exorbitants – provenant des fabuleuses et fourmillantes maisons royales des Indes. La plupart des objets avaient été pillés ou dérobés par des aventuriers, des mercenaires, des employés dévoués, des soldats et des officiels de l'Empire britannique, aides de camp et secrétaires, des domestiques, ainsi que par des épouses et des maîtresses de maharajas et de princes. D'autres avaient été vendus par les membres mêmes des familles royales, qui s'échinaient à maintenir leur extrême prodigalité, entre les pressions avides des Britanniques et les tenailles morales d'un sentiment nationaliste émergent.

Plateaux et verres d'or et d'argent, tapis persans, lustres et lampes de cristal, échiquiers de marbre, miniatures des écoles de peinture mogholes et kangra, tapisseries de soie avec monogrammes royaux, vasques incrustées de jade, narguilés plaqués d'or, dagues serties de diamants, fauteuils à pieds en patte de tigre et accoudoirs de serpent, tables basses avec incrustations de lapis-lazuli, coffrets à bijoux ciselés, maillets de polo portant des noms célèbres, baignoires assez grandes pour qu'un couple puisse s'y ébattre, services à thé au décor si élaboré qu'ils avaient sans doute nécessité plusieurs années de travail, pistolets et mousquets ciselés à la main, bustes de rois et de princes barbus et enturbannés en marbre et en bronze, gracieux couverts de table en or et argent, innombrables objets incrustés de rubis et d'émeraudes : cannes, épées, carafes, fume-cigarette, cendriers, crachoirs, miroirs, brosses à cheveux, clochettes de temple, selles de chevaux, bidets, et un imposant godemiché en ébène poli de Ceylan, commandé tout spécialement par le vieillissant prince de Karimthala pour combler sa maîtresse tchécoslovaque, laquelle l'avait vendu après avoir été répudiée. Le godemiché était une œuvre d'art, avec des stries délicates et un parfait frenulum. M. Salisbury l'avait fait laver et repolir.

John et lui avaient participé à une expédition mercenaire sur la Frontière, où M. Salisbury avait perdu son œil gauche, emporté par la balle de fusil de chasse d'une tribu. John lui avait sauvé la vie. Le lien entre frères d'armes est le plus fort de tous ; M. Salisbury était bien décidé à aider la fille de son ami. Toutefois celle-ci le déconcertait. Il comprenait mal la raison de sa venue à Londres et ses projets. Elle passait son temps à l'interroger sur l'Inde et sur les objets exposés dans son magasin. Il en conclut qu'elle ressemblait à son père, l'un des très rares Américains à s'intéresser à des choses étrangères à son pays.

M. Salisbury délégua à sa plus jeune fille, Florrie, le soin de faire visiter Londres à Catherine. Les deux jeunes filles visitèrent le musée de Madame Tussaud, le British Museum, l'Abbaye de Westminster, la Tour de Londres, Buckingham Palace, Kew Gardens, Trafalgar Square. Le soupirant de Florrie, un pâle jeune homme qui étudiait pour devenir ingénieur mécanicien, les escortait. Pendant les visites de monuments, les deux amoureux se cachaient dans les recoins pour flirter. Catherine s'irrita vite de leurs joues constamment empourprées et de leur frénésie à trouver un pilier large ou un coin sombre. Pour eux, la visite consistait uniquement à s'attarder derrière les autres visiteurs afin de s'isoler et de se peloter. Entre deux étreintes, le pâle jeune homme racontait à Florrie et à Catherine de fantastiques histoires de machines volantes qui, dans un proche avenir, permettraient aux hommes de s'élever dans les airs et de traverser l'Atlantique. Catherine s'étonnait de ce que les hommes étaient capables de raconter pour obtenir un baiser.

La jeune Américaine se lassa bientôt de l'héritage incommensurable de la grandeur impériale et des exploits militaires : statues, monuments et déclarations, comme elle s'était lassée des parodies de passion de Florrie et de son soupirant. Les hommes étaient-ils les mêmes partout ? Balançant entre l'arrogance et l'apocalypse ?

Pour égayer Catherine, Florrie l'emmena à Brighton. L'escapade se passa mal. Elles arrivèrent avec le soleil, mais la pluie se mit vite de la partie et ne cessa pas de deux jours. Au Métropole, des familles bruyantes tournaient en rond, lisaient des articles de journaux à haute voix et faisaient des parties de jeux de lettres, tandis que les enfants criaillaient en courant dans les escaliers et les couloirs comme des diables.

Les trois soirs qu'elles passèrent à Brighton, Catherine et Florrie furent abordées par des jeunes gens s'essayant au badinage amoureux. Leur peau pâle et leurs avances douceureuses rebutèrent Catherine. Florrie, pour sa part disposée à s'amuser, dut se plier à sa mauvaise humeur.

Elle rapporta la morosité de Catherine à M. Salisbury. Celui-ci ne s'avoua pas vaincu ; après tout, il devait la vie à John. Chaque jour, il examinait le *Times* pour recommander à la fille de son ami les distractions en vogue à Londres : pièces de théâtre, opéras, conférences. Il l'emmena à Ascot assister à des courses. Elle visita Oxford et Cambridge, parcourant les rues pavées et tentant de s'imprégner de l'atmosphère dense des hautes études et des hauts privilèges.

Pourtant, malgré toute cette concentration d'arts, de connaissances, de réussite et de raffinement, Catherine peinait à voir dans Londres le cœur du monde civilisé. Elle ne voyait que snobisme, conscience de classe, prétention et affectation. La chair de l'exploiteur sous la peau de l'érudit. Les stupides accents et les encore plus stupides chapeaux.

Au fond, Londres était comme Chicago, mais stratifiée avec plus de style et pétrie d'une confiance en soi plus épanouie. L'assurance de l'Angleterre venait de ce qu'elle tenait l'Inde sous sa botte ; en Amérique, c'étaient les ombres noires dans les rues.

Les hommes reflètent ce qu'ils peuvent opprimer, conclut Catherine.

Au bout de trois mois, elle fut prête à partir. L'Angleterre n'était pas le pays pour lequel elle avait quitté le sien. John lui écrivit, ainsi qu'Emily. La lettre de sa mère, longue de plusieurs pages, lui reprochait sa trahison dans une complainte ininterrompue. Elle exaltait l'affection, la loyauté, la piété, le devoir, la gratitude, autant de qualités sur lesquelles Catherine se révélait défaillante. Elle disait que le sang rebelle de son père avait, chez Catherine, annihilé toutes ses nobles intentions maternelles. Elle racontait dans les plus pénibles détails tous ses efforts pour l'éduquer. Elle rejetait tout le blâme sur John et son magasin de Curiosités. Jamais, disait Emily, elle n'aurait dû laisser sa fille passer autant de temps dans cet antre infernal, avec tous ces objets vaudous, ces serpents et ces peaux de bêtes, ces poudres et ces onguents, et cette horrible corne sexuelle. C'était le malheur de sa vie de voir son enfant ainsi ensorcelée par une vie de débauche ; et il était clair, à présent, que lorsque surviendrait l'Apocalypse, la mère devrait payer éternellement pour les péchés de la fille. La lettre, parsemée de passages bibliques reproduits *in extenso*, se terminait par ces mots :

« Ta mère au cœur brisé et vouée à un destin cruel.
Emily. »

Catherine la lut rapidement et la replia. Il n'y avait
rien pour elle dans cette missive.

La lettre de son père tenait sur le recto d'une feuille.
John expliquait que le retour de New York à Chicago
avait été le plus long voyage de sa vie. En apprenant la
vérité sur le départ de Catherine, Emily avait sangloté et
pleuré si fort et si longtemps que, pour la première fois,
il avait dormi au magasin pendant deux nuits. Mais le
magasin n'était plus un endroit heureux ; son âme semblait l'avoir brutalement déserté. Toutefois Catherine
ne devait pas s'inquiéter, ni regarder en arrière. Elle
devait se souvenir qu'aucun jour ne nous est acquis,
à aucun d'entre nous. Chaque personne a un unique
devoir moral : vivre pleinement sa vie.

N'importe quel dieu sain d'esprit, y compris celui
d'Emily, aurait dû prôner ce principe.

Pour trouver son chemin dans le monde, il faut regarder droit devant soi. Il existe une voie pour chacun, et
un lieu de repos. Catherine devait saisir le bonheur d'où
qu'il vienne, prendre son plaisir où qu'elle le trouve,
aller où son cœur la conduirait.

Aimer et désirer.

« Tout amour, tout désir est légitime, écrivait John.
Ton désir, ton amour, n'a pas besoin de durer cent ans
pour être vrai. Un amour fugitif, un désir fugace, est
aussi légitime et sincère qu'une liaison de soixante-dix
ans. Ne laisse personne te dire le contraire. Dès l'instant
où tu es touchée par l'amour ou le désir, tu es touchée
par le divin. Au cours de ma vie, j'ai été béni, encore et
encore. Et il n'est pas de plus grande bénédiction que

je souhaite pour toi, ma fille. L'Apocalypse n'aura pas lieu, ou peut-être si, mais auparavant nous aurons eu notre paradis ici-bas. Il est uniquement assuré à ceux qui ont la capacité de désirer et le don d'aimer. Ta mère n'en avait que la moitié. Je te souhaite d'avoir les deux. Que ce soit l'héritage de ton père. »

La lettre s'achevait par ces mots : « Ton père affectionné, dont l'esprit jamais ne quittera ton épaule. »

C'était la première lettre que John lui écrivait. Catherine se rendit soudain compte qu'il ne lui avait jamais parlé ainsi. Tout ce qu'elle savait de sa nature expansive et libre lui venait de ses récits de voyages et de la lecture clandestine de ses mémoires intimes. Jusqu'alors, pour communiquer avec elle, John avait narré des anecdotes extravagantes, ou chahuté en faisant le clown.

Elle relut sa lettre trois fois, lentement. Elle resta assise pendant des heures, le feuillet sur les genoux, contemplant le ciel gris et mouillé de Londres par la fenêtre du premier étage, puis elle prit la décision de partir.

Il existe une voie pour chacun, et un lieu de repos.

Paris la happa.

Il y régnait une anarchie libertine des plus attrayantes. Ici, le snobisme semblait moins reposer sur la fortune et le rang, et davantage sur l'excentricité et l'artifice. Partout flottait une atmosphère chargée de désir, d'appétit de vivre, de consommation. Et l'absence de chaperon, chose rare pour une jeune fille de dix-huit ans, rendait les choses plus légères. Catherine traversa la Manche avec un bagage réduit à deux grandes valises, laissant derrière elle malles et coffres.

Le soupirant de Florrie – qui lui pelotait la poitrine tout en lui contant des histoires de machines volantes – recommanda Catherine à un de ses amis, lequel habitait un appartement près du boulevard Montparnasse. L'ami était un riche dandy dont le père avait bâti une fortune en faisant du trafic en Afrique, et trouvé la mort dans un restaurant londonien en s'étranglant avec un os, au milieu d'une joyeuse tablée de convives qui buvaient sec et riaient fort. Quand l'un d'eux se tourna pour lui poser une question, l'homme qui exploitait une centaine de tribus avait trépassé depuis déjà un long moment et paraissait plutôt calme. À la suite de cela, le jeune Rudyard fut contraint d'imaginer toutes sortes de moyens pour dépenser son immense héritage. Il s'y attela avec détermination. Après avoir dévasté Londres, il s'installa à Paris. La ville répondait à son appétit épicurien. Et c'était un camp de base idéal pour lancer des raïds étourdissants en Espagne, en Italie et sur la Riviera.

Le soir où Catherine se présenta chez lui, Rudyard s'apprêtait à partir pour une de ses virées avec son petit groupe d'amis composé de quatre hommes et trois femmes, tous élégamment vêtus. Ils la saluèrent d'un sourire ironique. Catherine se sentit gauche, peu assurée. Eux donnaient l'impression de pouvoir se mettre à boire et à forniquer à la première suggestion. Rudyard, quant à lui, se montra chaleureux et prolixe en compliments. Il déclara que sa seule vue lui donnait envie de modifier ses projets et de passer la soirée chez lui. La tenant fermement par le coude, il la conduisit à sa chambre. Puis, subitement, tout ce petit monde s'envola dans une explosion de rires et de gesticulations, et le silence s'abattit sur l'appartement.

La chambre de Catherine était spacieuse, avec des tentures de satin et des portraits guindés aux murs. Le châlit était en cuivre, et le matelas inhabituellement haut – il fallait faire un petit saut pour en descendre. Un balcon muni d'une balustrade en fer forgé offrait une vue plongeante sur la rue animée. La salle de bains était équipée d'une nouveauté : un bidet, dont Catherine pressentit vite toutes les possibilités.

Un mobilier imposant remplissait l'appartement. Lourdes commodes, armoires pesantes, fauteuils sculptés, piano à queue, grands tableaux dans des cadres dorés. Le décor était convenu, sans aucune touche personnelle. Le seul élément de caractère se trouvait à l'entrée de la chambre de Rudyard : un grand masque africain aux lèvres épaisses et sensuelles.

Livrée à elle-même, Catherine fit exactement ce que son hôte londonien lui avait fait faire : visiter la ville. Les palais et les monuments la lassèrent vite, mais Notre-Dame et la Tour Eiffel retinrent son intérêt, tant par leur taille que par leur laideur singulière. Elle resta assise à leurs pieds pendant des heures, cherchant à déchiffrer la névrose de la grandeur et les formes qu'elle revêt. Cependant ce fut le Louvre qui l'acheva et la dégoûta du tourisme. Lorsqu'elle eut visité quatre ailes du musée, le soir était tombé et jamais elle ne s'était sentie aussi exténuée. Tout ce qu'elle avait vu au cours de la journée se fondait maintenant dans sa tête en une sorte de bouillie : statuaire grecque et romaine, peintures de la Renaissance et de la Réforme, et même le sourire en coin de la Joconde, petit tableau oubliable pour lequel elle avait dû arpenter des couloirs sans fin.

Lorsqu'elle émergea dans la Cour carrée, le soir tombait et la place était parsemée de visiteurs qui se remettaient de leurs fatigues esthétiques. La plupart semblaient près de s'allonger pour mourir. Des enfants pleuraient, d'épuisement et de faim. Elle n'entrevit pas un seul visage heureux ou animé parmi les dizaines qui l'entouraient. Quel fardeau que la culture ! se dit-elle. Quel effet néfaste !

Le soir, après un bain chaud, elle sortit sur le balcon pour observer la foule qui grouillait dans la rue. Les curieuses sifflantes de l'accent français et toute une variété de parfums flottaient jusqu'à elle, ajoutés à une sorte de frémissement sensuel. Voilà le Paris dans lequel elle devait s'immerger. De son perchoir, elle avait l'impression de pouvoir plonger dans le cerveau des passants pressés et d'y lire rendez-vous et attentes. Elle imaginait les couples accomplissant les choses décrites dans le registre de son père, prenant les poses des gravures, effrontées et acrobatiques, emportés par la même frénésie que le jeune Jim quand il lui avait pilonné les reins.

Les parfums, la sensualité ambiante, passés au tamis de ses souvenirs l'excitèrent tellement qu'elle dut rentrer, s'asseoir sur le bidet, et laisser l'eau couler, couler, et emporter toutes les tensions de son corps.

Rudyard et ses amis rentrèrent le lendemain matin. Catherine paressait au lit pour se délester de la fatigue du Louvre. Les voix impérieuses et ponctuées d'éclats de rire fragmentèrent le silence de l'appartement. Elle attendit. Bientôt, on frappa à sa porte. Elle répondit et Rudyard entra. Ses cheveux dorés, coiffés avec une raie au milieu, tombaient de chaque côté de son visage ; il avait ôté sa veste et ses pouces s'accrochaient à ses bretelles noires ; sa chemise blanche amidonnée était à demi sortie de son pantalon. Désinvolte, il s'appuya contre le mur et débita un déluge de compliments.

Dans la soirée, il l'emmena dîner dans un restaurant appelé Le Chat blanc, rue d'Odessa, fréquenté, expliqua-t-il, par des artistes et des écrivains promis à la gloire. Ils s'attablèrent dans un angle, au rez-de-chaussée. La salle bourdonnait déjà de conversations et de tintements de verres. Rudyard lui suggéra de surveiller l'escalier parqueté, de l'autre côté de la salle, d'où elle pourrait voir descendre des célébrités. Catherine ne reconnut personne, et s'en moqua éperdument. Rudyard énuméra des noms de vins imprononçables qui ne lui évoquaient rien. Puis ils commencèrent à boire. D'abord du champagne, ensuite du vin. En très peu de temps, une sensation inconnue de bien-être l'envahit. Rudyard conta des histoires extravagantes sur sa vie parisienne, s'interrompant régulièrement pour s'exclamer sur la beauté de Catherine.

Ils ne commandèrent pas à dîner. Rudyard lui tenait tendrement la main droite et se penchait vers elle pour se faire entendre par-dessus le brouhaha croissant. Catherine flottait. Elle sentait l'eau de toilette de Rudyard et son haleine vineuse sur sa joue. Il était si proche qu'elle discernait les pores noirs de son menton où la barbe avait été fraîchement rasée. Ses lèvres étaient humides et charnues. Soudain, sans préambule, elle l'embrassa. Et leur baiser s'éternisa. La bouche de Rudyard recouvrit la sienne, l'aspira, sa langue s'y infiltra ; un vertige saisit Catherine.

Le vin et le baiser lui firent perdre toute notion de lieu. Elle n'avait plus aucune conscience des gens qui l'entouraient. Ils étaient là, bouche contre bouche, mains immobiles sur la table.

Rudyard dut la soutenir pour sortir du restaurant. Dans le fiacre, il prit son visage entre ses mains et le couvrit de baisers. Dans l'appartement, il la porta

dans ses bras ; Catherine regarda en passant le masque
africain et se prit à imaginer un baiser donné par ces
lèvres épaisses. Rudyard la déposa sur le lit et, d'une
main assurée, découvrit tous ses secrets. Elle le laissa
vagabonder à son gré. Il s'attarda longuement sur ses
tétons, excité par leur dureté, et quand il découvrit le
grain de beauté sous son sein gauche, il déclara voir là
le signe indubitable d'une vie gouvernée par le cœur et
non par l'esprit.

Pendant ce vagabondage, Catherine demeura dans
un état où se mêlaient détachement et désir ; elle était
à la fois observatrice enthousiaste et participante passionnée. Ce n'était pas mal, mais le seul vrai moment
mémorable – le meilleur de leurs ébats, dont le souvenir
ranimerait toujours en elle une vague puissante – était
le baiser échangé au Chat blanc. La griserie du vin fin
et d'une bouche experte.

Au matin, Rudyard la prit de nouveau, de façon plus
désinvolte, alors qu'elle dormait roulée en boule sur le
côté. Cela lui fut égal : c'était un passage obligé, en
quelque sorte. Rassasié, Rudyard souleva ses cheveux
pour l'embrasser dans la nuque.

Les neuf mois suivants ressemblèrent à une cavalcade vertigineuse sur un manège emballé. Catherine s'y
abandonna, devenant membre à part entière du cercle
de Rudyard, voué à une chasse constante de sensations fortes. Une seule question se posait à eux : où et
comment mettre leur plaisir à l'épreuve. Ils semaient
chaque jour le désordre dans un nouveau restaurant,
absorbaient quantité de vin, découvraient de nouvelles
dames de la nuit, se lançaient de nouveaux défis.

Antoine avala une bouteille entière de vin rouge sans
reprendre son souffle, et il fallut ensuite un vigoureux
massage cardiaque pour le ranimer. Marie retroussa ses

jupes volumineuses pour pisser bruyamment au beau milieu du boulevard Saint-Germain. Le comte Vladimir essaya de monter un cheval sans selle avec Anne logée sur lui, et faillit se briser le sexe dans la chute qui s'ensuivit. Au moment de sortir d'un caboulot, où plus jamais ils ne remettraient les pieds, Catherine souleva l'arrière de sa jupe pour dévoiler sa culotte blanche à l'assistance bouche bée. L'exploit de Rudyard – et c'est miracle s'il y parvint après tout le vin qu'il avait ingurgité – consista, en fin de nuit, à faire quelques pas dans une rue la braguette ouverte, exhibant une robuste et saillante érection.

C'était ce genre de performance, davantage que sa fortune, qui faisait de lui le chef du groupe.

Le sexe sous-tendait absolument tout : excursions, occupations, distractions, et ponctuait la fin de chaque nuit. Rudyard faisait le tour de la bande avec entrain et prenait qui bon lui semblait. Catherine n'y voyait aucun inconvénient. Elle l'aimait beaucoup. Rudyard possédait le charme, la générosité, la chaleur et l'infidélité de ceux à qui la vie a tout donné, et qui n'ont plus qu'à en extraire les bons moments. Rudyard et Catherine se donnaient du plaisir dans le lit anormalement haut de Catherine, ou dans celui, anormalement large, de Rudyard. Elle avait conscience de n'être pour lui qu'un amusement agréable parmi d'autres. Et lui, pour elle, un merveilleux guide de territoires inconnus, un colporteur de curiosités convaincant.

Si Catherine se plaisait en sa compagnie, elle atteignait plus souvent l'orgasme sur le bidet en jouant avec ses souvenirs, que dans un lit avec Rudyard.

Avec lui et, finalement, avec Antoine et le comte Vladimir, elle apprit les rouages de son corps. Ce qui l'animait, le faisait planer, trébucher. Après minuit avaient lieu d'autres badinages, dans une ouate d'alcool et d'audace : l'approfondissement fugitif, expérimental, de la pratique. Le journal intime et les gravures explicites de son père avaient préparé Catherine, lui avaient donné des dispositions. L'évangile de Père John était clair : prenons notre plaisir partout où nous le trouvons.

Amour et désir. Les interroger, c'est interroger la vie.

Un week-end, le soupirant dégingandé de Florrie vint passer quelque temps chez son ami Rudyard à Paris. Au retour d'une virée nocturne, dans le fiacre qui le ramenait avec Catherine, il lui parla des machines volantes, et elle, enivrée par l'alcool et portée à la gentillesse, prit la tête du jeune homme et la fourra entre ses jambes. Le lendemain matin, il s'éveilla d'humeur sentimentale et tenta de lui parler d'amour, mais Catherine s'était déjà lassée de lui et, devant ses lèvres minces et son expression sérieuse, se demanda pourquoi elle avait pris la peine de lui céder. Plus tard, elle raconta l'aventure à Rudyard, qui déclara avec un sourire chaleureux : « Il faut toujours se montrer charitable. Les gens reçoivent beaucoup moins de caresses qu'ils n'en ont besoin. »

Lui-même était la preuve exacte du contraire. Il en avait trop. Il avait trop de tout. Progressivement, Catherine s'essaya à tout, elle aussi. Fumer de l'opium, manger du cannabis, aller chez les prostituées célèbres de la ville. Rue Sainte-Cécile, elle regarda deux sœurs italiennes, Marie et Rachel, cheveux et yeux noirs, fesses de marbre poli, consommer le comte Vladimir. Rudyard offrit double tarif si elles parvenaient à achever son ami en moins de dix minutes. Le jeune émigré russe batailla pour se retenir, mais se soulagea en gémissant avant le temps imparti.

Boulevard Haussmann, elle vit Lucie Krauss, aux seins gonflés comme des ballons, s'accoupler avec Céline Pearl, noire comme l'ébène, avec une telle ferveur que tout le petit groupe se tut, abasourdi, dans un silence tendu et enfiévré.

Paris ne se refusait rien. Rue d'Antin, Catherine assista à la dernière sensation en vogue : la jeune pucelle brune de quinze ans originaire d'Algérie dont l'hymen était mis aux enchères, qui s'exhibait avec un abandon si expérimenté que les spectateurs se trémoussaient sur leur siège. Son clitoris, de la taille d'un petit doigt, frétillait follement lorsqu'elle atteignait l'orgasme. Chaque jour, des hommes venaient l'admirer, transportés. Rudyard enchérit pour sa défloration. Il lui fut répondu qu'on l'informerait de la clôture des enchères.

Mais le spectacle le plus extravagant auquel Catherine assista, rue Notre-Dame-de-Lorette, fut celui de la diva des prostituées aux yeux noirs, Marguerite de Barras, native de Catalogne. Ses seins pointaient vers le ciel et ses hanches avaient la réputation de traire un homme insensible sans même bouger un centimètre de son buste. Elle habitait une maison remplie d'animaux et d'oiseaux exotiques : aras et cacatoès bariolés, paon, faucon, perruches gazouillantes, loriots dorés d'Europe, busard huppé. Chiens, chats, civettes, renards, singes, porc-épic, et même un petit paresseux. Nombreux étaient en cage, d'autres se promenaient dans des pièces munies de barreaux. La maison empestait et, en entrant, la puanteur vous faisait reculer. La chambre à coucher se trouvait à l'extrémité de l'aile est, et Marguerite laissait les fenêtres ouvertes par égard pour ses clients.

Ses tarifs étaient très élevés – elle avait beaucoup de bouches à nourrir –, mais sa prestation était unique à Paris. D'une beauté éblouissante, Marguerite de Barras faisait tout ce dont l'imagination capricieuse d'un homme pouvait rêver, ajoutant sa ménagerie en prime pour les authentiques pervers. Ceux qui allaient chez Marguerite espéraient satisfaire leurs plus noirs fantasmes. Passé un certain temps, l'attrait du sexe ne repose plus que sur l'innovation. Or, en ce domaine, aucune femme n'égalait Marguerite. On racontait qu'elle avait donné tant de bonheur à un rajah vieillissant qu'il l'avait inondée de rubis et d'émeraudes, et lui avait promis un guépard dressé.

Catherine lui vit réaliser des choses incroyables.

En un sens, il était juste que Marguerite et ses prouesses soient l'excès de trop. Catherine commençait à se ressentir de ses derniers mois de surmenage sensuel. Ses curiosités satisfaites, le besoin de découverte s'émoussait. La perspective d'une autre longue nuit à écumer les bars et les maisons closes, à se lancer dans une nouvelle farce extravagante causant plus d'ennui que d'excitation, à s'offrir une fois encore à un homme à la peau pâle pour un exercice de frottage ne procurant ni désir ni plaisir, bref, l'idée d'une nouvelle nuit à la poursuite d'une gaieté désespérée, désormais, la déprimait.

Catherine était parvenue à une conclusion importante. Sans les lubrifications de l'amour, on ne peut désirer continuellement la même personne. Si sublime soit le plaisir. L'amour réapprovisionne en huile la machinerie du désir. Sans amour, on doit avancer avant que la machine, grippée, ne s'arrête dans un bruit de ferraille.

John, le père, avait compris cette vérité intuitivement. Il avait continué d'avancer, de femme en femme, d'un désir frais vers un désir encore plus frais, sans s'attarder suffisamment pour éprouver la nécessité de l'huile de l'amour. Jusqu'à ce qu'il rencontre Emily, ressente pour elle amour et désir, et perde le besoin de poursuivre sa route.

Catherine, la fille, comprit cela lorsqu'elle s'aperçut que le bidet lui apportait plus de plaisir que les hommes.

Le désir est une chose merveilleusement amorale mais, pris au piège de la monogamie, il ne peut survivre sans amour.

À travers son brouillard d'hédonisme débridé, Rudyard s'aperçut que Catherine s'évadait peu à peu de leur sphère. Souvent elle surprenait son regard intense qui la guettait et épiait son engagement dans leurs dernières lubies. Elle ne cachait pas son désintérêt croissant ; peu à peu elle se déroba à certains divertissements nocturnes. Rudyard essaya d'abord de la railler et la submergea de ses homélies sur l'hédonisme. On n'a qu'une seule vie, une seule jeunesse ; il faut profiter au mieux de ce que l'on a ; personne ne sait de quoi demain sera fait ; personne n'est revenu témoigner de la vie après la mort ; à la fin, tout s'arrête ; le corps est le temple, le pénis est le prêtre, le con est l'autel, l'orgasme est le dieu.

Catherine brûlait de déclarer que le temple et le prêtre ne la menaient plus à Dieu.

Mais elle garda le silence et laissa Rudyard psalmodier. Or, tout à coup, révélant un aspect inattendu de son caractère, Rudyard changea. Il ralentit son rythme de vie comme s'il avait été réprimandé. Les virées insensées dans les bars et les maisons closes cessèrent. Les membres du groupe au grand complet revinrent à des dîners plus tranquilles. Les conversations débordèrent du cadre des expériences extrêmes et de la concupiscence.

Catherine s'aperçut que le comte Vladimir, le chétif émigré russe qui se croyait toujours obligé de se donner en spectacle avec les prostituées, était une mine d'érudition sur l'art et la littérature. Il parlait avec aisance des romanciers russes, français et anglais, et il percevait avec une grande finesse comment les impressionnistes avaient transformé la fonction de la toile. Un soir, au Chat blanc, il salua de la main un jeune homme mince et grave, assis seul à une table d'angle. Il s'agissait, confia-t-il à Catherine, d'un jeune écrivain anglais venu à Paris se guérir des affres de la page blanche, qui dînait là chaque soir et s'appelait Maugham.

Une autre fois, le comte désigna avec émotion un homme râblé au visage rayonnant et débordant d'une grande vitalité, assis à une tablée de femmes ravissantes et d'hommes batailleurs. Une vraie tempête en ébullition, expliqua le Russe. L'homme allait révolutionner le monde de l'art – même les impressionnistes, pourtant innovateurs. Il réalisait sur ses toiles des choses jamais vues. Il se prénommait Pablo, et la rumeur le disait capable de peindre frénétiquement à longueur de journée et de faire gémir une femme de plaisir toute la nuit.

Catherine le crut. Même de loin, à travers cette salle bruyante, une force lumineuse émanait du dénommé Pablo. Il aurait pu avoir n'importe quelle personne, homme ou femme, présente à sa table. Il aurait pu, d'un simple geste, avoir Catherine. Au moins une fois. Au moins pour tester la légèreté du désir.

Dans le groupe qui entourait le peintre, un seul autre homme attira l'attention de Catherine. Les traits fins et délicats, il paraissait le plus calme de tous les convives. Les femmes qui l'encadraient se penchaient continuellement pour lui parler, et il s'adressait à elles avec un sourire doux, sans se montrer pressant ni impérieux. Ses cheveux, séparés sur le côté gauche par une raie, étaient peignés avec soin. Sa moustache fine bien taillée s'arrêtait aux coins des lèvres. Un petit diamant étincelait à son oreille gauche. Ce qui le distinguait de ses compagnons, outre son air de maîtrise sereine, était la couleur de sa peau. Catherine en viendrait plus tard à considérer ces deux traits comme typiquement indiens. La peau de l'homme avait la couleur de la terre ; la sérénité venait d'une foi atavique dans l'ordre prédestiné des choses et de la place de chacun à l'intérieur de cet ordre.

L'inconnu croisa le regard de Catherine à travers la salle, et y répondit avec calme. Il l'observa sans ciller. Catherine soutint son examen un long moment et quand, après avoir finalement détourné la tête, elle regarda de nouveau dans sa direction, elle s'aperçut qu'il l'observait encore.

Comme son père John plus de vingt ans auparavant, Catherine connut l'instant trompeur du coup de foudre.

Le lendemain soir, elle revint au Chat blanc. L'homme était là, seul, impeccable, maître de lui. Elle s'assit à une table et il s'approcha pour lier connaissance. Le passé de Catherine le fascina ; il l'interrogea sur sa vie plus que Rudyard et ses amis ne l'avaient fait en douze mois. Il palpa l'amulette de bois, découvrit l'histoire de John et d'Emily, mit au jour la passion de Catherine pour l'Inde, suivit l'itinéraire de ses pérégrinations et tenta de comprendre son besoin de voyager.

Ils se retrouvèrent le lendemain. Et le jour suivant. Catherine était éblouie par l'étendue de ses connaissances et de son expérience. Comme son père, il avait parcouru le globe, mais, outre les glanures du voyageur, il possédait l'érudition du savant. Non seulement il pouvait commenter les images, les sons, les couleurs du monde, mais aussi l'économie, l'histoire, la politique. Il semblait particulièrement féru d'art, de musique, de littérature, et l'interrogea sur la vie culturelle en Amérique, sujet sur lequel elle fut incapable de répondre.

Mustafa Syed, puisque tel était son nom, fit naître en Catherine une excitation extrême. Après douze mois de surmenage physique, la stimulation de son esprit lui parut incroyablement érotique. Jamais elle n'avait imaginé que des paroles puissent posséder une telle charge sensuelle et liquéfier ainsi son corps. Chaque jour elle se précipitait à leurs rendez-vous, lesquels duraient de plus en plus longtemps. Mustafa Syed commandait le vin – toujours rouge – et lui en expliquait la typicité avant de commencer à boire. Ils buvaient lentement, et, lorsque la bouteille était vide, il en commandait une autre, d'un autre cru, dont il lui expliquait à nouveau les caractéristiques.

Il parlait anglais avec douceur et un sens aiguisé des sonorités ; ses phrases, énoncées d'une voix grave et profonde, se déroulaient comme des mouvements musicaux, sans heurt, et il était fascinant de l'entendre construire ses enchaînements complexes. Jamais Catherine n'avait entendu parler l'anglais avec tant de richesse et de style. En comparaison, l'éloquent chantre des horreurs de l'Apocalypse de Chicago – jusqu'à ce jour l'orateur le plus chevronné qu'elle eût connu – faisait l'effet d'un bateleur.

Pendant les longues heures passées loin de Syed, Catherine se remémorait et ressassait ses propos. Le monde commença à lui apparaître sous un jour nouveau. Comme une vaste entreprise dynamique, en fluctuation perpétuelle, modelée et remodelée sans cesse, façonnée par les hommes, leurs idées et leurs efforts, et non, ainsi qu'elle l'avait cru inconsciemment pendant des années, comme l'entité stable dans laquelle on pouvait piocher à sa guise.

John lui avait dit que le monde était un endroit merveilleux à visiter.

Syed suggérait que c'était un lieu merveilleux à étudier.

À chacune de leurs rencontres, elle avait l'impression qu'une nouvelle fenêtre s'ouvrait dans son esprit.

Syed abordait essentiellement des sujets extérieurs à lui-même. Inévitablement, ayant parcouru le monde, sa conversation revenait vers l'Inde. Comme John, ce pays le passionnait. Mais, à l'inverse de John, il en parlait de l'intérieur, et, contrairement à tous les gens qu'elle avait entendus discourir sur l'Inde, il ne dissertait pas sur sa magie exotique, les religions, les langues, la faune, les cultures, l'histoire, l'antiquité.

Il évoquait surtout le tragique état d'abandon de l'Inde et sa population en friche.

En nationaliste authentique, il n'en parlait pas seulement avec fierté, mais aussi avec une immense angoisse. En nationaliste sincère, il voulait le remède, pas la célébration de la maladie. Il voulait que le patient guérisse et devienne redoutable, non qu'il sombre dans la torpeur et se perde en illusions. Il comprenait que le passé était révolu et pouvait au mieux servir de guide, non de modèle. Il s'inquiétait des consolations trompeuses et du triomphalisme frauduleux d'une époque défunte, capable d'infecter et de corroder les énergies du présent.

Sa colère et sa passion tranquilles émouvaient Catherine. Et l'étrange attirance qu'elle ressentait pour un pays qu'elle n'avait jamais vu se renforça.

Syed était sévère à l'égard des colons britanniques, mais il ne leur imputait pas tous les malheurs de l'Inde. Il se montrait beaucoup plus critique envers les élites qui dirigeaient le pays, seigneurs féodaux et princes. Il disait que le peuple, cette paysannerie profondément misérable, était abandonné de ses gouvernants depuis mille ans. Surtaxé, opprimé, maintenu dans les ténèbres. Les seigneurs indiens avaient peut-être encouragé et soutenu – essentiellement pour leur propre plaisir – les beaux-arts, la littérature, l'architecture et la musique, mais ils n'avaient rien fait pour ériger des systèmes, des cadres, des lois, des institutions, visant à éduquer et améliorer le sort de leur peuple.

Ils s'étaient conduits en collégiens capricieux et non en hommes sages.

Les formidables élans progressistes du rationalisme et de la dignité humaine universelle qui avaient vu le jour partout ailleurs avaient survolé l'Inde. Tandis que l'Europe, au cours des trois derniers siècles, effectuait un triple saut dans la science, l'instruction et les droits individuels, et atterrissait sur ses deux pieds dans le joyeux bac à sable des réformes sociales et de l'état de droit, les potentats indiens nourrissaient leur peuple du maigre gruau du mysticisme imbécile et de la religion foireuse. Ni écoles, ni collèges, ni tribunaux, ni hôpitaux, ni routes, ni électricité, ni eau, ni progrès. Juste des foutaises mystiques et des niaiseries religieuses.

Les maîtres du toujours plus propageant les vertus du moins.

Tandis que leurs colifichets de jade, de rubis et de diamants, se multipliaient, que leurs palais devenaient de plus en plus baroques, que leurs voitures commandées spécialement chez Rolls-Royce leur étaient livrées, que leurs harems regorgeaient de tant de femmes splendides qu'il aurait fallu à un homme une centaine de pénis pour toutes les satisfaire, tandis que leur luxe grandissait et se nourrissait de nouveaux jouets européens, le peuple indien s'appauvrissait chaque jour davantage. Jadis civilisation remarquable – creuset de la science, de l'astronomie, de la médecine, de la littérature et de la philosophie –, l'Inde était devenue une enclave d'ignorants et de malheureux, gouvernés par des vaniteux et des incapables.

Mais, selon Syed, tout n'était pas perdu. À nouveau il se passait des choses dans le sous-continent – des idées germaient, des gens se dressaient, des forces créatrices s'éveillaient. Il y avait des hommes, à Pune, Bombay, au Pendjab et au Bengale, et un autre dont on chuchotait le nom en Afrique du Sud, qui tenaient un langage neuf avec une assurance nouvelle. Ils émergeaient – individuellement ou en groupe, avocats et enseignants – des chemins éducatifs que les Britanniques avaient commencé à tracer, et Syed espérait que bientôt ils poseraient des questions qui feraient fuir à la fois les princes ineptes et les colons cupides.

La question qui défait les rois.

Qui vous a donné le droit de m'ôter mes droits ?

Catherine cessa de sortir avec Rudyard et le groupe. Ils lui apparaissaient comme des blancs-becs jouant à des jeux d'écoliers ; même le comte Vladimir, dont les connaissances en art et en littérature lui semblaient maintenant un caprice esthétique, une vanité sans objet réel, une fantaisie de son plaisir personnel. La joyeuse frivolité de leur vie, auparavant si charmante, avait perdu son pouvoir d'attraction. Soudain elle exhalait la puanteur de la pourriture.

Catherine ne supportait plus qu'aucun d'eux la touche. De son côté, Mustafa Syed n'esquissait jamais un geste. Quand elle allait le voir au Grand Hôtel, jamais il ne se permettait de l'inviter dans sa chambre. Il la rejoignait dans le hall et ils conversaient pendant des heures. Il parlait, parlait, parlait, de sa voix douce et intense ; elle rentrait ensuite à l'appartement, moite de désir, portée par les paroles de Syed, plus sensuelles que toutes les caresses qu'elle avait connues.

Un jour, moins de deux mois après leur première rencontre, il lui prit la main et lui déclara son amour. En le quittant, Catherine était sur un nuage.

Le lendemain, toujours sur son nuage, elle apprit qu'il quittait bientôt Paris pour l'Inde. Il lui proposait de l'accompagner.

Elle répondit oui. Puis, de retour dans sa chambre, réfléchit à sa décision. Elle ne savait pratiquement rien de Syed. Jusqu'à présent, les seules informations personnelles qu'il avait lâchées étaient ses études à Oxford, son diplôme de philosophie, et ses talents de joueur de cricket. Il aurait pu jouer dans l'équipe d'Angleterre s'il avait appris à taire ses opinions politiques. Certains de ses condisciples de naissance princière y avaient excellé. « Les jeux, disait Syed, ne sont des jeux que pour les privilégiés, les hommes riches et les nations riches. Pour les opprimés, tout est arme de guerre. La guerre pour la vie et la dignité. »

Songeant aux ombres noires, là-bas, en Amérique, Catherine comprit ce qu'il voulait dire.

Le lendemain, elle résolut de lui poser des questions directes. Lorsqu'ils se retrouvèrent pour déjeuner, elle n'attendit pas qu'on leur serve le vin pour demander : « Où vivrai-je ?

– Avec moi.

– À quel titre ?

– Celui qu'il vous plaira.

– Qui d'autre vit avec vous ?

– Ma famille. Mes frères, mes cousins, mes oncles, mes tantes, mes neveux, mes nièces, mes grands-parents, mes grands-oncles et grands-tantes, mon épouse.

– Votre épouse ?

– Oui. Je suis marié depuis l'âge de quatorze ans. Mais cela ne compte pas.

– Pour moi, si. Vous disiez m'aimer. Quelle sera ma place près de vous ?

– Celle qui vous conviendra.

– Mais qu'attendez-vous de moi ? À quel titre m'emmenez-vous là-bas ?

– Ma femme. Ma compagne.

– Et votre première épouse ?

– Ce n'est pas grave. Elle ne dira rien. Et, j'espère, ne s'en émouvra pas. Elle comprendra.

– C'est très inattendu. J'ai besoin d'y réfléchir.

– En vérité, c'est bien inutile. Vous accordez à tout cela trop d'importance. Mais si vous pensez avoir besoin de réfléchir, alors réfléchissez. »

Catherine ne rentra pas chez elle. Elle alla s'asseoir devant Notre-Dame pour méditer. Elle savait qu'elle allait partir. Elle ne souhaitait rien tant que de continuer d'écouter Syed. Mais que serait sa condition d'épouse de complément, échouée dans une famille immense, dans un pays étranger, au milieu d'un peuple et d'une religion inconnus ? Il fallait tout évaluer, donner du poids à sa réponse. Elle leva la tête et vit les gargouilles la défier en ricanant.

Enfin, elle entra dans la cathédrale et s'assit sur un banc, dans le fond. C'était l'heure des vêpres. Dans la demi-clarté, on discernait quelques têtes inclinées en prière. D'autres fidèles se mouvaient sans bruit pour allumer des cierges à leurs espérances.

Catherine leva les yeux sur les vitraux de l'immense nef, guettant un signe divin. Un jeune homme à la barbe flottante remonta la travée en marmonnant : « Le Seigneur a avancé dans la foi ; dans la foi nous devons avancer. Le Seigneur a avancé dans la foi ; dans la foi nous devons avancer. » À cet instant, Catherine songea : « Quelle taille doit avoir un lieu de culte pour contenir Dieu ? Combien de débats sont nécessaires avant que l'on puisse croire ? » Elle avait toujours abhorré l'hystérie religieuse de sa mère, mais là, dans cette cathédrale, en quête d'un courage qu'elle possédait déjà, elle se libéra totalement des terreurs de la religion, de la peur de l'inconnu.

Jamais plus elle ne pénétra dans une église, ni un quelconque autre lieu de culte.

Lorsqu'elle ressortit par l'immense portail de Notre-Dame, le soir était tombé. Là-haut, les gargouilles s'étaient retirées dans la nuit et ne ricanaient plus d'elle.

Ils devaient embarquer à Marseille. Rudyard accompagna Catherine à la gare, l'air mélancolique. Ses amis aussi. Elle les embrassa tour à tour et chacun lui murmura des paroles de prudence, lui enjoignit de prendre garde à ses excès de nourriture, d'alcool, de conduite. Elle avait aimé et pris du plaisir en leur compagnie, ils l'avaient initiée à la joyeuse anarchie de la jeunesse, à laquelle chacun devrait goûter. Ils l'avaient aidée à découvrir les chemins ébauchés par son père. Un sentiment de perte immense l'envahit.

« Ramène-moi un maharaja, lui glissa Anne. Avec un diamant sous chaque bras.

– Pour moi, ce sera un peu de cette herbe de la Frontière, dit le comte Vladimir.

– Syed, prenez grand soin de Catherine, insista Rudyard. Et nous tenons à la revoir bientôt. »

Syed se contenta de sourire, le regard immobile.

Catherine n'imaginait pas ne jamais revenir. Traverser les mers pour la dernière fois. Elle n'imaginait pas qu'un voyage commencé dans sa tête quelques années plus tôt, dans le magasin de son père, allait entrer dans sa phase ultime.

À Marseille, ils passèrent la nuit dans un hôtel. De façon très conventionnelle, Syed avait réservé deux chambres séparées. Après dîner, ils évoquèrent longuement le groupe de Rudyard, puis il l'embrassa pour lui souhaiter bonne nuit et la quitta devant la porte de sa chambre. Catherine s'étonna de cette réserve excessive et demeura longtemps éveillée dans son lit, caressant son corps enfiévré pour le calmer.

Sur le bateau aussi, Syed avait réservé des cabines indépendantes. Avec grâce et prévenance, il lui céda la meilleure. Un étage les séparait. Ils passaient les journées et les soirées ensemble, sur le pont, dans les salons – il avait commencé à lui apprendre quelques mots d'hindoustani –, mais, le soir, il lui souhaitait bonne nuit d'un baiser sur la joue devant sa cabine et se retirait dans la sienne. Catherine cherchait des réponses. Père John n'avait rien dit sur les amants qui ne font pas l'amour. Elle fermait les yeux, posait les mains sur son corps, et tanguait avec le bateau.

Trois semaines plus tard, quand ils débarquèrent à Bombay, Syed n'avait toujours pas dépassé le baiser devant la porte. Il parlait toujours aussi merveilleusement et ses paroles émouvaient toujours autant Catherine, mais une inquiétude sourde s'était insinuée en elle.

Le Nawab Philosophe

Ils traversèrent en train les plaines brûlantes de l'Inde centrale, et le souffle du sous-continent balaya Catherine.

Dès l'instant où elle avait posé le pied à Bombay – avec l'impression d'être une vierge rejetée –, une explosion de couleurs, de sonorités, d'images, l'avait transportée. Tous ses sens furent assaillis d'un coup. Et le grand paradoxe indien : la coexistence d'une extrême agitation et d'une extrême torpeur, la frappa au premier regard.

À Bombay, ils descendirent à l'hôtel Taj Mahal, sur le front de mer, où, là encore, deux chambres les attendaient. Le lendemain, ils prirent le train à la gare Victoria, dans deux compartiments. Catherine était déstabilisée. Si elle n'avait été autant absorbée par ce qui l'entourait, elle aurait acculé Syed pour exiger des réponses. Lorsque le train quittait les gares endormies, elle contemplait les champs vert et ocre se déployant à l'infini, jalonnés de gommiers rouges et de banians, parsemés de bœufs qui se mouvaient au ralenti et de paysans dénudés, la plupart sans turban, qui semblaient plantés là depuis le commencement des temps.

Dans le train, Catherine se prit de sympathie immédiate pour les serviteurs au teint sombre qui surgissaient à tout instant pour leur offrir à profusion boissons et nourriture. Pas une seconde, ni alors ni plus tard, elle ne se sentit menacée par les indigènes. Ils étaient souriants, déférents, et en même temps réservés et dignes.

Les paroles de son père lui revinrent en mémoire et elle en vérifia la justesse, qui jamais ne se démentit.

Un peuple merveilleux, totalement insaisissable.

À Delhi, Syed emmena Catherine visiter les merveilles de l'Inde moghole et les autres reliques d'un passé plus vieux encore de mille ans. Ils traversèrent des terrains broussailleux et des forêts de gommiers rouges pour admirer l'étonnant minaret du douzième siècle, le Qutub Minar, et Catherine eut le vertige en contemplant la vue de son cinquième étage.

Dans la cité en ruine de Tughlaqabad, les grands macaques les assaillirent de railleries. Au fort du Purana Qila, les colporteurs clamaient que c'était le site originel du royaume des Pandava. Mais ce qui fascina le plus Catherine, ce fut la vieille cité fortifiée, en particulier le triangle des merveilles : l'imposant Fort Rouge, la majestueuse mosquée Jama Masjid, l'artère commerciale trépidante de Chandni Chowk.

L'avenue était le reflet de la folie grouillante de l'Inde. D'un côté, des millions de mouches bourdonnantes se rassasiant dans les échoppes de confiseries légendaires, des gueux aux membres dévorés par la lèpre et le visage rongé par la petite vérole, des chiens galeux se faufilant entre les jambes des passants, auréolés d'un nuage de puces. De l'autre, ses magasins opulents, regorgeant de marchandises venues de tous les coins de la terre. La légende disait que, à Chandni Chowk, on pouvait acheter et vendre tout ce qui était achetable et vendable dans le monde. Des tapis persans aux soieries chinoises, des chevaux arabes aux éléphants indiens, du cacao brésilien à l'opium afghan, des savons turcs aux articles sanitaires anglais, des herbes ayurvédiques aux minuscules pilules homéopathiques, des putains au corps de caoutchouc aux jeunes prostitués aux lèvres charnues.

Plus stupéfiants encore étaient certains mendiants. Des sadhus, nus, le corps percé de tiges de fer, leurs cheveux emmêlés tombant aux chevilles. L'un d'eux se tenait sur sa jambe droite, son pénis pendouillant à ses genoux – comme une trompe d'éléphant –, étiré par un gros caillou. Quand ils passèrent devant lui, le sadhu le balança allègrement comme un pendule. Syed déposa une pièce de monnaie percée dans sa sébile. Plus loin, un vendeur de potions les poursuivit agressivement, offrant à Catherine une poudre blanche qui lui permettrait de se débarrasser de toutes les épouses et concubines de Syed en les desséchant sur pied, les reins ratatinés comme des feuilles mortes.

Elle vit un fakir, mince comme un brin d'herbe, avec une longue barbe grise et des cheveux flottants, avancer d'un pas leste, portant en travers des épaules une tige de bambou aux extrémités de laquelle étaient suspendus deux paniers en rotin. Syed le désigna avec enthousiasme et lui dit qu'il s'appelait Baba Mugger-machee. Chaque lundi matin, le vieux sage traversait la rivière Jamuna à dos de crocodile pour venir demander l'aumône aux marchands. Le Baba pouvait, à volonté, appeler n'importe quel crocodile pour lui servir de moyen de transport.

Catherine dévisagea Syed. Était-ce là l'ancien étudiant d'Oxford, nourri des grandes théories du rationalisme et du progrès? Syed se fendit d'un sourire et remarqua : « Il y a beaucoup de choses, dans le

monde, que nous n'expliquons pas. Mieux vaut ne pas
être trop sceptique. »

À cet instant, son amour pour lui décupla. La chair
de la vulnérabilité sous la peau de la sérénité. Plus
tard, Catherine y verrait un trait saillant de la nature
indienne : le cercle étroit de la raison au milieu de l'immensité de l'inconnu. Un Indien totalement rationnel
n'existait pas. On se prosternait devant le dieu de la
raison, devant le dieu de la science, devant le dieu de
l'empirisme, pour, finalement, se prosterner devant
le dieu de toutes sortes de choses, petites et grandes,
connues et inconnues.

On poursuivait sa vie entre le dieu de la raison et le
dieu de la déraison.

On vénérait l'un et l'autre, n'offensant aucun.

Il n'y avait là aucune contradiction. Seuls les esprits
superficiels en voyaient une.

Quoi qu'il en soit, le fakir nu chevauchant un crocodile pour aller travailler séduisait beaucoup plus Catherine qu'un jeune homme harangueur, accumulant les
bonnes actions et promettant les flammes rugissantes
de l'Apocalypse.

Juste avant de rentrer à l'hôtel, Syed guida Catherine
le long d'allées sinueuses, derrière la Jama Masjid, jusqu'à un petit îlot de sérénité : un tombeau blanchi à la
chaux jouxtant un minuscule pavillon avec des fenêtres
en lattis, et un haut margousier formant une voûte au-
dessus. C'était le mazaar d'un pir, le mausolée d'un
saint homme renommé, et le jeune homme qui médi-
tait dans le pavillon était son disciple. Syed s'assit sur
le marbre frais. Catherine l'imita. Syed dit quelques
mots au disciple. Celui-ci – le front ceint d'une étoffe
blanche, la barbe en bataille – se tourna vers Catherine et l'observa longuement. Puis il ferma les yeux et

demeura immobile. Quand il sortit de sa transe, il parla rapidement à Syed, posant sa main sur la sienne.

Dès l'instant où ils émergèrent de l'oasis du saint homme dans la rue grouillante, Catherine voulut savoir ce que le jeune disciple avait dit.

« C'est un devin, expliqua Syed. Il dit que, au cours de votre vie, vous connaîtrez de nombreuses joies. Fortune, position sociale, enfants, amour, désir. Mais elles seront toujours ternies. Toujours enveloppées de voiles mouvants. Il y aura toujours un serpent dans le jardin. Il dit que vous vivrez dans les sphères les plus élevées et toucherez les plus basses. »

Syed pouvait avoir arrangé cette prophétie.

Ou, plus exactement, le prince Syed.

Car d'immenses surprises attendaient Catherine. Syed était de lignée royale. Son père était le nawab de Jagdevpur. Leur principauté s'étendait sur huit cent vingt-cinq kilomètres carrés, le long des piémonts himalayens, à deux cents kilomètres de Delhi. Les Britanniques lui avaient accordé une salve d'honneur de onze coups de canon[1]. L'enclave royale de Hukumganj était littéralement jonchée de palais de la famille régnante, aux inspirations architecturales variées : moghole, française, anglaise, hindoue de l'époque antique. Bien qu'étant l'objet de maintes courbettes et cérémonies, Syed s'était fait construire, pour son usage personnel

---

1. Sous l'Empire, les Britanniques avaient classé chaque roi et nawab selon son importance et lui avait attribué une salve correspondante, c'est-à-dire le nombre de coups de canon tirés en son honneur. Vingt et un, la salve la plus haute, était réservée aux plus éminents maharajas. Onze est donc une salve moyenne et honorable. *(N.d.T.)*

– au grand soulagement de Catherine –, un cottage de style anglais relativement modeste, d'une quinzaine de chambres, entouré de larges vérandas indiennes.

Syed proposa à Catherine une suite somptueuse et l'y installa. Tout le mobilier était en tek birman, acajou et rotin, de style colonial imposant à la patine sombre. À l'extérieur, devant les fenêtres, se déployaient des massifs de roses ciselés, des arbres à fleurs : magnolia et jasmin nocturne, et des plantes grimpantes : frangipanier et quiscalier. Avec le temps, leurs parfums deviendraient pour Catherine une drogue enivrante. Dès le premier jour, Syed assigna à son service exclusif un vieux porteur, Maqbool, et une jeune fille alerte, Banno, qui rôdaient en permanence devant ses portes et arrivaient sur un simple murmure.

La partie la plus impressionnante de la demeure était l'élégante bibliothèque, composée d'une première salle spacieuse, avec un sofa, et d'une antichambre. Les étagères couraient du sol au plafond et quatre escabeaux, avec une, deux, trois et quatre marches, permettaient d'accéder aux ouvrages. Il y avait deux secrétaires, un dans chaque pièce, et des lampes placées à des endroits stratégiques. Le luxueux sofa, agrémenté de coussins en soie indigo et accompagné d'une table basse, était idéal pour les lectures paresseuses. Syed préférait un fauteuil en cuir, avec une ottomane pour les pieds. Dans l'antichambre, le plus intrigant était une armoire en bois, haute et profonde, toujours fermée à clé. Le jour où Catherine finit par l'ouvrir, elle y découvrit une multitude de carnets reliés de cuir fauve. Il y en avait au moins deux cents.

Mais où était la famille de Syed ? Le troisième jour, elle mena son enquête auprès des serviteurs. Très vite, elle devina que Syed était une sorte de paria. Manifestement, le fait d'avoir ramené une femme blanche avec lui était mal perçu, mais on n'en attendait guère mieux de lui. La jeune Banno expliqua que sa famille le traitait comme un objet de honte, jugeait sa conduite déshonorante et indigne d'un souverain, et estimait qu'il apportait le malheur à quiconque croisait son chemin.

Ces révélations ne firent que renforcer l'amour de Catherine pour Syed. Le soir même, dans la bibliothèque, devant un verre de bordeaux, elle tira les choses au clair. Au moment où Syed s'apprêtait à entamer un exposé sur lord Curzon et la partition du Bengale, elle l'interrompit et, telle une maîtresse d'école rigide mais inoffensive, énuméra ses questions.

Qui était sa femme ?

Où était-elle ?

Pourquoi Syed n'était-il pas auprès d'elle ?

Qui était-il ?

Que faisait-il ?

Pourquoi faisait-il ce qu'il faisait ?

Pourquoi l'avait-il amenée ici ?

Qu'attendait-il d'elle ?

Pourquoi ne faisaient-ils pas ce que deux êtres amoureux sont censés faire continuellement ?

Syed demeura un long moment la tête entre les mains. Puis il la regarda, plus longuement encore, le visage inexpressif, concentré sur une réflexion intérieure. Catherine attendit patiemment. Enfin il se leva et, marchant de long en large, commença à conter son histoire.

Syed était le premier-né du nawab de Jagdevpur. Il avait une épouse, la bégum Sitara, mais n'entretenait avec elle aucune relation. Syed et Sitara avaient été promis l'un à l'autre par leurs familles quand ils avaient respectivement huit et cinq ans, et mariés à quatorze et onze ans. Pour célébrer les noces, il y avait eu un défilé de trente et un éléphants, et un festin pour dix mille personnes pendant trois jours. La bégum Sitara vivait désormais dans le palais principal avec la famille royale ; Syed l'y rencontrait lors de ses rares visites. Il n'avait jamais rien eu à lui dire et ses deux tentatives pour remplir son devoir conjugal, au début de leur mariage, avaient tourné au désastre.

L'échec incombait à lui, non à elle. Depuis toujours, il éprouvait un malaise persistant quant à sa condition sociale, mais Oxford l'avait débloqué totalement. Là-bas, il avait découvert avec passion la philosophie politique et le mal que s'infligent les hommes. Il avait lu Voltaire et Rousseau, Benjamin Franklin et Thomas Jefferson, John Ruskin et Abraham Lincoln, Karl Marx et Friedrich Engels. Il s'était interrogé sur la souveraineté de sa famille, et révolté contre sa façon d'exercer le pouvoir. Il avait écrit de longues lettres à son père, l'exhortant à promulguer des taux de taxation plus humains, à construire des écoles et des collèges, à cesser la pratique des rites opulents et des cérémonies fastueuses, qui grevaient les finances et maintenaient le peuple dans l'esclavage. Ses sermons incessants sur les devoirs moraux de la royauté avaient fini par excéder le vieux nawab, lequel l'avait disgracié en déclarant qu'il représentait un danger pour la dynastie, et déshérité au profit de son frère cadet, devenu héritier présomptif.

Dans son carnet d'aphorismes, le nawab écrivit : « Un excès d'éducation transforme le roturier en roi et le roi en roturier. »

Tous les deux ou trois ans, les aphorismes du nawab étaient publiés dans un recueil intitulé : *La Sagesse*

divine du nawab, père du peuple ignorant de Jagdev-
pur.

Les écoliers faisaient des rédactions sur ses adages.

Tombé en disgrâce, Syed aurait pu choisir l'exil en
Europe, avec des revenus très substantiels et le loisir
de vivre à sa guise. Il envisagea brièvement cette solution, mais y vit un renoncement à ses idées. Il comprit
qu'il avait besoin de rentrer en Inde et d'agir, au moins
comme poste d'écoute pour le peuple, et conscience
morale pour sa famille.

Son frère Zafar, le futur nawab, regimba devant cette
perspective. Il redoutait que la présence de Syed ne
mine son autorité. Une querelle s'ensuivit. Finalement,
Syed promit de ne pas intervenir ouvertement dans les
affaires de l'État, en échange de quoi sa famille l'autorisait à vivre comme bon lui semblait.

Pourquoi avait-il passé ce marché ?

Pourquoi n'était-il pas avec la bégum Sitara ?

Pourquoi Catherine et lui ne faisaient-ils pas ce que
font les amoureux ?

Toutes ces questions menaient à une réponse unique.
À l'âge de treize ans, Syed avait découvert l'amour
sexuel avec le jeune et beau précepteur qui lui enseignait les mathématiques. Le précepteur s'appelait Arif.
Le seul fait de penser à lui déclenchait chez le jeune
prince des pulsions douloureuses. Syed découvrit ses
mains, sa bouche, et son âme romantique avec Arif.
Pour donner le change aux serviteurs, le précepteur et
l'élève chantaient à voix haute les tables de multiplication tandis que leurs mains marquaient le rythme sous
la table. Certains jours, ils chantaient si fort et si longtemps qu'ils étaient tout endoloris à la fin de la leçon.

Le soir, ainsi qu'Arif le lui avait recommandé, Syed
se massait la peau d'huile parfumée pour la rendre plus
douce et plus tendre.

Syed préparait ses leçons de mathématiques en lisant des poèmes romantiques.

Comme le temps s'écoulait et que le jeune prince refusait de rejoindre le lit de son épouse adolescente, le père, intrigué, ordonna à ses aides d'y conduire le garçon. L'expérience révulsa Syed. La graisse des seins, l'intérieur visqueux des cuisses, le bas-ventre vide, l'odeur particulière d'une peau de femme lui donnèrent envie de fuir. Et il s'enfuit. Quelques semaines plus tard, on le conduisit de nouveau à la couche de sa femme – la nouvelle de sa première défaillance courait dans toute la maison royale. La bégum Sitara avait été préparée avec un soin et une diligence accrus : bain de lait d'ânesse, massage avec des onguents odorants, voies intimes huilées et parfumées. Syed faillit vomir.

Le lendemain, Arif et Syed chantèrent les tables de multiplication avec une ferveur sans précédent. Ils avaient atteint quatre-vingt-dix-neuf fois douze lorsque le nawab entra. Le maître et son pupille furent surpris entre position debout et assise, déférence et dissimulation, tumescence et terreur.

Arif fut renvoyé le lendemain.

Dans son carnet d'aphorismes, le nawab écrivit : « Les tables de l'arithmétique ne doivent jamais être apprises dans une pièce, mais à l'extérieur, sous des arbres. »

Pendant des décennies, aucun enfant de Jagdevpur ne récita ses tables de multiplication sous un toit.

Un immense chagrin envahit Syed. Il se languissait de son amant le jour et ne dormait pas la nuit, trop tourmenté par le désir, le souvenir de l'odeur d'Arif, de sa bouche, de ses mains, de ses cheveux, de sa fermeté, de ses pulsations. Il devait se masturber pour trouver un peu de soulagement et le sommeil. Mais se réveillait peu après. Certaines nuits, il recommençait le même cycle six ou sept fois, et quand l'aube pointait sur les tourelles du palais, il était épuisé d'avoir apaisé les démons de sa chair.

Le nawab était un homme d'expérience. Il comprenait les garçons et la concupiscence.

Il fit bientôt venir un nouveau précepteur de la ville voisine de Dhampur, lequel se nommait Iqbal et avait la beauté d'Adonis. Vers le cinquième jour des leçons, les mains de Syed et d'Iqbal s'affairèrent sous le pupitre tandis qu'ils chantaient à voix haute. La douleur de la perte d'Arif s'estompa. Tous les deux mois, le nawab engageait un nouveau précepteur trié sur le volet.

Il savait que, chez les jeunes, amour et désir ne doivent jamais être mêlés. Cela occasionne des obsessions dangereuses, parfois fatales.

Dans son carnet d'aphorismes, le nawab écrivit : « Le bon cuisinier qui aime manger se tue très vite. »

Syed s'aperçut rapidement que la nouveauté des corps efface les regrets amoureux.

Et sur les huit cent vingt-cinq kilomètres carrés de Jagdevpur, tous les jeunes professeurs de mathématiques se prirent à espérer une convocation au palais.

La stratégie du nawab, toutefois, ne réussit que partiellement. Selon ses calculs, son fils découvrirait tôt ou tard qu'il existait des plaisirs autres qu'homosexuels. Lui-même avait suivi cette voie, comme tous les hommes de son entourage, et chacun avait fini par goûter aux plaisirs offerts par les femmes et s'y était tenu, gardant les jeunes garçons pour des divertissements occasionnels. Mais Syed continua de négliger son épouse. Le nawab voulut lui arranger un second mariage. Cette fois, Syed se révolta. Il avait dix-neuf ans.

Au fil des années, il n'avait rien appris en mathématiques, mais tandis qu'il attendait ses précepteurs amants, il avait lu assez de littérature, de poésie et de philosophie – en urdu, en arabe et en anglais – pour devenir un homme mûr et inadapté à sa classe. Il avait découvert le monde des idées et l'idéalisme et, rompant avec la fibre ancestrale, les droits individuels.

La seule pensée de sa jeune épouse le torturait de culpabilité, mais il ne pouvait rien pour Sitara. Il ne supportait pas de la toucher, et converser avec elle revenait à parler avec une enfant gâtée vivant dans un univers si étriqué et doré qu'il n'offrait aucune prise à l'esprit. Et Syed refusait catégoriquement de laisser sacrifier une autre jeune femme sur l'autel de son indifférence.

Les relations entre le nawab et son fils se muèrent en silences hostiles et disputes violentes. Jagdevpur, comme tous les États princiers de l'Inde, n'était pas épargné par les scandales de palais, mais le défi quotidien que devait affronter le nawab nuisait à son autorité. Il décida d'envoyer son fils à l'étranger, dans l'espoir que les femmes blanches, l'éducation blanche, l'atmosphère blanche le tempéreraient et le guériraient. Syed possédait au moins une qualité qui serait fort utile à Oxford : il était un formidable joueur de cricket, capable de faire un lancer haut avec appui sur le pied avant qui, généralement, expédiait la balle hors des limites du terrain royal.

Oxford provoqua l'effet inverse de celui espéré par le nawab. Syed y prit davantage conscience de l'immense fossé qui séparait l'homme du peuple anglais de l'homme du peuple indien. Il vit combien, en Inde, les gens simples étaient trompés et trahis par ceux qui les gouvernaient. Les dirigeants blancs possédaient au moins une certaine loyauté envers la population, un certain sens du devoir, des responsabilités, un code de l'honneur. En Inde, tous ces principes s'arrêtaient aux marches des palais. Le peuple était le fourrage alimentant les vies débridées des princes.

À Oxford, Syed lut sans relâche, noua des amitiés avec des radicaux, commença à voyager. Il devint communiste avant que le terme fût à la mode, il dissimula son ascendance royale, et, à l'issue de la première année, après avoir ébloui le public avec son coup de batte dans l'équipe de cricket universitaire, il abandonna ce sport, jugeant que c'était une frivolité, une complaisance envers les colons britanniques et les princes orgueilleux de l'Inde. Quelques années plus tard, il ferait ce commentaire : « Si le cricket gagne les masses indiennes, elles deviendront aussi fainéantes et ineptes que nos rois. Et, soyons lucides, l'histoire de l'Inde ne peut pas changer sur un lancer de balle. »

Ainsi qu'il l'avait fait en mathématiques avec ses précepteurs indiens, Syed s'aventura en philosophie avec ses condisciples blancs. Il en tira peu de joie. Le contact, l'odeur de la peau blanche le laissaient froid. C'était très différent des corps souples couleur de terre, fraîchement baignés, huilés, qui avaient peuplé son adolescence. Cependant, il se livra à ces expériences, essentiellement par besoin, mais aussi par curiosité et, parfois, affection.

Syed pensait que l'on pouvait aimer d'affection pure. Si l'on éprouvait suffisamment de tendresse pour une personne, lui offrir son corps n'exigeait pas un gros effort, même si l'on n'en tirait aucun plaisir. Il fermait donc les yeux et pensait aux beaux précepteurs chantant les tables de multiplication.

Mais lors de ses premières vacances à Jagdevpur, il se déchaîna. Les besoins impérieux de son corps balayèrent d'un coup tous les raffinements des livres et des idées. Il n'était plus un adolescent. Il était un homme, à présent, qui avait voyagé, vécu des expériences, et qui cherchait avec assurance ce qu'il voulait. Les hommes transitèrent par sa chambre à n'importe quelle heure. Syed, sans aucune honte, transforma ses domestiques en entremetteurs. Il aimait les amants virils, un peu dominateurs. Il voulait être dompté. Il n'en avait jamais assez. Certains jours, il s'offrait dix étalons différents – des hommes dont les noms se brouillaient, mais dont les corps lui laissaient un souvenir brûlant.

Lorsque le moment vint de retourner à Oxford, il était épuisé, physiquement et mentalement, et rongé par ce sentiment de vacuité qui naît d'un excès d'indulgence. Handicapé – comme beaucoup d'hommes de qualité – par des doutes tenaces quant à sa propre importance, il éprouvait à nouveau le besoin de remplir son vide par des considérations plus substantielles. Aussi fut-il heureux de quitter Jagdevpur, mais à peine avait-il regagné Oxford que la nostalgie et le désir des hommes de son pays vinrent le tenailler. Alors il s'apaisa de la seule manière qu'il connaissait : par la lecture et l'écriture.

Les cycles se répétèrent, encore et encore. Idées, lectures et raffinements à Oxford, abandon et orgies dans son pays natal. Jagdevpur en tira la conclusion tragique que le prince déchu – à l'image de la plupart des nawabs – n'était qu'un esclave de la chair. Personne ne perçut sa noblesse innée, d'idées et de sentiments ; personne ne devina son éloquence et sa vivacité d'esprit. On ne voyait que cette débauche dévorante des sens.

Le nawab cherchait tous les moyens de tenir son fils éloigné. Il l'encouragea à faire sa vie en Angleterre ou en Europe, et lui promit une rente très avantageuse. En effet, le ministère de l'Intérieur du vice-roi surveillait les opinions incendiaires de Syed. Les mandarins de l'India Office de Londres lui avaient fait parvenir des renseignements selon lesquels le jeune homme écrivait des pamphlets virulents et tenait en public des propos séditieux. Et l'agent politique, le lieutenant-colonel Sean Brosnan, avait transmis le mécontentement du ministère de l'Intérieur au nawab. Sa décision de destituer Syed et de nommer son fils cadet comme héritier avait quelque peu apaisé le courroux ministériel, mais le nawab savait que Jagdevpur était sur la sellette et risquait d'être absorbé dans le ventre de l'Empire au moindre prétexte. Dans le jargon du bazar : « Sans même un rot. »

Dans son carnet, le nawab écrivit : « Le roi qui ne possède pas de gros canons doit apprendre à se tenir tranquille dans son palais. »

Mais Syed ne voulait pas être banni. Il voulait contribuer à élever l'esprit de son peuple. Et il voulait leurs corps. Il voulait passer de plus en plus de temps à Jagdevpur et de moins en moins en Europe. Le nawab était mortifié. Bientôt, tous les jeunes homosexuels de l'État rôderaient autour des murs du palais, on jaserait, et le peuple tournerait la famille royale en ridicule. Pis, il n'y avait aucun moyen de savoir à quel point les vues radicales du prince contrariaient Brosnan et les Britanniques. Le nawab résista aux tentatives de Syed de s'installer à Jagdevpur en permanence. Le père et le fils se disputèrent, bataillèrent, fulminèrent, tempêtèrent, se traitèrent de tyran et de pédéraste, pour, finalement, parvenir à un compromis.

Syed ferait construire une demeure et vivrait à l'écart des palais principaux.

Il choisirait une femme pour vivre avec lui et ferait taire les rumeurs.

Il ne critiquerait pas le nawab ni les Britanniques en public.

En retour, le nawab le laisserait vivre sa vie.

Toutes ses dépenses seraient prises en charge.

Il percevrait tout ce à quoi il avait droit.

Et il recevrait en prime la splendide bibliothèque de Jagdevpur – avec ses manuscrits rares en arabe classique et en persan, et les magnifiques miniatures médiévales des écoles moghole, rajput et kangra.

Syed imposa une condition formelle : si le nawab commettait un acte de tyrannie scandaleux, l'accord était rompu.

De son côté, le nawab lança un avertissement : si Syed était impliqué dans un scandale menaçant la famille royale, il serait dépouillé.

Les choses se déroulèrent sans accroc. Le nawab mit de l'argent à sa disposition et Syed fit construire le cottage. Il prit tout de suite possession de la bibliothèque et s'attela à la réorganiser et à la cataloguer. Il fit venir une équipe de relieurs renommés de Londres pour sauver des milliers de feuillets épars, et former des jeunes gens à leur art.

Le point le plus délicat de l'agrément était la femme. Syed ne pouvait accueillir chez lui la bégum Sitara car, outre que son corps l'horrifiait, il détestait sa bêtise et n'avait pas la cruauté de l'humilier chaque jour de son dédain. À Jagdevpur, dans le cercle de ses connaissances, pas une seule femme n'éveillait son intérêt, et s'il choisissait une figurante parmi les gens du peuple, non seulement il condamnerait une innocente à une non-vie mais il encourait le risque d'un autre scandale.

C'est dans cet état d'esprit découragé, lors d'un dîner dans un restaurant parisien, avec des amis qui avaient invité un artiste montant, réputé coureur de jupons et menant une vie dissolue, qu'il avait remarqué une belle jeune femme portant au cou un surprenant signe de om. Ce pendentif, qui n'était ni à la mode ni, manifestement, un objet de valeur, l'intrigua. Il voulut en connaître la provenance. La jeune femme ne semblait pas à sa place au milieu du groupe bruyant qui l'entourait, et elle le regardait avec un air d'intérêt mystérieux qui éveilla sa curiosité.

Son instinct lui souffla de revenir le lendemain soir.

À l'issue de leur troisième rendez-vous, de retour dans sa chambre d'hôtel, il comprit qu'il était aussi près de tomber amoureux d'une femme qu'il ne le serait jamais. En fait, c'était la première qui l'intéressait véritablement. Elle ne ressemblait à aucune de celles qu'il avait rencontrées. Elle pensait différemment, elle venait de très loin, et elle avait l'esprit plus ouvert que la gueule d'un prédicateur.

Pas une fois elle ne l'interrogea sur sa position sociale ou sur sa richesse. Pas une fois il ne l'entendit parler de bijoux ou de robes.

Et il adorait exprimer ses idées devant elle. Elle avait une qualité d'écoute qui donnait un sens à la parole, qui en faisait un plaisir profond et sensuel.

Ce fut ainsi, sans calcul ni préméditation, qu'il en vint à lui proposer de l'accompagner à Jagdevpur pour vivre auprès de lui, devenir sa compagne. Pour partager sa vie, sinon son lit. Pour l'écouter parler, comprendre ce qui l'animait. La rébellion a besoin de témoins, l'idéalisme a besoin de témoins, le sacrifice a besoin de témoins. Catherine lui permettrait de réaliser les choses auxquelles il aspirait pour son peuple et pour lui-même.

Mais ses aspirations à elle, y songeait-il ?

Oui, bien sûr, il y songeait. Il veillerait à combler tous ses besoins dans la mesure de ses possibilités, et ceux auxquels il ne pourrait répondre personnellement, il trouverait un moyen de les satisfaire autrement. Catherine l'écoutait, immobile, inondée par cette mousson d'informations qui se déversait sur elle.

Syed continua d'arpenter la bibliothèque de long en large, les yeux fixés sur le tapis. Tandis qu'il parlait, le soir était tombé, et les serviteurs étaient venus sans bruit allumer les lampes. La lumière fit miroiter le riche carmin du vin dans les verres. La nuit résonna du concert discordant des aboiements dans le chenil bien ventilé à l'autre extrémité des trente-cinq hectares du parc. Le nawab était un amateur fou des chiens et élevait une meute de près de trois cents spécimens, de toutes races, couleurs et tailles. La fête canine annuelle qu'il organisait la deuxième semaine d'octobre attirait tous les amateurs de chiens de l'Inde, ainsi que tous les souteneurs et tous les camelots. Aucun rassemblement n'est complet sans sexe illicite.

À Chicago, c'était l'heure où la mère de Catherine s'éveillait, s'apprêtait à sauver le monde, à consolider la montagne de la vertu. Son corps était froid, son cœur froid – et avec ce misérable matériau, elle effectuait un douteux calcul sur le bien et sur le mal. À Chicago, c'était l'heure où son père aussi s'éveillait, émergeant d'un brouillard alcoolique, et s'apprêtait à aller à la boutique. Son corps était faible, dévasté, son cœur lourd – et de ce pauvre matériau, il tirait le bilan nostalgique des sublimes plaisirs goûtés et des merveilleuses occasions manquées.

Effrayante projection dans l'avenir pour l'une, commémoration empreinte de regret pour l'autre.

La vie vécue contre la vie calculée.

Et à elle, que demandait-on ? Vivre ou calculer ?

Catherine se leva du sofa, s'approcha de Syed, et l'enlaça. C'était la première fois qu'elle agissait ainsi, et c'était un geste de profonde affection. Il l'étreignit, submergé de gratitude et d'amour.

Syed épousa Catherine et leur mariage suscita étonnements et murmures. Les princes de Jagdevpur étaient des musulmans chiites orthodoxes qui contractaient des unions dans leurs rangs aristocratiques exclusivement. Une Américaine blanche avait de quoi choquer les esprits exaltés des mollahs. L'India Office et le lieutenant-colonel Brosnan mêlèrent leurs voix aux murmures de réprobation : la politique britannique décourageait les mariages mixtes, accusés de miner les fondations de la suprématie blanche. Pour apaiser le courroux des mollahs et des mandarins du Raj britannique, le nawab savait qu'il devrait souligner avec insistance qu'il avait déshérité son fils aîné.

Catherine demanda à Syed de lui tracer une ligne de conduite, un itinéraire rudimentaire pour se repérer dans les méandres de la royauté indienne et de la famille.

Syed ne lui donna qu'un seul conseil.

Ne jamais montrer une déférence excessive. Les Indiens aiment les maîtres : ils sont durs avec le faible et faibles avec le dur, craintifs avec le cruel et cruels avec le craintif.

Catherine suivit la recommandation de Syed et édifia une carapace autour d'elle. Elle ne réussit pas à être dominatrice ni dure, mais sut se montrer impassible. C'est le stratagème auquel ont recours ceux qui ne souhaitent pas exercer ni subir l'agression. L'impassibilité.

Cela lui fut fort utile. Elle était respectée et tenait à distance les fauteurs de troubles. Cela lui permit également de rester sur son îlot d'intimité. Une intimité dont elle était très jalouse, étant donné la nature inhabituelle de leur mariage.

Tous les palais indiens étaient construits sur le principe des débordements libertins, mais la maison de Catherine et de Syed était animée d'un esprit parfaitement égalitaire. Au fil des années, les deux époux apprirent à partager leurs plaisirs charnels, même si ce n'était pas l'un avec l'autre. Par égard pour l'harmonie qui prévalait dans leur relation, pour leur confiance mutuelle et leur amour, ils s'accordèrent réciproquement les pleins privilèges du voyeurisme. Installée dans un profond fauteuil, dans un coin sombre de la chambre de Syed, Catherine le regardait atteindre les frontières exquises de son corps.

Nu, Syed avait une charpente délicate, des épaules et des hanches étroites. Comme il n'était jamais frustré de sexe, bien au contraire, les préliminaires, avec lui, demandaient à ses partenaires beaucoup de temps et d'efforts. Mais, une fois lancé, il était inlassable. Et même s'il n'y était pas obligé, il donnait autant de plaisir qu'il en recevait. Catherine vit des foules d'hommes passer par sa chambre, et chacun s'en allait satisfait.

C'était un acte d'honneur : permettre à la démocratie du corps de s'étendre. Syed ne dirigeait pas les opérations. En amant accompli, il laissait toutes les initiatives s'exprimer. Il menait et se laissait mener. Il prenait et se laissait prendre.

Catherine découvrit que les hommes aiment les autres hommes avec la même passion et la même tendresse qu'ils aiment les femmes. Ils sont aussi inventifs et aussi inattendus. Dans les mémoires de son père, elle avait lu ses commentaires sur la variété infinie des recoins intimes des femmes. Elle voyait à présent qu'il en allait de même chez les hommes. En fait, le secret de leur corps était encore plus énigmatique. Ce qu'un homme révélait lorsqu'il ôtait ses vêtements n'avait rien de commun avec ce qu'il pouvait devenir. Aucune équation de taille, de forme, de couleur, de pilosité, ne pouvait être appliquée.

Elle vit des hommes chétifs dotés comme des rois, et des hommes puissants très modestement pourvus. Elle vit des hommes minces, gros comme des poignets, et des hommes gros, minces comme des doigts. Elle vit des hommes superbes avec des tiges ratatinées, et des hommes laids avec des troncs superbes. Elle vit des hommes tendus faire de molles déclarations, et des hommes flasques affirmer une dureté inflexible. Elle vit d'amples ouvertures retomber en petites mélodies décevantes, et de petites introductions prendre des proportions symphoniques.

Catherine prit aussi conscience que la main du créateur était plus nerveuse lorsqu'il s'agissait de donner une forme aux hommes : rares étaient les spécimens que l'artisan suprême parvenait à sculpter droits et dans l'axe.

La plupart étaient tordus, incurvés, ballonnés, effilés, orientés à gauche, à droite, zig ou zaguant, dans une anarchie de construction aux principes indéchiffrables.

En général, les hommes qui se présentaient devant Syed aimaient les femmes. Ils venaient simplement servir un maître. Toutefois, chacun repartait content. L'un d'eux était son amant. Il s'appelait Umaid. Nez fin, épaules larges, favoris épais, cheveux longs et drus.

Il veillait sur les écuries de Syed et pouvait le faire gémir comme personne. Avec Umaid – et seulement avec lui –, Syed s'attardait après l'étreinte, parcourant tendrement son corps musclé du bout des doigts, caressant son membre alangui avec amour.

À la question de Catherine qui voulait savoir comment il lui était possible d'aimer Umaid sexuellement, elle platoniquement, et d'avoir encore envie de tant d'autres hommes, Syed répondit : « Un seul venin empoisonne tous les individus : le besoin de posséder. Il tue le désir, l'amour, l'amitié, la parenté. Il rétrécit l'immensité du monde à quelques murs, à une poignée de monnaie, à une paire d'organes. Pour moi, le désir est un rite de fête, non un rituel de propriété. Toujours une célébration, rien d'autre. Ni ego, ni contrôle, ni possessivité. Ainsi je célèbre Umaid, et tous ceux que la vie m'apporte, car je ne souhaite posséder aucun d'eux.

« Je désire Umaid parce qu'il ne m'appartient pas.

« Je ne souhaite pas accéder à la propriété et perdre le désir.

« Je me donne à l'immensité de la vie.

« Elle n'est jamais plus riche que dans le royaume du désir. »

Catherine perçut la sagesse de ces paroles. Elle songea à John et à la lugubre Emily. John, tellement amoindri par les rites de la propriété. Et la lugubre Emily, avec ses lugubres amies qui ne cessaient de calculer sur le présent et l'au-delà, leurs petites vies étriquées et leur morale instable.

Les séances de voyeurisme auxquelles elle se livrait, assise dans l'obscurité, ses mains moites entre ses cuisses serrées, l'excitaient délicieusement. Elle avait conscience que sa présence – la présence d'une femme, et une Blanche qui plus est – stimulait davantage encore les deux amants.

Très souvent, après, une honte vague saisissait Syed. Pour la masquer, il se rendait avec elle à la bibliothèque, ouvrait une bouteille de bordeaux, et causait avec naturel de ses ébats. Ce qui lui avait plu, déplu. Il esquissait des comparaisons. Jouait à faire des remarques cliniques. Catherine lui communiquait ses propres observations. Parfois, elle était excessivement élogieuse, soulignait la beauté de deux hommes faisant l'amour.

Bien qu'il s'en défendît avec éloquence, Catherine savait que Syed se sentait diminué par son impérieuse homosexualité. Souvent il lui disait : « Je n'ai pas envie de mourir comme Oscar Wilde. Un type brillant qui parlait beaucoup mais n'a rien changé. » Elle devinait sa culpabilité de ne pas faire pour son peuple ce qu'il aurait dû faire. Consumé par ses besoins charnels, il avait passé avec son père un pacte faustien, étouffé les élans de sa conscience pour satisfaire les exigences de la chair.

L'énergie qu'il aurait dû consacrer au bien public, il la réservait au plaisir égoïste du corps, dans l'enceinte de son cottage anglais.

De temps à autre, il tentait de lutter. Une semaine s'écoulait sans qu'il autorise ses serviteurs à laisser entrer un homme dans ses appartements. Il se repliait dans la bibliothèque, étudiait un manuscrit rare, écrivait abondamment dans un carnet relié de cuir fauve, faisant sur lui-même un effort visible.

Il rédigeait des essais ampoulés, intitulés par exemple : « La légitimité du plaisir : désir et exploitation », dans lesquels il défendait sa position tout en condamnant

celle du nawab. D'autres ruminations prolixes traitaient d'égalité, d'humanisme, de la bête coloniale, des
péchés de la religion et des vertus de la raison.

C'était un être paradoxal, un homme éminemment
cultivé aspirant à s'identifier au vulgaire. Un jour, il
écrivit une curieuse démonstration : « Le Phallus rural :
revanche astucieuse de l'évolution », dans laquelle il
avançait que le paysan, incapable de développer une
supériorité manifeste à la face d'une élite dominante,
avait, depuis des millénaires, acquis un avantage
caché : un sexe de plus grande taille et une virilité plus
vigoureuse.

Mais Catherine voyait bien que l'écriture n'était pas
une soupape de sûreté suffisante. Syed était tendu, nerveux, irritable. Chaque jour, il resserrait la vis un peu
plus. Et, lentement, il s'enfonçait dans le silence. Les
mots séchaient. Il cessait de parler, d'écrire. Jusqu'au
jour où, resserrant la vis d'un dernier tour, tous les
crans sautaient. Et lorsque Catherine venait le chercher
dans la bibliothèque, il était dans sa chambre, occupé à
faire de la géométrie avec un nouveau corps juvénile,
retrouvant son plaisir et sa voix perdus.

Ses instincts nobles se remettaient en veilleuse.

Catherine se sentait moins prise au piège que Syed.
Moins assujettie à ses pulsions. Et elle pouvait faire son
choix parmi les hommes qui passaient dans le lit de
son époux. Parfois, il lui en recommandait un. Alors
la scène se déplaçait dans la chambre de Catherine :
Syed assis dans un fauteuil, dans un coin obscur, et elle
prenant son plaisir. Sans un mot, sans agressivité.

Contrairement à Syed, elle n'éprouvait pas le besoin
de donner autant qu'elle recevait. Elle prenait, prenait,
prenait, et lorsqu'elle était satisfaite, elle exigeait de rester seule. Son partenaire pouvait jouir d'elle à sa guise,

mais dans le temps imparti ; dès qu'elle avait atteint son incontestable conclusion – un immense tremblement et un cri fulgurant –, c'était fini. Au mieux, l'homme disposait de quelques instants pour aboutir. Après le départ de celui-ci, Syed sortait de la pénombre et, tenant délicatement la tête de Catherine entre ses mains, il lui fredonnait doucement des mots tendres.

Étrangement, cela avait plus de signification pour elle que la fornication. L'acte en soi était un simple soulagement, une variation sur les massages sensuels que lui prodiguait Banno, et à peine supérieur au soulagement que lui procuraient ses propres mains. Il n'y avait rien de ce désir tenace, avant, et du prolongement du plaisir, après, dont Catherine découvrirait, des années plus tard, qu'ils sont les récompenses essentielles de la véritable passion.

La troupe de loyaux serviteurs de Syed sélectionnait, préparait, récompensait et contrôlait l'écurie d'étalons. Fidèle à ses principes, Syed se montrait extrêmement généreux à l'égard de ses serviteurs, lesquels s'assuraient que les hommes de passage avaient bien assimilé les vertus de la discrétion et du silence, et que leur maître serait à l'abri du tapage excessif des ragots.

Catherine, pour sa part, s'en moquait éperdument.

Avec le temps, elle avait appris à jouir de la vie sans regarder par-dessus son épaule. Tout en affichant l'attitude distante conseillée par Syed, qui lui garantissait sa liberté dans l'environnement indien, elle avait acquis assez de confiance pour chevaucher dans les champs et les forêts, se délecter de la nature et des beautés du paysage qui, autrefois, captivaient son imagination d'enfant dans le magasin de Curiosités orientales. Plusieurs fois par semaine, elle échappait à la claustrophobie du cottage. Il lui arrivait de marcher des kilomètres à travers des champs de blé mûr, caressant les épis hérissés ; de s'asseoir des heures au bord de la Banganga, jetant des petits cailloux dans ses eaux vives ; de se reposer sous le pipal, juste à côté de l'ancien temple de Devi, la grande déesse, écoutant la mélopée des incantations.

Partout on colportait des histoires sur ses excentricités, ses pouvoirs secrets, ses pratiques mystérieuses.

Cela la laissait indifférente. Les conduites de la maison royale n'avaient cessé de la consterner. En comparaison, la vie que Syed et elle menaient ridait à peine la surface de l'eau.

La quête de divertissements frivoles occupait entièrement la vie des maîtres de Jagdevpur. Les cuisines du nawab employaient cinquante-deux cuisiniers, chacun spécialiste d'un seul mets. Chaque cuisinier devait, chaque jour, préparer sa spécialité. Le nawab picorait un petit morceau, les restes étant ensuite dirigés vers le palais canin et servis aux pensionnaires dans de la vaisselle fine.

Chaque chien avait un maître-chien personnel, dont l'emploi et la vie pouvaient être compromis par le moindre incident. La mort prématurée du danois favori du nawab, Gulbadan, entraîna la flagellation publique de son maître-chien, Imtiaz, jusqu'à ce que la peau se détache de son dos en petites lanières sanguinolentes. Gulbadan eut droit à des funérailles d'État, avec sacrifice de onze paons blancs, et défilé de soldats en galons dorés et cordons rouges devant la tombe où l'on descendait son cercueil de tek.

Le nawab aimait réellement ses chiens et en ramenait un chaque soir dormir dans son lit.

Dans son carnet d'aphorismes, il écrivit : « Ce qu'un chien peut faire, nul homme ne le peut. »

Cette phrase mystifia des générations d'étudiants.

Le zenana, le palais des reines, tout comme le palais des chiens, s'enorgueillissait d'une foule de spécimens rares et somptueux. Lors de sa première visite, Catherine eut le souffle coupé devant le nombre de femmes superbes qui s'y entassaient. Il en comptait plus d'une centaine. Elle se dit qu'aucun homme n'avait droit à autant. Elles se rassemblèrent autour d'elle, la peau luisante d'huiles parfumées, les oreilles, le nez et les doigts étincelants de rubis et de diamants, le corps drapé dans des soies et des brocarts. Mais leur regard était vide ; même leur curiosité à son égard était engourdie. La raison à cela, selon Syed, était que ces femmes savaient qu'aucune information sur le monde extérieur ne les aiderait à modifier leur vie. Une sensation de surabondance, de superflu, leur figeait l'esprit. Certaines d'entre elles n'avaient pas partagé la couche du nawab depuis plusieurs années. Elles devaient trouver un exutoire, pour elles et pour leur corps, à l'intérieur des murs dorés du zenana.

Le nawab possédait une chaise percée spécialement conçue pour lui, assez large pour accueillir son corpulent postérieur, et muni de coussins pour son dos. La chaise percée trônait dans une vaste salle, sur une large estrade à laquelle on accédait par une douzaine de marches. Sur sa gauche, il y avait une table à plateau de marbre pour recevoir assiettes et verres. Sur sa droite, cinq chaises munies d'accoudoirs écritoires pour les fonctionnaires. Le nawab passait de longues heures sur sa chaise percée, luttant contre la constipation et auditionnant les demandeurs et plaignants qui faisaient la queue sur les marches, les mains jointes. Les affaires de l'État se traitaient au son des flatulences alimentaires et des grondements rectaux.

Les excès du nawab étaient stupéfiants. Il possédait des palais fastueux, remplis de mobilier français, de tapis d'Aubusson et de tableaux de maîtres – paysages et portraits –, qui avaient jadis orné les plus élégants salons européens. Les salles de bains étaient grandes comme des chambres, les chambres grandes comme des salles de bal, et les salles de bal grandes comme des terrains de polo. Dans les garages royaux ronronnaient six Rolls-Royce personnalisées, que Catherine aperçut seulement rouler de loin. Dans les écuries s'ébrouaient une centaine de chevaux arabes.

Dans le palais principal – où elle se rendit une seule fois –, le trésor du nawab regorgeait de joyaux : lingots d'or, colliers de perles et rivières de diamants, pectoraux d'or, bagues serties de diamants gros comme des cailloux, coffres remplis de pièces d'argent. Et, dans un coffret renforcé, une tiare d'émeraudes rehaussées de diamants et de perles d'une valeur inestimable, dont la famille affirmait qu'elle avait été offerte à ses ancêtres par l'empereur Shahjahan en remerciement de leur aide pour la construction du Taj Mahal.

Les taxes sur les produits agricoles de Jagdevpur s'élevaient, selon Syed, entre cinquante et soixante-quinze pour cent. Leur levée s'effectuait avec une brutalité professionnelle, dénuée de toute compassion. La plupart des laboureurs espéraient, au mieux, garder leur terre, manger deux repas par jour, et empêcher leurs quelques têtes de bétail de crever de faim.

Toutes les terres de Jagdevpur appartenaient à la famille royale.

C'était grâce à sa haute bienveillance que les paysans avaient le droit de la cultiver.

Syed racontait que, parfois, son père s'asseyait nu au milieu de ses joyaux, coiffé de la tiare, portant le pecto-

ral, les boucles d'oreilles, les colliers, et faisait défiler
devant lui toutes les femmes du harem pour les éblouir.
Son fantasme était de pouvoir faire cela en pleine érection, comme, disait-on, le maharaja de Patiala. Mais il
était si affaibli, si gavé de plaisirs que même dans les
meilleures conditions il avait du mal à bander. C'était
de notoriété publique.

Une douzaine d'apothicaires, médecins traditionnels
et alchimistes – employés à plein temps par l'État –
passaient leurs journées à mélanger des herbes et à
préparer des décoctions afin de trouver le secret de la
tumescence. La flaccidité royale était une affaire grave.
Les chercheurs fous se rendaient mutuellement malades
avec leurs potions. Trous dans l'estomac, furoncles et
tumeurs, perte de cheveux, cécité partielle, relâche-
ments intestinaux, pourrissement des organes génitaux,
et même perte de raison.

Leur devise était : *nawab ka loda banayenge hatoda*.
Le pénis du nawab sera aussi ferme qu'un maillet.

Si le nawab était un personnage oisif et futile, son fils
cadet, l'héritier présomptif, frère de Syed, était un des-
tructeur. Malingre – des générations d'unions consan-
guines produisaient des cas d'arriération mentale –,
Zafar était prédisposé aux démonstrations de pouvoir
vengeresses. Son bras gauche, atrophié par la polio,
pendait inutilement le long de son corps, et le droit était
toujours occupé à cogner ou à gifler quelqu'un.

Échaudé par le comportement de Syed, le nawab
avait protégé Zafar d'études poussées. Le cadet avait
été instruit au palais par des précepteurs ayant pour
ordre de ne pas approfondir la littérature, l'esthétique
ni la philosophie. Les arts libéraux peuvent se révéler

des torpilles contre l'autocratie, qui perforent sa coque avec des idées humanistes et égalitaires, et coulent son grand principe de gouvernance de droit divin.

De toute façon, l'incapacité de son frère aîné à adopter la superbe et la suffisance convenant à un souverain avait marqué Zafar. Il souhaitait complaire à son père, et se faire plaisir à lui-même. Dès son jeune âge, il avait souffert de l'indifférence paternelle et des railleries sur son bras atrophié. On le surnommait « aadha nawab », le demi-nawab. À cette époque, les regards de tous convergeaient vers le beau Syed, tandis que Zafar l'infirme restait dans l'ombre. Ce désintérêt pour sa personne avait nourri en lui une soif de reconnaissance, et fait monter à la surface un dangereux venin qu'une bonne éducation parentale aurait normalement dû enfouir.

Propulsé soudain au centre de la scène, Zafar devint un tyran. Il s'entoura d'une armée de serviteurs et de brutes qui lui étaient exclusivement dévoués. On lui ôtait la cigarette des lèvres lorsqu'il fumait, on le déshabillait lorsqu'il allait prendre un bain, et on allait même jusqu'à lui préparer les femmes lorsqu'il voulait forniquer.

Si son père peinait à bander, Zafar ne débandait pas. Il possédait son harem personnel dans un haveli, un petit palais ancien ayant appartenu autrefois à l'une des bégums décédées de son père. Il y organisait des orgies, et il lui arrivait parfois de crouler sous un si grand nombre de corps nus et huilés que ses loyaux acolytes devaient le repêcher pour l'empêcher de périr étouffé. Zafar était cruel envers les femmes qui avaient le malheur de lui déplaire, même involontairement. Il les brûlait avec des cigarettes, leur fouettait les fesses jusqu'au sang, les jetait à ses brutes, et, quelquefois, faisait venir des étalons des écuries royales pour les monter et les déchirer.

Avec le temps il s'enhardit et osa ratisser aussi le harem de son père. Le vieux nawab, en lutte avec ses intestins et son érection, manquait de volonté pour s'opposer à lui. La bande de voyous de Zafar, arborant un uniforme de shalwars noirs et surnommés « kaale kutte », les Chiens noirs, s'organisa ; ils établirent une hiérarchie interne, s'attribuèrent des rôles. Comparé au bien, le mal se structure très vite, acquiert une clarté de dessein et une rapidité d'action beaucoup plus grandes.

Les appétits de Zafar ne se réduisaient pas aux femmes. Il appréciait aussi les garçons. Adolescents, jolis, imberbes – au fond, des filles avec un pénis. Être choisi comme jouet sexuel par le rachitique demi-nawab était dangereux. Son attirance pour les garçons rappelait à Zafar les échecs de son frère et générait une profonde haine de lui-même, qu'il déchaînait contre les jeunes gens. Quelques minutes à peine après l'orgasme de Zafar – faible, toujours, avec un grognement soudain –, l'adolescent était souvent entraîné pour subir tortures et humiliations. Certains étaient sodomisés avec des pilons enduits de piment rouge, d'autres contraints de se livrer aux chiens royaux, les moins chanceux avaient le sexe coupé en petites rondelles que l'on jetait ensuite en pâture aux vautours.

La tyrannie de Zafar et de ses Chiens noirs atteignit de tels excès que les parents apprirent à dissimuler leurs filles trop jolies – et leurs fils – au regard public. Et quand se profilait une silhouette noire menaçante, les femmes mariées elles-mêmes avaient recours à la burqa pour se protéger.

Dans son carnet d'aphorismes, le nawab écrivit :
« L'homme qui a une belle femme mais pas de mous-
quet doit apprendre à la cacher. »

À l'époque de Zafar, des centaines d'innocents
disparurent dans des tombes anonymes. Pendant longtemps, le lieutenant-colonel Brosnan rechigna à tirer
la sonnette d'alarme, car Zafar était généreux avec
lui et ses supérieurs. Une fois, pour le gouverneur des
Provinces-Unies et ses invités venus de Londres, il
organisa une chasse au tigre dans le Terai, et fit venir
une armée d'éléphants et des tambours jagdevpuris
dans les forêts pour rabattre les fauves. À l'issue de
la journée, les champs de blé aux abords de Kashipur
étaient aplatis par le remue-ménage et encerclés de
tambours exténués. Au centre gisaient six magnifiques
félins aux yeux vitreux, alignés comme des barbeaux
après une partie de pêche.

Une autre fois, les nièces du gouverneur du Pendjab émirent le souhait d'une chasse à la perdrix. Or,
à cette saison, les perdrix étaient rares dans la région.
Les Chiens noirs entrèrent en action : tous les bazars
d'oiselleries de Delhi et de Lucknow furent passés au
peigne fin. Bientôt, de grands casiers en bois chargés
d'oiseaux commencèrent à affluer dans la petite gare
de Jagdevpur. Des milliers furent ainsi acheminés par
train et, pendant des semaines, leurs trilles métalliques
– *kaan kaan kaan* – envahirent la ville. Les délicates
nièces et les Chiens noirs abattirent toutes les perdrix
en trois jours.

Et la ville retomba dans le silence.

Dans un monde fou, même les massacres peuvent
être un présage de soulagement.

Brosnan avait d'autres raisons de garder le silence. La fornication n'étant pas son fort, les filles et les garçons de Zafar le laissaient froid. Mais il avait une obsession secrète, pour laquelle il était prêt aux plus grands compromis. À la fois sultan d'Onan et amateur d'art, il avait réuni ses deux passions en collectionnant les anciennes miniatures érotiques indiennes, des écoles moghole, kangra, rajput et des Indes orientales. Parmi ses préférées figurait la *Variation de la position bonté inépuisable*, une miniature moghole datant de 1775, où l'on voit le sexe d'un homme en position assise effleurer le yoni de sa bien-aimée. Il y avait aussi la *Position du gentil éléphant*, de l'école kangra : un jeune homme coiffé d'un turban, agenouillé derrière son amante, la pénètre et l'ouvre comme une fleur, juste au-dessous du bourgeon sombre de l'anus.

Mais ses deux pièces maîtresses étaient *Le Troupeau de vaches,* une miniature rajasthani qui représente un don Juan allongé sur le dos, bras et jambes en croix, stimulant avec ses doigts et ses orteils quatre femmes debout aux quatre coins du lit tandis qu'une cinquième se tient accroupie sur son membre puissant, et *L'Après-midi du rugissement royal*, qui montre l'empereur Jahangir dans son boudoir, une main posée sur la tête de son guépard, l'autre sur celle de sa concubine dont le visage est enfoui entre ses genoux.

De la magnifique collection de Jagdevpur – dont peu de gens connaissaient la véritable valeur –, Zafar dérobait régulièrement des miniatures pour les passer à Brosnan.

Celui-ci les cachait précieusement et s'offrait périodiquement des séances de pornographie solitaires.

Cependant, deux épisodes jetèrent du sable dans les rouages. Deux événements qui finirent par briser les relations de Catherine avec Jagdevpur.

Tout d'abord, la folie dans laquelle sombra Zafar,
ivre de pouvoir. Les pratiques auxquelles lui et ses
Chiens noirs avaient l'habitude de se livrer la nuit se
perpétuèrent au cœur de la journée. Des jeunes filles
étaient enlevées à l'heure de leur mariage ; des marchands voyaient leurs biens confisqués sans raison ;
les paysans étaient enrôlés sans préavis pour la chasse
ou des travaux de construction ; le nawab était vilipendé en public ; quiconque émettait un mot de pro-
testation avait la langue coupée, la gorge tranchée, ou
les membres sectionnés. Les Chiens noirs étaient des
experts du jagdevpuri, le poignard à cran d'arrêt local.
Véritables chakunmaars, virtuoses du couteau, ils
pouvaient sortir leur arme, ouvrir la lame et sectionner
l'artère appropriée – pour tuer ou blesser, selon – en un
battement de paupières.

Quelquefois, les corps étaient rendus à la famille en
guise d'avertissement ; quelquefois, on les jetait dans
de grandes fosses sur un amoncellement de cadavres.
Les détracteurs étaient contraints de défiler devant,
pour une visite de l'horreur, l'estomac révulsé.

Brosnan, le représentant de l'Empire, fut contraint de
réagir. Aucune miniature précieuse ne pouvait dissimuler de tels agissements. Il convoqua Zafar officiellement
et Zafar dut accepter de se modérer. Sa modération prit
les traits du chloroforme. Le jeune demi-nawab fou
découvrit avec enthousiasme le liquide incolore aux
effluves mortels. D'énormes jarres furent importées
par l'intermédiaire de négociants en produits pharma-
ceutiques de Old Delhi, et entreposées dans son palais.
Le meurtre acquit un certain décorum : on commença
à le délivrer poliment avec un mouchoir. On pouvait
désormais assassiner en grand nombre, sans brutalité
ni signes révélateurs. Mystifié par l'arme nouvelle qui

décimait ses rangs, le peuple l'appela « kaale kutte ki bu », la puanteur du Chien noir.

Un fléau que les miniatures érotiques étaient parfaitement aptes à cacher.

Le second événement était relié au premier. Des poches de résistance commencèrent à s'unir autour de Syed. Pendant plus de dix ans, Catherine l'avait vu se comporter en généreux bienfaiteur de son peuple, non en chef ni en inspirateur. Or, désormais, les hommes qui lui rendaient visite au cottage étaient moins préoccupés de sexe ou de menues faveurs que d'affaires d'État.

Ils étaient là pour exhorter Syed à mener la lutte pour mettre fin au règne de terreur de Zafar. Ses bontés et ses idéaux progressistes étaient bien connus, et si quelqu'un pouvait les sortir des horribles ténèbres où ils croupissaient, c'était lui. Syed sentit un frisson le parcourir : l'heure cruciale de sa vie était arrivée. Il lança une campagne de lettres adressées au bureau du vice-roi à Calcutta et au siège de l'India Office à Londres. Utiliser l'ennemi éloigné pour éliminer l'ennemi local lui semblait une bonne stratégie.

Mais les rebelles exigent des actes, pas des lettres.

Ils veulent des uniformes, une organisation, une hiérarchie, une bataille.

Syed en discutait longuement et âprement chaque jour avec Catherine. Elle était indécise. Elle exécrait tout ce qui touchait à la famille royale de Jagdevpur, et aurait beaucoup fait pour en débarrasser la population, mais elle n'était pas certaine que Syed fût l'homme idéal pour une sale guerre. C'était un érudit, pas un bagarreur, un homme de parole non un combattant, un guide non un général.

Syed était plus doué pour servir son peuple comme il s'y employait depuis longtemps : recevoir pétitionnaires et plaignants quatre fois par semaine dans sa véranda, tendre une main pour soulager leur misère. Il savait prêter une oreille bienveillante aux histoires les plus fastidieuses et son avis était pris en grande considération. Il n'y avait rien de faux dans son engagement envers les gens, rien qui ne fût désintéressé. Et il était extraordinairement généreux avec sa fortune – comme s'il allait mourir brutalement le lendemain matin.

Catherine ne l'aimait jamais tant que lorsqu'elle le voyait dans la véranda, offrant sa sagesse et son argent, avec l'aura d'un soufi.

Voilà l'homme dont elle était tombée amoureuse à Paris.

Mais, à présent, dans ce rôle inhabituel et étrange, elle avait peur pour lui. Elle craignait que, dans l'escalade des événements, il ne soit détruit non seulement par l'ennemi, c'est-à-dire son frère, mais aussi par ses propres partisans. Lors des réunions nocturnes, en observant parler les hommes au regard de braise, elle voyait aussi les poignards à leur ceinture.

Cependant, elle savait que si Syed n'agissait pas maintenant, le regret le rongerait toute sa vie. Aussi décida-t-elle de taire ses doutes, de le soutenir, et de le laisser trouver seul son chemin. Mais Syed avait besoin d'être conforté. Il voulait que Catherine l'encourage à saisir l'occasion qui s'offrait. Comme elle s'y refusait, il commença, pour la première fois de sa vie, à consulter devins, pandit et maulvi, sages hindous et imams. Tous lui confirmèrent que son heure était arrivée, que bientôt ses actes influenceraient l'avenir de Jagdevpur. Ils fondaient leurs prédictions sur la position des constellations, l'étude des nombres, la lecture des lignes de la main, l'interprétation des rêves.

Syed se décida. Il forma un conseil de guerre. Ses partisans choisirent le shalwar blanc pour uniforme et adoptèrent la faucille à manche court pour arme. L'un symbolisait la pureté, l'autre la paysannerie. Ils prononcèrent leur profession de foi :

Je préfère

Dieu au nawab.

Les hommes aux chiens.

Le blanc au noir.

La faucille au poignard.

La mort au déshonneur.

Étant donné la situation de leur chef, ils évitèrent les sujets litigieux tels que riche et pauvre, homosexuel et hétérosexuel. Il leur advint ce qui advient à tous les hommes parés d'un uniforme et d'une arme : leur testostérone s'activa. Ils mirent au point un langage codé dans lequel le mot clé était le troisième de chaque phrase. Leur salut secret, qui consistait à se toucher le nez, signifiait qu'ils préféreraient se couper le nez plutôt que de trahir leurs camarades.

Dans leurs tentatives pour remplir des obligations d'hommes, ils retombèrent très vite dans l'adolescence.

Catherine assista à tout cela avec désarroi. Même Syed paraissait y prendre goût.

Elle se replia dans la bibliothèque pour lire. Le reste de la maison bourdonnait comme une ruche. Des hommes vêtus de blanc entraient et sortaient à toute heure du jour et de la nuit. Syed tenait conseil en permanence, discutant opérations et logistique. Il y a un gouffre entre l'analyse des livres et des concepts, et la perception des motivations et du comportement des individus. Syed n'était pas équipé pour franchir ce gouffre. Dans la compréhension du peuple, l'élite noble est beaucoup plus chancelante que l'élite vénale.

Car les bas instincts sont plus universels, plus aisément accessibles, que les instincts élevés.

Les hommes qui entouraient Syed profitèrent de son parrainage pour satisfaire leurs aspirations mesquines : régler des différends de propriété, terroriser des commerçants pour obtenir leur contribution, faire pression sur les paysans pour avoir du blé, exploiter des garçons pour leur propre service, et, à l'occasion, faire une descente dans les bordels pour forniquer à l'œil.

Bientôt, Jagdevpur eut une autre bande à redouter : « safed kutte », les Chiens blancs.

Les deux meutes, celle de Syed et celle de Zafar, se déployèrent dans les rues, les bouges et les quartiers, les temples et les mosquées, les champs et les jardins, les écoles et les collèges, et la guerre fut déclarée.

Assis sur sa chaise percée, dans un grondement rectal, le nawab inscrivit dans son carnet d'aphorismes : « Entre blanc et noir, nous devons tous lutter pour trouver la paix. »

Les choses se terminèrent fort mal quelques mois plus tard. Pour tout le monde. Surtout pour Syed. Et ce fut une farce sordide qui provoqua le dénouement. Après plusieurs escarmouches entre Chiens blancs et Chiens noirs, qui laissèrent quelques estafilades et coups de lame, les troupes de Syed décidèrent de monter une expédition subversive derrière les lignes ennemies. Les Chiens blancs choisirent une cible qui atteindrait l'adversaire tout en limitant leurs propres pertes. Par une nuit sans lune, une nuée de soixante shalwars blancs, tenant une faucille dans la main droite et des côtes de mouton dans la main gauche, s'engouffrèrent dans le palais des chiens du nawab.

Un affrontement de faucilles et de crocs s'ensuivit.

Les guerriers blancs de Syed subirent des morsures aux bras, aux mollets, aux fesses et à l'entrejambe. On aperçut Mungeri Lal, le cordonnier nabot, chevauchant follement un saint-bernard qu'il s'efforçait de taillader à coups de faucille. Irfan, le tailleur, maigre comme une pelure d'oignon, tournoyant comme une toupie, un doberman fermement agrippé à son pénis. Bhola, le balayeur qui allait sur ses cinquante ans, acculé par une famille de dix teckels criards, collés à ses jambes comme des sangsues, qu'il maudissait et s'efforçait de chasser à grands moulinets de faucille.

Deux heures plus tard, à fin du carnage – après une contre-attaque de la garde ramollie du nawab –, on dénombra quatre Chiens blancs et cent neuf animaux morts. Labradors, afghans, teckels, retrievers, épagneuls, bergers allemands, loulous de Poméranie, danois, beagles, lhassa apsos, dobermans, boxers, bulldogs, terriers, tous éventrés sur le sol de marbre, des morceaux de chair entre les crocs. D'autres, blessés, ensanglantés, gisaient contre les colonnes corinthiennes, hurlant à l'agonie.

Les assaillants battirent en retraite, les vêtements en lambeaux, et se fondirent dans la nuit, clopinant et se soutenant mutuellement, au milieu des gémissements de douleur et des fous rires.

Le nawab fut dévasté par le chagrin.

Brosnan se fit vertement tancer par le bureau du vice-roi, et aucune position érotique d'une miniature moghole n'aurait pu apaiser l'inconfort de la sienne.

Il fut remplacé en quelques jours par un natif du Yorkshire, le colonel James Boycott, personnage coriace et bourru qui n'avait d'intérêt ni pour l'art ni pour Onan. Boycott pactisa avec le nawab et entreprit d'arracher les crocs des deux fils.

La bande des Chiens noirs fut dispersée, et les trois lieutenants de Zafar exilés de Jagdevpur, avec menaces de mort s'ils réapparaissaient. On retira au demi-nawab ses pouvoirs de justice, ainsi que son autorité sur la police corrompue de l'État et sur l'armée, plus pathétique encore. Il se vit également privé de la levée des impôts. On lui laissa son harem, l'encourageant à y passer son temps.

Syed connut un sort bien pis. Il fut assigné à résidence dans son cottage. Ses visiteurs étaient contrôlés et il avait l'interdiction de quitter le royaume. On redoutait son éloquence, sa force morale et sa capacité à attirer l'attention sur Jagdevpur. Il pouvait garder ses serviteurs, mais sa rente fut réduite au quart puisqu'il n'avait dorénavant plus de vie publique.

Boycott nourrissait un dédain particulier pour les indigènes aux prétentions intellectuelles. Il détestait le raffinement de Syed et son homosexualité, et se délectait à l'idée d'étouffer les deux. Le châtiment qu'il infligea aux Chiens blancs fut particulièrement vengeur. Vingt des hommes impliqués dans le massacre du palais furent traqués et traduits en justice – leurs blessures fraîches les dénonçant facilement. Cinq furent pendus, les autres emprisonnés à vie. Le vieux Maqbool rapporta que Umaid cria le nom de Syed dans une dernière plainte pour demander grâce à l'instant où on lui rabattait la capuche sur la tête.

Le jour où Boycott vint voir Syed, il ne daigna même pas saluer Catherine – de la racaille blanche mariée à de la racaille noiraude.

Il s'adressa à Syed comme un maître à un esclave. Syed ne dit pas un mot. Il soutint simplement son regard.

Mais le prince érudit était brisé.

Il se retira dans la bibliothèque. Il restait assis toute la journée, regardant par la fenêtre le frangipanier aux larges feuilles ; il lisait à peine, écrivait rarement. Certains de ses anciens amants avaient encore accès à sa demeure, mais son corps devenu froid ne recherchait plus les caresses. Il paraissait avoir rétréci, reflué à l'intérieur de lui-même. Il parlait peu. Le plus grand plaisir de leur vie, la conversation, était mort. Catherine et lui restaient là, entourés de livres, laissant le jour s'écouler, les lumières s'allumer, les silences s'accumuler.

Ce fut vers cette époque qu'elle découvrit la thérapie du journal intime. Au fil des années, elle avait vu Syed écrire régulièrement dans les grands carnets reliés de cuir fauve, mais jamais elle ne s'était interrogée sur les motivations de cette habitude. Désormais, si loin de son enfance à Chicago, échouée sur le bord de l'histoire, sans projets dans le présent ni perspectives d'avenir, elle éprouvait le besoin de donner un sens à sa vie.

Elle demanda conseil à Syed.

« Écris sans crainte et sans artifice, répondit-il. Ne cache rien. Ne te soucie pas de ton style. Écris avec la conscience que ce n'est pas de la littérature, mais le matériau brut de la littérature. À partir duquel, peut-être, quelqu'un écrira un jour de la littérature. »

Elle sortit un carnet de l'armoire, demanda qu'on lui installe une table dans l'antichambre de la bibliothèque, et entreprit de déterrer sa vie à partir du tout début. Dans une concentration miraculeuse qu'elle ne soupçonnait pas, l'activité la consuma tout entière. Elle était attirée vers sa table à toute heure du jour, et la prolixe narration de son existence la baignait d'une paix étrange, les mots donnant à sa vie une solidité dont elle s'était soudain mise à manquer.

Mais cela ne pouvait se poursuivre indéfiniment.
Les mots ne supplantent pas la vie éternellement. Peu
à peu, le journal exerça son véritable rôle : celui d'un
thérapeute à temps partiel, et les vides immenses de sa
vie resurgirent avec violence, exigeant d'être comblés.

Ce fut à peu près à ce moment qu'un homme vint
au cottage demander audience. Un homme qui allait à
nouveau changer leur vie. Pour la dernière fois.

Boycott avait interdit les quatre audiences hebdomadaires dans la véranda, toutefois les visiteurs pouvaient
encore être reçus individuellement, après avoir été
contrôlés par le garde du nawab. Il était sept heures du
soir, mais la chaleur de juin pulsait encore en vagues
épaisses, et les plaines indiennes – humains, bétail,
plantes – étaient comme frappées de stupeur, cherchant leur souffle. Depuis des semaines, un brouillard
de poussière flottait en suspension au-dessus de Jagdevpur, et même les oiseaux – hirondelles, mainates,
corbeaux, perruches – concentraient leur chant à l'aube
et au crépuscule. Dans la campagne, des carcasses de
bétail gisaient sur la terre craquelée, de sombres vautours pique-niquant sur leurs os blanchis.

Les paysans, et tous ceux qui travaillaient en plein
air, s'éveillaient à quatre heures du matin et regagnaient
leurs cabanes à huit. Ceux qui devaient voyager se
déplaçaient la nuit, et, le jour, se reposaient à l'ombre.
Tel un œil géant, un million de personnes surveillaient
l'horizon, attendant qu'il s'assombrisse.

Chaque jour, les météorologues du nawab hasar-
daient des prévisions sur la venue de la mousson et se
voyaient démentis. Mais, grâce à Boycott, le nawab
était en paix. Il était débarrassé de ses deux fils, des

cages contenant des chiots arrivaient au palais canin, et une rumeur venant du laboratoire de la libido disait que les apothicaires avaient concocté une poudre bleue capable de rendre l'organe du nawab plus ferme qu'une décision impériale. Apparemment, la poudre bleue provoquait des migraines, bouchait le nez et brouillait la vision, mais les apothicaires allaient très vite résoudre ces inconvénients. Ainsi donc le nawab se prélassait dans une piscine semée de pétales de roses, hippopotame haletant, vidant inlassablement des verres verts de sorbet de vétiver, méditant sur son prochain aphorisme, et rêvant à la poudre bleue qui lui donnerait la tenue digne de son rang.

Zafar, de son côté, reposait, nu, dans une autre piscine parfumée, dans son harem de l'ancien haveli, approvisionné en orgasmes réguliers par ses superbes concubines. Mais il n'y puisait aucune joie. Ce n'étaient qu'excitation manufacturée et soulagement vide. Sans l'aiguillon du pouvoir, point de plaisir. Il était né pour gouverner, pour commander, pour dominer. Il était né pour tenir des milliers de vies dans le creux de sa main. Pour lire la peur dans les yeux des hommes ; dans cette peur, et le pouvoir qu'il en tirait, résidait la saveur de la vie. Il ne lui restait plus que les plaisirs creux des femmes de palais – vêtements, bijoux, serviteurs, luxe futile et orgasmes insipides.

Zafar brûlait de se libérer. Il chiquait de l'opium à longueur de journée et explosait en rages folles, rouant de coups ceux qui croisaient ses pas. Il rêvait de tordre le cou de Syed et de sa putain blanche. Cet imbécile de pédéraste, incapable de maîtriser ses actes et ses idées, qui les avait sapés tous les deux, qui les avait emprisonnés dans leur propre royaume. À chaque seconde, Zafar imaginait des moyens d'éliminer son frère. La mort de

Syed modifierait l'équilibre de la punition et lui permettrait de reprendre en main les leviers du pouvoir.

Mais ses espions lui rapportaient que, au pis, Syed
était triste. Or, si la tristesse peut tuer, cela prend du
temps. Et Zafar était impatient.

Catherine et Syed étaient assis dans la véranda
protégée de lattis lorsque le maigre Ram Aasre – qui
avait épousé Banno et rejoint la domesticité du cottage – annonça la visite d'un solliciteur. Le ventilateur
tournait lentement au plafond, déplaçant des vagues
d'air chaud sur la peau moite. Les quiscaliers plantés
sept ans plus tôt par Catherine recouvraient maintenant
entièrement le lattis de la véranda, la protégeant des
regards indiscrets. En ce moment, ils étaient parsemés
de fleurettes roses. Plus loin, dans le jardin, les flamboyants perdaient rapidement leurs fleurs écarlates.
Étendu dans un profond fauteuil de rotin, un exemplaire non ouvert de *Madame Bovary* sur les genoux,
Syed faillit congédier Ram Aasre, mais un sursaut de
conscience le retint.

Le visiteur qui se présenta était un homme de haute
taille, bien bâti, avec un visage large et beau. Il avait
une moustache fière, drue, ascendante, et des lèvres
inhabituellement charnues et épaisses. Quand il s'inclina devant Syed, sa tête demeura droite et rigide.
L'homme s'appelait Gaj Singh. Il demanda la permission de parler librement et sans crainte.

Gaj Singh travaillait depuis plusieurs années dans
les cuisines royales. Sa spécialité était le Pudinakorma-
ae-Dilbahaar, autrement dit du mouton haché macéré
dans des épices traditionnelles avec, pour finir, un
nuage de jus de menthe. Le nawab détestait ce mets et,

de l'aveu même de Gaj Singh, n'y avait goûté qu'une seule fois depuis quatre ans. Mais, apparemment, les dobermans adoraient le Pudinakorma-ae-Dilbahaar, et ils faisaient presque la grève de la faim les jours de congé du cuisinier.

Gaj Singh avait été transféré, quatre mois plus tôt, dans les cuisines royales de Zafar. C'était là qu'il avait entendu des choses terribles. Se tenant bien droit, les mains croisées devant lui, regardant Syed, mais pas dans les yeux, s'exprimant avec un fin mélange de déférence et de dignité, Gaj Singh expliqua que le plaisir, la luxure, la drogue n'étaient pas des choses mauvaises, puisque les dieux les avaient créées pour se faire aimer des hommes. Mais la méchanceté, la cupidité, la jalousie, l'assassinat étaient des choses mauvaises, puisqu'elles réduisaient même les dieux à l'état d'hommes.

Ces jours-ci, dans le palais du demi-nawab Zafar, on ne chuchotait qu'une chose : comment se débarrasser de Syed sans éveiller les soupçons. Et avec lui – Gaj Singh jeta un regard de côté vers Catherine –, la bibi anglaise, la memsahib blanche.

Syed demeura immobile, comme s'il n'avait rien entendu. Le soleil implacable finit par mourir et l'obscurité descendit sur la véranda. Maqbool et Ram Aasre apportèrent chacun deux lampes, aux poignées en forme de patte de tigre.

À en croire Gaj Singh, plusieurs complots étaient déjà sur pied. Sa seigneurie devrait recevoir et manger avec précaution. Il fallait que chaque visiteur soit fouillé avant d'être conduit devant lui, chaque plat goûté avant de lui être présenté. On devrait aussi retourner son matelas chaque soir pour vérifier s'il n'y avait pas d'animaux nuisibles, et verrouiller soigneusement toutes les croisées de sa chambre de jour comme de nuit.

En fait, le mieux serait que sa seigneurie quitte Jagdevpur au plus tôt.

Syed leva les yeux sans rien dire, sans inquiétude ni gratitude.

Catherine s'avança.

« Nous te sommes très reconnaissants, mais pourquoi être venu nous avertir ? Zafar te ferait étriper s'il l'apprenait. »

Gaj Singh regarda l'homme affalé dans le fauteuil de rotin et répondit : « Ma famille et moi, nous devons la vie au vrai nawab. Chez nous, dans les montagnes, on dit que celui qui ne paie pas ses dettes, les dieux le feront massacrer. »

Quelques années auparavant, le frère aîné de Gaj Singh était venu présenter une requête désespérée à une audience de Syed. Une averse de grêle monstrueuse avait anéanti ses récoltes et son bétail, et sa famille mourait de faim. Bien qu'il n'appartînt pas à Jagdevpur, Syed lui avait donné de l'argent et obtenu pour lui un poste dans la gendarmerie de l'État. Un an après, le frère avait amené son cadet, Gaj Singh, pour le placer dans les cuisines royales, où il s'était spécialisé dans le Pudinakorma-ae-Dilbahaar que le nawab détestait et que les dobermans adoraient.

« Comment savoir si nous pouvons te faire confiance ? demanda Catherine.

— C'est écrit sur mon visage. Et, si l'occasion se présente, ce sera écrit dans ma vie. D'où je viens, on croit que les dieux choisissent et placent chacun de nous dans un but précis. J'ai été envoyé dans les cuisines du demi-nawab pour une raison. »

Il disait vrai. Sa question était superflue. Pas un instant Catherine n'avait douté de la parole de l'homme.

C'était à cause de son visage. Large, ouvert, empreint d'une dignité paysanne, avec des yeux clairs. Elle s'aperçut qu'il était moins grand qu'il ne le paraissait. C'était ce visage beau et large qui créait l'illusion d'une taille élevée.

« D'où viens-tu ?

– De Beerbhatti. C'est à environ cent cinquante kilomètres d'ici. Dans la montagne. Sous le lac divin de Naini.

– Et tu as une idée en tête ?

– Une suggestion, répondit Gaj Singh. Et peut-être un plan. »

Créateurs et Destructeurs

Gethia était à cinq kilomètres tout juste de Beerbhatti. La première fois que Catherine l'aperçut, une brume mouvante l'enveloppait. Plus d'un mois s'était écoulé depuis la première apparition de Gaj Singh au cottage ; quelque temps après, Syed s'était vu diagnostiquer une tuberculose galopante, et une requête pressante avait été déposée auprès de Boycott et du vieux nawab pour qu'ils l'autorisent à aller se soigner en montagne, ce qu'ils avaient accepté.

Toutefois, Boycott avait été clair : si Syed était soupçonné de fomenter des troubles, même de loin, il serait aussitôt rappelé et consigné à demeure. De son côté, Gaj Singh avait quitté les cuisines royales pour se mettre au service de Syed. C'était un départ sans conséquence : ni le nawab ni Zafar ne connaissaient son existence. Et personne ne se souciait du Pudinakorma-ae-Dilbahaar, sauf les dobermans.

Gaj Singh et ses semblables appartenaient à une lignée sans fin de serviteurs. Quand l'un tombait raide mort, un autre le remplaçait. Au suivant, s'il vous plaît.

Contrairement à la coutume, Catherine montait un poney et Syed voyageait dans un palanquin de bois porté par quatre coolies fluets. Ils se mouvaient sur un gracieux rythme ondulant, leurs pas parfaitement coordonnés, leurs hanches pivotant largement, leur souffle exhalé dans un sifflement d'encouragement collectif. Haisha. Haisha. Haisha.

Le chemin était une piste de terre bien creusée. Les coolies et leur charge avançaient à la même allure que le poney. Gaj Singh allait en tête, à longues enjambées de montagnard, et un autre groupe de coolies fermait la marche avec deux mules, portant les tentes, le couchage, les ustensiles de cuisine et les provisions. C'était le début de l'après-midi. Ils marchaient depuis neuf heures. Ils avaient quitté leur bivouac de Kathgodam avant l'aube et faisaient des haltes pour se reposer et se rafraîchir.

La mousson, arrivée deux semaines plus tôt, drapait les montagnes d'une peau verte et brillante. Des forêts de pins indiens et de chênes gris tapissaient toutes les pentes, le sous-bois était dense. De nombreuses cimes d'arbres étaient festonnées de plantes grimpantes qui couraient sur des centaines de mètres. Ici et là jaillissait l'éclaboussure violette d'un jacaranda à la floraison tardive. Une fois passé DoGaon et Jeolikote, des bouffées de nuages se cramponnaient aux escarpements. Partout résonnait la cavalcade vivante et joyeuse des torrents.

Il y avait une profusion d'oiseaux extraordinaire. Dans les premières heures de leur expédition montagnarde, Catherine aperçut davantage d'espèces qu'elle n'en avait vu en plus d'une décennie à Jagdevpur. Le plus beau était un oiseau de la taille d'un pigeon, avec une longue queue souple mesurant trois fois sa taille, qui sautillait d'un arbre au sentier, et du sentier à l'arbre. Parfois ils surgissaient en bandes braillardes, mais la plupart du temps ils évoluaient en couple. Le premier appelait d'un cri pressant son partenaire et, dès que celui-ci apparaissait, il s'envolait pour aller se percher ailleurs.

Catherine les baptisa les Oiseaux taquins. Quelques années plus tard, elle apprendrait qu'il s'agissait de pies bleues à bec rouge.

Le chemin avait commencé à monter dès Kathgodam. Il était large, confortable, la pente facile mais trompeuse car, en peu de temps, ils gagnèrent les hauteurs. L'air se refroidit radicalement, puis une bruine imperceptible humidifia l'atmosphère, qui fit monter d'un coup le moral du convoi et jaillir les sourires.

Catherine ne se rappelait pas s'être sentie si légère et heureuse de toute sa vie.

Avant le départ de Kathgodam, à l'aube, elle avait enfilé des culottes de cheval kaki et un chemisier de mousseline crème. Le confort de sa tenue, la nature grande ouverte sous le ciel frais et gris, le poney qui piétinait, attendant sa cavalière, les coolies qui s'affairaient dans l'obscurité, fixant et ajustant les ballots sur les montures, tout cela avait fait resurgir une joie innocente, oubliée depuis longtemps.

Plus tard, et plus haut, quand le ciel s'était fendu pour emplir la montagne des premières lueurs, elle avait ôté son casque colonial et libéré ses cheveux longs sur ses épaules. Deux heures après, avant DoGaon, ses joues avaient rosi. Cette fois, elle avait ôté sa veste de velours marron et ouvert le bouton de col de son chemisier. Puis elle s'était mise à fredonner, insouciante.

Il lui avouerait par la suite qu'il avait eu toutes les peines du monde à détacher ses yeux d'elle. L'éclat de sa peau, ses clavicules dénudées, la pression de sa poitrine sous la mousseline, l'étirement de la toile kaki sur ses hanches l'avaient enflammé. Il lui avouerait également qu'il ne l'avait jamais vue plus belle que ce jour-là. Ce n'était pas étranger au bonheur, car jamais non plus il ne la reverrait si heureuse.

Lorsqu'ils arrivèrent au hameau de Jeolikote, comptant une demi-douzaine de cabanes, et que Gaj Singh pointa du doigt le pic qui se dressait en face d'eux, but de leur expédition, sur l'autre versant d'une superbe vallée inhabitée, Catherine se dit qu'elle approchait de la destination finale de sa vie. Après la passe de Beerbhatti, ils descendirent jusqu'au cours d'eau glacé et bavard qui dévalait de Naini, passèrent à gué en prenant maintes précautions à l'aide d'une corde épaisse, et remontèrent la pente escarpée jusqu'à Gethia. La sensation d'intimité avec les lieux, qui l'avait saisie un peu plus tôt, atteignit alors son paroxysme. Elle était chez elle. C'était l'endroit sur terre où elle devait vivre.

À présent, la brume jouait, se mouvait sans relâche sur les cimes et les ravines, allait et venait. Par instants, la vue se dégageait sur toute la vallée, jusqu'au sentier de l'autre versant, mais quand Catherine se retournait, elle ne distinguait plus les coolies qui cheminaient derrière le palanquin de Syed. Comme par miracle, celui-ci semblait avoir émergé de plusieurs mois de léthargie. Ses yeux brillaient et il bavardait avec ses porteurs. Il voulait connaître les noms des lieux, les caractères climatiques, la faune de la région.

Les lieux. Bhumiadhar, Beerbatthi, Jeolikote, Naini. Un peu plus loin : Bhowali et Pangot, et les tals Bhim, Saat et Naukuchiya, lacs d'une beauté miroitante, gorgés de truites et de carpes. Plus loin encore : Ramgarh, Nathuakhan et Hartola, puis Almora et Ranikhet, puis Gwaldam, Mukteswar, Bageshwar, Jogeshwar, et enfin les hauteurs vertigineuses des sommets culminants de l'Himalaya.

Le climat. La brume, la brume, la brume. Gethia : le pic des brumes tournoyantes. Et le soleil, aussi, bien sûr, qui dardait toute l'année, sans obstacle, baignant dans un ciel bleu. Et la pluie, abondante pendant la mousson, déluge infini qui vidait les cieux, et sporadique au long de l'année. Et la neige, occasionnelle, une année sur deux, pendant deux ou trois jours, qui blanchissait les pentes. Et la déesse des bourrasques, qui venait là pour un séjour estival, s'annonçait l'après-midi, forçant hommes et bêtes à courir se cacher. Et parfois, quand les dieux étaient courroucés, les tempêtes. Elles rugissaient comme seuls les dieux peuvent rugir ; il n'y avait d'autre solution alors que de s'agenouiller et prier. Mais Gethia, c'était surtout la brume, voltigeuse, dansante, fantasque.

La faune. La région faisait partie du royaume des grands fauves, celui à rayures, bagh, le tigre, et celui à pois, guldaar, le léopard. Royal, le tigre rendait de rares visites, descendait des forêts pour visiter ses domaines. Le léopard, chef subalterne, avec la cupidité du mesquin, rôdait furtivement et décampait en emportant un chien ou du bétail.

Rarement, très rarement, quand un grand félin attaquait des humains, une plainte était déposée au bureau du gouvernement, à Naini ou à Kathgodam. Et si les fonctionnaires manquaient à leur devoir, on envoyait un coursier à Kaladhungi, au bas de la route de Naini, où commençaient les vastes étendues de bhabbar[1]. Là vivait un grand magicien blanc, capable de se déplacer dans les forêts tel un esprit de la nuit, et de s'insinuer dans la tête de n'importe quel fauve. Il ne tuait pas pour le plaisir, uniquement dans un but noble. Et il répondait à tous les appels au secours. On l'appelait Carpetsahib.

---

1. Haute plante fibreuse utilisée comme fourrage et pour la pâte à papier, qui a donné son nom à la région, entre plaine et montagne. *(N.d.T.)*

Catherine était très attentive aux informations captées par Syed. C'était dans ces moments-là qu'elle l'aimait le plus. Quand il débordait de curiosité, d'attention, de soif de savoir, quand il ne craignait pas d'apprendre auprès des plus humbles. Leur convoi prit un virage en épingle à cheveux, à l'extrémité d'un long affleurement – la pointe effilée d'une part de gâteau qui saillait dans la grande vallée –, et Gaj Singh annonça qu'ils étaient arrivés. Syed fit signe aux coolies, qui le déposèrent doucement à terre. Catherine descendit de son poney, et l'un des porteurs s'avança pour prendre les rênes. Ils se mirent en marche, Gaj Singh quelques pas devant, mais sur le côté, déférent, le corps à demi tourné vers eux.

L'air était vif. Catherine se surprit à inspirer à pleins poumons. Syed sourit et remarqua : « Voilà pourquoi nous mettons tous nos dieux dans les montagnes. Et voilà pourquoi ils sont, au fond, de bonnes personnes. Je serais curieux de voir ce qui se passera quand nous les parquerons dans les plaines. »

C'était du Syed grand cru. Catherine ne l'avait pas vu ainsi depuis longtemps. Cela seul suffisait à faire de cette expédition un succès.

Le terrain que Gaj Singh voulait leur montrer s'étirait de haut en bas sur trois petites collines. À l'extrémité de la troisième se trouvait le chemin qui montait à la ville de Naini, où résidait la déesse, dans un lac si large et si beau que les habitants l'avaient caché au reste du monde pendant des siècles.

La déesse maudit l'intrus étranger qui l'avait exposé à tous les regards et, chaque année, les eaux du lac engloutissaient un homme blanc en sacrifice.

Gaj Singh expliqua que l'on pouvait rejoindre le lac à pied en deux heures. Le chemin passait devant le coteau où l'homme blanc enterrait les siens – prématurément fauchés par la guerre et les épidémies à des milliers de kilomètres de leur pays –, et posait une pierre sur leur tête. Comme si le monde avait assez de temps et d'espace pour marquer l'emplacement de ces morts qui n'en finissaient jamais.

« C'est bien le signe de la vanité de l'homme blanc, ajouta Gaj Singh. Même dans la mort, il se préoccupe davantage du corps que de l'âme. »

Les trois petites collines mesuraient environ un kilomètre. Elles formaient véritablement un triangle, une part de gâteau dressée dans la vallée, avec trois ondulations irrégulières au sommet. Gaj Singh les guida sur la crête, par des sentiers à peine perceptibles sous les chênes et les pins, et ils découvrirent des panoramas à couper le souffle sur les vallées de chaque côté. Le versant de Bhumiadhar était sombre, inhospitalier, touffu. Celui de Jeolikote était ouvert, large, beau, aspirant le regard sur des kilomètres et des kilomètres.

C'était une journée magique. Un instant, ils étaient sous la caresse d'une pluie légère comme de la gaze, qui déposait une fine pellicule sur leurs cheveux, leur peau et leurs vêtements ; l'instant suivant, le ciel se dégageait et le monde était haut et bleu. La brume, cependant, était toujours présente, en mouvement continuel, modifiant la vue d'une seconde à l'autre. Parfois, si dense et si tangible que l'on aurait presque pu en casser un morceau.

Le sous-bois bruissait des stridulations des insectes, et les arbres des battements d'ailes, dont ceux des oiseaux taquins qui poursuivaient leur jeu de cache-cache. Au-dessus de la cuvette de la vallée, un aigle traçait des cercles tranchants.

Catherine discerna une route sinueuse qui s'enroulait comme un ruban jeté négligemment. De temps à autre, quelques cabanes s'amassaient sur le ruban, formant une grosse perle. En haut des côtes, à l'écart de la route, un hameau était parfois pris en sandwich entre des terrasses étroites, cultivées à la main et à la houe.

Alors qu'ils contemplaient le paysage, un arc-en-ciel compact prit racine au centre exact de la vallée de Jeolikote et commença à se déployer. Sans se fragmenter, il s'étira au-dessus de leurs têtes en quelques minutes et planta ses dents quelque part à l'intérieur de la vallée de Bhumiadhar. Ils demeurèrent longtemps silencieux sous l'arche vibrante aussi solide que la brume.

Lorsque, finalement, l'arc-en-ciel se dissipa et que la brume obtura les vallées, Catherine dit à Gaj Singh : « Nous prenons. »

Le marché fut conclu. L'argent versé.

Boycott se félicita de l'éloignement de Syed. Le nawab se réjouit de ne plus avoir sous les yeux l'humiliation de son fils. Il convoqua Catherine et lui dit, gentiment, son espoir de voir Syed trouver dans les montagnes la paix et le bonheur. Il lui assura qu'ils ne manqueraient pas de ressources. Mais Syed refusa de rencontrer son père.

La réaction de Zafar, telle qu'on la leur rapporta, fut, comme toujours, décourageante. Plongé dans le supplice de ses propres humiliations, Zafar songea, dans son esprit torturé, enfiévré, ouaté par l'opium, que son frère avait habilement réussi à tirer le meilleur parti de la situation, ainsi qu'il l'avait toujours fait : en allant dans une université étrangère, en ramenant une femme blanche, en se faisant aimer du peuple.

La détresse existentielle de Zafar affligea Syed – après tout, ils avaient été d'affectueux camarades de jeux, et l'empathie des gènes ne meurt pas facilement –, mais il ne put se résoudre à le revoir.

Syed revivait et il savourait sa renaissance. Il ne voulait pas la gâcher. Catherine et lui avaient redécouvert les joies de la conversation et d'une vie animée. Ils passaient de longues heures à discuter de l'implantation de leur maison, de son architecture et de sa décoration. Ils s'y rendirent à nouveau et la même magie opéra – la brume continuait de se mouvoir, la pluie de tomber, chaque parcelle du paysage verdoyait.

Cette fois, le voyage fut plus rapide car Syed montait un poney, comme Catherine et Gaj Singh. Les coolies avaient été envoyés en avant-garde avec l'équipement et le ravitaillement.

Au retour, Syed commanda des projets à des architectes européens. L'idée d'un chalet suisse, avec un toit pointant, seul, vers le ciel, le tentait beaucoup, mais Catherine s'y opposa et demeura inflexible. La maison respecterait le style local et serait bâtie avec des matériaux locaux par des artisans locaux.

À Gaj Singh le soin de trouver le maître d'œuvre.

Il partit seul à Kathgodam et revint quatre jours plus tard avec un petit homme effacé, aux jambes arquées, appelé Prem Kumar. Un imprésario de la construction en montagne. Il s'accroupit sur le sol et, à l'aide d'une craie, traça les deux longues droites d'un cône pour figurer l'éperon rocheux. Au sommet, il dessina une structure cubique à deux niveaux, sur laquelle il déposa un toit incliné. Avec quatre petits traits, il représenta des colonnes devant le cube inférieur et forma une véranda. Au-dessus de la véranda, il dessina une rangée de petites fenêtres – semblables à celles d'un train – enserrées par un long balcon. Puis, se penchant en avant, il traça un petit rectangle divisé en deux, derrière le bâtiment principal. La cuisine. Ensuite il pivota légèrement et délimita deux autres rectangles éloignés de la maison principale, aux extrémités opposées du terrain, à côté desquels il dessina des portails à croisillons. Les domestiques avaient maintenant un toit sur la tête.

Cela fait, Prem Kumar se prit au jeu et s'amusa à planter des arbres : autour de la maison, près de l'entrée, en paravent pour isoler les communs de la maison des maîtres. À certains de ces arbres, il donna des ramifications, à d'autres une voûte luxuriante. Exalté, il arrangea les lignes droites du cône pour leur donner l'aspect de versants montagneux, puis il entreprit de représenter les méandres d'une rivière dans le fond de la vallée, avec des rochers et des touffes d'herbe sur ses berges. Apparurent ensuite des oiseaux, voletant au-dessus des arbres et de la maison, puis des nuages.

« Assez, patron », l'arrêta Gaj Singh.

Catherine regarda Syed, qui lui dit : « À toi de décider. Cette maison est la tienne. »

Catherine tira une chaise devant le dessin tracé sur le sol et, pointant le doigt, entreprit de poser des questions.

Lorsque Prem Kumar s'en alla, des heures plus tard, il avait de l'argent dans son sac, un sourire aux lèvres, et un sautillement dans la démarche. La troisième ondulation de l'éperon rocheux – le plus proche de la route montant à Naini – avait été choisie comme site pour la maison. Elle offrait le terrain et les terrasses les plus plats, et protégeait de la violence des coups de vent qui éclataient en été, et parfois à d'autres périodes. Un problème se posait pour l'approvisionnement en eau car il n'existait pas de sources naturelles dans le voisinage immédiat, mais cela ne perturbait pas Prem Kumar. Il avait exploré les environs et découvert une source vive d'une douceur exquise à trois miles de là, sur les pentes de Beerbhatti, juste au-dessous de Naini ; il projetait de la capter et d'amener l'eau par une canalisation.

Avant son départ, Catherine dit à Prem : « Vous avez notre confiance, mais vous devrez nous faire une maison parfaite.

— Attention, Premi, renchérit Gaj Singh. Si tu la rates, tu ne construiras plus jamais rien dans la région.

— Dormez en paix, memsahib, répondit Prem Kumar en se trémoussant sur ses jambes arquées. La maison tiendra cent ans. Ensuite vous changerez le toit, et elle tiendra encore cent ans. Et, un jour, il y aura plus de gens pour boire l'eau de ma canalisation que n'en comptait l'armée d'Akbar. »

Syed continuait de rajeunir. De nombreuses semaines plus tard, en début de soirée, frissonnant sous la première brise froide de la fin de novembre, Catherine écourta sa promenade dans le jardin pour le rejoindre dans sa vaste chambre à coucher. Elle le trouva occupé à assouvir son plaisir sur le corps de Gaj Singh. Il n'y avait qu'une seule lampe, très basse, près de l'imposant lit à baldaquin. Elle traversa silencieusement la pièce dans les doigts de lumière dansants et s'installa dans l'obscurité, sur le grand fauteuil.

Gaj Singh était allongé au milieu du lit, nu, mince, musclé, ses pleins et ses déliés doucement éclairés par la lumière jaune de la lampe. Autrefois fin et délicat, Syed semblait maintenant petit et décharné. Penché sur le corps de Gaj Singh, il évoquait un chien errant pathétique cherchant de la nourriture dans le sol. Un mélange de pitié et de dégoût envahit subitement Catherine, aussitôt balayé par une curiosité sans bornes.

Il ne faisait aucun doute que Syed était très excité. C'était d'ailleurs la seule partie de sa nudité qui exsudait la force. Cependant, il bataillait pour arracher une réponse à son partenaire. Sous les mains et la bouche du prince qui se dépensait sans compter, Gaj Singh ondulait. Et lorsqu'il se dressa, fugitivement, il était mince et bien couronné. Un prince dans un costume de paysan.

De toute évidence, le serviteur n'était pas là par amour mais par loyauté. Les mains croisées sous la nuque, il laissait son maître l'utiliser à sa guise. Catherine distinguait son beau visage inexpressif, ne révélant ni plaisir ni déplaisir.

Au bout d'un moment, elle glissa ses mains entre ses cuisses et ses doigts s'activèrent. Syed, quant à lui, était déchaîné. Il frictionnait Gaj Singh, se frictionnait, tournait et pivotait sur le lit. Catherine entra progressivement dans le carrousel de plaisir, le corps envahi de langueur, enfoncée dans le fauteuil, les pieds perchés sur le bord de la table basse devant elle. Des bruits de bouche mouillés lui parvinrent. Un spasme irrépressible lui galopa à travers le corps. Elle ferma les yeux et détendit brusquement les jambes. Les pieds de la table basse raclèrent le sol.

Lorsqu'elle rouvrit les yeux, Gaj Singh la regardait fixement. Aucune pénombre n'est assez obscure ni profonde pour dissimuler une femme belle et enflammée. Catherine resta comme elle était, sans refermer les jambes, sans immobiliser ses mains. Et tandis qu'elle regardait Gaj Singh la regarder, elle le vit se dresser et se dilater à la manière d'un cobra courroucé. Un prince avec la puissance d'un paysan. Syed plongea sur l'érection inattendue avec un gémissement. Gaj Singh le guida impérieusement, sans quitter du regard les ombres voluptueuses.

Les deux hommes se mirent alors l'un à pousser l'autre à tirer, chacun exigeant son plaisir.

Le carrousel de Catherine allait de plus en plus vite. Elle était à bout de souffle, respirait à peine. Chaque fois qu'elle ouvrait les yeux et voyait l'homme mince sur le lit, gonflé comme un cobra, qui la contemplait fixement, le carrousel s'emballait un peu plus.

Rien ne nourrit le désir davantage que le désir. Syed était effréné ; il rua et jouit avec un cri rauque. Gaj Singh saisit la tête de son maître et la secoua jusqu'à ce qu'il n'y ait plus en lui une seule once de désir, jusqu'à ce que retombe l'arrogance du cobra.

Pas une seconde ses yeux ne quittèrent les ombres mouvantes, et il exprima son passage de l'être au néant avec un grognement fier, à peine audible. Même après, il continua de fixer le coin obscur, et son regard incandescent alluma une dernière torche dans le corps de Catherine, qui s'embrasa.

Elle tremblait encore lorsqu'elle revint à elle. Syed dormait. Un ronflement sourd vibrait dans la chambre. Gaj Singh n'avait pas bougé. Pas même les yeux.

Plus tard, alors qu'elle était allongée sur son lit dans le noir – les croisées fermées, le clair de lune filtrant à travers les voilages diaphanes –, adossée aux oreillers, le cœur alangui, la tête emplie de désir, elle vit la porte s'ouvrir lentement. Il demeura un long moment sur le seuil – pour rassembler son courage, expliqua-t-il par la suite. Sa silhouette se découpait dans l'obscurité, son visage était reconnaissable. Elle le guettait. Bientôt elle sentit une moiteur se répandre entre ses cuisses. Des heures lui parurent s'écouler ainsi avant qu'il esquisse un mouvement. Elle était tellement tendue qu'elle aurait pu exploser sans même qu'il la touche.

Il tira la porte derrière lui sans bruit et s'en alla. Catherine passa la nuit la plus agitée de sa vie, comme

Syed, adolescent, qui se lamentait de l'exil de son premier amant précepteur et s'acharnait sans relâche à arracher de son corps un apaisement qui ne venait jamais.

Le lendemain, Syed envoya de nouveau quérir Gaj Singh, lequel s'arrangea pour le faire savoir à Catherine. Et ce fut seulement lorsqu'elle vint prendre sa place dans la pénombre de la chambre, et qu'il sentit son regard posé sur lui, que Gaj Singh s'anima, cobra courroucé, provoquant la frénésie de son maître.

La nuit, elle resta éveillée, assise dans son lit, les yeux fixés sur la porte. Qui ne s'ouvrit pas. Le lendemain soir, elle reprit son poste dans le fauteuil, et lui sur le lit, cherchant son regard. Un cérémonial étrange s'instaura. Catherine et Gaj Singh savaient l'un et l'autre qu'il lui faisait l'amour tout en laissant Syed se repaître de son corps. Une relation intense se nouait entre eux à travers la chambre. Et, chaque nuit, Catherine restait éveillée en guettant la porte, qui jamais ne s'ouvrait.

Syed était fou de Gaj Singh. Il exigeait sa présence constante. Gaj Singh devait rester dans la bibliothèque quand Syed s'y trouvait, à la porte de la véranda quand Syed était dans la véranda, marcher juste derrière lui lorsque Syed se promenait dans le jardin, le suivre dans la chambre quand il y allait. Syed confia à Catherine qu'il était amoureux. Comme jamais il ne l'avait été. Plus même que d'Umaid.

Catherine songea à son père avec Emily, à l'étrangeté du désir, à la mystérieuse attirance que peut exercer la passivité sur les êtres les plus passionnés.

Dès lors, elle décida de mettre ses carnets sous clé. Elle les enleva de la bibliothèque pour les ranger dans un solide coffre de bois muni d'un verrou. Ils recelaient des pensées qu'elle préférait désormais cacher à Syed.

Elle dormait à peine, son corps brûlait en permanence. Chaque soir, quand elle quittait la scène rituelle de la chambre de Syed, elle n'éprouvait pas le soulagement d'autrefois mais une fièvre grandissante.

D'ordinaire, la masturbation apaise ; dans les fortes passions, elle engendre une frénésie encore plus ardente.

Catherine était une bombe amorcée.

Prem Kumar apparaissait toutes les trois semaines pour rendre compte de l'avancement du chantier. Les terrasses avaient été défrichées et nivelées, le terrain borné, les murs de soutènement bâtis, les pierres pour les murs commandées, ainsi que la chaux pour les plâtres, les tôles d'aluminium pour le toit, les chevrons de bois et les poutres d'acier pour l'ossature, les planches de pin sciées et entreposées pour le séchage. À chacune de ses visites, Prem Kumar s'accroupissait sur le sol, esquissait quelques dessins, et repartait avec de l'argent dans sa poche et un sautillement dans ses jambes arquées.

En février, Catherine proposa, non sans arrière-pensée, d'aller à Gethia surveiller les travaux. Gaj Singh fit observer que c'était la période la plus froide de l'année et que, outre le gel, ils risquaient de rencontrer la neige. Syed se laissa persuader – non sans résistance – de ne pas tenter l'aventure.

Lorsque Catherine et Gaj Singh prirent la route, leur tension aurait pu assommer un rhinocéros.

À Kathgodam, au début de l'ascension, Catherine ressentit la même jubilation qu'aux précédents voyages mais, cette fois, amplifiée par d'autres espérances. Le chantier était une véritable ruche. Par miracle, même à cette époque de l'année, le soleil donnait dru sur l'éperon et, à découvert, il faisait presque chaud. Mais à l'ombre des arbres, le froid pénétrait jusqu'aux os.

Partout s'amoncelaient des tas de pierres, de bois, de gravier, de poutrelles de fer et de feuilles de métal galvanisé. Juché sur un monticule de pierre de taille, mâchonnant un brin d'herbe, Prem Kumar houspillait les ouvriers. Il ne sauta de son perchoir que lorsqu'il fut certain que Catherine l'avait observé en plein travail. D'un geste fier, il balaya le décor. Les murs de pierre épais de soixante centimètres étaient tous montés, et déjà, même sans le toit, il émanait de la maison une solidité, une noblesse qui rayonnaient sur toute la vallée. La maison se voyait de loin. Ils l'avaient aperçue de Jeolikote. « On dirait un lion surveillant son royaume », avait remarqué Gaj Singh.

Pourtant, en cet instant, la maison n'était pas la préoccupation essentielle de Catherine. Elle se laissa guider et constata les progrès du chantier, caressant du bout des doigts les veines des pierres taillées et le bois blond, mais son esprit était tout entier vers ce qui l'attendait.

La nuit tomba très vite et le froid s'abattit à la vitesse d'une averse, pénétrant les vêtements et jetant des frissons dans tout le corps. En quelques minutes, les maçons se fondirent dans l'obscurité, ne signalant ensuite leur présence que par les lueurs de leurs feux, au loin.

Les hommes de Gaj Singh avaient dressé des tentes, mais Catherine demanda à ce qu'on lui installe un lit dans une pièce du rez-de-chaussée, dont le plancher était déjà posé. C'était la pièce située à l'arrière, la première à avoir reçu son parquet de pin. On y accédait par la salle de séjour. Des dizaines d'années plus tard, au terme d'un siècle long et sauvage, ce parquet aurait totalement disparu ; il ne resterait au sol que des débris de tôle rouillée et de bois pourri, et le toit béant découperait un carré de ciel bleu et pur.

La décrépitude inscrite dans tout acte de création.

Mais alors le plancher avait le lustre doré du bois fraîchement raboté et l'odeur forte de la sève de pin. Fermée comme une boîte, la pièce était douillette. Gaj Singh la réchauffa en faisant brûler des copeaux de bois dans une des auges à ciment des maçons.

Avant de rentrer, Catherine se promena dehors, enveloppée dans une épaisse étole de laine. De minces nuages d'hiver dérivaient lentement, assez bas dans le ciel, atténuant la clarté des étoiles. Mais la lune était dense et, sous son éclat, la vallée de Jeolikote étincelait comme un joyau d'argent. En se tenant au bord de l'éperon, on apercevait les rubans des routes, les contours des habitations éloignées, les pointes d'épingle lumineuses qui trouaient l'obscurité, et, dominant la masse noire des montagnes, le défilé des pins marchant au pas, revêtus de casques à pointe germaniques.

Gaj Singh restait un peu en retrait de Catherine. Dans une main, il tenait une lampe-tempête, dans l'autre une gandasa, faucille au manche de bambou lisse comme la paume d'une princesse, dont la pointe de la lame incurvée captait le clair de lune. Depuis une vingtaine d'années, dans ces montagnes, trop de grands fauves avaient pris goût à la chair humaine, et la rumeur courait qu'un léopard avait élu domicile dans la ravine au-dessous de Beerbhatti.

Ils se trouvaient sur la deuxième terrasse au-dessus de la maison. Celle où Prem Kumar avait creusé une citerne alimentée par une canalisation courant à flanc de montagne pour approvisionner la maison en eau de source fraîche. On y entendait un léger gargouillis. En arrière-plan bruissaient les stridulations monotones des broussailles, ponctuées de temps à autre par un hurlement de chien. Sur sa droite, juste en dessous, Catherine voyait pousser les murs de la maison, la tête dénudée puisque sans toit. Soudain elle perçut un toc toc toc s'élevant à intervalles réguliers. Ce n'était pas un insecte, la détrompa Gaj Singh, mais un oiseau que l'on ne parvenait jamais à entrevoir et qui ne s'exprimait que la nuit. Il avertissait les humains que, même pendant leur sommeil, le temps s'écoulait.

Dans l'air vif, la tension, entre eux, était plus dense que la lune.

Si compacte qu'elle aurait pu stopper net un troupeau de rhinocéros lancés à pleine vitesse.

Lorsqu'ils redescendirent le sentier glissant – lui en tête, légèrement de côté, brandissant la lampe-tempête –, elle dérapa sur une pierre branlante et se tordit la cheville. Il tenta de l'aider mais ne pouvait guère la soutenir, ayant les deux mains prises. Catherine recouvra son équilibre et poursuivit avec précaution. Arrivée à la porte, elle hésita. Le temps s'étira entre eux, plein d'incertitude et de désir tapi. L'énigme intemporelle : savoir et ne pas savoir. Trouver le geste parfait qui rompt la glace sans la faire voler en éclats.

Quand il la regarda, elle regardait ailleurs. Quand elle le regarda, il baissait les yeux. L'instant était passé.

Il recula et dit qu'il dormirait dehors, à portée de voix. Elle s'étendit sur le lit, sans tirer sur elle l'épaisse couverture en patchwork. Son corps brûlait. Elle vibrait de rage et de frustration.

Savoir et ne pas savoir.

Le geste parfait qui rompt la glace sans la faire voler en éclats.

Elle l'imaginait, allongé sur le lit géant de Syed, sous le baldaquin de soie festonné, son corps merveilleusement mince et musclé, sa nudité dilatée comme un cobra.

Elle était là, à mille six cents mètres d'altitude, seule dans une maison à demi construite, sans Syed, sans Maqbool, sans Banno, sans serviteurs, sauf lui, juste lui, derrière la porte, qui n'attendait que son appel. Et pourtant cela lui paraissait aussi impossible que lorsqu'elle était assise dans le fauteuil, repliée dans l'obscurité. Le désir et la rage tambourinaient en elle comme un enfant enfermé qui cherche une ouverture, et rien de ce qu'elle tentait avec sa main ou son imagination ne pouvait les faire taire.

Elle flottait dans un kaléidoscope de rêves – prostituées à gros seins exécutant des numéros irréels dans des boudoirs parisiens bigarrés, massives érections se livrant à un duel sur le grand lit de Syed, image lointaine d'une princesse au teint clair agrippant le pénis dilaté d'un serviteur basané pour l'engloutir en elle.

Gaj était présent partout : à Paris, sur le lit de Syed, dans la main de la princesse.

Mais la porte restait close. Le temps était une torture.

À un moment, elle sentit que la nuit était passée et que les premières lueurs pointaient. Dans la pièce aux murs épais, avec la fenêtre obstruée, l'aube n'était qu'une impression vague, une imperceptible luminosité à travers les fentes du plancher, au-dessus de sa tête. Elle était sous la couverture. Dès qu'elle s'éveilla, le désir enfla en elle violemment. Elle balança ses jambes hors du lit et une douleur vive lui traversa la cheville. Elle appela Gaj d'une voix forte.

Plus tard, il avoua avoir attendu son appel toute la nuit.

Il se précipita et elle lui tendit son pied endolori. Il s'agenouilla et prit doucement sa cheville entre ses deux mains. Les jambes de Catherine s'entrouvrirent à son insu. Il massa son pied avec précaution, une main sous le talon, l'autre sur les orteils. Puis il leva les yeux, guettant son approbation. Elle soutint son regard, et ce fut l'instant du geste parfait, la seconde où l'on passe de l'ignorance au savoir total. Catherine étendit la main droite, enveloppa la nuque de Gaj Singh et attira sa tête tout en relevant sa robe. Son musc si longtemps retenu se diffusa dans toute la pièce, et le visage de Gaj Singh glissa sur ses cuisses luisantes. Elle se cambra sur un cri muet avant même qu'il la trouve avec sa bouche gourmande.

Il saisit ses ailes trempées entre ses lèvres, les lissa doucement avec sa langue, et Catherine prit son envol. Elle volait encore, une heure plus tard, lorsque le bruit des ouvriers qui arrivaient l'obligea à atterrir.

Ils restèrent cinq jours au lieu de deux, et envoyèrent un messager informer Syed de leur retard. Pendant ces cinq jours, Catherine découvrit une intensité de passion dont elle ne se savait pas capable. Depuis des années elle pensait que son désir était un besoin bien réglé, qui pouvait être satisfait et mis de côté périodiquement, qui n'exerçait pas de réel contrôle sur elle. Elle pensait avoir trouvé la sérénité dans la conversation, dans l'intelligence, dans la tendresse de Syed, le corps n'exigeant qu'un apaisement circonscrit auquel elle pouvait subvenir à loisir. Depuis Rudyard, elle n'avait pas couché avec le même homme plus d'une fois ; pour elle, un sexe en érection et un corps enfiévré étaient de simples instruments. Elle appréciait la variété et prenait son plaisir selon ses humeurs. Une leçon de John qu'elle appliquait depuis longtemps. Or elle commençait à découvrir une autre de ses leçons : celle concernant la grande passion.

En cinq jours, ils firent l'amour vingt-cinq fois. La férocité de son appétit la stupéfiait au point d'en tenir le compte. La nuit, ils dormaient rarement plus d'une heure d'affilée. Ils annulèrent leur projet d'excursion à la source, préférant rester aux abords de la maison pour s'y réfugier à la moindre occasion. Leur exaltation était telle qu'un regard furtif équivalait à une étreinte. Catherine était en permanence humide de désir, et Gaj toujours prêt dès qu'elle l'effleurait de la main.

Elle ne pouvait s'éloigner de lui. À tout instant elle l'appelait et l'entraînait dans un recoin discret de la maison pour l'embrasser, le caresser. Tantôt ce n'était qu'un jeu de mains moites et de bouches, tantôt il la prenait debout, sa jupe remontée sous ses seins, la martelant follement contre un inébranlable mur de pierre.

C'était une position étrange, apparemment peu pratique, mais son sexe enflammé trouvait aisément le chemin, avec un simple fléchissement des genoux, dans une géométrie admirable, parfaitement ajustée, laissant toute liberté de mouvements et de plaisir.

Quelquefois ils se séparaient dans une satiété temporaire, d'autres fois plus enfiévrés encore.

Le troisième matin, Gaj Singh dut se rendre à Bhumiadhar vérifier des troncs de pins avant qu'ils soient acheminés à la scierie de Haldwani. Il s'absenta deux heures. Deux heures interminables pour Catherine, qui ne put y tenir. Elle se jeta sur leur lit, cherchant à se soulager de ses doigts avides, à préserver les sensations qui la secouaient. À son retour, Gaj Singh était déjà préparé. Il la trouva allongée et s'enfonça en elle sans un mot ; leur plaisir explosa en moins de temps qu'il n'en faut pour planter un clou.

Trois coups réguliers et fermes.

À midi, ce jour-là, il congédia les ouvriers sous prétexte que la memsahib ne se sentait pas bien et que le bruit des travaux aggravait son état. Dès que les hommes eurent regagné leurs baraques, à la limite du domaine, il put enfin examiner Catherine à la lumière, et découvrit que non seulement la memsahib était blanche, mais également très belle et très voluptueuse. Respectueux et admiratif, il la tourna, la retourna, encore et encore, caressa et baisa ses courbes et ses creux, ses zones lisses et ses pilosités, ses douceurs et ses duretés.

Par la suite, il répéta souvent ne pas comprendre ce qu'il avait fait pour mériter cela.

Le dernier soir, ils montèrent à la terrasse de la citerne. Les étoiles étaient acérées et si nombreuses qu'elles semblaient jouer des coudes pour se frayer un passage. Impression renforcée par le fait que, toutes les deux ou trois minutes, une étoile filante, délogée de sa place, traversait le ciel et tombait de l'autre côté. Les derniers feux de camp s'étaient éteints et seuls subsistaient quelques rares points de lumière dans le manteau gris de la vallée. Les broussailles chuchotaient, l'eau gargouillait dans la citerne. En cinq jours, Gaj Singh avait pris de l'assurance. Il s'agenouilla dans l'herbe humide, enfouit sa tête sous la robe de Catherine, et la souleva vers le ciel.

Elle tint sa tête à deux mains, le guida. Puis, fermant les yeux, elle s'éleva, libre et lumineuse, elle devint la reine de la vallée. Lorsqu'ils rentrèrent, leurs vêtements étaient imbibés de givre, mais leur sang était chaud et palpitant.

Le lendemain matin, le seul fait de monter en selle devint une entreprise érotique. Catherine était endolo-

rie, gonflée, mais vivante à pleurer. Chaque fois que
le poney faisait un faux pas, elle grimaçait de plaisir-
douleur, et Gaj, chevauchant à son côté, tournait vers
elle son beau et large visage, avec un sourire tendre et
entendu.

Syed les attendait, pétri d'anxiété.

Il se plaignit amèrement de leur retard, avoua à
Catherine avoir souffert de l'absence de son amant. Il
avait écrit six poèmes pour lui. Six poèmes qui célé-
braient les mains, la bouche, les cuisses, le nombril,
les fesses, le phallus de Gaj Singh. En songeant à lui,
son excitation avait été telle que, pour la première fois
depuis dix ans, il avait dû se soulager seul.

« Catherine, j'éprouve pour lui un désir fou, mais je
ne pense pas que ce soit réciproque. Il me subit uniquement par devoir. Le plus effrayant est que je m'en
moque, dès lors que je peux l'avoir. Tant pis s'il est
insensible, j'ai assez d'amour pour deux. »

Catherine garda son sang-froid, chercha à comprendre.

Elle savait que les tourments d'une passion neuve
allaient bientôt rétrécir le monde.

Elle se rappelait combien Syed s'était montré pos-
sessif à l'égard d'Umaid, au début, contrairement à sa
nature ; le palefrenier avait l'interdiction d'aller badi-
ner ailleurs. Plus tard, l'élan exclusif de Syed s'étant
calmé, le pauvre Umaid avait souffert de voir défiler
toutes sortes d'hommes dans le lit de son maître. Elle
l'apercevait souvent par la fenêtre, accroupi sous les
frangipaniers, son doux visage inexpressif sous le
turban, faisant lentement tourner entre ses doigts une
grosse fleur jaune pâle.

Elle se souvenait qu'il avait crié le nom de Syed au moment où l'on ajustait le nœud coulant autour de son cou.

Or voici qu'elle commençait à éprouver les mêmes tourments. S'asseoir dans le grand fauteuil, dans l'obscurité de la chambre de Syed, revenait à s'asseoir sous les frangipaniers ; c'était une activité solitaire et frustrante, propice aux pensées tristes et lointaines. Ses mains mouraient sur elle. Elle ne voulait plus voir Syed se démener sur Gaj. Elle enrageait, assaillie de souvenirs. Elle voulait le corps de Gaj. Elle voulait ses mains de paysan, sa bouche élastique. Son ardeur brûlante.

Chaque nuit, elle avait sa part de Gaj Singh, mais ce n'était jamais assez. Il venait tard, une fois Syed endormi, alors que, livrée à ses seules mains, Catherine alimentait et contenait la spirale de son excitation. Au moment où, enfin, il poussait sa porte, l'odeur de son musc flottait dans la chambre. Et au moment où, enfin, il la touchait, elle tremblait, au bord de la jouissance.

Elle aimait l'instant de ce premier contact : sa bouche sur la sienne, l'extrémité de son majeur qui ouvrait sa chair avec douceur. Une incroyable douceur. Elle cessait presque de respirer quand le bout du doigt voyageait lentement, comme sur la pointe des pieds, jusqu'au sommet du mont où la sentinelle s'était dressée. La sentinelle et le bout du majeur entamaient alors un duel, une danse. Avance et esquive. Catherine expirait et commençait à bouger et à gémir.

Tant qu'il restait, cela n'avait pas de fin.

Même après avoir joui, il continuait de l'embrasser et de la caresser.

Et si elle capturait ses mains voyageuses, trop épuisée pour supporter d'autres stimulations, il lui murmurait des mots d'amour.

Jamais Catherine n'avait été ainsi vénérée. Entre le
désinvolte chaos libertin du Paris de Rudyard, le tendre
compagnonnage asexué de Syed, et les rapports cliniques avec les jeunes gens, elle avait connu la satisfaction, jamais l'adoration. Gaj Singh la prenait avec une
extase inextinguible ; quand l'heure venait de la quitter,
juste avant l'aube, une partie de lui continuait d'aimer
une partie d'elle. Et dans les minutes qui suivaient son
départ, alors qu'elle balançait entre veille et sommeil,
son corps recommençait à souffrir du manque.

Catherine ne se confia pas à Syed, même si cela lui
eût facilité l'accès à Gaj Singh. Son instinct lui conseillait de garder le secret, pourtant contraire à la nature
de leur longue relation. Elle pressentait que Syed serait
anéanti par le spectacle de leur passion, dont ils ne
pourraient dissimuler l'intensité – l'huile s'embrase
immanquablement au contact de la flamme.

Elle décida aussi de ne plus assister aux ébats des
deux hommes. Elle se sentait misérable. Mais Gaj protesta, soutenant que, sans sa présence, il ne parviendrait
pas à s'exciter, à jouer son rôle, et que Syed risquait de
se mettre en colère, de devenir peut-être fou furieux, de
tout détruire.

Gaj était si enivré par Catherine, si exténué et rassasié de l'aimer chaque nuit, que les moments passés
avec son maître lui devinrent un supplice intolérable.
Il s'en plaignit à Catherine : il ne pouvait continuer
ainsi, il se détestait. Ce fut alors que, trois jours durant,

il faillit dans le lit de Syed. Aucun des efforts du prince ne parvint à donner vie au serviteur. Syed s'arrêtait, recommençait, s'arrêtait et recommençait. Dans la lumière jaune de la lampe, tout était luisant de ses attentions, mais rien ne se produisait. La gloire de son amant demeurait cachée dans son capuchon, vidée de toute fierté, sans réaction.

Gaj Singh fit tout son possible, lui aussi. Son regard sondait l'obscurité pour distinguer la voluptueuse forme de Catherine et y puiser la stimulation habituelle. Mais désormais c'était elle qu'il désirait, non une simple suggestion. Il tenta de fermer les yeux pour revivre leur passion. Le premier instant frémissant où il avait tenu son pied ; son martèlement effréné contre le mur de pierre ; l'examen minutieux de ses recoins secrets à la lumière de midi ; son voyage à l'intérieur d'elle, près de la citerne, tandis qu'elle contemplait la vallée ; l'effeuillement des multiples couches du désir.

Il songea à tout ce qui, chez elle, lui faisait perdre la tête. Pas seulement sa beauté, mais aussi son abandon provocateur, son absence de tabous, sa main enveloppante.

Mais juste au moment où ses souvenirs commençaient à l'émouvoir, les efforts intempestifs de Syed ramenèrent ses pensées dans le présent, endiguant aussitôt l'afflux du sang. Le deuxième jour, Catherine et Gaj remarquèrent un net assombrissement de l'humeur de Syed. Il s'affaira sans enthousiasme, le visage fermé. Après plus d'une heure de tentatives infructueuses, il congédia le serviteur d'un geste méprisant.

Plus tard, il confia à Catherine : « Je crois que je suis en train de le perdre, Cat. Mais je ferai tout pour l'empêcher. »

Dans la nuit, Gaj dit à Catherine : « Il vaudrait mieux que je m'en aille. Si je ne pars pas très vite, les choses vont mal finir. »

Catherine tenta d'apaiser ses inquiétudes, vanta la bienveillance de Syed.

Gaj n'en démordit pas : « Tu ne sais rien des rois. Le sang royal peut devenir humain pendant quelque temps, c'est vrai. Et même pendant longtemps. Mais n'oublie jamais que le démon tapi au fond ne meurt pas. Dès qu'il est contesté, dédaigné, il se réveille brutalement et balaie tout ce qui est bon. »

La bonté d'un roi est une chose étrange. Elle réside non dans la justice, ni la valeur ni la compassion, mais dans l'abjection du demandeur.

Le troisième jour, Gaj Singh fit de son mieux pour conjuguer les efforts du corps et de l'esprit, et découvrit que tous deux sont sous le contrôle d'autre chose. Syed réfléchissait froidement tout en essayant de susciter chez lui une réaction. Il finit par abandonner et le congédia avec un avertissement de mauvais augure : « L'impuissance n'est une vertu que chez les gardiens de harem. Tu ferais mieux de cesser ce que tu fais ailleurs. »

Tard, cette nuit-là, Syed voulut rejoindre Catherine dans ses appartements mais il trouva la porte verrouillée. Il s'assit dans le large vestibule, devant la chambre, dans un grand fauteuil Louis XIV magnifiquement sculpté où son corps fluet disparaissait. Affichant son air de calme maîtrise habituel, il demeura là jusqu'à ce que la porte s'ouvre devant Gaj Singh, juste avant les premières lueurs du jour. Quand le beau serviteur fut arrivé au bout du couloir, près de la sortie, Syed dit d'une voix douce mais distincte dans le silence de l'aube : « Je savais bien que les étalons ne deviennent pas impuissants en une nuit. Ils meurent avant leur déclin. Ou ils sont mis à mort. »

Gaj Singh sentit son estomac se tordre. Ses jambes se liquéfièrent.

Par une étrange coïncidence – avant que le courroux princier s'abatte, avant que l'âme d'un homme bon se salisse –, par une étrange, une surréelle coïncidence, les médecins diagnostiquèrent chez Syed la tuberculose dont il s'était prétendu atteint, et l'envoyèrent d'urgence au sanatorium de Gethia, où il mourut un mois plus tard.

On le rapatria de Gethia comme on l'y avait acheminé la première fois : sur des épaules de porteurs. Désavoué par son clan de son vivant, il fut encensé mort. Un cérémonial minutieux de funérailles royales se prépara, dont Catherine fut totalement exclue. Pour le passage de Syed au paradis, la patiente bégum Sitara – devenue grosse et grasse, les yeux soulignés de poches épaisses comme des doigts – fut exhumée de son palais et se livra aux lamentations d'usage. Même Zafar – déjà décrépit à trente-neuf ans, ses membres sains aussi affaiblis que son bras atrophié, les dents pourries et le pénis en berne –, Zafar lui-même, dont la vie avait été ternie par l'éclat de son frère, versa une larme.

Dans son carnet d'aphorismes, le nawab nota : « Dans la mort, tout le monde gagne. Même le raté, même le déloyal. »

Au lieu de souffrir en coulisse, Catherine empaqueta ses effets personnels, donna aux domestiques une grande partie de ce qu'elle abandonnait, et partit à Gethia avec Gaj Singh, Maqbool, Banno et Ram Aasre. Le seul objet pesant qu'elle emporta était le coffre rempli de carnets à reliure de cuir fauve – de nombreux vierges, de nombreux couverts de mots ronds comme des roues –, et de quelques miniatures.

Peut-être poussée par le chagrin, et par le mépris de la famille royale à son égard, elle préféra ne pas s'attarder après la mort de Syed ni assister à ses suites. Moins de trois pages après sa disparition, elle avait emménagé dans la maison sur la montagne, dans les parfums de pin frais, sous un toit peint de neuf à l'oxyde de fer rouge et fermement arrimé avec des sangles de fer contre coups de vent et tempêtes.

À partir de ce jour, Jagdevpur ne fut mentionné dans ses carnets qu'une seule fois : des mois plus tard, quand Gaj Singh dut s'y rendre pour raison familiale, et rapporta que le nawab avait donné l'ordre d'expurger les annales officielles. Catherine en était purement et simplement éliminée, et Syed déclaré avoir vécu un mariage long et heureux avec la bégum Sitara. On avait fait peindre des portraits du couple, qui ornaient désormais les murs généalogiques. Tout homme prétendant connaître l'intimité de Syed, et quiconque était convaincu de contacts avec Catherine, encourait les représailles du nawab.

Catherine se félicitait d'être dépossédée.

Jamais elle n'avait sollicité de biens matériels. Et elle en était encore plus détachée à présent.

Elle avait trouvé sa place dans le monde.

Et cette place était habitée par les démons dont elle avait hérité de John.

Amour et désir.

Au cours de ses longues années passées à Gethia, Catherine vit les montagnes changer et ne pas changer.

À chaque nouvelle saison, de nouveaux points de lumière perçaient le voile gris de la vallée. Une pinède d'arbres vénérables fut abattue et de jeunes pins plantés à leur place. Parfois, une marche supplémentaire apparaissait sur les versants lorsque l'on taillait une terrasse pour aménager un verger. Un jour, de brillants géomètres et des forçats employés aux travaux publics débarquèrent pour construire une route qui montait de Jeolikote à Naini en contournant la montagne.

De la terrasse, Catherine apercevait, tout en bas, la fourche où la nouvelle route s'arquait vers la gauche, tandis que l'ancienne se hissait vers Gethia en serpentant, enlaçait la maison dans une courbe lâche et continuait vers Bhowali, Bhimtal, Ranikhet et Almora. Gethia constituait une déviation sur le trajet, une anomalie, une curiosité avec un sanatorium pour tuberculeux et une femme blanche étrange vivant sur un piton rocheux. Catherine en était ravie. Elle n'avait jamais assez d'isolement et d'intimité.

Ce qui changeait le moins, c'étaient les montagnes. Dans l'ensemble, les chênaies et les pinèdes tenaient bon, et les nouvelles habitations progressaient trop lentement pour balafrer les pentes. Les Oiseaux taquins continuaient de décorer les arbres, et les fauves de rôder dans les ravines, fuyant le Terai où l'agriculture rampante détruisait les forêts.

Les brumes enveloppaient toujours Gethia et, miraculeusement, très peu de maisons avaient poussé autour de chez Catherine. Les rares qui avaient vu le jour étaient hors de vue, près du sanatorium, deux éperons plus loin.

Une rumeur courait dans les montagnes au sujet de la dame de Gethia. Elle avait eu, disait-on, un passé sinistre. Non seulement dans les palais des plaines,

mais par-delà les océans, jusqu'en Angleterre et plus
loin encore. On disait qu'elle possédait la fortune d'une
reine et la beauté d'une houri. Mangeait les princes au
petit déjeuner et les paysans au dîner. Qu'elle s'était
réfugiée dans les montagnes pour fuir les persécutions.
Pour pratiquer des rites secrets. On disait que c'était
une Blanche dont même les autres Blancs avaient peur.
Qu'elle exerçait de la magie noire dont même les Noirs
avaient peur.

Catherine avait conscience de la légende qu'on
avait bâtie sur elle. Cela la laissait aussi indifférente
qu'à Jagdevpur, et, d'une certaine manière, elle s'en
félicitait. Les clabaudages tenaient les intrus à distance.
L'un des rares objets qu'elle avait rapportés du cottage
de Syed était une winchester à culasse mobile, dont
elle savait à peine se servir et qui restait accrochée au-
dessus de la cheminée. Mais le bruit se répandit qu'elle
n'hésitait pas à tirer sur quiconque pénétrait sur sa propriété et que, la nuit, elle parcourait son domaine avec
sa carabine armée.

Au début, la plupart de ces contes furent entretenus
par ses propres domestiques : Maqbool, Banno, Ram
Aasre et Gaj Singh, qui voyaient un avantage personnel
à maintenir le voisinage dans la peur de la memsahib,
et comme Catherine ne cherchait pas à corriger les
méprises la concernant, ils en rajoutèrent et se mirent
à raconter toutes les fantaisies qui leur passaient par la
tête.

Or, ainsi qu'il arrive parfois bizarrement, les rumeurs
finirent par prendre corps. Par réaction aux craintes
et aux attentes qu'elle inspirait, Catherine s'en montra digne. Dans les premiers temps de son arrivée à
Gethia, elle se rendait volontiers à Naini de temps à
autre. C'était une ville animée et belle, au bord d'un

lac enchanteur, avec une population composite de montagnards, de gens des plaines et de Britanniques, des églises, des restaurants, des boutiques, des écoles. Poussée par sa curiosité naturelle, elle noua rapidement quelques connaissances, puis son intérêt premier reflua et, lorsque certains émirent l'idée de lui rendre visite, elle battit vivement en retraite.

De sa véranda, elle voyait les lumières du point culminant de Naini. Chaque soir, jusqu'à la fin, elle les contempla. Mais jamais plus elle ne s'y aventura. Elle s'y rendit pour la dernière fois le 16 mai 1924 – c'est là l'une des seules dates précises contenues dans les carnets – pour les obsèques de Mary Corbett, la mère d'un ami.

Dans son journal, elle décrivait la cérémonie comme un événement important et solennel – Mary, âgée de près de quatre-vingt-dix ans, était l'un des esprits fondateurs de la nouvelle Naini –, et concluait en disant que c'était l'opposé exact de ce qu'elle souhaitait pour elle-même. À son enterrement, elle ne voulait qu'un homme, un homme sachant qu'elle avait vécu pleinement et intensément. Ce qu'elle aurait voulu être pour Syed : une femme devant sa tombe, la seule qui connaissait tout de lui, au-delà des tromperies et des illusions.

Dans la mort, au moins, la vérité doit triompher.

Le fils de Mary, Jim, était devenu un ami inattendu peu de temps après l'installation de Catherine à Gethia, un jour où il allait à Bhumiadhar ramener un de ses hommes. Il venait de rentrer de la guerre, la Première Guerre mondiale, et démobilisait la 70e compagnie du Kumaon qu'il avait constituée. Cinq cents montagnards avaient suivi leur héros avec une totale loyauté, peu combattu mais beaucoup souffert. Ils étaient tous rentrés sauf un, mort du mal de mer.

Jim s'arrêta en chemin pour saluer la nouvelle habitante de la région, et elle se prit d'une amitié instantanée pour lui en voyant la façon dont il s'adressait à Gaj Singh et à Ram Aasre. Jim était modeste et fort, curieux sans être insistant. Contrairement à Syed, il ne vivait pas dans le monde de l'esprit mais dans le monde réel, et il était des plus éloquents dès qu'il parlait de choses extérieures à lui-même. Pédagogue dans l'âme, au cours de leur longue bien qu'épisodique relation – Gethia n'étant pas sur l'axe Kaladhungi-Naini qu'il empruntait régulièrement –, Jim fit à Catherine trois cadeaux précieux qui complétèrent son intégration dans les montagnes du Kumaon.

Le premier était un panorama rudimentaire des oiseaux et des animaux au milieu desquels elle était venue vivre. Quelques jours après leur rencontre, il lui fit parvenir une feuille de papier accompagnée d'une note expliquant qu'il s'agissait de son premier récapitulatif de naturaliste autodidacte, lequel lui était toujours fort utile. C'était une classification élémentaire.

Oiseaux

a) Oiseaux qui embellissent la nature. Dans cette catégorie, je range les minivets, les loriots et les souimangas.

b) Oiseaux qui emplissent la nature de mélodies : grives, rouges-gorges et merles shamas.

c) Oiseaux qui régénèrent la nature : barbus, calaos et bulbuls.

d) Oiseaux qui avertissent du danger : drongos, coqs bankivas et timalies.

e) Oiseaux qui maintiennent l'équilibre de la nature : aigles, faucons et chouettes.

f) Oiseaux qui remplissent la fonction de charognards : vautours, milans et corbeaux.

Animaux

g) Animaux qui embellissent la nature. Dans ce groupe, je range le cerf, l'antilope, les singes.

h) Animaux qui aident à régénérer la nature en ouvrant et en aérant le sol : ours, cochons, porcs-épics.

i) Animaux qui avertissent du danger : cerfs, singes et écureuils.

j) Animaux qui maintiennent l'équilibre de la nature : tigres, léopards et lycaons.

k) Animaux qui font office de charognards : hyènes, chacals et porcs.

Créatures rampantes

l) Serpents venimeux. Dans ce groupe, je range les cobras, les bongares annelés et les vipères.

m) Serpents non venimeux : pythons, couleuvres et serpents ratiers.

Le tableau n'était fondé sur aucune science, sinon celle de la fonctionnalité, et se révélait beaucoup plus utile au profane que n'importe quelle connaissance basée sur l'évolution ou la forme. Catherine allait s'en servir comme guide d'histoire naturelle jusqu'à la fin de sa vie. Ce fut aussi Jim qui lui apprit que les Oiseaux taquins étaient en réalité des pies à bec rouge.

Le deuxième cadeau de Jim Corbett – Carpetsahib, ainsi qu'on le surnommait dans la région – était trois pousses de cèdre déodar qu'il rapporta d'un voyage à Gwaldam. Catherine planta le premier près du portail du bas, le deuxième près du portail du haut, le troisième entre les deux. Dix ans plus tard, seul avait survécu celui du milieu. Vingt-cinq ans plus tard, il donna son identité à la maison. C'était un jeune arbre viril qui se divisait, à deux mètres du sol, en trois bras s'élevant au-dessus de la maison. Les gens du pays le baptisèrent Trishul.

Le trident.

L'arme de Shiva contre tous ses ennemis.

Soixante-quinze ans plus tard, Trishul – au pied duquel gisait une voiture sans roues – emporta une décision.

Le troisième cadeau de Carpetsahib était le sens du mystère des montagnes du Kumaon. Ce n'était pas un cadeau exclusif, car elle le reçut à la fois de ses serviteurs et de Jim, mais elle le garda toujours précieusement. D'une façon difficile à expliquer, cela enrichit sa vie. Il suffisait à Catherine de s'asseoir sur sa terrasse et de contempler la vallée, les pentes et la brume en perpétuel mouvement pour savoir qu'elle faisait partie d'un tout éternel, et avait la chance de vivre dans un endroit prodigieux. Dans ces moments-là, le temps et l'espace se fondaient, et elle se sentait moins éloignée de Père John.

À chacune de ses visites, Jim accentuait cette impression de prodige, à sa façon douce et mesurée. Il lui racontait des histoires charmantes de simples montagnards et des histoires incroyables de chasses aux mangeurs d'hommes. La plus fascinante était celle de son premier fauve, dix ans auparavant, le tigre de Champawat, un démon qui avait semé la terreur dans les montagnes et tué plus de quatre cents personnes.

Un détail avait particulièrement marqué Catherine : à la suite de sa rencontre avec le monstre, une villageoise avait été frappée de mutisme pendant plusieurs années. Lorsque Jim le tua, il rapporta sa peau à Pali, le village de la muette. En la voyant, celle-ci recouvra d'un coup sa voix, qui resurgit du plus profond de ses peurs, et elle courut partout en appelant à grands cris tous les villageois à venir contempler la peau du tigre.

Dans la longue odyssée de la traque du léopard mangeur d'hommes de Rudraprayag, le détail qui frappa Catherine était, là aussi, lié à la mort de l'animal. Dans le folklore local, il n'y avait jamais eu créature plus rapace, plus rusée, plus indestructible que ce léopard. Entre 1918 et 1926, il avait tué cent vingt-cinq personnes et fait planer la terreur sur les routes de la région. Toutes les tentatives pour le prendre au piège, l'abattre ou l'empoisonner avaient échoué – Jim lui-même l'avait raté à plusieurs occasions. Mais lorsqu'il réussit enfin à l'abattre, il découvrit que le fauve le plus haï et le plus craint de l'Inde était un vieux léopard couvert de cicatrices, avec les crocs usés et décolorés, et la langue noircie par tous les poisons qu'il avait absorbés.

La plupart des histoires du chasseur étaient des témoignages de confiance.

L'une concernait l'ami d'enfance de Jim, Kunwar Singh. Celui-ci, parti chasser dans la forêt avec un autre ami, Har Singh, dérangea involontairement une tigresse avec ses petits. La tigresse chargea avec un rugissement féroce. Saisi de panique, Kunwar grimpa dans l'arbre le plus proche. Har Singh, plus lent, fut épinglé contre le tronc par la tigresse, debout sur ses pattes arrière et ses pattes avant de chaque côté de lui, griffant l'écorce de rage. Kunwar Singh brisa net la cacophonie des hurlements de Har Singh et des rugissements du fauve en tirant un coup de feu en l'air. La tigresse se sauva, mais seulement après avoir éventré Har Singh, dont les intestins se répandirent dehors.

Terrifiés, redoutant le retour de la tigresse, les deux hommes rentrèrent précipitamment les intestins dans le ventre de Har Singh, avec l'humus, les brindilles et les feuilles collés dessus, et nouèrent le tout avec son turban. Puis ils se précipitèrent à l'hôpital de Kaladhungi, où le jeune docteur fit de son mieux pour recoudre la blessure. Har Singh vécut jusqu'à un âge avancé. L'arbre griffé périt avant lui, lors d'un feu de forêt, juste avant le déclenchement de la Première Guerre mondiale.

La confiance. Il fallait s'abandonner à la confiance pour trouver la paix intérieure. Toutes les personnes que Catherine avait rencontrées en Inde étaient imprégnées de cette certitude ; Syed également, même si cela s'opposait violemment à son tempérament.

Il fallait mener sa vie entre le dieu de la raison et le dieu de la déraison.

Vénérer l'un et l'autre, n'en offenser aucun.

Il n'y avait là aucune contradiction. Seuls les esprits superficiels en voyaient une.

Dans les montagnes, le dieu de la déraison était dominant. Gaj Singh avait une explication à cela : tous les esprits, bons et mauvais, recherchaient les hautes terres de l'Himalaya. Car ici, dans la demeure des dieux, résidaient refuge et salut.

Si les serviteurs de Catherine étaient l'incarnation même de la superstition et des expériences surnaturelles, Jim – blanc, naturaliste, homme d'action et empiriste – n'était guère différent. Elle s'en aperçut peu à peu. Il priait devant les autels hindous et tuait un serpent avant d'entreprendre une chasse au tigre. Il finit aussi, à contrecœur et de façon laconique, par lui conter le récit inquiétant de ses rencontres avec les esprits. Celui de la pension forestière près de Champawat, dont il répugnait à parler ; celui du bungalow de voyageurs isolé dans la montagne, dont son ami et lui se trouvèrent physiquement expulsés en pleine nuit ; celui de Braemar, à Naini ; il y avait également l'esprit frappeur du bungalow de Ramgarh ; et le hurlement effrayant d'une fée maléfique – une banshee dont les cris sont présages de mort, et non une churail, sorcière morte en couches qui marche les pieds retournés, dont les cris stridents sont différents –, alors qu'il était perché dans une cabane de chasse au-dessus de Chuka, guettant le tigre de Thak.

En 1929, Jim lui raconta sa plus étrange expérience, et la plus enthousiasmante, sur la colline sacrée de Purnagiri, où, une nuit, la déesse Bhagwati s'était montrée à lui et à son équipe de chasseurs, dans un jeu de lumières sur la façade à pic de la colline. Il y avait vu un signe de chance car ils étaient sur la piste du mangeur d'hommes de Talla Des, qui terrorisait le pays.

Lors de ses rares visites, Carpetsahib communiquait des nouvelles du vaste monde à Catherine, dont les seules autres sources d'information étaient ses serviteurs et leurs récits hautement douteux. Il lui apportait des numéros du *Illustrated London News*. Elle apprit ainsi les changements cataclysmiques qui bouleversaient l'Europe. Lorsque la Deuxième Guerre mondiale éclata et que Paris tomba, elle songea à ses amis, dont elle avait perdu le contact depuis des décennies. Jim lui donnait également des nouvelles du mouvement nationaliste indien. Sur ce sujet, ses rapports ne différaient guère de ceux de Gaj Singh et de Maqbool : un grand élan balayait les plaines, conduit par de grands hommes, et l'Inde ne tarderait pas à être à nouveau reconfigurée.

« Tout cela va changer », disait Jim en embrassant d'un large geste la vallée de Jeolikote, les montagnes de Naini et au-delà. Lui-même effectuait des voyages réguliers au Tanganyika et au Kenya où, en bon chasseur capable de déceler les signes, il choisit d'établir le dernier campement de sa vie.

De son côté, Catherine eut une brève et miraculeuse rencontre avec l'histoire. Un jour, deux voitures noires s'arrêtèrent devant le portail et cinq hommes s'engagèrent dans l'allée montant à sa maison. Le moteur d'une des voitures chauffait et le radiateur avait besoin d'eau. Deux des hommes portaient un costume, deux un pyjama kurta blanc, et le cinquième, jambes nues, un pagne dhoti et un châle de drap grossier sur les épaules.

Ce dernier était mince comme une lame et, hormis le fait qu'il était chauve et rasé, il ressemblait à Baba Muggermachee, le fakir que Catherine avait vu à Chandni Chowk près de trente ans auparavant. Mais ce fakir-là, elle le savait, chevauchait le plus gigantesque de tous les crocodiles, un monstre antédiluvien fait de la substance contradictoire et véhémente de trois cents millions d'individus. Il lui faudrait tous ses pouvoirs magiques pour lui faire traverser le fleuve. Et une fois sur l'autre rive, le crocodile se retournerait pour le dévorer. Alors, délivré du sortilège, le monstre reprendrait ses vieilles habitudes. Mâchonnements et mastications, manigances et combines, finasseries et contrebandes, crasse et obséquiosité, pleurnicheries et brutalités, cruautés et méchancetés.

Nous avons avalé le fakir ; nous dirigeons Delhi.

Catherine ne vivrait pas assez longtemps pour apprendre son assassinat. Un excès de bonté est une chose dangereuse. Le siècle aurait alors à peine parcouru la moitié de sa course.

Cet après-midi-là, le grand fakir but deux gorgées d'eau et refusa le thé qu'on lui offrait. Il sourit avec gentillesse, posa quelques questions, et s'en alla rapidement. Il devait rendre visite, à Bhowali, à l'épouse souffrante d'un des trois cents millions d'individus. Au moment de partir, il posa la main sur le poignet de Catherine. Une main frêle et osseuse. La griffe des pauvres.

Catherine songea à Syed, et au pas qu'il n'avait jamais réussi à franchir.

Son esprit avait reçu le signal du cœur, mais sa volonté – la volonté – n'avait pu recevoir le signal de l'esprit.

Chez Syed, le circuit cœur-esprit-action ne s'était pas réalisé.

Gaj Singh, Ram Aasre et les autres demeurèrent en retrait, mains jointes, épaules inclinées. Le grand fakir pivota vers eux, puis se pencha pour monter dans la voiture et disparut.

« C'est vraiment lui ? » demanda Gaj Singh.

Ainsi donc, Carpetsahib offrit à Catherine la connaissance, le mystère et le déodar, et le fakir de passage lui fit toucher l'histoire. Les serviteurs utilisèrent tout cela pour enjoliver le mythe de la memsahib. Après quelques visites de Jim, ils laissèrent entendre que le fameux chasseur venait pour lui raconter ses chasses célèbres. Au début, pourtant, ce ne fut pas si simple. Gaj Singh avait des accès de jalousie. Il rôdait autour de la maison pendant les visites de Jim, et ensuite il boudait pendant des heures. Assez vite, toutefois, il devint évident qu'il n'avait rien à craindre du chasseur.

Jim était un homme timide, qui poursuivait bien d'autres quêtes.

Catherine en faisait d'ailleurs mention dans ses gribouillages, notant que le désir de l'illustre chasseur semblait avoir emprunté une mauvaise piste et s'être égaré dans un territoire où il n'y avait ni gibier ni satisfaction.

Le grand fakir, Carpetsahib, telles furent les rares – très rares – distractions de Catherine pendant plus de deux décennies passées à Gethia. Son existence, au cours de ces longues années, tourna autour d'un axe singulier et immuable. Un lieu : la maison, et une fixation : Gaj Singh. La passion qui s'était allumée dans le fauteuil de la chambre de Syed, puis embrasée dans les montagnes, s'était muée en obsession.

Jour après jour, les carnets regorgeaient des détails, d'abord captivants, puis totalement fascinants, de leur union. Les découvertes et les excès. Le désir et la plénitude.

Les descriptions étaient explicites. John, Paris et Syed l'avaient bien éduquée et lui avaient appris la franchise. Elle célébrait les moindres parcelles du corps sombre et mince de Gaj Singh. La qualité changeante de son érection selon les stimulations. Le va-et-vient du bout de peau mobile sous ses doigts, satin glissant sur du marbre. Le suintement de son désir, ces filaments poisseux qu'il déposait partout où il la touchait. Le jeu des muscles de ses fesses lorsqu'il se levait du lit. La menue offrande ou la déclaration impétueuse de ses bourses. La manière dont ses lèvres pleines, la conduisant à l'extase, aspiraient une traînée de zébrures indolores sur sa peau. La créativité de ses doigts, trouvant au fond d'elle un point qui la rendait folle à mourir.

L'obsession était totale. Tout en lui déclenchait sa frénésie.

Elle était érotisée par l'odeur de ses aisselles, par son haleine sur son visage, ses mains sur ses bras. Cependant, elle respecta toujours les règles de la bienséance dans leurs rapports en public. Devant les autres, Gaj était un serviteur. Un serviteur favori, mais un serviteur, qui logeait dans les communs. Elle lui octroya la petite maison près du portail du bas afin qu'il puisse aisément se faufiler à travers les pins jusqu'à sa chambre toutes les nuits sans être vu.

Catherine savait que les privilèges dont elle jouissait dans la région seraient anéantis si elle montrait ouvertement ses sentiments. Il lui deviendrait impossible d'exiger le respect des autres domestiques et des gens du pays. Son mythe serait détruit, et elle pourrait se trouver exposée à des menaces insoupçonnées. Par ailleurs, et c'était aussi important, la clandestinité lui plaisait. Son amour était né dans le secret et le danger, il avait pris sa source dans le subterfuge des nuits torrides du cottage. Sa charge électrique était liée à l'illégitimité. Préserver cette tension, cette urgence, entretenait sa fraîcheur.

Intuitivement, Catherine savait que le désir était un lichen poussant dans l'humidité et l'obscurité. Le mettre en pleine lumière risquait de le tuer.

Une fois chacun rentré chez soi, et les montagnes réinvesties par les armées de la nuit – phalènes, cigales, engoulevents, chauves-souris, renards, ours et grands

félins –, Catherine ouvrait la porte extérieure de la
chambre située au-dessus de celle où elle avait appelé
Gaj Singh pour lui masser le pied. Bizarrement, cette
porte ne menait ni à une terrasse ni à un balcon, mais
sur le toit incliné de l'annexe servant de salle à manger.
Le maître d'œuvre aux jambes arquées, Prem Kumar,
dans une précipitation finale pour achever la maison,
avait commis une erreur. Et les plans dessinés sur le
sol du cottage étant effacés depuis longtemps, il n'y
avait plus de référence. Au lieu de construire une pièce
sur l'annexe, comme prévu initialement, Prem Kumar,
pressé par le temps, avait dressé un toit et déclaré
l'ouvrage terminé. Par une douce ironie, les tailleurs
de pierre, s'appliquant à respecter leurs engagements,
avaient accroché au mur extérieur de solides marches
de pierre menant à une pièce devenue un toit de tôle.

C'est ainsi que, à l'arrière de la maison, un escalier
absurdement suspendu accédait à un toit en pente.

Or c'était précisément cet escalier qu'empruntait
chaque soir Gaj Singh pour rejoindre Catherine, qui
l'attendait, assise dans son rocking-chair, une lanterne
à huile sifflant doucement dans un coin de la chambre,
la porte grande ouverte sur la vallée de Jeolikote pique-
tée de quelques points lumineux ou, parfois, estompée
par un voile de brume mouvante.

Gaj montait le sentier à pas feutrés. Un infime crissement de gravier annonçait à Catherine qu'il était au
bas de l'escalier. À cet instant, qui pourtant se répétait
chaque soir, une moiteur envahissait ses cuisses.

Il gravissait les dix marches en un rien de temps.
Catherine voyait d'abord sa main droite, tournée à l'envers, ornée d'un épais bracelet de fer et d'une bague
en bronze, apparaître sur le montant de la porte, cherchant une prise. Un pas léger comme une plume sur

le toit incliné, le soudain murmure de la tôle, et, d'un balancement du corps, il pénétrait à l'intérieur, raclant ses semelles de cuir sur le rebord. S'il avait plu, il se secouait comme un chien. Ensuite il fermait la porte derrière lui, sur la vallée et sur la nuit. En forçant un peu, car le bois de pin était gauchi, il parvenait à mettre le loquet. Puis il allait s'agenouiller devant elle. Catherine prenait sa tête et l'attirait sous ses jupes.

Parfois elle le taquinait, jouait avec lui.

Parfois, quand il entrait, elle était couchée sous la couverture, feignant de dormir.

Parfois elle n'était pas là et il devait la chercher dans toute la maison, ne sachant où ni dans quel état d'esprit il allait la trouver.

Parfois la lanterne était éteinte et elle se tenait agenouillée sur le lit, dos à la porte, ses rondeurs baignées par le clair de lune.

Parfois elle était dévêtue.

Parfois elle était épilée.

Parfois, lasse d'attendre, elle étalait une traînée d'elle-même sur sa peau, du poignet jusqu'au ventre, et, lorsqu'il arrivait, elle lui tendait sa main à baiser pour qu'il suive le trajet.

Au fil des nuits, ils essayèrent tout. Il est remarquable de voir combien, dans le monde, tout change hormis ce que font deux êtres qui se désirent.

Ils escaladaient et dévalaient inlassablement des sommets. Arpentaient d'anciennes voies d'un pas nouveau. Exploraient de nouvelles voies d'un pas rodé. Ils devenaient l'œuvre de peintres surréalistes. N'importe quelle partie du corps se joignait à n'importe quelle autre. Il en résultait un chef-d'œuvre. Orteils et langue. Mamelon et pénis. Doigt et bourgeon. Aisselle et bouche. Nez et clitoris. Clavicule et fessier. *Mons Veneris* et *phallus indica*.

Le Dernier Tango des labia minora. 1927, Gethia.
D'après Salvador Dalí.

Dessinateurs : GajetCatherine.

Pendant tout le temps, elle criait silencieusement, entre ses dents serrées, par sa bouche grande ouverte. Seul Gaj savait l'intensité de sa voix, qui déchirait la maison et emplissait la vallée. Catherine avait le don de partir complètement. Son regard devenait absent, et son corps si parfaitement accordé qu'il avait manifestement atteint ses limites ultimes. Un câble à haute tension, étiré au point de rupture. Souvent, Gaj s'efforçait ensuite de lui décrire son état.

Il n'y avait rien qu'ils n'osaient. Et ce n'était pas par souci d'expérimentation, mais transportés par une soif inextinguible.

Ainsi, un jour où ses doigts inspirés la fouillaient, cherchant son essence, Gaj Singh entendit une sorte de sifflement de serpent crachant son venin. Il baissa les yeux et s'aperçut que les poils de son torse étaient mouillés et commençaient à ruisseler.

Un bouton de commande avait été touché. Une nouvelle porte s'était ouverte.

Dès lors, Catherine s'éleva dans une sphère qui dépassait l'entendement de Gaj Singh. Et le sien. Elle commença, dans les moments de passion intense, par émettre une giclée. Des jets courts, vifs, clairs. Cela se produisait lorsque les doigts de Gaj la sondaient. Impressionné et admiratif, il répéta de plus en plus souvent ce mouvement de sonde-pression-massage, et, progressivement, Catherine se mit à jaillir comme une fontaine, à couler comme un robinet. Sous l'effet de la caresse, sa chair se gonflait et se contractait, se gonflait et se contractait, allant presque jusqu'à expulser d'elle les doigts de Gaj. Puis ça jaillissait, ça ruisselait, et l'endroit où elle se tenait – la chaise, le lit – était inondé.

Par la suite, toute retenue détalant comme un fugitif dans la nuit, cela devint si abondant que de petites flaques se formèrent sur le plancher, et Gaj Singh dut apporter une serpillière pour les essuyer.

Pendant très longtemps, le phénomène survint uniquement sous l'effet de ses doigts. Puis, un jour, cela se produisit alors qu'il se mouvait en elle. Il était allongé sur le dos et elle le chevauchait lentement, les yeux fermés, le corps tendu, quand, soudain, sa chair se gonfla dans des proportions inimaginables et elle se déversa sur lui. Il baignait dans une mare. Quelquefois, une demi-douzaine d'averses se succédaient ; quand c'était terminé, les draps et le matelas étaient trempés.

Ils devaient alors changer de chambre pour dormir.

La pièce fantôme – aujourd'hui réduite à des gravats, sous le toit disparu – fut pendant de longues années une arène d'extase. Chaque soir, la main apparaissait sur le montant de la porte, la tôle du toit murmurait, Gaj frottait ses chaussures sur le rebord, et le rituel de l'amour commençait.

Ils apprirent très vite à intercaler une bâche entre le drap et le matelas.

Chaque nuit, ils étendaient le drap devant la cheminée du salon pour le faire sécher. Après quelques jours de ce régime, le drap devenait raide, et ils le donnaient à Banno pour le faire bouillir.

Quand ils ôtaient le drap, de petites flaques parsemaient la bâche. Il fallait alors la tenir par les quatre coins et l'égoutter au-dessus du toit incliné.

Le phénomène était incompréhensible.

Le corps de Catherine s'était libéré de toute limite et avait atteint une sorte d'état mi-spirituel, mi-sexuel.

Gaj Singh baptisa cela « amrita », le nectar des dieux.

Il disait qu'il était béni de pouvoir s'y baigner chaque jour.

Il disait qu'il était comme Shiva et Parvati. Quand ces dieux faisaient l'amour cosmique, le monde était inondé de leurs libations.

Shiva et Parvati. Le couple primal. Créateurs et destructeurs.

Au cours des nombreuses années où elle vécut à Gethia – plus de deux décennies –, Catherine ne retourna qu'une seule fois dans la plaine. La datation de ses carnets étant très mauvaise, il était difficile d'en préciser l'année, mais c'était approximativement vers 1920. Elle se rendit à Agra. Elle visita probablement le Taj Mahal, Fatehpur Sikri et le Fort, mais son voyage devait avoir d'autres raisons car elle y séjourna plus de quatre mois. En fait, dans ses mots ronds comme des roues, il n'y avait guère de commentaires touristiques. Elle signalait simplement qu'elle avait effectué ce périple en compagnie de Gaj Singh, et que le trajet avait été éprouvant. Dans des carnets postérieurs, elle mentionnait une autre fois Agra, mais sans plus de détails.

Certaines indications laissaient penser qu'elle avait reçu, dans ses premières années à Gethia, des lettres de Chicago. Il y avait quelques allusions dédaigneuses aux tirades apocalyptiques d'Emily, qui conjurait sa fille de ne pas s'écarter du bon Dieu et de se rappeler que le Seigneur la retrouverait dans les endroits les plus oubliés de la terre si elle tendait la main vers lui.

John était mort alors que Catherine vivait encore à Jagdevpur. Il avait fallu l'immense sagesse de Syed pour l'aider à surmonter son chagrin. La nouvelle l'avait terrassée d'une douleur quasi muette. Dans son journal intime, elle avait tenté de lui écrire une lettre en guise d'épitaphe. Avec beaucoup de mal. Elle s'y était reprise à quatre fois, débutant par : Mon très cher père, enchaînant sur des paragraphes laborieux et ruisselants d'émotion, puis s'interrompant pour recommencer. Finalement, la lettre se résumait à une simple légende, rédigée en petites majuscules bien nettes. C'était la seule page claire et lisible des carnets :

John, mon père, dans le pays où je vis, on dit que chacun renaît, encore et encore, pour payer ses dettes. Si c'est vrai, je prie pour renaître à nouveau comme ta fille.

Rien ne laissait penser qu'elle avait écrit à sa mère, et aucune indication ne signalait la date du décès d'Emily.

Vers le début des années trente, le journal commença à devenir sombre, de plus en plus sombre. Un serpent s'était introduit dans le jardin de Catherine. Gaj Singh avait fait venir du village son épouse et ses enfants pour vivre avec lui. Le nom de sa femme était Kamla. Petite, le teint clair, totalement illettrée, elle n'avait pas l'autorité suffisante pour empêcher son mari de gravir chaque soir le sentier sous les chênes et l'escalier de pierre menant au toit en pente, mais elle possédait de quoi le distraire.

Apparemment, en effet, Gaj Singh se mit à désirer sa femme avec ardeur, et partagea ses attentions entre Catherine et elle. D'épouse enfant, Kamla était devenue une jolie fille, puis une belle femme dont il avait fini par découvrir les enchantements. Il ne passait plus toute la nuit dans la grande maison, et il lui arrivait de chercher une excuse pour ne pas y venir du tout, alléguant un problème familial : un enfant ou Kamla malade, en général. La découverte de sa passion croissante pour sa femme provoqua des disputes et des bouderies. Un soir, vers minuit, ne le voyant pas venir, Catherine descendit par le sentier à pas de loup et, arrivée devant la petite maison près du portail du bas, elle entendit Gaj gémir. Il semblait très agité, parlait à Kamla en dialecte d'une voix rauque, lui disait combien il la trouvait belle, lui demandait si elle aimait ce qu'il lui faisait. D'une voix morne, sa femme lui demanda s'il la trouvait aussi jolie que la memsahib, et si elle lui faisait autant de bien.

« Oh oui, oui, oui, gémit Gaj, martelant son plaisir. Bien plus, bien plus, bien plus. Mieux, mieux, mieux. »

Quand Catherine rentra chez elle, ses pieds et ses chevilles étaient couverts de rosée, et elle dut les baigner dans une infusion de tabac pour se débarrasser des sangsues. Ensuite elle se caressa et, ouvrant les ailes, se prépara à s'envoler.

Catherine ne cessa pas de pleuvoir sur Gaj Singh, mais désormais il y avait de l'acide dans ses averses. Les libérations de l'amour et du désir, célébrées tout au long de sa vie, commencèrent à s'aigrir. Quelque chose de mauvais s'insinua en elle, qui gâta la grande beauté de son esprit libre.

Elle interdit sa maison à Kamla et à ses enfants, ainsi que les terrasses principales. Elle ne voulait aucun contact, même involontaire, avec aucun d'entre eux. Parfois, de la citerne, tout en haut, elle voyait les deux petites filles, avec leur queue-de-cheval, et le joli petit garçon qui jouaient à lancer des pierres plates près du portail du bas. Dès l'instant où ils levaient les yeux dans sa direction, elle se détournait.

Souvent elle apercevait Gaj Singh sur la route en contrebas, qui faisait rire son fils perché sur ses épaules. Manifestement il adorait son garçon et cela la mettait en rage.

Elle ne leur donnait jamais rien. Ils étaient des intrus qui s'emparaient de son amour.

Elle incita Gaj Singh à les renvoyer dans son village. Il résista longtemps, comptant sur leurs extases nocturnes pour apaiser son ressentiment. Mais l'apaisement de Catherine ne dépassait jamais la dernière convulsion, la dernière pluie. Dès la seconde où il franchissait la porte et posait le pied sur le toit pour s'en aller, l'aigreur et la colère reprenaient leurs droits. Tant qu'ils s'aimaient, tout était comme avant. Le reste du temps, Catherine bouillait de rage.

Pour remettre Gaj Singh à sa place, elle étendit sa protection sur Banno et Ram Aasre, devenus désormais Mary et Peter. Le couple de basse caste, jadis adopté par le généreux Syed, avait décidé de transférer sa loyauté – du moins en surface – sur un dieu plus puissant. Plus exactement, sur un dieu qui avait des dévots plus puissants et envers qui il se montrait plus respectueux. Leur conversion s'était effectuée sur la fougueuse initiative de Banno. Maintenant ils portaient une croix autour du cou et allaient à la messe du dimanche à Naini, Banno attifée d'une robe et adoptant une démarche chaloupée. À Noël, on leur apprenait à faire des gâteaux, à allumer des cierges et à chanter des cantiques traduits en hindi par les prosélytes de la paroisse.

Gaj Singh, issu d'une caste supérieure, se refusait à les appeler Mary et Peter, et continuait de les houspiller sous le nom de Banno et de Ram Aasre.

Il pestait : « Quels crétins ! Si changer un nom changeait la vie, je m'appellerais King George *Pancham* ! » George V.

Banno, de son côté, confia à Catherine : « Je sais que rien ne changera pour nous, mais je suis sûre que ça changera au moins pour mes enfants. »

Et Gaj Singh d'objecter : « C'est stupide. Les castes dureront toujours. On ne peut changer les choses qu'avec des actes, pas avec son nom ni sa religion. Cette idiote s'imagine qu'en appelant ses enfants Annie ou Peter, leur vie sera meilleure ! »

Catherine fit connaître sa position en donnant aux enfants de BannoMary l'accès à la grande maison. Il y avait déjà deux fils et deux filles, et un autre en préparation. Ram AasrePeter et BannoMary vivaient dans les communs du portail du haut. Leurs enfants avaient le droit d'emprunter l'allée principale, de monter jusqu'à la maison et, désormais, d'y entrer.

BannoMary jugea que sa conversion avait déjà porté ses fruits.

En réaction, Gaj Singh entama des cycles de bouderie inquiète. Il était fermé, maussade, son beau visage crispé et inexpressif. Catherine vit avec satisfaction qu'elle pouvait l'atteindre, le blesser. Mais dès que leurs corps se rapprochaient, il n'y avait plus ni bouderies ni manèges. La folie reprenait le dessus, le plaisir était aussi fort que toujours. Gaj aimait Catherine avec une ardeur telle qu'il avait l'impression d'exploser, et Catherine se répandait sur lui comme une mousson abondante.

Le problème, désormais, était d'affronter l'amour sans amour.

Ils sombrèrent dans une danse élaborée et corrosive de ressentiments, de piques et de manipulations incessantes. Le besoin impérieux qu'ils avaient l'un de l'autre, dépossédé de sa pureté et croisé avec d'autres besoins, défigurait leurs âmes.

Catherine finit par exiger de Gaj Singh qu'il renvoie sa famille dans son village, et il fut contraint d'obéir. Désormais, elle l'avait tout entier pour elle – le sentier sous les chênes au clair de lune, le crissement des graviers au bas de l'escalier, le murmure de la tôle, la main sur le montant de la porte, le raclement des pieds sur le rebord, la bouche, les mains, le nez, le pénis, la pluie sans fin, les draps mouillés, les flaques d'amour sur la bâche, le lit sec dans la chambre voisine, l'éveil, au matin, avec son amour grandissant dans le creux de la main.

Les rituels étaient en place, le plaisir toujours sans pareil, mais Catherine savait que les choses avaient changé, qu'une part cruciale de Gaj manquait à l'appel. À présent, lorsqu'il bougeait en elle, sur elle, il avait des moments d'absence qui la perturbaient. Quand on a vu une bouteille pleine toute sa vie, même une baisse de niveau infime peut déconcerter. Le regard s'attarde sur ce qui manque, non sur ce qui reste. Catherine savait que les absences de Gaj Singh s'appelaient Kamla, et elle commença à redouter que celle-ci finisse par absorber aussi ce qu'il restait de lui.

Elle percevait l'excitation croissante de Gaj Singh à mesure qu'approchait sa visite à sa famille, toutes les deux semaines. Le jour du départ, il avait les joues rasées de près, des vêtements propres, la démarche guillerette, l'humeur joyeuse.

Cela la rendait folle.

Elle se mit à déambuler sur son domaine à toute heure du jour et de la nuit. Seule, égarée. Ram AasrePeter et BannoMary protestaient, craignaient qu'elle ne soit attaquée par des animaux sauvages, la suppliaient de les appeler quand elle désirait se promener. Catherine les renvoyait. La nuit tombée, elle voulait encore jouir de son intimité sans limites. Elle n'en avait pas encore fini avec Gaj Singh.

Même si lui ne la désirait plus comme autrefois, elle le désirait encore.

Sans s'en apercevoir, elle devenait comme Syed à la fin.

Défigurée par un désir sans bornes. Incapable de trouver la paix.

Ses écrits étaient de plus en plus indigestes, les mots roulaient l'un dans l'autre et, tel du lait remué trop longtemps sur le feu, ils épaississaient irrémédiablement. D'abord, une profonde sensation de la torpeur des jours – la vacuité, l'attente, l'absence de compagnonnage – envahit graduellement les pages. Puis la narration s'éteignit et les mêmes choses se répétèrent, de façon de plus en plus outrancière. Une nuance hallucinatoire teinta la prose. Pendant des pages et des pages, il devint impossible de trouver un sens aux phrases. Et, soudain, rompant avec tout ce qui précédait, survinrent de confuses références au péché – héritage inattendu et tardif d'Emily – et de mystérieuses demandes de pardon.

Elle parlait de ne rien donner à ceux qui le méritaient.

De donner à ceux qui ne le méritaient pas.

Elle parlait de péché contre son propre sang.

De rédemption et de sursis.

Elle parlait de son amour pour Syed et regrettait sa chaleureuse présence à ses côtés.

Elle parlait d'aller à l'église, ce qu'elle n'avait jamais fait depuis Notre-Dame.

Elle parlait d'aller en Amérique une dernière fois.

Une dernière fois, pour terminer une affaire inachevée.

Elle parlait de donner à Gethia ce qui appartenait à Gethia.

Enfin, une crainte paraissait la submerger. Mélange d'hypocondrie et de paranoïa. Elle évoquait des maladies, des forces déclinantes, d'étranges visions nocturnes. Ses divagations sombraient de plus en plus dans la noirceur et l'incohérence. Elle disait éprouver la même sensation que Carpetsahib, chassé de son bungalow. Mais, dans son cas, c'était de sa propre maison.

Ailleurs, elle parlait de la panthère qui venait chaque soir s'asseoir devant sa fenêtre, sous la lune, pour la narguer. Parfois la panthère se contentait de la regarder fixement, parfois elle chantait d'une voix douce une chanson du folklore local, chargée de mises en garde et de présages. La panthère disait connaître tous ses secrets, et jurait, si elle ne lui donnait pas satisfaction, de lui dévorer les entrailles.

Puis, tout à coup, la page devenait blanche.

La mort avait étendu son empire.

LIVRE V

Satya : vérité

Le Trou de l'Histoire

Lorsque j'émergeai du dernier remous des carnets, j'avais trois ans de plus. Autour de moi, le monde avait changé de façon inattendue. Le nouveau machisme qui avait entamé son règne au début de la décennie connaissait maintenant, vers la fin du millénaire, une vogue formidable. Le fantôme faiblissant du grand fakir avait été mis au repos forcé. Non-violence, tolérance, compassion, humour, tout était solidement enterré. Les dinosaures avaient dévoré l'homme qui chevauchait les crocodiles.

La mythologie avait séduit la technologie et leur bâtard était parmi nous.

Nous avions sorti nos grandes métaphores et en avions fait de petites munitions.

Nous ne voulions pas voler sur les ailes de la Gita, nous voulions le Brahmastra.

Nous étions devenus une puissance nucléaire. Désormais le pays entier était une Confédération de Glands Étincelants. Partout poussaient des érections palpitantes. Gonflées aux pilules bleues de la propagande et du pouvoir; prêtes à défoncer la première bouche qui oserait s'ouvrir pour manifester son désaccord.

Les apothicaires de la haine avaient enfin réussi à rendre les phallus des bigots aussi fermes que des maillets. *Har bewakoof ka loda banayenge hatoda.*

Même ceux qui n'étaient pas bigots se démenaient pour clamer leur virilité, alimentant leur amour-propre pour le gonfler à la taille de leurs organes. De leur bombe, de leur histoire, de leur peuple, de leurs dieux.

Tandis qu'on incitait le fakir à mourir dans un coin, son non moins illustre passager sur le dos du crocodile, le saint des sans d'esprit, Jawahar le Joyau, était devenu la cible préférée de tous. Des hommes indignes de respirer le même air que lui, des hommes sans courage, sans noblesse, sans idées, passaient leurs journées à lui lancer des flèches. Nous avions saisi nos rêves et les lisions comme des livres de comptes ; et nos livres de comptes étaient devenus les journaux intimes des voleurs.

Nous avions perdu la grâce et découvert l'avarice.

Nous avions perdu la magie des grandes luttes sans trouver les raffinements du banal.

Nous étions tous pris au piège d'une extraordinaire parodie burlesque de la mesquinerie.

Tous. Chaque jour. Partout. De nos minables logis aux somptueux édifices de la Nouvelle Delhi coloniale.

Nous avions échoué à devenir qui nous pouvions être.

Nous devenions moins que ce que nous étions.

Mais la vérité est que je m'en moquais. Les nations et les masses suivront leur voie perverse, étincelant et déclinant au rythme de cycles aléatoires de bêtise et de valeur. J'avais ma propre vie à affronter et, ainsi que le savent tous ceux qui ont vécu, une petite existence exige autant d'attention et de pilotage qu'une nation entière.

Il y avait de fortes chances que le pays trouve sa route plus vite que moi.

Alors que je m'efforçais de remonter à la surface, les tentacules des carnets encore accrochés à mes chevilles, je me prenais pour Rip Van Winkle. Par une sorte d'afféterie, j'avais laissé pousser mes cheveux et ma barbe – cheveux de plus en plus balayés de blanc, barbe noire –, et pouvais les attacher avec des élastiques. Cela me donnait un air désuet qui me plaisait, dans le style moine oriental. Je m'amusais du respect que me témoignaient les gens du pays, respect dû à quiconque embrasse la spiritualité. Ils baissaient la voix pour me parler, m'adressaient un salut déférent en me croisant sur la route. Les apparences sont vraiment tout. Du citadin sophistiqué vivant parmi eux, j'étais devenu le reclus de la grande maison, l'érudit spartiate étudiant des textes obscurs.

Cette situation me convenait. Je pouvais me promener jusqu'à la dhaba du padao où les camions faisaient halte, déambuler devant les minuscules épiceries de l'ancien chemin montant à Nainital – pavé de superbes briques en chevrons –, ou flâner devant les cabanes à thé en descendant vers le sanatorium en ruine, sans me sentir obligé de bavarder avec les hommes accroupis ici et là par petits groupes, fumant cigarettes et bidis. Un signe de la main, un hochement de tête suffisait. Même les jours où j'allais manger au padao, on me servait sans me faire la conversation, et, dans la petite gargote, les bavardages baissaient d'un ton.

Je savais quelle rumeur courait sur mon compte : ma femme m'avait abandonné et je me languissais d'elle.

On racontait également que j'écrivais un livre pour exorciser son souvenir. Ces informations me revenaient par Prakash – qui avait sans doute fourni la matière première. Prakash était l'idiot qui avait remplacé Rakshas à mon service. Le visage parsemé d'acné, empoté et bête, il balançait en permanence entre bouderie et sourire. Il venait d'Almora. Prakash n'aurait pas déparé dans les rangs des crétins de n'importe quelle dhaba, mais son ambition était d'entrer dans l'armée. Chaque année, il se présentait au centre de recrutement de Ranikhet, et chaque année il était évincé. L'armée aurait été folle de lui mettre une arme dans les mains. Mais il ne perdait pas espoir, même après avoir dépassé l'âge de l'enrôlement. Tous les matins, il enchaînait des séries d'abdominaux et de pompes, et courait de haut en bas des terrasses au pas de gymnastique. Il était convaincu qu'une guerre colossale éclaterait avec le Pakistan et que l'armée appellerait les réservistes. Il se maintenait en forme pour ce grand jour.

Prakash faisait tout pour que ma vie suive son cours : la cuisine, le ménage, la lessive. Chaque minute de son temps libre, il la passait devant la petite télévision en noir et blanc que je lui avais installée dans un angle de la salle à manger. L'antenne arrimée sur le toit ne captait que la chaîne nationale. Quand il y avait un problème de réception, il m'appelait, saisi de panique, se ruait sur le toit et tirait l'antenne à hue et à dia, tout en me hélant pour savoir si l'image était revenue. Et il me vantait à mots couverts les merveilles de la télévision par câble.

Je me pliais à ses menus désirs car je n'avais personne d'autre à qui faire plaisir. Malgré sa grande bêtise, Prakash partageait mon toit et mon pain. C'était un compagnon.

Fizz m'avait quitté depuis deux ans et demi. Son absence m'avait affecté, mais ne m'avait pas arraché aux carnets. Le décodage du journal intime de Catherine avait été un lent processus. Il avait fallu établir l'ordre des carnets, déchiffrer l'écriture, donner un sens à la prose besogneuse. Et prendre des notes détaillées. À raison de quatorze heures de lecture par jour, chaque carnet nécessita plusieurs semaines d'étude. Souvent je revenais en arrière pour vérifier les références, juxta-poser des événements et leur compte rendu. Il y eut aussi de ma part beaucoup de flânerie ; je m'aperçois aujourd'hui à quel point j'avais peur d'en finir avec ces carnets, peur de n'avoir plus de filet de sécurité, peur de ce qui m'attendait.

La Brother muette et l'absence de Fizz.

Parfois, j'essayais de mettre mes pas dans ceux de Catherine : aller au point d'eau à une certaine heure du jour, m'asseoir sous Trishul, marcher sur un sentier particulier. Je cherchais à capter un écho.

Tantôt il ne se passait rien, tantôt je ressentais une réverbération troublante.

Un soir de la dernière semaine de septembre, à minuit – la lune à moitié mûre, le sous-bois animé d'une conversation trépidante, la brume se mouvant en vagues lentes, l'engoulevent commençant à peine à toquer –, je descendis au portail du bas pour emprunter le chemin nocturne de Gaj Singh. Prakash dormait dans la salle à manger – c'est moi qui avais insisté, car je ne voulais pas coucher seul dans la maison. Je venais de lire le récit topographique d'une visite tardive, et en entendant s'arrêter le grésillement de la télévision

– les programmes de la chaîne nationale s'achevant à minuit –, je décidai de vivre ma lecture.

J'enfilai mes vieilles tennis sans chaussettes, une veste, me munis d'une lampe torche, et descendis l'escalier intérieur. Une ampoule zéro watt luisait dans la salle à manger où s'élevaient les premiers ronflements de Prakash. Bagheera, qui dormait sur son lit, dressa la tête, puis la reposa sur ses pattes quand j'ôtai le loquet de la porte d'entrée pour me faufiler dehors. Je marchai prudemment dans la nuit bleue sur l'herbe humide et glissante, évitant de piétiner les dizaines d'arbustes que Fizz avait plantés un peu partout. Prakash et moi étions de piètres jardiniers, pourtant un grand nombre des rejetons choyés par Fizz avaient survécu à la négligence parentale et trouvé prise dans l'environnement indifférent pour grandir. Je zigzaguai entre les rince-bouteilles, pins argentés et cédrèles qui m'arrivaient à la taille, les margousiers et les sissos qui m'arrivaient aux genoux.

Des planches de bois et des barbelés obstruaient le portail du bas. Je me retournai et observai la maison. Dans l'obscurité, elle ressemblait à un animal tapi, avec ses deux oreilles cheminées dressées. Derrière moi, la route sinueuse luisait sous la lune, silencieuse, sans un seul baiser de pneu de caoutchouc. Au-delà sombrait la vallée de Bhumiadhar, profonde et sinistre. J'aurais pu être lui, Gaj Singh, soixante-dix ans plus tôt, jetant un dernier regard circulaire avant de me mettre en marche. Le seul élément différent était Trishul. À l'époque, le déodar devait monter à hauteur d'homme et tout juste commencer à trifurquer. À présent il dominait tout, son triple tronc soutenait le ciel, ses nombreuses branches se déployaient, douces et duveteuses.

Je gravis lentement le sentier escarpé peu utilisé menant directement à l'arrière de la maison. Sous mes pas, les feuilles étaient détrempées et je devais placer mes pieds avec précaution. Mais je n'allumai pas la lampe torche. En avançant, je sentais tout se figer autour de moi. Les murmures des sous-bois cessèrent, le vent retint son souffle, les tocs se turent, un vol de nuages en piqué avala la lune. Quand j'atteignis la petite cour derrière la maison, je vis l'escalier qui m'attendait. Dix marches de pierre accrochées à la façade inébranlable. Nues, brutes, sans rampe.

Je levai les yeux, inquiet. À travers les rideaux perçait une faible lueur jaune, semblable à celle d'une lanterne. Je pouvais presque entendre le sifflement de la pompe à huile. J'avais envie de jeter un regard par-dessus mon épaule, mais n'en eus pas le courage. Une attente fébrile et une peur fébrile produisent-elles les mêmes sensations ? Sa peau aussi devait être moite de transpiration, son cœur tambourinant. Je m'agrippai au mur, montai marche après marche, le bras gauche tendu derrière moi pour écarter tout poursuivant éventuel. Mes chaussures crissaient doucement.

Parvenu en haut, il n'y avait plus de toit de tôle incliné à franchir habilement. À la place, nous avions fait couler une dalle de ciment formant une terrasse balcon, et aménagé une cuisine moderne en dessous. Je distinguais les silhouettes sombres de la vallée de Jeolikote. Sous la porte filtrait la lumière de la lanterne. Soudain, je sus qu'elle était là, qu'elle m'attendait.

Je demeurai immobile un long moment, saisi d'effroi.

De façon absurde, je songeai même à faire demi-tour pour rentrer dans la maison par la porte de devant. Hésitait-il, lui, chaque fois qu'arrivait cet instant ?

Alors, dans une grande précipitation, je fis glisser mon bras le long du mur, la main retournée pour saisir le montant de la porte, fermai les yeux, et, posant la pointe de mon pied droit sur le toit comme s'il s'agissait d'une pente en tôle, me glissai à l'intérieur de la chambre en pivotant. La porte grinça. J'ouvris les yeux, certain de la trouver là.

Je dus m'asseoir sur le lit pendant près d'une heure avant de recouvrer mon calme.

Je continuai d'avoir des hallucinations. Pas toutes les nuits, mais assez souvent. J'étais dans un état normal en allant me coucher, bien qu'envahi par ce que je venais de lire, puis, tout à coup, la rencontre avait lieu. Elle durait plusieurs heures et paraissait toujours très réelle ; la plupart du temps, je me réveillais totalement épuisé. Je buvais deux tasses de thé, assis sur la terrasse, contemplant la vallée qui s'animait, ensuite je rentrais dormir quelques heures.

Prakash avait pour instruction de me réveiller à dix heures avec du thé et des œufs.

Pendant longtemps il me fut difficile de séparer l'appréhension de l'attente. Il y avait la peur de ce qui arrivait à mon corps et à mon esprit chaque nuit, mais un fantasme nocturne est généralement le bienvenu, même chez un homme mûr. Ensuite, dans un parallèle macabre, quand l'amour de Catherine et de Gaj Singh se dégrada et que le mal grandit en eux, l'incube nocturne de Catherine se mit à m'oppresser. Désormais, quand elle m'apparaissait, son visage était tordu de rage et elle m'agressait au lieu de me caresser. Je m'efforçais de la repousser et elle me prenait comme une bête prendrait un homme, avec violence et sans merci.

Le matin, je m'éveillai courbatu, les membres douloureux.

Je perdis également la capacité de me rendormir. C'était très inhabituel. Je m'étais toujours glorifié de pouvoir m'assoupir à la minute.

Les fractures de mon esprit se reflétaient dans la maison, qui avait sombré dans un état de délabrement progressif. Les rénovations avaient cessé dès l'instant où Fizz m'avait quitté, ce jour pluvieux. Pas une brique, pas une truelle de ciment, pas une planche de bois n'avait été ajoutée depuis lors. Trois lucarnes étaient sans vitre ; Prakash et moi les avions obstruées de plaques de tôle. Au fil des mois, la pluie battante les avait ouvertes, creusant des sillons sombres sur les murs chaulés. Les piles de pin raboté gisaient en enfilade sur le côté de la véranda ; le bois n'était plus d'un blond croustillant mais grisâtre.

Sur la terrasse la plus basse, les tas de sable et de gravier s'étaient lentement dissous – des herbes y avaient pris racine – ou avaient été emportés par les villageois avec la permission de Prakash. Les trois sacs de ciment abandonnés dans les communs du haut avaient lentement absorbé l'humidité, puis durci comme de la pierre. La plupart des pièces étaient inachevées. Il manquait des portes, des fenêtres, des placards. Quand on entrait par la grille principale, la maison ressemblait à un crâne souriant ; les fenêtres sans carreaux des vérandas du bas et de l'étage figurant ses yeux et son nez creux.

Fizz avait fait installer quelques robinets de luxe, mais à l'exception de ceux de la cuisine et de la salle de bains du premier étage, tous commençaient à se gripper par manque d'usage. Même les réservoirs de chasse d'eau et les cuvettes étaient crasseux et jaunis – Prakash faisait tout, sauf nettoyer les salles de bains. Ce qui m'indifférait totalement.

De la même façon, les verrous et les loquets de bronze achetés à Delhi étaient tous désaxés, et il fallait secouer les portes et les fenêtres pour parvenir à les fermer. Agacés, Prakash et moi avions employé des moyens radicaux : la plupart des portes tenaient maintenant avec de gros clous tordus.

Sur les rebords, dans les coins, dans les pièces vides de la maison, des robinets, des carreaux, des coudes, des joints, des écrous, des boulons, des clous, des loquets, des supports, des stores, des boîtes de peinture reposaient dans des cartons, amassant la poussière, sans plus de raison d'être.

La désintégration inhérente à tout acte de création.

Le crâne sous la peau.

Je n'avais pas oublié comment cette évidence m'avait frappé la première fois. Je me trouvais dans les gravats de la pièce de derrière, regardant par le toit manquant l'immense ciel bleu.

Et désormais cela me frappait chaque fois que j'étais assis sur le rebord de la fenêtre du bureau inachevé donnant sur la vallée de Jeolikote, l'embranchement de la route N° 1 et les routes de montagne sinueuses. Je me faisais l'effet d'un empereur moghol saisi de mélancolie à la pensée que chacun des édifices somptueux qu'il fait ériger commence à mourir dès l'instant où il en passe la commande.

Il n'est rien de si grand qui ne périra un jour.

Bien entendu, cela m'était parfaitement égal.

Les seules choses qui me serreraient le cœur, de temps à autre, étaient les plantes. Je savais combien Fizz y tenait et combien leur état d'abandon l'aurait affligée.

Par chance, beaucoup avaient tenu bon et prospéré : les sissos, le jacaranda et le pipal devant la maison, les pins argentés le long du mur d'enceinte, la pousse de saule pleureur prise près du lac de Naukuchiyatal et plantée près du robinet sur la terrasse du bas, les rince-bouteilles, le jamblon et la cédrèle sur le sentier derrière la cuisine, quelques manguiers sur le versant de Jeolikote, et, miraculeusement, un cytise mal en point mais qui refusait de mourir sur la terrasse du haut, ainsi qu'un flamboyant batailleur près de l'entrée principale. Il y avait également le banian entre le portail et la maison qui, au bout de quatre ans, s'élevait à peine à quinze centimètres. Il avait l'air mort, mais, chaque printemps, une feuille verte porteuse d'espoir se dépliait.

Fizz n'était pas revenue depuis ce soir orageux et pluvieux.

Au début, j'avais téléphoné plusieurs fois, mais la conversation tombait dès les premières paroles.

« Tout va bien ?

– Oui.

– Je suis désolé de tout ça.

– Oui.

– J'espère que tu vas bientôt remonter.

– On verra.

– Tu m'appelles si tu as besoin de quelque chose ?

– Oui.

– Tu sais ce que je ressens pour toi ?

– Oui. »

Toc. Toc. Toc.

Ensuite, absorbé par les carnets et irrité par sa maussaderie, je cessai de faire l'effort d'appeler. Peu à peu la douleur s'estompa. Quelques semaines plus tard, on vint appeler Rakshas à la boutique du thakur. À son retour, il me foudroya du regard et annonça : « Didi a quitté la maison et laissé les clés chez votre propriétaire. »

J'attendis qu'il eût disparu pour me précipiter à l'épicerie-bazar et téléphoner. Je laissai sonner, sonner, sonner, mais Fizz ne répondit pas. L'appel à Rakshas avait sans doute été son dernier geste avant de partir.

La panique me terrassa. Où était-elle ? Avec qui ? Que faisait-elle ? Comment allait-elle ? L'envie me saisit de sauter dans la Gypsy pour foncer à Delhi. Pendant un temps, j'oubliai tout le reste. Je montai dans ma chambre, redescendis avec les clés et me dirigeai vers la voiture. C'est alors que j'aperçus Rakshas, debout près de la bergerie, sa main valide tenant son moignon, qui me toisait d'un air méprisant.

Une lueur de triomphe passa dans ses yeux qui me stoppa net. Je me fis violence pour me contenir, et montai lentement les marches, en passant devant lui, jusqu'au point d'eau. Là, je m'assis sur le banc de pierre, écoutai le gargouillement de la canalisation de Prem Kumar vieille de quatre-vingts ans, contemplai la vallée, en bas, suivis des yeux les camions qui gémissaient dans les virages, jusqu'à la tombée du soir, une fois tous les oiseaux installés pour la nuit. Des heures plus tard, lorsque je me levai enfin, le ciel suffoquait d'étoiles, la lune s'était levée, et les broussailles bruissaient des bousculades nocturnes. En rentrant dans la maison, je vis la silhouette manchote près de la cuisine, qui m'observait, aussi immobile qu'une méditation.

À la fin de la nuit, Catherine m'avait consumé si totalement qu'il ne restait plus rien en moi, pas même la panique.

Deux jours plus tard, Rakshas me quitta. Il me dit : « Retournez à Delhi, sahib. Retrouvez-la. Les hommes doivent connaître la différence entre l'or et le cuivre, ou bien être condamnés à jamais. »

Je lui remis son argent et lui dis de s'en aller.

Quatre jours après, le thakur m'amena Prakash. Pendant ces quatre nuits solitaires, je dormis dans la bergerie, enfermé à double tour, avec une bouteille d'eau et la hache à long manche. Je dormis très mal. Non à cause d'hallucinations lubriques, bizarrement, mais de présences menaçantes armées d'un moignon.

Pour satisfaire un tic étrange, de devoir ou de curiosité, j'appelais le barsati quand je sortais me promener. Avec une sorte de détachement. Le téléphone sonnant dans le vide avait quelque chose de cinématographique ; j'avais l'impression qu'il entretenait une conversation propre, en dehors de moi. L'épicier thakur – corps noueux, visage fripé comme des testicules – m'épiait avec curiosité. J'étais l'homme qui téléphonait, téléphonait, et ne disait jamais un mot. L'homme qui prenait son téléphone pour une femme.

J'aurais sûrement bondi d'effroi si une voix m'avait répondu.

Puis, un soir, il n'y eut plus sur la ligne qu'une longue plainte sourde. Le téléphone était tombé dans le coma. Factures impayées ou, peut-être, dérangement. C'est ainsi que, six mois après le départ annoncé de Fizz, je me mis au volant de la Gypsy pour descendre à Delhi. Ce fut un voyage étrange. Je conduisis lentement, écoutant K.L. Saigal gémir délicieusement sur la stéréo – Fizz ne me laissait jamais l'écouter –, sans m'arrêter nulle part pour manger, boire ou pisser, évitant tous les lieux qui portaient nos empreintes. Mêmes les passages à niveau de Moradabad étaient fluides et je me dégourdis les jambes seulement en arrivant dans notre rue, à Green Park.

Les propriétaires regardaient une série à la télévision, et son vacarme domestique flotta dehors lorsque le mari ouvrit la porte. Il me dévisagea un instant d'un œil vide, puis rentra précipitamment chercher la clé pour me la donner. Je lui dis que je viendrais le voir le lendemain, dans la matinée. Il ferma la porte avec gratitude. Il avait des chèques d'avance, retirait son argent le premier de chaque mois, je n'étais jamais là. J'étais le locataire rêvé.

Le barsati était sinistre comme un tombeau et couvert de poussière. À première vue, Fizz n'avait rien emporté. Hormis ses vêtements et les petites babioles qu'elle aimait collectionner – animaux miniatures en céramique, cendriers de pierres différentes, boîtes de perles colorées, bracelets en verre –, hormis les choses entièrement personnelles et anodines, elle avait tout laissé derrière elle. Même les livres, la musique, les vidéos.

Le rite du départ était total. Prises débranchées, fenêtres verrouillées, réfrigérateur nettoyé et entrouvert, chaises alignées. Tout était lavé, plié, rangé.

Un Post-it jaune était collé sur la porte du réfrigérateur : Factures réglées, aucune dette à personne.

Je trouvai la bouteille de rhum, m'installai sur la terrasse, et bus. « Mieux vaut du rhum dans le bide que de la merde dans le cul. » Les branches non taillées du flamboyant balayaient le sol de la terrasse. Je cassai un rameau et m'en caressai les bras. À minuit, affamé, embrumé, je pris la voiture pour aller manger deux œufs parathas arrosés de plusieurs tasses de thé chez Yusuf Sarai.

Il y avait là un groupe de jeunes gens branchés, qui buvaient dans des gobelets en plastique, mangeaient des parathas, parlaient fort, et, chacun son tour, décochaient des coups de pied aux chiens qui venaient quémander de la nourriture. Cela devenait une sorte de sport.

Comme un jeu vidéo : un coup de pied, un jappement plaintif, une fuite, d'autres jappements en *diminuendo*, un tonnerre de rires. Une accalmie, quelques bouchées, et on remet ça. Je songeai à intervenir, puis détournai simplement la tête.

Je trouvai étrange de dormir dans ce lit sans que Fizz et moi le mettions sens dessus dessous. Il y eut des rêves de cuisses ruisselantes, de silhouettes manchotes. À mon réveil, je trouvai étrange de ne pas respirer l'air frais des montagnes et de ne pas voir la vallée s'ouvrir à mes pieds.

Dans la matinée, j'allai à la banque. Fizz n'avait pas retiré plus de vingt mille roupies. J'en fus accablé. J'espérais qu'elle aurait pris une somme confortable. Et même la totalité. Au marché de Hauz Khas, je trouvai un PCO – une cabine de verre, dans une autre cabine de verre, contenant téléphones, télécopieurs et photocopieuses –, et appelai plusieurs de ses amis. Tous se montrèrent glacials et réticents. Aucun ne me renseigna. J'en fus réduit à demander des nouvelles de sa santé.

Oui, elle va bien, merci.

Désolé, monsieur Chinchpokli, nous n'avons pas d'adresse à vous communiquer où vous risqueriez de lui infliger d'autres chagrins.

Je ne téléphonai à aucun de mes amis. Sollicitude, questions, explications. Je n'étais pas prêt. Devant moi, sur la vitre de séparation, je remarquai un petit bristol d'un violet criard où je lus : « La musique du Moksha, Le Centre du Cercle de la Vie. » Le monde était en flux permanent mais il avait un dessein. On pouvait entrevoir le passé, le présent, l'avenir, en composant l'un des trois numéros indiqués. Un petit dessin montrait un jeune homme en costume cravate, assis en tailleur comme Bouddha, irradiant paix et compréhension.

L'indicatif des numéros de téléphone correspondait à la zone. Je composai le premier. Quelqu'un qui semblait être un domestique répondit. Il me demanda si j'appelais pour le moksha.

Oui, une petite dose.

Voire une double.

Une femme prit l'appareil. Sa voix était douce, caressante, pleine d'intérêt. Elle me fixa rendez-vous l'après-midi. Le salon du moksha se trouvait dans l'annexe d'une maison de Panchsheel Park. Une bougainvillée moussante, chargée de fleurs roses et blanches, encadrait la porte. À l'intérieur, la table basse était en tek poli ceinturé de cuivre. Derrière la table, la femme était sereine, séduisante, avec des cheveux auburn entourant l'ovale parfait de son visage. Elle portait un tailleur occidental bleu, sur un chemisier blanc immaculé qui dévoilait la promesse de jolis seins.

C'était du tonic divin de grand style. Pas de coup de savate sur la tête asséné par Baba GoleBole.

« Vous paraissez inquiet, me dit-elle.

– Non, je ne le suis pas. »

Elle esquissa un sourire doux et attendit.

« Si, je le suis.

– Racontez-moi tout. »

Parfois, la meilleure façon de jouer la partie est d'aller droit au but. Tromper par l'excès. Je parlai avec solennité. Elle m'écouta avec sérénité, comme si je lui délivrais mon curriculum vitae universitaire. Lorsque j'eus fini, elle me posa quelques questions. J'épiçai les réponses. En rajoutai sur les hallucinations, sur le sexe. Elle se leva pour venir se placer derrière moi, prit ma tête entre ses paumes, et me dit de fermer les yeux.

Ses mains lisses et tièdes sentaient la vanille. Je commençai à dériver.

Elle murmura : « Sachez ce que vous voyez et voyez ce que vous savez. »

Je m'endormis.

Un peu plus tard, elle ôta ses mains et demanda : « Qu'avez-vous vu ?

– Je ne m'en souviens pas.

– Rien ?

– Rien.

– Bien. Très bien. »

Elle retourna s'asseoir, mit ses doigts en clocher, et m'entretint des énergies de l'univers. Le bien et le mal. Le positif et le négatif. Les pactes que nous concluons avec l'univers à notre naissance, les scénarios que nous choisissons. Comment nous soldons les dettes des vies passées, comment nous réglons les anciens comptes. Il n'y a pas de hasard. Toutes les personnes que nous connaissons aujourd'hui, nous les avons connues avant. Et les connaîtrons encore.

Je regardais ses lèvres remuer. Le rouge appliqué avec soin agrandissait sa bouche.

« Est-ce que je suis Gaj Singh ? demandai-je.

– Ce n'est pas si simpliste. Toutefois, il y a une connexion profonde.

– Syed ?

– Difficile à dire. Ce pourrait être dans une des vies antérieures de la femme. Une affaire inachevée. Une chose qu'elle cherche à vous dire.

– Carpetsahib ?

– Comment ?

– Pardon. C'est sans importance. »

Elle me prit huit cents roupies – le premier versement pour le moksha – et me conseilla de revenir pour suivre une thérapie de régression dans le passé. Cela prendrait au moins quatre heures et me fournirait toutes les réponses. Elle disait détecter en moi une grande néga- tivité. Je risquais même d'avoir besoin d'une opération psychique pour l'exciser. L'écoper, la neutraliser dans une bassine d'eau salée et la jeter dans l'égout. C'était une intervention délicate. Si on ne la maniait pas conve- nablement, l'énergie négative pouvait se répandre et endommager d'autres choses dans le monde, parfois même corroder le chirurgien.

Quand je partis, elle me serra la main et me gratifia d'un sourire serein, compréhensif et prévenant.

« Ne soyez pas trop anxieux, me dit-elle. L'anxiété bloque les énergies de l'univers. Toutes les réponses sont en vous. Vous vivez le scénario que vous avez choisi. »

Oui, madame. Bien, madame. Je ferai. Je serai. Je verrai.

Le monde a une logique. Il faut exercer son regard pour la percevoir.

Cent ans après que Syed eut vilipendé l'hypocrisie, je l'avais découverte.

Le grand écrivain bouffon, M. Chinchpokli. Le nou- veau pisteur du sentier entre la raison et la déraison.

Je retournai à Gethia dès le lendemain matin, et n'en bougeai pas de six mois. Les années passèrent. Je conservai le barsati, ne pouvant me résoudre à trier ce qui s'y trouvait, et tout y resta immobile, sous la pous- sière qui s'accumulait, monument à la banalité de notre amour. Une histoire d'amour est une petite cuiller.

La seule personne que je rencontrai, lors d'un de mes séjours éclair à Delhi, fut Philip. Et ce fut décevant. Il travaillait avec une nouvelle chaîne de télévision, pour qui il produisait des talk-shows où trois personnes s'agressaient verbalement, aiguillonnées par le modérateur. Philip portait des vêtements propres et repassés, des chaussures de cuir, il avait les joues rasées et ne fourrait plus sa bouche dans la nourriture comme un chien. Il était marié ; sa femme était une avocate prospère. Pas une fois il ne parla des films à grand spectacle qu'il avait projeté de tourner.

Lorsque nous nous quittâmes, il me demanda mes coordonnées à Gethia, et je lui donnai un numéro de téléphone erroné.

Pendant tout le temps où je demeurai plongé dans les carnets, je n'eus aucune nouvelle de Fizz, directement ou indirectement. Et mes timides tentatives pour la localiser ne donnèrent rien. Il n'y eut plus un seul retrait sur le compte bancaire. Ses amies militantes, qui devaient connaître son adresse, continuaient de faire barrage. Je téléphonai à sa mère, à Jorhat, dans le lointain Assam. La communication était très mauvaise. Quand elle reconnut ma voix, elle fondit en larmes. Je raccrochai. À mon second appel, ce fut elle qui raccrocha. Je recueillis aussi peu d'informations que si j'avais vécu à l'ère préhistorique.

Mais plus que l'énigme de Fizz – quand j'émergeai du remous des carnets intimes à la fin du millénaire –, c'était l'énigme de Catherine qui me consumait encore. Après plusieurs millions de mots, après avoir lu et relu mes notes, subsistait le sentiment persistant d'une histoire inachevée. Sans le formuler, j'avais l'impression d'être le dernier acteur en date – l'ultime ? – de cette saga. Mais je n'avais pas la moindre idée de ce qu'était mon rôle.

Il me semblait que les carnets m'avaient conduit au bord de quelque chose. Mais, désormais, j'étais seul.

À mon malaise s'ajoutait le tourment que m'infligeait l'incube noctambule. Je n'étais plus consumé mais pourchassé. Je me couchais la peur au ventre, et mes peurs se révélaient fondées.

Le fantôme de Catherine avait le visage tordu ; un venin alimentait ses besoins.

Le matin, je m'éveillais avec la sensation d'avoir été violé.

La nuit, je dormais mal. Le jour, je ne dormais pas.

Une panique délirante s'empara de moi. J'avais achevé la lecture des carnets mais ne parvenais pas à avancer. J'avais besoin d'une conclusion. Mais laquelle ? Comment ? Toute vie est un étalage débraillé qu'il serait vain et contraignant d'essayer de replier et de nouer proprement, mais la mienne était devenue tellement débordante, tellement encombrée de fantômes, qu'il n'y avait plus rien de vivant à en expurger.

Plus d'un mois plus tard, après avoir lu le dernier mot de la dernière page, alors que j'étais assis sur le rebord de la fenêtre dans le bureau inachevé, un matin, le regard perdu sur la brume mouvante, la tête alourdie par le manque de sommeil, une idée me vint subitement. Sans perdre une seconde, je jetai quelques vêtements dans un sac, grimpai dans la Gypsy et roulai jusqu'à Rudrapur. Là, je bifurquai vers Kashipur, puis demandai mon chemin à plusieurs reprises. Moins de deux heures après avoir quitté Gethia, je filais en direction de Jagdevpur à travers des rizières verdoyantes, des aigrettes affairées et des rangées de peupliers bien droits.

On sous-estime toujours la vitesse de l'oubli.

La ville des nawabs, des palais, des fastes et des cérémonies, des chasses, des parades, des harems et des pendaisons, la ville de Jagdevpur était une ruine cau-

chemardesque. La chaussée éclatait en touffes de goudron bien avant d'y arriver, et l'horizon était ponctué
de minarets et de murs festonnés dans le style sarrasin.
La première chose qui me frappa en pénétrant dans la
ville fut les égouts ouverts, remplis de boue, qu'inspectaient de leur groin des pourceaux noirs à poils drus.
Des vieillards pédalaient lentement sur des rickshaws,
transportant des femmes voilées de burqas. Des affiches
criardes de films indiens étaient placardées partout.

Je demandai mon chemin dans une cabane à thé délabrée, située près d'un dépôt de bus délabré, au milieu
d'ordures et de mouches. Les hommes qui se trouvaient
là, pour la plupart des musulmans dont certains portaient une barbe sans moustache, d'autres une calotte,
me dévisagèrent avec curiosité. L'un pointa le bras. Un
autre me demanda si j'étais professeur.

On franchissait un haut porche en ruine, sans grille ni
gardien pour interdire l'entrée. À l'exception d'un vieux
banian enguirlandé de centaines de racines aériennes,
et de deux pipals, le vaste parc du palais était réduit à
l'état de broussailles desséchées. On n'avait pas remplacé les arbres anciens qui étaient morts. Des vaches
osseuses broutaient les broussailles, la tête basse.

Les palais, dépouillés de leur mobilier, de leurs portes
et de leurs fenêtres, les murs nus, résonnaient comme
des coquilles vides. J'en comptai trois : un très grand et
deux plus petits. Je garai la Gypsy dans la cour du plus
grand, et les parcourus à pied l'un après l'autre, mes
pas résonnant parmi les roucoulements des colombes et
des pigeons. Les ventilateurs des plafonds servaient de
volières, et les sols étaient tapissés de fientes.

Certaines des plus petites pièces avaient des portes
de fortune : des panneaux posés à la va-vite, avec des
loquets grossiers pour les fermer. À l'intérieur régnait

une forte odeur animale, mêlée aux remugles de bouse de vache et de crotte de chèvre. Dans les coins s'amoncelaient des tas de paille et de fourrage, des pieux en fer enfoncés dans les anciens sols de mosaïque servaient à attacher les longes.

De nombreuses salles étaient gigantesques, faites pour accueillir un millier de personnes, avec des plafonds hauts de quinze mètres. Quelle vanité poussait l'homme à de telles démonstrations d'opulence ? Le plâtre des murs pelait comme des croûtes ; les colonnes étaient toutes ébréchées, les cannelures cassées, le bois des balustrades arraché et emporté. Les crochets de fer fixés au plafond témoignaient des lustres disparus ; les salles de bains avaient été détournées de leur fonction : les appareils sanitaires ôtés, les dalles de marbre enlevées. Des plantes avaient poussé dans les fissures des murs – des pipals, pour la plupart, qui feraient peu à peu éclater le palais.

Le délabrement inhérent à tout acte de création.

Les palais étaient érigés sur de hauts soubassements que la végétation commençait déjà à éventrer, et il fallait monter un large escalier pour accéder à l'entrée principale. Il y avait de vastes cours intérieures, de vastes vérandas intérieures disposées dans l'alignement de colonnes ornementées. Jadis, ces cours se paraient d'arbres décoratifs, autour des fontaines de marbre démantelées et converties en jardinières pour y faire pousser des aubergines et des poivrons verts.

Certaines petites salles des ailes extérieures étaient habitées. Je vis des femmes qui faisaient la lessive, de jeunes enfants qui jouaient – faisant habilement tourner des toupies de bois d'une torsion vive du poignet. Leurs mouvements amplifiaient la désolation ambiante. Après m'avoir jeté un coup d'œil morne, ils se détournaient, et je jugeai plus sage de ne pas chercher le contact.

L'un des petits palais avait des dizaines de salles de même taille, dont toutes les cloisons de façade manquaient. C'était probablement le palais des chiens. Là aussi on apercevait la relique d'une fontaine dans la cour intérieure.

J'étais épuisé par tout ce vide et cette dégradation. Je n'avais exploré qu'une infime partie des palais, évitant les ailes intérieures obscures et les étages supérieurs. Je sortis. Le soleil était comme un bloc de chaleur écrasant.

Le banian était entouré d'une plate-forme en ciment, avec une ghurra et une coupelle en aluminium à long manche. Je remplis la coupelle d'eau fraîche, à l'odeur d'argile, et, la tenant très haut, m'aspergeai le visage et le torse. Puis je m'assis et attendis. Sans savoir quoi. Nulle part je n'apercevais trace d'un cottage. Peut-être se trouvait-il ailleurs. Les lieux semblaient si totalement morts que l'on peinait à imaginer qu'ils avaient été le décor des carnets de Catherine.

Je me couchai en boule sur la dalle de ciment et m'endormis. Je rêvai d'elle, à cheval, me traînant dans son sillage. Elle portait une ample robe blanche et un chapeau à large bord. Plus je protestais, plus elle galopait, sans cesser de me regarder par-dessus son épaule avec un sourire énigmatique. Je courais comme un fou, mes jambes pompant comme des pistons, prêtes à céder sous moi, mon cœur sur le point d'exploser. Et juste au moment où je croyais mourir, elle tranchait la corde qui me tirait. Je m'effondrais sous un banian et perdais connaissance.

Lorsque je rouvris les yeux, j'étais toujours au même endroit. Les ombres avaient commencé à s'allonger. Des formations de perruches rentraient à la base en

bandes vertes, testant le mur du son avec leurs criail-
lements. Des corbeaux cherchaient un gîte pour la nuit
avec des interrogations rauques. Les derniers pigeons
et colombes voletaient sous les avant-toits avant de
s'immobiliser. Je m'aspergeai le visage, bus une coupelle d'eau, et sortis pour regagner la Gypsy.

Le capot était trop brûlant pour s'y asseoir, aussi
montai-je le large escalier et m'installai à l'ombre
des hauts murs du palais. Le soleil n'était plus qu'une
rougeur déclinante quand un cycliste apparut au porche
principal. Il lui fallut presque dix minutes pour atteindre
l'immense première cour bitumée, où une centaine de
voitures et de véhicules devaient se garer autrefois.
Il roulait sur une vieille bicyclette Atlas affligée d'un
cliquetis rythmique – quelque roulement à billes manquant –, et munie d'une petite lumière sur le guidon,
alimentée par une dynamo sur la roue arrière. Je me
levai pour lui faire signe, et il vira dans ma direction.

Il portait un pantalon et une chemise saharienne, avec
un bandana en travers du visage pour se protéger de la
poussière. En l'ôtant, il découvrit sa bouche maculée
de jus de bétel rouge. Avant même de prononcer un
mot, il expectora dans un coin de l'escalier un épais
jet écarlate, dont les éclaboussures manquèrent de peu
mes tennis. Je lui expliquai que je désirais rencontrer
une personne qui se souvenait de l'époque du nawab.

Il s'esclaffa de façon théâtrale puis, du coin des lèvres,
demanda : « Quels nawabs ? Ceux qui sont devenus
pauvres ou ceux qui ont rendu les autres pauvres ? »

Je lui lançai quelques noms. Syed. Zafar. Boycott.
Le livre d'aphorismes du nawab.

La vitesse de l'oubli est largement sous-estimée.

Il ne savait rien. Il ne connaissait que les princes des
années récentes. Un certain Abbas, parti à Bombay dans

les années soixante pour devenir acteur de cinéma, et qui avait effectivement joué dans un ou deux films où il tenait un rôle de méchant. Il avait une réputation de violeur, expliqua l'homme. Un autre s'appelait Abid, vivait à Lucknow, et tenait un hôtel dans l'ancien haveli de la famille. Un autre, Murad, vivait à Delhi, où il était styliste.

Crachant un autre jet rouge, l'homme ajouta : « Leur situation est bien pire que la nôtre. Ils doivent se conduire comme des nawabs mais ils n'en ont pas les moyens. Vous voyez ces palais. Eh bien, ils ont pillé tout ce qu'ils pouvaient à l'intérieur pour le vendre. Ils sont venus et ils ont démoli le travail de leurs pères. Ils étaient là et ils disaient : "Emportez ça, et ça. Combien pour ça ? Et pour ça ?" Cette ville est morte, sahib. Elle est morte le jour où le gouvernement a interdit l'extraction du minerai de fer et décrété que les arbres étaient plus précieux que les hommes. Et ces palais sont morts. Personne ne veut plus de ces ruines, aujourd'hui. Même pour rien. Quand vous passez la nuit ici, vous entendez les fantômes des hommes, des femmes et des chiens qui hurlent dans les corridors vides. Moi, j'y vis parce que mon père m'a laissé ici il y a vingt ans et que les fantômes me connaissent et me fichent la paix. »

Le crépuscule était tombé et quelques hommes nous avaient rejoints. Ils fumaient tous des cigarettes sans filtre et parlaient longuement du temps, de la fatalité, de la fortune et de la sagesse. Moi, je voulais des faits. Je ne tenais pas à passer la nuit dans cette ville paumée. Dans l'obscurité, la masse et le silence des palais étaient sinistres. Sept familles vivaient là où des milliers de personnes avaient vécu, dans le faste et la passion.

Je les interrogeai sur le cottage de Syed. Cela ne leur évoquait rien.

Ce fut seulement lorsque je commençai à perdre patience et à m'éloigner qu'ils se concentrèrent sur mes questions, et conclurent qu'un seul homme était capable de me dire ce que je voulais savoir.

« Il s'appelle Rommel Mian.

– Emmenez-moi chez lui. »

Impossible. Cet homme vivait loin de la ville, sur le lopin de terre de son petit-fils. Ils m'y conduiraient à la première heure le lendemain. En attendant, ils aménagèrent un couchage pour moi dans une des pièces munies d'une porte, à côté des quartiers des animaux, et me nourrirent bien. Après dîner, je voulus faire un tour au clair de lune, mais je pris peur aux alentours du banian et rentrai précipitamment dans le palais obscur.

Je dormis horriblement mal, assailli de fantômes. Chaque fois qu'un animal s'ébrouait ou bougeait dans la salle voisine, je me redressais d'un bond, le cœur tambourinant. Je m'assoupis seulement lorsque j'entrevis, à travers les fentes de la porte, l'obscurité se diluer. Je fus réveillé par la voix gentille de mon père – sa voix d'autrefois, quand nous n'étions pas encore devenus des ennemis jurés. C'était mon hôte qui m'apportait un gobelet de thé chaud, si chaud qu'il faillit m'arracher la peau des doigts.

Bien des années après la ferme de Bibi Lahori à Salimgarh, je me munis d'une vieille bouteille d'eau minérale pour aller m'isoler dans les massifs d'arbustes du domaine royal. Visiblement, le terrain vague n'était pas réservé aux seuls habitants du palais mais ouvert aux citadins, qui s'accroupissaient le long du mur d'enceinte comme des canards alignés dans un stand de tir. Les jardins d'agrément des nawabs s'étaient transformés en champs d'aisances pour les pauvres. En m'accroupissant, je vécus un moment surréaliste. Je faillis

faire un bond dans le passé, oubliant l'espace d'un instant qui j'étais, où j'étais et ce que je faisais là, accroupi
derrière un laurier-rose jaune, dans une ville médiévale
agonisante, au milieu de nulle part, à l'abri des ruines
d'un palais, une bouteille en plastique cabossée dans
la main.

Plus tard, mon hôte actionna le bras de la pompe
tandis que, assis dessous, je me laissais fouetter par de
délicieuses giclées d'eau froide.

Les quatre hommes décidèrent d'aller travailler un
peu plus tard et s'entassèrent avec moi dans la Gypsy.
La voiture bondissait sur les pistes déformées, entre
les champs verdoyants, les kikars épineux, les plantations de manguiers, et les paysans qui terminaient
leurs tâches matinales. À un moment, les talus de terre
étaient si hauts que la jeep faillit chavirer. Pendant tout
le trajet, qui dura près d'une heure, sur un chemin de
plus en plus défoncé, de plus en plus étroit, la poussière
nous accompagna, dans un nuage parfois si dense qu'il
fallait s'arrêter pour le laisser se dissiper et distinguer
le chemin.

L'enfilade de trois pièces était construite en terre,
bouse et chaume. Par la suite s'y étaient ajoutées deux
grandes pièces carrées en briques nues, avec un toit
plat, sur lequel on avait hissé une encombrante antenne
de télévision. Il nous fallut abandonner la jeep et parcourir à pied les deux cents derniers mètres à travers
champs, l'un derrière l'autre. Deux chiens guillerets
nous accueillirent avec des jappements joyeux en tournant autour de nous, la queue frétillante. La cour, lisse
comme un crâne chauve en raison des innombrables
couches de boue agglutinées, était bondée de poules
gloussantes opinant de la tête.

Rommel Mian ressemblait à un morceau de gingembre noueux. Il se tenait sur un châlit en corde dans la première pièce en terre, ni assis ni allongé. On aurait dit un poing d'homme. Il avait une épaisse chevelure grise, mais plus aucune dent. Il leva une main maigre comme une serre pour bénir les visiteurs qui lui touchaient les pieds. On m'apporta une chaise en bois. Au-dessus de la tête de Rommel Mian, sur une poutre ronde, était suspendue une longue ficelle terminée par une balle de chiffon. Sur le seuil sans porte, où s'arrêtait le soleil, bourdonnait un nuage de mouches.

Rommel Mian avait l'esprit raisonnablement alerte, mais il m'était très difficile de le comprendre car il parlait le dialecte local, et sans dents. Mes compagnons me servirent d'interprète. Je cherchai à l'amadouer avec des mondanités. Il me dit s'être enrôlé dans l'armée pendant la Seconde Guerre mondiale. On avait aligné tous les hommes, jeunes et vieux, sur le terrain de manœuvres de Jagdevpur. Ensuite l'officier blanc avait crié quelque chose qu'il n'avait pas compris. De nombreux hommes avaient fait un pas en avant. Lui aussi. Après quelques semaines de marche au pas cadencé, d'entraînement au fusil et à la grenade, on les avait embarqués sur un bateau. Il avait eu le mal de mer pendant des jours. Puis on les avait débarqués dans le désert d'Afrique du Nord. Là, il avait commencé à creuser des tranchées et des tombes, des tombes et des tranchées. Il creusait, creusait, creusait, du matin au soir. Chaque jour il creusa, creusa, creusa, jusqu'à la défaite de Rommel. Il avait vaincu Rommel sans tirer un coup de feu. Ensuite, on les avait ramenés. Il s'était mis sur son lit et n'avait plus jamais accompli un seul travail physique. Néanmoins ses bras lui faisaient encore mal. Et quand il dormait, il rêvait qu'il creusait des trous et se couchait dans chacun d'entre eux.

À ceux qui se moquaient de lui, on disait le nom de l'homme qu'il avait vaincu.

C'est ainsi que Shakoor devint Rommel Mian.

La balle de chiffon suspendue devant son visage lui servait à matraquer les oiseaux et les frelons indésirables sans qu'il ait besoin de se lever du lit.

Bien, assez de palabres, illustre guerrier. Maintenant, le vif du sujet. Dévoile-moi les secrets que je cherche.

Le zézaiement sifflant de Rommel était si prononcé que mes compagnons eux-mêmes avaient du mal à le suivre et devaient le faire répéter plusieurs fois.

Son père avait servi toute sa vie comme domestique dans le palais du nawab, et il avait été bercé par les récits des folies royales. Mieux valait ne pas entrer dans les détails, au risque de se demander à quoi avait pensé celui-qui-sait-tout au moment de distribuer la richesse et le rang.

Oui, il avait entendu parler de la femme blanche que le chhote nawab, le jeune nawab, avait ramenée d'Europe.

Oui, elle était très belle et montait à cheval aussi bien qu'un homme.

Oui, c'était une sorcière qui pratiquait des rites secrets.

Oui, ils vivaient dans un cottage, à l'écart des palais.

Oui, le chhote nawab avait une autre épouse qu'il ne touchait jamais. Elle était morte en 1977 – l'année où Indira Gandhi supprima les pensions de fidélité –, stérile comme le désert.

Oui, le chhote nawab était en effet un homme étrange, fort d'esprit et faible de corps.

Oui, son peuple l'aimait et désespérait de lui.

Oui, le bade nawab, le vieux nawab, l'avait déshérité.

Oui, on racontait qu'il n'y avait pas assez de jeunes gens à Jagdevpur pour satisfaire ses besoins.

Oui, la femme blanche avait des besoins aussi grands qu'un nawab.

Oui, il y avait aussi un aadhe nawab. Un demi-nawab avec un bras malade. Zafar.

Oui, Zafar inspirait la pitié et la crainte. Un homme bon dévoyé par son infirmité.

Oui, les deux frères s'affrontèrent. Et perdirent tous les deux.

Oui, il existait un autre homme. Un montagnard. Fort et intelligent.

Oui, le montagnard manipulait le chhote nawab et la femme blanche comme des marionnettes.

Oui, le chhote nawab avait été assassiné. Empoisonné par du Pudinakorma-ae-Dilbahaar. De la viande hachée parfumée au jus de menthe. Avec une pincée de datura.

Oui, la femme blanche était la responsable.

Oui, le vieux nawab n'avait pas fait d'histoires, car le chhote nawab le gênait depuis bien trop longtemps.

Oui, le cottage avait été démoli. Effacé.

Oui, le montagnard avait emmené la femme dans ses montagnes, où la brume masque la vérité.

Oui, on ne l'avait plus jamais revue à Jagdevpur.

Oui, il avait appris sa mort à son retour du désert où il avait vaincu Rommel.

Oui, il avait appris la nouvelle de la bouche même du montagnard, venu rendre visite à son père. Le montagnard tenait la main de son père et il pleurait. Il disait qu'il avait tout perdu. Celui-qui-sait-tout lui avait donné une sévère leçon. Il ne la méritait pas. Il avait perdu l'amour, le domaine, sa réputation et, pire, son enfant.

Oui, le pire de tout, son fils chéri avait été fait aadhe nawab, comme Zafar, par le Tout-Puissant.

Saisissant la balle de chiffon suspendue devant son visage, Rommel Mian la lança contre une hirondelle qui venait de pénétrer dans la pièce. L'oiseau s'enfuit en criaillant. Dans la hutte, la balle se balança comme le pendule du temps.

Rakshas.

Une semaine plus tard, ayant soigneusement relu plusieurs passages du journal intime, je décidai d'aller à pied à Bhumiadhar. Le temps était couvert et Gethia englué dans des brumes mouvantes. Le temps d'arriver au padao, la brume s'était dissipée ; il faisait frais et clair. Je marchai sur le mauvais côté de la route afin d'admirer la vallée, en bas, brièvement interrompue par des terrasses, qui se déroulait comme un tapis de chênes. En me retournant, j'apercevais la maison, à l'ombre de Trishùl, animal tapi prêt à bondir.

À la dhaba du padao, deux aides-cuisiniers coupaient des oignons et des pommes de terre pour le dîner du soir, tandis que les frères catcheurs, les patrons, étaient dehors, sur le banc de bois, occupés à enduire leurs jambes d'huile de moutarde. Quelques chauffeurs de camion, assis près d'eux, bavardaient pour passer le temps en sirotant du thé. Des chiens galeux étaient couchés sous toutes les chaises et tous les bancs.

Les catcheurs levèrent la main pour me saluer. J'en fis autant.

Je n'étais encore jamais allé jusqu'à Bhumiadhar à pied, et cela se révéla beaucoup plus facile que je l'avais imaginé. En amont, les coteaux étaient couverts de pins ; en aval, d'autres pins se dressaient au-dessus de la route, vieux et majestueux.

La route plongeait, montait. Un confortable talus herbeux permettait de s'écarter pour laisser passer les véhicules. Pendant un moment, je me sentis presque léger, aérien.

Il ne me fallut pas longtemps pour trouver le chemin de sa maison. Tout le monde connaissait Rakshas. Bien entendu, il habitait à l'écart du village. Je dus descendre un peu la côte, à travers une série de champs en terrasses, jusqu'à sa maison de pierre en forme de boîte, percée de petites fenêtres, coiffée d'un toit ancien en plaques de tôle. À l'intérieur de la maison, un chien aboyait par cycles. Pendant les pauses, j'appelai Rakshas plusieurs fois, puis attendis. Rien.

Je fis le tour de la maison, et m'engageai entre les rangées de choux jusqu'au bout de la terrasse terminée en pointe par un grand arbre à savon. Dans la maison, le chien cessa d'aboyer. Peu après, un autre, au loin, prit le relais, montant lentement vers moi.

Rakshas émergea des chênes, le chien gambadant devant lui. Il fumait un chilom de marijuana. En m'apercevant, il cala le chilom sous son aisselle gauche pour lever la main droite en guise de salut. J'en fis autant. Rakshas avait un talent exceptionnel pour être respectueux sans être servile.

Souriant, il remarqua : « J'avais entendu parler de votre nouvelle coiffure. »

Le chien courut devant nous vers la maison. Nous le suivîmes en silence. Rakshas ouvrit la porte pour aller me chercher une chaise. Le chien qui était enfermé bondit dehors, me renifla, et détala, poursuivi par l'autre. Je m'assis et posai les pieds sur le muret bas qui entourait la courette. Le soleil avait commencé à descendre de l'autre côté de Gethia. Ici nous étions plus bas et la lumière déclinait rapidement.

Rakshas revint avec deux tasses de thé sur un plateau de bois abîmé. Il m'en tendit une et, prenant l'autre, alla s'accroupir sur le muret. Le thé était parfumé au gingembre.

« J'ai lu tous les carnets, dis-je.

– Et ?

– Je suis allé à Jagdevpur. »

Il me regarda longuement, impassible, sans rien dire.

« Je suis allé au palais du nawab. J'ai rencontré Rommel Mian. »

Il posa sa tasse et massa son épaule gauche avec sa main droite.

« Rommel Mian m'a raconté beaucoup de choses.

– Qu'est-ce qu'il vous a dit ?

– Tout.

– Donc vous savez.

– Oui, je sais tout.

– Alors, pourquoi êtes-vous venu ?

– Parce que je veux l'entendre de ta bouche.

– Quoi ?

– Tout.

– Mon père ne l'a pas tué. Croyez-moi. Il ne voulait pas. Ça l'a hanté jusqu'à son dernier jour. Je crois qu'il n'a plus jamais trouvé le sommeil après.

– Oui.

– Elle était devenue folle. Elle répétait à mon père que le chhote nawab avait perdu la tête. Qu'il allait les faire tuer tous les deux. Qu'il les espionnait à longueur de temps. Qu'il était fou de jalousie et d'opium. Qu'il n'était plus l'homme qu'elle avait connu. Que la famille royale serait ravie d'être débarrassée d'elle et que le chhote nawab savait. Donc, s'ils voulaient rester en vie, ils devaient agir les premiers, et vite. Elle pensait également que la famille royale serait tout autant heureuse d'être débarrassée du chhote nawab, parce qu'il était une gêne. Ainsi, c'était lui ou eux. Mon père était fou d'elle, c'est vrai. On dit qu'il était impossible de ne pas l'être. Elle était blanche, très belle, et faisait des choses à un homme que la plupart des hommes n'osaient pas imaginer. Mon père m'a dit qu'avec elle il vivait dans une sorte de transe. Il se serait tranché la gorge si elle le lui avait demandé. Mais il n'a jamais voulu tuer le nawab. Il l'aimait. Le nawab avait sauvé notre famille autrefois. Mon père est allé le prévenir des mauvaises intentions de Zafar. Ensuite il a rencontré la femme blanche et, au lieu de devenir le sauveur du nawab, il est devenu son assassin. Mais, dans la réalité, ce n'est pas lui qui l'a tué. Il a préparé le plat, mais c'est elle qui l'a donné. Mon père n'a même pas supporté de regarder. Cette nuit-là, elle lui a fait l'amour avec une ferveur encore plus grande, comme pour récurer la culpabilité qui lui collait à la peau. Les jours suivants, elle était calme comme une sainte. Elle soutenait les regards, même les regards accusateurs. En fait, tout le monde était soulagé. Elle a donné ce qui était dans la maison à ceux qui avaient travaillé pour elle, et elle a quitté Jagdevpur pour toujours, avec Maqbool, Banno et Ram Aasre. »

J'attendis, silencieux, le laissant ouvrir le sentier de son choix.

Il tira une longue bouffée sonore de marijuana, son beau visage taillé à la serpe inexpressif, puis me tendit le chilom. J'arrondis les mains autour de la pipe, aspirai deux bouffées sans toucher l'argile de mes lèvres, et retins la fumée. Rakshas reprit le chilom. Je remarquai que ses yeux étaient chassieux. Les années commençaient à laisser leur empreinte sur lui.

« C'était une drôle de relation, reprit-il. Comme le célèbre sagar manthan. Un bouillonnement épique.

Qui produisait autant de nectar que de venin. Mon père disait qu'avec Catherine il ne cessait de goûter le paradis, encore et encore, mais que, à la fin, vint le poison. Pourtant, croyez-moi, sahib, il l'aimait. Il l'aimait profondément. Il vivait pour elle. Il faisait tout pour elle. Il l'appelait "la fontaine de la joie". Il disait qu'elle était une source splendide, dans laquelle il était enivrant de se baigner. Et elle aussi l'aimait. Mon père disait qu'il aurait pu tout obtenir d'elle. Mais il n'a jamais voulu. Il ne voulait d'elle que son amour. C'est vrai que, vers la fin, ils ont vécu séparément. Mais c'était surtout parce qu'elle avait commencé à changer. Elle était contaminée par la jalousie et voyait des ombres partout. Ma pauvre mère, qui ne s'était jamais plainte, qui avait vécu repliée, heureuse de prendre le peu que mon père pouvait lui offrir, ma mère était devenue pour elle un démon. Et pourtant, combien d'années nous avons vécu sans mon père ! Nous avions pris l'habitude d'attendre ses visites. Parfois il venait en cachette le matin et repartait le soir. Ma mère l'encourageait à s'en aller, sachant combien la punition serait lourde s'il ne rentrait pas à temps. Nous savions aussi que la mem-sahib prenait beaucoup de ganja. Ces deux tricheurs de basse caste lui en donnaient à profusion. Et la ganja altérait son esprit. »

Rakshas utilisa le terme « santulan », qui signifie équilibre mental. Elle perdait son santulan.

« Vous savez, sahib, aucun amour ne peut survivre quand il commence à combattre des fantômes qui n'existent pas. Et le désir meurt le jour où il est sous contrôle. »

Le soir était tombé. Les chiens étaient revenus et s'étaient allongés sur le pas de la porte, le menton sur les pattes. Rakshas entra tourner l'interrupteur. Une ampoule jaune s'alluma au-dessus de la maison. Tout autour de nous, les pentes scintillaient de points lumineux. Mêlant leurs voix dissemblables, des camions et des voitures montaient péniblement la route au-dessus de nous. Dans le fond de la vallée, il faisait presque noir. Les chênes couraient à l'infini, regroupés par paquets comme des coureurs de fond.

Quand Rakshas revint s'accroupir sur le muret, je lui demandai : « Qu'est-il arrivé à Catherine ?

— Ce qu'il lui est arrivé ?

— Oui. Quoi ?

— Ce qui arrive à tout le monde. Elle est morte.

— Ce que je te demande, c'est comment.

— Je croyais que vous saviez tout.

— Oui, mais je veux entendre ta version des faits.

— C'est simple. Les deux autres l'ont liquidée, voilà ce qui s'est passé. Ils ont obtenu ce qu'ils voulaient, et ensuite ils se sont débarrassés d'elle. Ils ont abandonné leurs dieux pour récolter ses miettes. Et elle était trop folle, et trop en colère contre mon père pour se rendre compte de ce qu'elle faisait. Quand on donne à des voyous une trop haute idée d'eux-mêmes, on en paie le prix. Elle a voulu leur faire du bien, ils l'ont éliminée. Mais je suppose qu'elle-même payait pour ses mauvaises actions d'avant. On dit que ce que vous faites vous sera rendu. C'est vrai, non ? L'âme du chhote nawab a dû se sentir apaisée. Mais mon père a eu le cœur brisé. Il a pleuré pendant des semaines. Pendant des mois, il est allé s'asseoir près de sa tombe. Et les deux voyous ? Ils n'ont pas mis une semaine pour emménager dans la maison. Avec leurs enfants et leurs maigres possessions. Ils portaient ses vêtements, dormaient dans son lit, chiaient dans sa chaise percée. Ensuite ils ont vendu des bouts du domaine. Mon père s'en moquait. Il les traitait comme il les avait toujours traités. Des gens de basse caste. Il disait qu'il l'avait eue, elle, son corps et son âme. Ses biens ne l'intéressaient pas.

– Comment se sont-ils débarrassés d'elle ? »
Rakshas tira sur son chilom avant de répondre.
« Datura. »

La mince lampe torche de Fizz dans ma poche, je rebroussai prudemment chemin jusqu'à la route, attentif aux bruissements dans les massifs de lantana. Le trajet de retour fut magique. La lune s'était levée tôt et le ciel était clair et surchargé d'étoiles. On distinguait nettement la route jusqu'au prochain virage. De temps à autre, un véhicule souffreteux rompait la magie, mais quelques minutes après son passage, l'enchantement revenait. Au padao, plusieurs camions étaient garés sur le bas-côté, portières ouvertes. Les catcheurs étaient au travail, supervisant le restaurant, avec leurs gros bras et leur voix fluette.

Près de l'épicerie du thakur, où le sentier de briques en épi montait vers Nainital, je ralentis le pas et redoublai de vigilance. Au cours de la dernière quinzaine, la panthère avait été aperçue à six reprises entre sept et huit heures du soir, passant de la vallée de Jeolikote à celle de Bhumiadhar. Trois chiens du voisinage avaient été tués, et nous rentrions Bagheera plus tôt que d'habitude. Mais aucun fauve ne rôdait dans les parages et j'arrivai chez moi en quelques minutes. La télévision parasitée éclairait la salle à manger et le visage terreux, aux yeux exorbités, de Prakash.

Je pris une bouteille de whisky, un verre, une bouteille d'eau, et montai sur la terrasse derrière la maison.

Jeolikote était pailletée de lumières. La circulation était très dense sur la route N° 1, les phares s'entre-croisaient; un véhicule sur quatre bifurquait vers nous. Sur ma droite, les lumières cascadaient en désordre sur le coteau de Nainital, signe d'un dangereux étalement urbain. Nainital vivait dans la crainte du jour où les dieux, excédés, provoqueraient un glissement de terrain. Sur ma gauche s'élevait le mamelon sombre et velu de l'éperon de Gethia. Quelque part au milieu des chênes et des pins se cachait une tombe.

Un frisson me parcourut. Le temps changeait. Malgré le whisky et un gilet léger, j'avais froid. Il restait quatre mois avant le nouveau millénaire. De temps à autre, quand Prakash me rapportait un journal de Bhowali, je voyais les armées du commerce préparer le monde à un gigantesque orgasme de célébrations et de dépenses. Cela m'assommait. Pourtant il m'arrivait de penser à ce que Fizz et moi disions, quinze ans plus tôt, à propos de l'an 2000.

« Où serons-nous, à ton avis ? »

C'était notre question favorite. Où serons-nous ?

Oui, où ? Dans une saloperie d'hallucination, en train de prendre des notes.

Je vidai d'un trait mon deuxième verre, rentrai les bouteilles, pris le bâton en bois de santal et, sans pré-venir Prakash – assis sans ciller devant le téléviseur –, je descendis jusqu'au portail du bas, me faufilai sous le barbelé, et me dirigeai vers le sanatorium.

Lorsque je quittai la route pour monter à travers les chênes, j'allumai la lampe torche. Aucune lumière suspendue dans l'arbre à savon n'éclairait le dernier lacet du sentier. Les chiens de Taphen avaient déjà entamé leur concert de hurlements. Arrivé au virage, j'aperçus l'ampoule jaune sous son abat-jour de fer-blanc accrochée dans la véranda. À mon approche, les chiens enfermés dans leurs cages de chaque côté de l'entrée devinrent fous furieux. J'appelai Taphen. Ce fut Damyanti qui apparut, apeurée.

Taphen était vautré dans son fauteuil, la bouteille sur le sol, le verre dans la main, un passe-montagne gris roulé sur son crâne. Je ne l'avais pas vu depuis plusieurs mois et il avait l'air plus vieux, plus décrépit. Ses joues non rasées étaient lâches et bouffies, ses yeux injectés de sang.

« Stephen, je sais tout à votre sujet, dis-je d'emblée.

— Même le Seigneur ne sait pas tout, répondit-il sans lever la tête.

— Stephen, je veux que vous me racontiez tout.

— Je ne sais rien.

— Je sais tout.

— Alors, partez. Je vous avais dit de ne pas lire ces carnets du diable. »

Il ne me regardait pas. Il fixait ses genoux. Damyanti me donna un verre et je me servis une généreuse rasade de whisky. Je ne partirais pas tant que je n'aurais pas mes réponses.

« Stephen, j'ai rencontré Rommel Mian.

— Qui c'est, ce salaud ?

— Je suis allé à Jagdevpur. »

Soudain il leva les yeux et se figea.

Je repris : « Je suis aussi allé à Ambedkar et j'ai vu la nièce de Banno. »

Il ne bougea pas un cil.

« Pardon, je devrais dire la nièce de Mary. Elle a été très gentille. Elle vous envoie ses amitiés, bien qu'elle dise ne vous avoir jamais vu. Vous ne saviez même pas que vous aviez une cousine là-bas, je suis sûr. »

Je mentais. Mais cela m'était égal.

« D'après votre cousine, votre mère et votre père ont rompu tout contact avec leur famille lorsqu'ils ont changé de religion. Mais elle connaît tout sur vous. Ses parents ont continué de suivre de loin ce qui vous arrivait. La bonne fortune, la richesse, la façon dont ça s'est passé. Elle dit que l'argent seul ne peut pas tout changer. Ni la religion seule. Mais que l'argent plus la religion peuvent corrompre même un ange. »

Il se mit à pleurer. Comme ça. Subitement. Assis sur son fauteuil, immobile, de grosses larmes roulant sur ses joues ravinées. Je me tus. Damyanti vint se poster sur le seuil et le regarda.

Un moment passa, puis il dit : « Ma mère était une brave femme. Une très brave femme. Et elle aimait la dame. Profondément. Plus que nous, ses propres enfants. Elle l'a servie toute sa vie comme une esclave. Elle faisait la cuisine pour elle, le ménage. Quand elle est tombée malade, elle la lavait, la baignait, la changeait. Elle a vécu chaque minute de sa vie pour elle, nuit et jour. Quelquefois, la dame l'appelait et ma mère nous plantait là, même si nous avions faim, pour se précipiter auprès d'elle. Tous les salauds, dehors, mentent quand ils prétendent que ma mère s'est convertie à cause d'elle. Ma mère a changé de religion parce qu'elle n'en pouvait plus de voir tous ces salauds la traiter comme un animal, traiter mon père comme un animal, et nous comme une portée d'animaux. Ce maaderchod arrogant de Gaj Singh ne laissait même pas ses enfants jouer avec nous. Pour lui, nous étions des insectes, des cafards, de la racaille. Ma mère est allée vers Jésus non pas à cause de la memsahib, mais pour qu'on la respecte. Et Jésus lui a donné le respect. Jésus nous a donné à tous le respect. Si je suis assis là en train de vous parler, c'est parce que, grâce à Jésus, on me respecte. Que tous ces fils de salauds aillent se faire foutre. Jésus m'a donné le respect. »

Ému par sa propre histoire, Taphen avait alimenté et sa rage et son chagrin.

J'attendis qu'il eût maîtrisé ses larmes pour demander : « Stephen, comment est-elle morte ?

– Il l'a tuée. Le maaderchod l'a tuée. Il se prenait pour le grand Roméo de sa vie. Salaud de Roméo. Il était le diable. Il la manipulait. Il mettait des choses bizarres dans sa nourriture et lui jetait des sorts. Après tout, c'est lui qui avait empoisonné le chhote nawab et qui l'a amenée ici. Ma mère disait que le chhote nawab était un grand homme, un homme exceptionnel, un mahatma. Qui faisait toujours du bien pour les pauvres et les nécessiteux. C'est lui, à son retour d'Angleterre, qui a pris mon père et ma mère dans sa maison. Personne d'autre, dans les palais, n'aurait engagé des domestiques de basse caste. Et la memsahib Catherine aimait ma mère. Elle l'a toujours gardée près d'elle. Quand ma mère est allée vers Jésus, c'est elle qui lui a donné le nom de Mary. Elle lui a dit : "C'est le nom de la mère de Jésus. Maintenant, personne n'osera plus cracher sur toi."

– Je comprends. Mais pourquoi l'aurait-il tuée ?

– Parce qu'elle ne voulait plus de lui. Elle était fatiguée, écœurée de lui. Il se servait d'elle, il la trompait. Au bout de toutes ces années, elle a enfin découvert la vérité. Elle a enfin compris qui avait vraiment de l'affection pour elle. Vous saviez qu'elle ne voulait pas laisser approcher les enfants du maaderchod de sa maison parce qu'ils volaient des choses ? Nous, nous avions le droit d'entrer et de sortir à notre guise. Elle nous aimait. Elle disait : "Le petit Stephen, il devien-

dra un bon prêtre quand il sera grand. Je le vois. Il a la
bonté dans le regard." »

Je jetai un coup d'œil à Damyanti. Appuyée contre le
chambranle de la porte, elle restait impassible.

« Ce n'est pas une raison suffisante pour tuer quelqu'un, Stephen, objectai-je. Il n'avait rien à gagner. »

Taphen se mit en colère. Il vida son verre, le remplit, le vida à nouveau d'une longue gorgée. Puis il me
regarda et cria : « Vous croyez que nous l'avons tuée !
C'est ça que vous pensez ? C'est ça que ce salopard de
manchot vous a raconté ? Je vais vous dire une chose.
On ne savait même pas qu'elle nous avait légué la
maison. Mais lui, le grand Roméo, il le savait ! Parce
qu'elle le lui avait dit. Pour le remettre à sa place.
Pour lui faire comprendre que l'ordre des choses avait
changé. Qu'elle avait pigé ses manigances. Et lui, il
ne l'a pas supporté. Il croyait qu'elle lui appartenait.
Qu'elle serait toujours son esclave. Il n'arrêtait pas de
lui donner du haschich pour lui troubler l'esprit. C'était
un démon, cet homme. Dans le haschich, il mélangeait
un peu de datura. Quelques graines à chaque fois. Parfois, il lui en donnait tellement qu'elle ne savait plus ce
qu'elle faisait ou disait pendant des jours. Et qui s'occupait d'elle, alors ? Qui ? Ma mère. Ma mère, bien sûr.
Mary ! BannoMary ! La mère de Jésus ! »

Il se resservit un whisky. J'attendis. Il n'avait pas
encore terminé.

« C'est comme ça qu'elle a fini par couper le bras de
ce sale rat. Le maaderchod la bourrait de haschich. Un
jour, il a envoyé son fils piquer des choses dans la maison. Elle l'a surpris et l'a frappé avec sa canne à bout
de fer. Ça lui a entaillé le bras. Trois semaines après,
la blessure était aussi pourrie que leurs intentions. Il
a fallu le conduire à l'hôpital pour lui couper le bras.

Avec un seul bras, c'est déjà une crapule. Avec deux, il serait devenu un bandit aussi redoutable que la Sultana daku !

— Elle ne leur a rien laissé ?

— Ils l'avaient déjà assez pompée ! s'emporta Taphen. Ils lui avaient sucé le corps et l'âme. Volé toutes ses affaires. Que pouvait-elle leur laisser de plus ? Vous savez, la memsahib Catherine se moquait bien des choses et des richesses. Quand elle a quitté le palais du nawab, elle a tout laissé. Ce qu'elle voulait, c'était l'amour. Le véritable amour. Elle a tout abandonné pour ça. Mais ce salaud de Roméo l'a trahie. Il lui a brisé le cœur. Il l'a fait souffrir. Il a jeté sa fille. Oui, monsieur, il a jeté sa fille. Il lui a dit qu'elle devait choisir entre lui et l'enfant. Les dernières années, elle pleurait sur sa fille. Du matin au soir, elle pleurait. Des rivières de larmes. Son visage en était tout creusé. Mais il était trop tard. Le salaud s'est conduit comme le diable. Et Jésus l'a puni pour ça. Il a pris le bras de son fils. Alors, le salaud de Roméo est devenu si furieux contre elle qu'il l'a empoisonnée. Avec sa saleté de pudinakorma ! Exactement comme il avait empoisonné le chhote nawab. Du pudinakorma avec un bon assaisonnement au datura ! Dix graines chaque jour. Ça la rendait dingue. Et puis, un jour, cent graines ! Khallas ! Fini ! Terminé ! »

Taphen avait perdu tout contrôle.

Il se leva, titubant, et se mit à hurler : « Et vous venez ici, avec votre queue-de-cheval et vos manières de citadin, pour m'accuser ! Nous avons souffert ! Elle a souffert et nous avons souffert ! Et parce que nous sommes devenus pauvres et avons été obligés de vendre la maison, sa maison, vous croyez avoir le droit de venir poser vos questions stupides ! Barrez-vous d'ici avant que je sorte mon lollu et vous le colle dans l'oreille ! Foutez le camp ! »

Ses yeux tournoyaient dans un océan rouge. Il titubait comme un bambou en plein vent. Si je restais quelques minutes de plus, il allait chavirer.

C'était terminé. Il ne m'apprendrait plus rien.

« Stephen, vous êtes un chien », lançai-je avant de partir.

Dehors, Damyanti me dit : « Il a souffert. Ce n'est pas un brave homme, mais ce n'est pas non plus un mauvais homme. Nous sommes tous comme ça. Tantôt humains, tantôt bêtes.

— Et cette histoire de fille ? Qui l'a tuée ?

— Je ne sais rien. Mais vous savez comme il raconte des bêtises.

— Est-ce qu'ils se sont toujours détestés, Rakshas et lui ?

— Dans la haine, il y a toujours un peu d'amour. Ils ne se parlent jamais, mais ils s'entraident. Un jour, il y a des années, Taphen s'est bagarré avec un épicier de Bhowali, et il a injurié sa mère et sa fille jusqu'à ne plus avoir de voix. Le soir, toute une bande est venue avec l'épicier pour le tabasser. Mais le manchot s'est mis entre eux, avec une hache à la main, et leur a dit de partir s'ils ne voulaient pas avoir affaire à lui. Et le jour où vous nous avez donné l'argent de la maison, Taphen a enveloppé dix mille roupies dans une feuille de journal et déposé le paquet sur le lit de Rakshas. Je n'ai rien dit. C'est une affaire entre eux. Ils se connaissent depuis l'enfance. Taphen a beau le maudire devant tout le monde, il hurle si moi j'ose dire un mot. »

De la maison, Taphen brailla : « Damyanti ! Est-ce qu'il essaie de mettre la main dans ton salwar ? Dis à ce salaud que mon gollu lollu va lui faire un si gros trou dans l'oreille que les oiseaux voleront au travers en chantant des cantiques de Noël ! »

Les chiens ne m'accompagnèrent pas de leurs aboiements. Aucune odeur de panthère ne flottait dans l'air et ils s'étaient calmés. Dans le silence assailli d'insectes, le court trajet au milieu des chênes me donna la chair de poule. Pendant un moment, il y eut une accalmie sur la route, pas un seul bruit de moteur. On se serait cru cent ans plus tôt, plongé dans quelque drame obscur. La lune était haute, les montagnes lumineuses. En quelques minutes, j'arrivai au virage marquant le début de notre propriété.

La maison se dressait au-dessus de moi, sombre et silencieuse, ses fenêtres pareilles à des yeux en alerte. Quelques oiseaux de nuit s'agitaient dans les hautes branches de Trishul. Je m'arrêtai devant la petite maison du bas. Elle était fermée à clé puisque Prakash dormait en haut. C'était là que Taphen avait rencontré le diable, il y avait bien longtemps, avant d'être sauvé de justesse par les phares d'un camion. C'était de là que Gaj Singh montait chaque soir pour rejoindre, par un escalier de pierre et un toit de tôle, une femme trempée d'amour et de désir.

Au lieu de passer sous le barbelé, je suivis la route pour rejoindre l'entrée principale, plus haut. Sur le pilier, la plaque de marbre captait le clair de lune. Au Commencement. Dessous, nos noms. Et, dessous, le rameau de margousier finement gravé. Je soulevai la clenche du portail, puis, me ravisant, la remis en place et poursuivis mon chemin vers Bhumiadhar.

Au padao, il y avait toujours un petit halo de lumière jaune, cependant l'activité du restaurant diminuait.

Quelques retardataires mangeaient encore, mais il restait un seul des catcheurs avec un aide. Préférant passer inaperçu, je longeai l'autre côté de la route, derrière les camions en stationnement. La chaussée luisait sous la lune, un vent léger courait dans les pins, les buissons vrombissaient de l'agitation habituelle des insectes. De temps à autre, un chien hurlait et il était impossible de dire d'où provenait le son : devant, derrière, en haut, en bas.

J'eus quelques frayeurs et fis volte-face à plusieurs reprises pour voir si j'étais suivi. J'étais rasséréné chaque fois que j'entendais un moteur, réconforté par son approche, les phares aveuglants, son rugissement quand je bondissais sur le talus pour le laisser passer. Puis, à mesure que le son s'éloignait, déclinait, je recommençais à jeter des coups d'œil nerveux par-dessus mon épaule.

Le sentier menant à la maison de Rakshas n'était pas facile à localiser. Le repère était un kiosque à tabac avec une publicité pour les caleçons et maillots de corps blancs. Je m'engageai prudemment sur le chemin. Avant même d'avoir descendu trois terrasses, j'avais mis des dizaines de chiens en alarme. La maison étable de Rakshas était plongée dans l'obscurité – même l'ampoule au-dessus du toit était éteinte –, mais ses chiens jappaient à l'intérieur. J'espérais qu'ils le réveilleraient. Crier son nom, à cette heure, me paraissait indécent. J'attendis. Les chiens se turent. En contrebas, la forêt était une masse compacte ; le clair de lune n'y pénétrait pas.

Finalement, je me décidai à l'appeler, pas trop fort. À mon troisième appel, plus sonore, les chiens se remirent à aboyer et Rakshas gueula pour les faire taire. Les habitants des montagnes savent que les esprits viennent vous héler la nuit ; si vous répondez, les esprits aspirent votre énergie et s'en vont. Mais les esprits n'appellent que deux fois, avant de disparaître, aussi les habitants des montagnes attendent-ils le troisième appel pour réagir. Rakshas sortit, armé de sa longue hache, un châle épais sur les épaules. Sa barbe avait poussé en quelques heures. Son menton carré était tout hérissé de poils gris.

Nous nous assîmes dans la pièce de devant, basse de plafond, engorgée de chaises branlantes et de tables en bois brut aux clous apparents, visiblement fabriquées par des charpentiers locaux. Au-dessus de nos têtes, les planches et les poutres étaient noircies et vieilles. Le sol était dallé. Sur le mur, il y avait un calendrier religieux : lord Krishna en chérubin à peau bleue, une plume de paon dans les cheveux, mangeant une grosse motte de beurre blanc. Un autre calendrier montrait une mutine starlette de Bollywood, aux seins rebondis et au regard aguicheur.

« Vous êtes allé voir cet ivrogne de Taphen ?

– Oui.

– Combien de mensonges il vous a débités ?

– Taphen dit que c'est Catherine qui t'a tailladé le bras après t'avoir surpris à voler des choses dans sa maison. Et que, ensuite, il a fallu t'amputer. »

Le mépris étincela dans son regard.

« Qu'est-ce que la vérité pour des gens capables de changer de religion pour quelques roupies ? Ils ont bâti leur vie sur le mensonge. Comment pouvez-vous croire un mot de ce qu'ils racontent ?

– Comment as-tu perdu ton bras, Rakshas ?

– Ce n'est pas une panthère qui me l'a pris, c'est vrai. Vrai également que c'est la memsahib qui m'a blessé, et que la plaie s'est infectée. Mais elle m'a

frappé parce que je braillais et que je tirais la manche
de mon père alors qu'ils discutaient. Je pense qu'elle
avait la tête à l'envers à cause de la ganja que lui donnaient ces filous de basse caste. Elle a eu un geste d'irritation. Mon père a failli lui bondir dessus, tellement
il était en colère. Mais ce n'était qu'une petite coupure,
longue comme le doigt. Une semaine après, la coupure
a commencé à verdir et j'avais tellement mal que mes
hurlements résonnaient dans toute la montagne. Et puis
mon bras est devenu comme un légume ramolli. On est
allés à l'hôpital de la mission et le docteur blanc a dit
à mon père : "Gajraj, tu préfères abandonner le bras ou
le garçon ?"

— Et ensuite, de colère, ton père lui a donné du
datura ?

— Non, sahib. Il l'aimait beaucoup trop. Il ne pouvait
pas rester loin d'elle. Il a essayé. Mais il revenait en
courant au bout de quelques jours. Avant de mourir, il
m'a avoué qu'il était drogué à la memsahib. Comme
certains sont drogués à la ganja. Il me disait : "Une
fois que tu as goûté le paradis, tu ne peux plus l'oublier." C'est seulement vers la fin qu'il a commencé
à lui résister. C'étaient les deux autres qui empoison-
naient l'esprit de la memsahib. Elle, c'était une femme
simple, une femme formidable. Les autres la forçaient
à mettre l'âme de mon père à l'épreuve. À lui arracher
son âme. Il lui avait tout donné. Il n'avait plus rien à
offrir. Je pense qu'il s'est éloigné en croyant que ça
leur apporterait un peu de paix, à l'un et à l'autre. »

Rakshas se tut un moment, puis ajouta : « Mais ça
n'a pas marché, je crois.

— Qui l'a tuée, Rakshas ?

— Je vous l'ai dit. Ces deux ingrats de basse caste.
Ils reluquaient son domaine. Ils avaient peur qu'elle

lègue tout à mon père. Vers la fin, le prêtre descendait
de Naini pour la visiter, parce qu'elle s'était mise à
faire de drôles de cauchemars. Elle se réveillait la nuit
en hurlant et en pleurant. Ils ont poussé le prêtre à la
convaincre de tout leur donner. Ensuite, ils ont commencé à saupoudrer sa nourriture de datura.

– Pleurait-elle à cause de sa fille ?

– Comment ? demanda-t-il calmement.

– Est-ce que Catherine pleurait à cause de sa fille ?

– Qui vous a parlé d'elle ?

– Je le sais, c'est tout ce qui compte.

– Elle en parle aussi dans ses carnets ? Elle avait promis à mon père de ne jamais en dire un mot. Jamais. »
Je mentis.

« Oui.

– Donc vous êtes au courant.

– Je connais sa version. Mais j'ai pu constater que
ce n'est pas toujours la vérité. J'aimerais que tu me
dises ce que tu sais. »

Les deux chiens avaient descendu l'escalier de bois
et s'étaient couchés en boule sur le divan à côté de lui.
Ils avaient des cordes de Nylon bleu autour du cou en
guise de colliers. Rakshas était assis les deux pieds
repliés sous lui. Il se massait les paupières. Il avait l'air
d'un vieil homme. L'ampoule jaune, au plafond, me
sembla plus sombre qu'à mon arrivée.

« Ils sont allés tous les deux à Agra pour ça, reprit-il.
La memsahib craignait un scandale et mon père tenait
à préserver ma mère. Ils sont restés quatre mois à la
mission. Mon père voulait qu'elle ramène le bébé, mais
elle est restée inflexible. Elle disait que ça détruirait sa
réputation, et elle avait peur de perdre mon père si le
scandale éclatait. Ils étaient tellement obsédés l'un par
l'autre qu'ils ne voulaient rien entre eux.

– Tu veux dire que l'enfant a vécu. »

Il dressa la tête, alarmé.

« Pourquoi ? Qu'est-ce qu'elle a écrit ?

– Excuse-moi. Continue.

– Ils l'ont laissée à la mission, avec beaucoup d'argent. D'après mon père, la petite avait hérité de son teint basané mais des yeux clairs de sa mère. Elle avait un mois quand ils sont partis. Les sœurs de la mission leur ont dit de ne pas s'inquiéter. Elle serait bien traitée. On lui trouverait un foyer. Si possible en Angleterre ou en Amérique. Je pense qu'ils n'ont plus jamais parlé d'elle par la suite. Ils étaient rongés par la culpabilité. Ils savaient qu'ils avaient commis un acte terrible. »

Il s'interrompit et fixa le mur derrière moi. On devinait aisément combien son père avait dû être beau. Le visage large, le nez fin, le menton solide. Enfant, j'avais vu des paysans de ce type à Salimgarh. Ce n'était pas seulement une question de traits. Il y avait le port de la tête, l'expression empreinte de dignité. Pour ma part, j'étais persuadé que cette sorte de noblesse ne se trouvait que chez les gens de la terre. Qu'il y avait un lien avec le dur labeur. Avec le fait de se colleter aux caprices du climat, de devoir trouver une harmonie avec le bétail, les plantes, le sol, de vivre en sachant que, lorsque tout allait mal, il suffisait simplement de revenir à la terre, creuser, labourer, semer.

Il n'y a pas de raccourcis pour les paysans. Aucune machine capable d'accélérer les choses, aucun marché conclu en vitesse, aucune hausse de salaire à réclamer, aucun bien d'État à chaparder. On donne à la terre, avec beaucoup d'efforts, et la terre vous récompense. Cela devient le principe même de la vie. Donner avant d'espérer. Et recevoir stoïquement ce qui arrive. Il n'y a pas de ministère du climat auprès de qui se plaindre.

Pas de patron auprès de qui implorer un meilleur rendement. Il n'y a que le lendemain matin, la charrue en attente, le sol en attente.

Les cultivateurs sont des fatalistes qui triment dur chaque jour.

Peu de choses recèlent autant de noblesse.

Rakshas semblait perdu dans sa rêverie. J'attendis.

Sans tourner les yeux vers moi, il reprit d'une voix douce : « Mon père faisait des cauchemars horribles à son sujet. Il voyait une enfant tombant dans une rivière enragée, qui criait au secours en tendant sa petite main, et il se penchait du bateau pour essayer de l'atteindre, mais il ne saisissait que le bout de ses doigts, et ses doigts lui échappaient, et il voyait ses grands yeux implorants. Il lui criait qu'il venait, qu'il allait la sauver et, de désespoir, il se jetait à l'eau. Il la cherchait comme un fou, mais le courant l'avait emportée, engloutie. Et il avait beau plonger, aller tout au fond, il ne la trouvait pas. À moi, il me disait : "Si au moins je pouvais la sauver une fois dans mon rêve, je saurais que je peux la retrouver dans le monde réel." »

— A-t-il essayé ?

— Vers la fin, seulement. Ils s'étaient mis d'accord pour ne jamais aborder le sujet. Ils savaient que ça risquait de les séparer. Mon père lui en voulait pour ça. Et peut-être qu'elle lui en voulait aussi. Mais, les dernières années de sa vie, la memsahib est devenue dingue à cause de sa fille. Elle a envoyé mon père se renseigner à Agra. Il était trop tard. Tout avait changé. Les sœurs d'autrefois étaient mortes ou parties. Et les nouvelles recrues disaient que c'était contraire au règlement de donner des informations. Mon père est revenu au bout d'une semaine et la memsahib est tombée dans une grave dépression.

– Qui l'a tuée, Rakshas ?

– Eux. Je vous l'ai dit. Ces sales chiens de basse caste ont empoisonné lentement la pauvre femme qui leur faisait confiance. Pour sa maison, pour ses habits, pour son argent. Dix graines chaque jour. »

Dix graines chaque jour jusqu'à ce qu'elle perde peu à peu la raison. Puis, un jour, cent graines.

Il était plus de deux heures du matin lorsque je rentrai chez moi. La lune était morte. La dhaba était fermée et il n'y avait pas la moindre griffe de lumière nulle part. Même les broussailles bruissantes dormaient d'un sommeil paisible. Je soulevai le loquet de la porte d'entrée en le secouant lentement, comme Stephen me l'avait un jour montré, et montai l'escalier sur la pointe des pieds. Précaution excessive, car seule une secousse brutale aurait pu réveiller Prakash. Bagheera trottina derrière moi et se coucha sous mon lit.

Cette nuit-là, je rêvai qu'une fille – je la connaissais mais sans pouvoir l'identifier – tombait dans la rivière alors que nous faisions du rafting, et se noyait. Désespéré, je me démenais pour la sauver. Je sautais même à l'eau. En vain. Je la perdais. J'étais agrippé au rebord du radeau et je hurlais son nom – Fizzzzz – lorsque Prakash me réveilla en m'annonçant que j'avais une visite.

Je crus, à tort, qu'il était tard. Il n'était que six heures du matin. Le jour était clair et frais, le soleil n'avait pas encore franchi les premières cimes. Je descendis à la véranda de devant. Rakshas était assis sur une marche et mâchonnait un brin d'herbe. Les bulbuls à joues blanches sautillaient dans les buissons. Une grive sif-fleuse se désaltérait dans une flaque d'eau près du robinet, ébouriffant ses plumes de contentement. Rakshas s'était rasé, et cela mettait en relief sa moustache buissonneuse. Il n'avait pas l'air plus jeune que quelques heures plus tôt, mais moins hagard.

Il sortit de sa poche un morceau de papier plié, vieux et jauni, sans doute arraché de quelque bloc-notes. Je le dépliai. Trois mots estompés y étaient inscrits. Gramercy. New York.

« Voilà, dit Rakshas. C'est tout ce que les bonnes sœurs lui ont donné. »

Du creux de son moignon, il sortit un rouleau de parchemin, lié avec un ruban moutarde. Je l'ouvris. C'étaient quatre magnifiques miniatures, d'une finesse extrême, aux couleurs chatoyantes.

Rakshas ajouta : « Catherine a laissé ça pour elle. »

Queledieuvéritableetuniquesoitmiséricordieux.

La position de la tortue volante à l'envers.

Le phallus de la chance dans le trou de l'histoire.

Moins de deux mois plus tard, j'étais au deuxième étage d'un hôtel de la 7e Avenue, à hauteur de la 55e Rue, à Manhattan, observant par la fenêtre le peuple le plus puissant du monde se vendre à en mourir.

J'étais parti pour Delhi deux heures après avoir déroulé les miniatures et demandé à Rakshas s'il acceptait de revenir vivre et travailler chez moi. Je lui avais laissé la responsabilité de la maison et de Prakash. L'obtention du visa demanda six semaines. Je n'avais jamais voyagé à l'étranger, mais, dans un élan d'enthousiasme pour une aventure globale, Fizz et moi avions fait établir des passeports. À l'époque, cela n'avait posé aucun problème : Mishraji, le combinard du journal, me les avait obtenus sans que nous ayons besoin de mettre les pieds dans un quelconque service administratif. Mais je n'avais plus de Mishraji sous la main, plus de carte de journaliste, seulement des formulaires à remplir, des agents de voyages à contacter et des bakchichs à verser.

En attendant mon visa, je fréquentai assidûment un cybercafé situé derrière le marché de Green Park. La connexion était laborieuse et il fallait se démener pour rester en ligne. Je monopolisais pour moi seul un des quatre ordinateurs. J'y passais la journée entière, ne sortant que pour déjeuner, et, le soir, j'attendais que le jeune patron aux élégantes bretelles me dise de partir pour ramasser ma liasse de listings d'imprimante et rentrer chez moi.

J'essayai tous les moteurs de recherche. Chaque fois que je tapais « Gramercy », des milliers d'entrées bondissaient. Parcs Gramercy, auberges Gramercy, galeries Gramercy, hôtels, appartements, tapis, imprimeries, musées, agences immobilières, compagnies d'assurances, locations de voitures, affiches, livres, une fanfare, une école primaire, des conseillers d'entreprise, avocats, fleuristes, cliniques chirurgicales, éclairages, studios, grils, tableaux, musique, plantations. Gramercy, Gramercy, Gramercy. C'était sans fin. Des centaines pouvaient être aisément écartées, mais il fallait néanmoins les survoler.

J'inventoriai également les listes d'anciens élèves, les annuaires téléphoniques, les arbres généalogiques, effectuai des recherches croisées en associant Gramercy à Inde, Agra, orphelin, tuteur. Chaque jour, j'imprimais des centaines de pages de l'Internet. Puis, de retour au barsati, je m'asseyais sur la terrasse, les pieds sur le banc de pierre, et les dépouillais. La température faiblissait. Après minuit, la brise fraîche soufflant du

Parc aux daims faisait ondoyer le flamboyant contre les murs. Le matin, je reprenais les noms sélectionnés et envoyais des dizaines de courriels.

J'utilisais toutes sortes de critères d'élimination pour rétrécir le champ de mes recherches. Sexe, âge, passé familial. De nombreuses réponses s'éliminaient d'elles-mêmes.

Souvent, tard dans la nuit, Maître Ullukapillu hululait.

La première fois que je l'entendis, je faillis bondir pour battre Fizz dans l'interprétation de son hululement.

Le maître dit que nous sommes tous ici pour résoudre nos propres énigmes.

Mais Maître Ullukapillu continua de hululer et je me rendis compte que son message était nettement plus prosaïque.

Du plus grand serreur de boulons du monde, au plus grand péteur de boulons.

Mes nuits étaient plus brouillonnes que jamais. Elle était toujours là, enragée et difforme, me prenant comme une bête, exigeante et effrayante. Mais, à présent, il y avait aussi la noyée, dont je ne parvenais pas à saisir les mains, et un spectre manchot qui me surprenait dans les coins obscurs. Je ne me rappelle pas un seul matin où je me sois réveillé reposé. Pourtant j'étais toujours heureux d'ouvrir les yeux, de fuir les créatures de mes nuits, d'affronter le tangible du jour.

À la banque, j'appris que Fizz n'avait toujours fait aucun retrait, aucune transaction. Elle ne me facilitait pas les choses. Le propriétaire m'informa qu'elle n'était pas revenue une seule fois. Je me retenais de téléphoner à ses amies. Leur loyauté étant sans faille, je craignais d'être provoqué et de répondre des choses blessantes.

Lorsque le visa arriva, j'embarquai à bord d'un avion de la British Airways avec un cartable rempli de listes et d'articles extraits de la gueule toujours plus grande du web amibien.

La technologie galopait à toute allure sur les traces des revenants.

En atterrissant à JFK, je n'éprouvai pas la moindre curiosité pour La Mecque du monde libre. J'en connaissais suffisamment, j'en avais assez ingéré ; inutile d'y mettre les pieds. Je répétais toujours à Fizz que, sans l'avoir demandé, nous absorbions tous beaucoup plus d'Amérique que nous n'en avions besoin. Le monde nécessitait un américanofiltre, une valve pour réguler le flux de Mickey Mouse, de Macburgers, de Schwarzenegger et de CNN.

Deux portions de liberté florissante, s'il vous plaît. Et copieuses, les portions. Mais sans garniture de pub, de baratin ni de flagornerie. Et pas de cerise à la morale non plus. Merci.

Je montai dans un taxi dont le chauffeur sikh tenait absolument à parler du mouvement séparatiste Khalistani du Pendjab. Débarqué illégalement quinze ans plus tôt, il n'était plus retourné au pays et avait obtenu ses papiers au bout de quelques années. Sa femme et ses fils l'avaient rejoint ensuite. À en juger par son accent, il était d'Amritsar. Une image de Guru Gobind Singh ornait son tableau de bord. Il arborait une barbe grise, il était sage, et convaincu qu'il fallait aux sikhs un État indépendant. En le regardant, je me demandai quelles images de son pays il transportait dans sa tête, quelles affections, quelles culpabilités.

Les souvenirs des hommes peuvent se révéler aussi dangereux que leurs fantasmes.

Le trajet jusqu'à l'hôtel fut ennuyeux – véhicules zigzaguant en tous sens, embranchements de routes, travaux de voirie incessants, panneaux publicitaires gigantesques, ligne d'horizon grisâtre –, et je me réjouis que New York ne soit pas si spectaculaire que je l'avais craint. Puis le taxi pénétra dans Manhattan. En descendant devant l'hôtel, j'eus le souffle coupé.

Il était là, le grand canyon des vanités humaines.

Si jadis les églises médiévales se hissaient très haut pour engendrer la crainte de Dieu, ces immeubles de chrome, de pierre et de verre se surpassaient l'un l'autre pour engendrer la crainte des hommes. Des hommes immensément riches, dont les royaumes étaient des marques de fabrique, dont les généraux sillonnaient le monde, qui comptaient des esclaves parmi toutes les races, les régions, les sexes et les religions, dont les enseignes au néon étaient aussi grandes que des navires et bâfraient probablement plus d'électricité en une journée que la plupart des villages en un mois.

On restait bouche bée devant la face des néons comme on s'agenouillerait en présence du Seigneur.

Je fus soulagé de me retirer dans ma chambre d'hôtel. Sa taille était normale, sa décoration modeste, et, ô merveille, elle possédait un « kuveen bed » semblable à celui de notre maison de Gethia. C'était un refuge contre la frénésie religieuse du commerce dans les canyons environnants. Pendant les semaines suivantes, je ne m'aventurai dehors qu'en cas de nécessité absolue. Et c'était principalement pour me ravitailler en muffins, sandwiches, biscuits et bouteilles de lait – si joliment empaquetés qu'ils imposaient la vénération.

Très vite, la moitié du lit fut surchargée de listings d'imprimante, de papiers, d'annuaires, de cartes géographiques. J'embouteillais les lignes téléphoniques à toute heure du jour et de la nuit.

Je dormais encore plus mal qu'avant.

Le matelas était trop mou, les oreillers trop hauts, ma tête trop encombrée. Toutes sortes de gens sautaient au hasard dans mon lit : Prakash, Philip, Taphen, mes amis de fac, Bibi Lahori – telle une magicienne, tirant de son vagin un rouleau de notes interminable –, mes parents dansant le fox-trot dans un palais de nawab, la mère de Fizz pleurant d'un œil et me toisant de l'autre, les amies de Fizz casquées et bottées marchant au pas de l'oie dans notre barsati, Syed me séduisant avec des phrases grandiloquentes et des doigts souples, les déménageurs sikhs buvant à grand bruit dans notre véranda de la montagne avec Jim Corbett, Shulteri embrassant Hailé Sélassié, Rakshas dirigeant le Philharmonique de Berlin avec son moignon, Taphen escaladant une montagne de bouteilles pour planter un drapeau au sommet, la femme moksha me caressant le corps avec des mains vanillées, Mme Méchante Reine gémissant du Kierkegaard sous les cajoleries de Gaj Singh, le Roi du Belvédère chevauchant Catherine, coiffé d'un Stetson semblable à celui d'Abhay.

Tshooooon !

Quelques instants avant de m'éveiller, quelque chose m'étranglait. Désespérément, fatalement. Mes visiteurs étaient tous debout autour de moi ; la brigade de cinglés au grand complet m'observait silencieusement, à l'écart. Même Fizz. Je battais des mains, cherchant de l'aide, incapable de parler, mais personne n'approchait. Puis Fizz disait : « O.K., les gars, le spectacle est terminé. » Elle se retournait et son verso était le recto de Catherine, toujours si exigeante. Alors, je poussais un cri ultime de terreur muette.

Chaque fois que je me réveillais, il me fallait de longues minutes pour savoir où j'étais.

Mes recherches ne donnaient rien. La plupart de mes correspondants étaient d'abord polis, puis ahuris par mes questions et, pour finir irrités. Non, il n'y avait aucune adoption dans leur famille. Non, ils n'avaient aucun lien avec l'Inde. Non, il n'y avait chez eux aucune dame de soixante-quinze ans au teint basané et aux yeux clairs. Aurais-je la gentillesse d'aller me faire foutre et de rappeler un jour où il n'y avait personne à la maison !

Jour après jour, semaine après semaine, les listes et les noms s'évanouissaient. Bientôt, j'ajoutai du Jack Daniel's aux muffins et au lait. Le bourbon m'aidait, entre autres choses, à supporter la douleur de ma dent qui avait repris ses élancements et semblait suivre un cycle 12/36 : douze heures de souffrance, trente-six heures de répit.

Je buvais, téléphonais, buvais, téléphonais, et lorsque je regardais par la fenêtre du deuxième étage de l'hôtel Wellington, je voyais la rue grouiller d'acheteurs et de badauds. Japonais, Européens de l'Est, Asiatiques, tous transportés de joie d'être brièvement au centre du monde. Même à minuit, le bourdonnement ne s'interrompait pas – comme celui du sous-bois à la montagne. Même à trois heures du matin – il m'arrivait souvent de ne pas dormir –, il y avait encore de l'activité. Des voix se hélaient, on nettoyait les rues, des fêtards rentraient chez eux en titubant.

Le dimanche matin, la rue se transformait en bazar. Le maître jouait à l'esclave. Le fantasme de pauvreté du riche. C'était comme dans les villes de l'Uttar Pradesh de mon enfance, mais avec l'esbroufe en prime. Des stands et des kiosques se montaient sur les trottoirs. L'odeur des brochettes grillées et des sorbets glacés envahissait l'air. On vendait en solde des vêtements, des sacs, de la lingerie, des poteries zen, des curiosités orientales, de la soul music et, bien sûr, des technogadgets. Le premier dimanche, je descendis m'y promener. Ensuite, je me contentai de rester sur le bord de ma fenêtre pour observer le va-et-vient.

Le mot magique n'apparut qu'au cours de la cinquième semaine. Émergeant gentiment d'un océan de bourbon.

J'étais assis à la fenêtre, un soir, regardant le flot de piétons affluant ou refluant vers Times Square, au milieu d'un cycle de douleur dentaire. À un moment, je pivotai vers le lit, qui n'était ni double ni simple mais mon « kuveen bed » de la montagne, et le mot magique surgit.

Je poussai un cri de joie et boxai triomphalement le vide.

Quelques minutes après, j'étais dans la rue, tournoyant avec la foule, le pied léger. Je m'attablai dans un restaurant ouvert et commandai un double Laphroaig avec un plat de pâtes. Autour de moi, tout n'était que néons et passants en mouvement. Je m'aperçus que, après toutes ces années, je remarquais encore les femmes. Elles allaient en rangs serrés et nombreux, dominant la rue, habillées de vêtements moulants et courts, affichant la seule chair féminine qui me soit apparue depuis longtemps, en dehors de mes nuits hallucinées.

Le lendemain, je me levai tôt, surexcité. Je composai un numéro de téléphone et prononçai le mot magique, composai un numéro de téléphone et prononçai le mot magique, composai un numéro de téléphone et prononçai le mot magique. Soudain, tout devenait plus facile. Trois jours plus tard, une voix sourde et faible réagit. Je m'efforçai d'expliquer mon histoire et la raison pour laquelle je voulais venir la voir. Mais la voix était lente à comprendre et trop prudente pour m'inviter. Je rappelai trois heures plus tard, avec mon mouchoir sur le micro du combiné, et, prenant un accent, annonçai que j'avais un colis à livrer.

Je vérifiai l'adresse à la réception de l'hôtel et, en début de soirée, sautai dans un taxi pour me rendre à Harlem. J'avais imaginé des taudis, des viols en pleine rue, des gorges tranchées en plein jour. On percevait une tension, c'est vrai. Mais il n'y avait pas de scène à la Chester Himes. Certes, on était loin du grand canyon des vanités, mais c'était aussi chic que nos quartiers résidentiels de Delhi. De grands magasins bordaient les rues, les immeubles étaient solides. On dépassa un bataillon de djellabas ondoyantes et l'on aurait pu se croire dans une ville arabe si les hommes n'avaient été si uniformément noirs.

L'immeuble d'appartements devant lequel se gara le taxi avait une façade érodée de briques brun brûlé. C'était un grand cube, nettement plus délabré que ses voisins, avec des balcons branlants et des escaliers métalliques couvrant la façade. Le hall d'entrée était faiblement éclairé et il y flottait des relents de crasse. Ça puait le moisi. Des sacs-poubelle noués s'alignaient le long du mur. Je renonçai à prendre l'ascenseur : la cabine était aveugle et n'avait pas l'air fiable.

En haut de la première volée de marches, quelqu'un avait gribouillé : « Jésus viendra, et nous aussi ! » Dessous, un autre avait ajouté : « Rien que pour le plaisir des belles salopes blanches ! »

La cage d'escalier était spacieuse mais déglinguée. La moquette était déchirée, la balustrade édentée. Je dus monter jusqu'au troisième. À chaque étage, je vérifiai les numéros sur les portes des appartements de part et d'autre du couloir. Partout il y avait des sacs-poubelle. Soit le vide-ordures était en panne, soit les résidents sortaient leurs poubelles quand ça leur chantait. Des voix et des bruits filtraient au travers des cloisons minces.

Le 314 était l'avant-dernière porte sur la gauche. Rien n'indiquait l'identité des occupants. Je frappai doucement. Puis plus fort. L'œilleton du judas râpa contre la porte. Je pris mon air le plus inoffensif.

Une voix mal assurée me dit : « Josh n'est pas là. Revenez plus tard.

– J'ai un paquet pour vous. »

Je brandis le rouleau de parchemin.

« Pour qui ?

– Pour Gethia. Gethia Gramercy. »

Le battant s'entrouvrit de quelques centimètres, maintenu par une chaîne de sûreté. C'était une femme âgée, avec des cheveux blanc argent, le teint basané et des yeux clairs. Elle portait une robe d'une couleur crème indéfinissable, maculée de taches de nourriture. Elle semblait désorientée.

« Puis-je entrer quelques minutes ? »

Elle pesa ma question d'un air égaré, m'examina de haut en bas, puis bataille bruyamment avec la chaîne de sûreté avant d'ouvrir la porte. Un coup d'œil suffisait pour voir qu'il n'y avait aucun objet de valeur. Il aurait vraiment fallu être très misérable pour vouloir cambrioler l'appartement.

Je m'assis sur la première chaise et annonçai : « Je viens de l'Inde. »

Elle me dévisagea d'un regard vide.

« Je vous apporte quelque chose. »

Elle hocha la tête.

« Savez-vous où vous êtes née ?

– Philadelphie. »

Je jetai un coup d'œil dans la pièce. Tout était vieillot et usé. Le canapé, contre le mur, vomissait son rembourrage. Il servait visiblement de lit : un oreiller était posé à la tête. Dans un coin, une télévision ronronnait doucement – un présentateur animait un public de studio avec de grands moulinets de bras. Il y avait une fausse cheminée – qui ne cherchait à tromper personne, juste plate et fausse –, avec, sur le manteau, une coupe garnie de roses rouges poussiéreuses en tissu. Au-dessus, sur le mur, était accroché un Christ en croix, en terre cuite ébréchée. Derrière la pièce, j'entrevis une petite alcôve, à l'intérieur de laquelle étaient suspendus des vêtements élimés. Le papier peint orné de fleurettes violettes se décollait. Une odeur rance flottait dans l'air.

« Que faisait votre père, madame ?

– Il était prédicateur. Il portait la bonne parole.

– Est-il jamais allé en Inde ?

– Il a voyagé partout. Il paraît que je porte le nom d'une fleur indienne.

– Que vous a-t-il raconté d'autre sur l'Inde ?

– Il m'a dit de ne jamais y aller. Ce n'est pas un endroit comme il faut. Là-bas, ils ont des millions de dieux parce qu'ils doivent se protéger de millions de choses terribles. »

J'avais l'impression d'être plongé dans un mauvais film hollywoodien. Monsieur Chinchpokli va à Harlem.

« Et votre mère ? »

Elle avait décroché. Je répétai ma question. Elle faisait des efforts énormes pour se concentrer.

Au bout d'un moment, elle me demanda : « Qui vous envoie ? »

Je n'eus pas à répondre parce que son esprit avait vagabondé, son regard s'était figé.

Je tentai à plusieurs reprises de l'interroger sur sa vie, sur ses enfants, mais elle n'était plus là. À un moment, je crus même qu'elle s'était assoupie. J'attendis. Soudain elle se redressa et me demanda si j'avais de l'argent. Avant que je puisse répondre, elle me raconta une histoire confuse sur l'indigence de sa fille.

En l'écoutant, je sentis une immense vague de désespoir m'engloutir. Je cessai de l'entendre et commençai à me demander ce que je faisais là. Dans cette pièce nauséabonde, dans cette ville étrange, fouillant une vie à laquelle rien ne me liait.

J'étais exténué.

Je ne voulais plus rien apprendre. Toutes les histoires doivent s'achever au moment opportun, avant de sombrer dans l'ineptie. Et si quelqu'un vous raconte que toutes les inepties ont de la valeur, vous pouvez être certain que ce quelqu'un n'a jamais connu la jubilation de l'instant extraordinaire.

En cent ans, les émerveillements de John avaient échoué dans cette misère noire. L'esprit d'aventure s'était ratatiné dans cette boîte confinée. La formidable curiosité réduite à un mépris minable. La crainte respectueuse d'un million de dieux balayée par un dédain cinglant. Emily avait gagné. À cette exception que le monde ne s'achèverait pas dans une splendide explosion mais dans un délitement médiocre.

De loin, le désir est magique. De près, il n'est qu'un accouplement prosaïque. Sans le soutènement d'une narration, d'une histoire, il n'est pas un monument glorieux. Ce ne sont que des fragments épars, un simple frotti-frotta. J'avais pioché un matériau grandiose et suivi le filon jusqu'à ses platitudes. Juste le frotti-frotta.

J'avais démonté le Taj Mahal et il ne me restait qu'un tas de dalles de marbre.

J'avais envie de fuir. De sortir de l'immeuble, à l'air libre, de retourner dans mon pays. Je déployai le rouleau de parchemin et le lui remis. Je lui expliquai que c'était un cadeau d'un ami de son père qui lui devait un grand service, un objet d'une grande valeur qui lui permettrait de vivre dans le luxe jusqu'à la fin de sa vie.

Elle parut indécise, examina les miniatures au travers de ses épaisses lunettes.

À ce moment, un homme noir entra, bien de sa personne, visiblement plus jeune qu'elle.

« Josh », dit la femme.

Sans lui laisser le temps de parler, je dis au nouveau venu : « Je viens de l'Inde. Un ami du père de Gethia lui a légué une chose d'une grande valeur. Je suis venu la lui remettre. Prenez-en grand soin. Portez-le à Sotheby's, ou à Christie's. Vous aurez de quoi vivre très confortablement jusqu'à la fin de vos jours. »

Pendant qu'il examinait les miniatures, j'écrivis un nom et une adresse sur un morceau de papier, le lui donnai, et, ouvrant la porte, ajoutai : « Si vous voulez, envoyez un peu de l'argent que vous toucherez à cet ami. Il a gardé tout cela pour elle. Merci pour lui et au revoir. »

Josh ouvrit la bouche pour répondre mais j'étais déjà dans le couloir, dans l'escalier, dehors. L'air était frais et vivifiant, les lumières brillaient dans les magasins et dans les rues, le début de soirée s'animait, un Noir chétif coiffé d'un chapeau à bord mou jouait de la mandoline. Il me suivit pour quémander un dollar et je m'éloignai vivement sur le trottoir, sans me retourner, mettant autant de distance que possible entre l'immeuble et moi.

Lorsque j'arrivai à l'hôtel, au lieu de monter directement dans ma chambre, je traversai le hall grouillant d'un groupe de nouveaux arrivants au visage rougeaud, parlant une langue indéfinissable d'Europe de l'Est, et demandai à la blonde réceptionniste de m'aider à trouver le prochain vol pour l'Inde.

Dans ma chambre, je songeai à Rakshas le manchot, et à la seule miniature que j'aurais dû garder.

La position de la tortue volante à l'envers.

Le phallus de la chance dans le trou de l'histoire.

Le téléphone sonna. La blonde réceptionniste m'annonça : « Vous pouvez partir dans deux heures, ou demain après-midi.

– Dans deux heures », répondis-je.

Un Conteur d'Histoires

Elle m'apparut pour la première fois un jour de l'été 1979, ouvrant la porte de sa maison. Après le panneau de bois massif, il y en avait un autre, grillagé, qu'elle ouvrit également sans hésitation. C'était une époque innocente, avant le terrorisme, avant les assassinats, avant les AK 47 et les bâtons de dynamite ; aujourd'hui, plus personne ne vous ouvrirait ainsi sa porte sans avoir posé mille questions propres à saper votre confiance. Dans cette innocente ambiance, elle était une enfant de son temps, peu encline au soupçon, ainsi que j'allais m'en apercevoir.

Il était midi et la chaleur blanche qui tombait à l'aplomb de la véranda desséchait le monde. Pas une feuille ne frémissait dans les vertes avenues de la ville, et, sur le carré de pelouse devant la maison, le rince-bouteilles baissait la tête comme sous le coup d'une punition.

En plein soleil, il fallait plisser les yeux pour distinguer quelque chose ; si l'on oubliait de ranger sa bicyclette à l'ombre, on risquait, au retour, d'avoir la peau des doigts arrachée par le métal incandescent. Même la selle en Skaï et les poignées de plastique étaient brûlantes. J'avais délicatement posé mon Atlas noire contre le mur de brique de l'allée, dont l'ombre fragile ménageait une oasis de quinze centimètres de large.

Rien dans cette journée, ni dans mon état mental ou physique, ne suggérait que ma vie allait changer. Le destin n'aurait pu choisir un jour plus anodin pour infléchir le cours de ma vie.

Par la suite, j'ai toujours affirmé que j'étais tombé amoureux d'elle avant même que la porte grillagée se soit refermée. Elle ne l'a jamais cru. La jeune fille qui ouvrit cette porte possédait ce type de beauté fraîche qui vous fige sur place, qui vous donne l'envie de vous attarder dans son éclat. Depuis ma sortie de l'école primaire, j'avais grandi dans la méconnaissance des filles ; en tant que personnes réelles, elles étaient pour moi des objets lointains. Je restai sans voix. Puis les règles de politesse inculquées au cours de mes dix années à l'école de la mission refirent surface et je dis : « Bonjour, madame. »

Tout au long de notre vie commune, elle ne cessa de me taquiner avec ce « bonjour, madame ». De la même manière que, bien des années plus tard, elle m'asticota avec ce ridicule « M. Chinchpokli », lancé par le gamin des rues à Delhi. À sa décharge, ce premier jour, elle ne pouffa pas de rire. Cela m'aurait anéanti.

Elle écarquilla simplement ses grands yeux et dit : « Vous devez être… »

Je hochai la tête. Son sourire resplendit. Alors, le monde s'illumina, sa dentition parfaite étincela, tous les détails de sa personne se précisèrent lentement. Et elle ajouta : « Entrez. Miler devrait arriver d'une minute à l'autre. Il a emmené ma tante au marché. »

À l'intérieur, la première chose qui attira mon regard fut le sol de mosaïque luisant comme un miroir et ses pieds nus. Le mobilier, composé d'un simple canapé et de fauteuils raides et robustes avec d'épais accoudoirs, était dépourvu d'élégance et paraissait échoué dans la spacieuse salle de séjour. Je m'assis sur le bord du canapé et ôtai mes sandales de caoutchouc bleues. Le sol était frais et lisse.

Si je n'éprouvais aucun embarras pour mes pieds poussiéreux et mes sandales éculées, je manquais de talent pour entamer une conversation. Je n'avais pas la moindre idée de ce que l'on disait à une jeune fille, et moins encore à une très belle jeune fille. À l'école, on m'avait enseigné les rudiments du commerce social, mais en deux ans d'université j'avais perdu la main, et, me semble-t-il, à dessein.

À l'inverse, elle n'était pas du tout intimidée. Elle me proposa de l'eau, du thé. Je répondis non à tout, sans la regarder, posant mes yeux alentour. Elle dit que Miler lui parlait souvent de moi, et cela requinqua un peu mon assurance.

J'avais envie de lui demander son prénom mais ne savais comment m'y prendre.

C'est une question que je n'ai jamais réussi à poser. Quel est votre nom ? Il y a là quelque chose de vulgaire. Un nom est une chose que l'on devrait offrir. Qui ne se demande pas. Je ne me souvenais pas si elle l'avait dit en ouvrant la porte ; si oui, je l'avais oublié dans mon hébétude.

Il me fut plus simple de lui demander ce qu'elle étudiait. Géographie et psychologie, à l'université d'État de jeunes filles. J'aurais également souhaité savoir si elle était native de Chandigarh ou, comme la plupart d'entre nous, une étudiante en transit dans une ville qui n'avait pas de passé, ni d'avenir prévisible. Mais, là encore, je craignis de paraître grossièrement curieux. J'avais peur de prononcer une seule parole maladroite qui me bannirait de ses petits papiers. D'ailleurs, je n'avais pas la moindre idée de ce en quoi consistaient les petits papiers d'une fille.

Je demeurai assis en silence, les yeux fixés sur l'horrible tapis gris orné de deux dragons crachant le feu. Finalement, elle s'excusa et quitta la pièce. Cette fois – la première –, je la regardai vraiment. Je vis son dos s'éloigner, je vis le jean bleu marine, le corsage blanc, ses cheveux vivants. Au bout du couloir, elle tourna à droite et disparut de ma vue.

J'examinai le salon. Au fond, un passe-plat ouvrait sur la cuisine ; j'aperçus l'évier et la vaisselle empilée à côté. Sous le passe-plat, une vitrine couvrait tout le mur. Un magnétophone Grundig y campait, l'air maussade, au milieu d'une accumulation de vases vides et de photos encadrées. Au cours des nombreuses années suivantes, à chacune de mes visites dans cette pièce qui allait devenir un des points de repère les plus intimes de ma vie, jamais je n'ai entendu la voix de ce magnétophone.

À côté de la vitrine, relié au mur par un épais cordon noir, il y avait un petit réfrigérateur agité de trépidations, avec un grand autocollant de Dennis la Menace plaqué sur la porte. Je me tordis le cou pour lire la marque et fus désappointé de constater que c'était un Allwyn. Par un sentimentalisme stupide, je restais très attaché à Kelvinator. Quand j'avais six ans, mon père avait rapporté un réfrigérateur Kelvinator à la maison, et ma mère l'avait si bien entretenu – aucun domestique n'avait le droit de l'ouvrir, rien n'y était rangé qui ne fût soigneusement enveloppé, on le dégivrait et lavait chaque semaine –, qu'au bout de dix ans de loyaux services on l'avait revendu à son prix d'origine. Mon père en avait acheté un neuf. Plus grand. Mais toujours un Kelvinator.

Mes parents étaient les sottes victimes de la fidélité et de la répétition. Des artistes salariés d'un monde sûr et raisonnable. Dans tous leurs achats, absolument tous, depuis les vêtements jusqu'aux aliments et aux gadgets, la première marque qui leur donnait satisfaction devenait leur marque de prédilection à vie. Chez nous, Philips remplaçait Philips, le dentifrice Binaca le dentifrice Binaca, la teinture Bombay la teinture Bombay, la confiture Kissan la confiture Kissan, Bournvita Bournvita, Bata Bata.

À ma droite, sur le mur, était accroché un horrible paysage de montagne, dont le fil d'attache était visible au-dessus du cadre. C'était une peinture à l'huile d'un artiste amateur, avec des montagnes bleu-vert en arrière-plan, et, admirant un coucher de soleil rougeoyant, une fille en jupe longue assise dans la véranda d'une maison à un étage, au toit incliné et aux épais piliers en pierre soutenant la véranda. Des touffes de lierre arpentaient les murs. Au premier étage, d'une des fenêtres alignées sur la façade, juste au-dessus de la fille, un homme se penchait pour la regarder. Sur le côté droit du tableau se dressait un grand arbre, avec un tronc massif et des branches balayant le sol.

Lorsqu'elle revint, silencieuse sur ses pieds nus, Fizz me proposa un jus de bael. Puis elle ajouta : « Ça a un goût horrible. Personnellement, je ne peux pas le boire sans rien.

— Et l'aspect n'est pas engageant non plus.

— Miler est la seule personne que je connaisse qui aime cette saleté.

— Miler mange et boit n'importe quoi. »

C'est ainsi que je lui racontai ma première histoire.

L'histoire de ma rencontre avec Miler.

Je fis sa connaissance à la cafétéria de l'université où, au milieu des restes de dosas, avait lieu une bruyante partie de jeu de puce, lequel consistait à propulser d'une chiquenaude une pièce de cinquante paisas, soit une demi-roupie, du bord de la table jusque dans un verre placé au centre. Miler, un grand et mince sardar à la barbe clairsemée, doté d'un long nez en forme de bec et d'un turban démesuré, écrasait la compétition et, telle la limaille sur un aimant, les clients des tables voisines s'étaient massés autour du jeu. Sobers, Shit et moi, venus partager deux dosas avant d'aller voir un film, entrâmes nous aussi en lice. Sobers fut éliminé en deux tours, et Shit expédia la pièce si fort qu'elle atterrit dans un bol de sambar, deux tables plus loin.

Je parvins à mettre la pièce dans le verre deux fois de suite. Miler aussi. Il affichait une expression de calme absolu que, plus tard, j'en viendrais à apprécier. Autour de lui s'agglutinait une bande de parasites expansifs, de ceux que l'on voyait traîner dans les couloirs de foyers étudiants, cherchant à se faire voir et reconnaître. Si vous aviez le malheur de leur sourire, ils se pointaient dans votre chambre le soir même, tout prêts à lier amitié. Je réussis un quatrième lancer gagnant. Miler aussi.

Shit, comme à son habitude, décida qu'il fallait changer les règles du jeu. Il proposa de lancer la pièce avec le nez.

Miler repoussa sa chaise en aluminium. Il s'agenouilla sur le sol et percha la pièce de cinquante paisas sur le bord de la table ; la ganse qui cerclait le Formica l'inclinait comme un plongeoir. Miler tira précautionneusement la pièce aussi loin que possible sur le bord. Ses yeux étaient au ras de la table, son turban s'élevait au-dessus en spirale.

Il fit d'abord un essai : il baissa et redressa la tête d'un mouvement rapide, ensuite il l'avança doucement afin de placer son long nez sous le bord de la pièce. Tout le monde retenait son souffle. Il ramena lentement sa main droite pour ajuster ses lunettes, puis, les yeux fixés sur la pièce, le nez dessous, il baissa vivement la tête pour prendre son élan.

Son turban heurta la légère table en aluminium, qui bascula sur ses pattes avant comme un cheval lançant une ruade. Les assiettes et les verres furent projetés à terre où ils explosèrent comme une bombe.

Shit hurla : « Sauve qui peut ! »

Le gérant de la cafétéria, un type à visage de fouine avec une fine moustache brailla : « Attrapez ces petits cons ! »

Les serveurs, en turban éventail, tunique blanche et large ceinture rayée vert et jaune, s'élancèrent sur nous sans enthousiasme, leurs savates de caoutchouc claquant sur le carrelage.

En un éclair, toute notre bande – plus d'une quinzaine – se retrouva dehors, courant à toutes jambes vers les terrains de jeux, riant et criant des injures à tue-tête. Je jetai un coup d'œil par-dessus mon épaule pour voir si j'étais poursuivi lorsque j'aperçus Miler, à quatre pattes dans la cafétéria, tâtonnant à la recherche de ses lunettes, cerné par une meute de larges ceintures à rayures vertes et jaunes.

Le gérant lui ordonna de le suivre à la caisse. Miler sautilla derrière lui sans un mot. Le gérant griffonna des calculs sur un morceau de papier sous le regard de Miler, qui l'observait avec l'équanimité d'un professeur faisant passer un examen à un étudiant.

Je décidai de le rejoindre.

« Vingt et une roupies », conclut le gérant.

Miler porta les yeux vers moi, puis de nouveau sur le gérant, tenant à deux mains son turban qui ressemblait à un navire chahuté par un océan houleux, et s'efforçant de l'arrimer sur son front. Il avait réussi à le remettre d'aplomb, quand le turban s'effondra sur le côté.

« Trois assiettes : neuf roupies. Trois bols : trois roupies. Trois verres : quatre roupies et cinquante paisas. Trois dosas : quatre roupies et cinquante paisas. Total : vingt et une roupies, annonça le gérant.

– Nous n'avons rien cassé, protestai-je. Je n'ai même pas mangé de dosa.

– Lui, oui.

– Il en a mangé une.

– Trois. »

Je regardai Miler, qui hocha la tête. Le mouvement ébranla un peu plus le turban, qui continua de glisser.

« Mais nous ne sommes pas responsables des dégâts, objectai-je.

– Qui, alors ?

– Nous étions plus de quinze, ici.

– À qui appartient le turban qui a renversé la table ? »

Je dénichai un billet de cinq roupies dans ma poche, le dépliai et le posai sur le comptoir.

« Ça ira ?

– Il en manque seize », objecta le gérant.

Je me tournai vers Miler. Le visage impassible, il glissa la main dans sa poche de chemise, et sortit un billet de cinq et un billet de une roupie.

Le gérant s'assouplit les doigts, plaça les billets à plat sur le comptoir et, d'un ongle crasseux, les lissa amoureusement.

Il se produisit un déclic en moi. Je me redressai et dis : « Partons.

– Il manque encore dix roupies », protesta le gérant.

Je marchai vers la sortie. Miler me suivit, tout en continuant de batailler avec son turban.

« Sardarji ! cria le gérant. Je vais devoir aller me plaindre au bureau du principal !

– C'est mon oncle, répliqua sardarji.

– Et vous êtes aussi le neveu d'Indira Gandhi, je suppose ! »

Mais nous avions franchi la porte et apercevions nos camarades qui jouaient au football, au basket et au hockey, vêtus de chemisettes colorées. Les cris fusaient sur les terrains, certains réclamant une passe de ballon, d'autres s'insultant à cause d'une balle ratée, le tout rythmé par le martèlement mat du cuir sur le bois, sur le terrain de cricket.

Miler se tourna vers moi et, pour la première fois, une expression se peignit sur son visage. Un sourire entendu, lent et tranquille.

« Merci.

– Le principal est vraiment ton oncle ?

– Et Indira Gandhi ma tante. »

Nous allâmes nous asseoir sur les marches de ciment, près du terrain de basket. Débuta alors une conversation qui allait durer plus d'une année, sans interruption, avec une intensité que nous ne soupçonnions pas encore, cet après-midi baigné de soleil, avec les cris des étudiants suspendus en l'air autour de nous comme des cerfs-volants glissant sur des courants ascendants.

Avec cette première histoire, je devins pour Fizz un conteur d'histoires.

Et le besoin d'histoires devint la base de notre amour.

Curieusement, et peut-être comme de juste, sa vie avait déjà une histoire. Elle se prénommait Fiza et venait d'une famille atypique. Sa mère était sikh et son père musulman. Ils étaient tombés amoureux et s'étaient mariés après le carnage de la Partition, et avaient dû affronter l'ostracisme des deux familles. De guerre lasse, ils finirent par fuir les tensions du Nord pour émigrer dans l'Assam, à l'est, dans les années cinquante, à bord d'un train qui mit plus de trois jours à parcourir la distance.

Ils allèrent aussi loin que possible et débarquèrent dans une ville obscure, Jorhat, qui, à en croire Fizz, se distinguait à plus d'un titre : une base aérienne, un club de gymkhana fréquenté par des planteurs de thé snobinards, des courses de chevaux annuelles, un grand magasin, et une éminente école de missionnaires. Cette école, assurait Fizz, était extraordinaire : mixte, libre d'esprit, ouverte aux activités culturelles, aux kermesses, pique-niques et autres réjouissances grâce à une bonne sœur européenne.

Rizwan, son père, dirigea tant bien que mal un magasin de vêtements avant d'ouvrir un cinéma. Sa mère, Jaspreet, contribuait aux besoins de la famille en enseignant le hindi à l'école de la mission. L'un et l'autre abandonnèrent le culte ostensible de leurs religions, et Fiza grandit en faisant des génuflexions devant le vague notre-père-qui-es-aux-cieux-que-ton-nom-soit-sanctifié chanté à tue-tête et sans relâche par les bonnes sœurs pleines d'entrain et de jovialité. Lorsque la politique ethnique qui s'intensifiait en Assam commença à perturber la vie quotidienne et l'enseignement scolaire, ses parents décidèrent de l'envoyer dans l'oasis artificielle de Chandigarh, qui devenait de plus en plus une ville universitaire. Une tante de Jaspreet, veuve, qui l'avait soutenue tout au long de ces années d'éloignement, accueillit Fiza dans sa maison. Miler était le petit-neveu de cette tante, et donc un cousin de Fiza, mais ils ne se connaissaient pas.

Elle n'avait pas encore dix-sept ans lorsqu'elle arriva dans la cité quadrillée, et fut aussitôt ébranlée par son priapisme permanent : agressions, vulgarités, propositions salaces de la part de tous les jeunes gens et hommes mûrs qui croisaient son chemin. Dans sa ville natale, rapports décontractés et splendide passivité étaient de rigueur. Et c'est ce mode relationnel, ainsi que l'école de la mission et les innombrables films qu'elle avait vus – films en hindi dans le cinéma de son père et films en anglais tous les week-ends au club de gymkhana somnolent – qui avaient formé sa sensibilité. Pour elle, le monde était bienveillant et régi par un code moral, et la vie était une histoire charmante avec des rebondissements malheureux qui finissaient par trouver une solution heureuse. Il lui suffisait de regarder son père et sa mère pour s'en convaincre.

Les mariages heureux peuvent vraiment démolir les enfants avec de faux espoirs.

Dans le Nord, Fiza découvrit qu'il n'y avait pas de règles. Dès l'instant où elle sortait de la maison sur sa petite bicyclette bleue, elle était assaillie. Les garçons l'escortaient sur le chemin de l'université, se déplaçaient par grappes dans son sillage quand elle se rendait dans le Secteur 17, la suivaient dans les cinémas, les restaurants, les parcs, s'exhibaient et se masturbaient en souriant derrière les arbres et les haies sur son passage, déposaient des fleurs et des cadeaux dans sa boîte aux lettres ; l'un d'eux y mit un œuf frais chaque matin pendant un mois entier. Aucun n'engageait une conversation. Ils se satisfaisaient d'offrir du sexe instantané à distance et de rester indéfiniment ignorés.

Ainsi que me l'expliqua un étudiant qui pratiquait journellement cette activité baptisée « la pehelwani geda », la virée macho : « On continue de demander, et un jour on reçoit. »

Quand je fis la connaissance de Fiza, elle était en ville depuis près d'un an et avait appris à se mouvoir dans son cocon, lequel l'avait préservée des stigmates des agressions masculines. Elle avait gardé son regard amusé et son incroyable fraîcheur, traitant le spectacle quotidien comme un des films projetés dans le cinéma de son père : les garçons jouaient tous un rôle et ils ne pensaient pas vraiment à mal. Son attitude m'époustoufla, car je connaissais les garçons et je savais combien ils pouvaient être virulents dans leur ignorance. J'essayai de le lui expliquer. Mais elle avait raison et j'avais tort. Changer de personnalité par peur, c'est perdre la partie.

La vie mérite de prendre des risques. Toujours selon ses propres règles.

Innocemment, je commençai à accompagner Miler chez leur tante en fin de semaine. Lui et moi venions de vivre une année d'amitié intense : après la débâcle de la cafétéria, nous nous étions découvert une furieuse empathie. Nous n'étions pas dans la communion silencieuse, plutôt dans une orgie de conversation. Pour moi, c'était comme un chant d'oiseau à l'aurore après le silence d'une longue nuit. Nous avions pris une chambre ensemble, cessé de fréquenter les cours, nous vagabondions dans la ville et passions nos journées à parler de livres, de films, de cricket, de boxe, de philosophie, de politique, de pornographie, de gens.

Contrairement à une idée couramment répandue, l'essence de toute grande relation est l'absence de désaccord. La saine différence n'existe pas : toute différence est un termite dans les poutres d'une amitié, qui creuse, prépare son effondrement, tandis que tout accord, même simulé, est une poutre de plus pour consolider sa structure. Miler et moi n'étions jamais en désaccord ; même si nous avions un sentiment différent, nous enterrions ce sentiment dans la jubilation générale de notre camaraderie.

Miler me confirma dans mon ambition. Il me prépara à Fiza. Ayant grandi à Delhi, il avait expérimenté une foule de choses, des choses cosmopolites : il avait pris l'avion, mangé dans des hôtels huppés, dansé dans des discothèques, assisté à des jam-sessions d'acide rock et à un concert de Osibisa. Il possédait la mesure des choses, c'était un citoyen du monde. Je n'avais rien connu de tout cela, mais j'avais fait une chose qu'il n'avait pas faite. J'avais lu. Des tonnes de littérature classique.

J'avais lu presque involontairement, loin de l'idée de m'instruire, pour combler le vide des longues journées soporifiques des villes poussiéreuses de l'Uttar Pradesh. Les livres venaient de l'école décrépie et des bibliothèques de prêt. De vieux ouvrages reliés à la couverture ocre, avec une bande noire au dos pour le titre, des tampons à l'encre rouge à l'intérieur sur une dizaine de pages, un papier jauni et fragile, dont le climat et les insectes avaient légèrement rogné les bords, et qui laissait les doigts poudreux quand on tournait les pages.

J'ai consommé tous les canons de la littérature anglaise jusqu'au XVIe siècle, j'ai même laborieusement tenté de lire un épais volume des œuvres complètes de Shakespeare. Le papier était si mince que l'on voyait au travers, et il fallait le poser sur une table pour le lire.

J'avais compris peu de chose de mes lectures, et retenu encore moins. Leur valeur m'apparut seulement lorsque je la vis briller dans les yeux de Miler. Il paraissait trouver extraordinaire que j'aie tant lu. Que je connaisse tant de mots inusités. Comme la peau qui s'épaissit sur le lait fraîchement bouilli, son admiration se déposa lentement sur moi et me propulsa avec une ardeur nouvelle vers d'autres livres, en me donnant un sentiment d'estime qui m'était jusqu'alors étranger.

Telle est donc l'image que je présentai à Fizz. L'image dont elle tomba amoureuse. Plus tard, quand les fractures commencèrent à apparaître, elle fut blessée et abasourdie comme quelqu'un qui, dans un moment de naïveté et d'égarement stupide, s'est laissé abuser par un masque.

Deux rituels formèrent la trame et la chaîne de mon amour.

Lui raconter des histoires et l'emmener regarder des histoires.

Regarder était facile. Tout le monde le faisait. À Chandigarh, le cinéma était une épidémie. Les tickets étaient ridiculement bon marché : trois roupies et dix paisas pour une place au balcon, moins de la moitié pour l'orchestre. On faisait le tour des cinq salles chaque semaine et on espérait de nouvelles sorties le vendredi. Il était fréquent de voir un film plusieurs fois.

Comme pour tout le reste à Chandigarh, il y avait là aussi une hiérarchie.

Les gens vraiment cool allaient voir – et s'y faire voir – les films anglais. Le grand rituel était la séance du dimanche matin au cinéma KC, en forme de hangar d'avion. On y projetait un curieux mélange de films hollywoodiens anciens et récents. *La Grande Évasion, Les Dents de la mer, La Duchesse et le Truand, La Fièvre du samedi soir, Rencontres du troisième type, Kramer contre Kramer.* Quel que soit le film, la salle était comble.

Parfums et eaux de toilette déchiraient l'air, des heures de soins de beauté attentifs s'affichaient ostensiblement. Des jeunes gens virils en bottes chamois, le bas de pantalon moulant parfaitement la cheville, s'appuyaient sur des motos Yezdi rutilantes, un sourire sardonique aux lèvres. De séduisantes jeunes femmes panjâbi, le teint luisant d'excitation, le corps déjà mûr pour le fantasme – des femmes qui, à dix-neuf ans, étaient des sirènes sexuelles inégalables, mais qui, à trente, seraient déjà sur le déclin, leur séduction fanée par les grossesses et la graisse –, impeccablement vêtues de jeans délicatement repassés et de kurtas moulants, tanguaient par petits groupes, jetant des regards obliques, excitant les garçons insupportablement.

C'était trop. Tout le monde semblait au bord de l'orgasme.

Au cours de mon premier mois en ville, une scène m'avait permis de prendre la mesure de toutes ces afféteries. Un sardar mince comme un roseau, coiffé d'un turban serré et vêtu d'un pantalon ample, était perché sur le capot d'une Fiat devant le KC et vendait des tickets à la criée. Il avait une barbe fine et clairsemée, et ses épaules jetées en arrière lui donnaient l'aspect d'un arc. Il braillait d'une voix aiguë : « Paaapppppiiiiilliiiionnn ! Paaapppppiiiiilliiiionnn ! Paaapppppiiiiilliiiionnn ! »

Il agitait dans sa main droite une liasse de tickets, et les candidats pour *Papillon* affluaient autour de la voiture.

Je ne suis pratiquement jamais allé à la séance du matin. Je me sentais déplacé au milieu de cet étalage de belles gueules et de belle assurance. Et puis il y avait la cohue et la file d'attente. Les garçons faisaient la queue trois heures avant pour acheter des tickets supplémentaires qu'ils revendaient aux filles, lesquelles seraient

ainsi amenées à s'asseoir à côté d'eux. Personnellement, je préférais les classes inférieures.

Les classes inférieures vivaient au travers des films
hindi. Il s'agissait principalement d'étudiants origi-
naires des petites villes et villages du Pendjab, de l'Haryana et de l'Himachal Pradesh. Venir à la métropole
était pour eux un bond gigantesque. Assimiler sa mode
vestimentaire, son style de comportement, ses codes
androgynes, ses rituels de restaurant et de café, le tabac
et l'alcool, les motos et les filles, générait de l'angoisse.
Ça se lisait dans leurs yeux. Doutes et désir.

On les remarquait partout. Ils se déplaçaient toujours
par petits groupes, étayant mutuellement leur confiance
vacillante par des plaisanteries désespérées, souvent
grossières. Ils traînaient sur le seuil de la découverte,
dans le Secteur 17, devant un restaurant, un magasin de
musique tape-à-l'œil, une boutique de fringues bran-
chée. Au foyer d'étudiants, on les surprenait en train
de fumer une Dunhill, caressant le paquet rouge à tour
de rôle, le rabat découpé avec soin pour préserver le
papier Cellophane, ou bien essayant de paraître à l'aise
dans un jean à la coupe bizarre qu'ils avaient eu l'audace d'acheter.

Mais c'étaient surtout les femmes qui les démon-
taient. Ils appliquaient leur stéréotype provincial de la
citadine facile sur les filles qu'ils croisaient et n'avaient
aucun moyen d'approcher. Ils reluquaient toutes les
femmes, les suivaient souvent pendant des heures dans
les marchés et dans les rues, la tête pleine de fantasmes
et de phobies.

Arborant leur trac comme des épaulettes, la plupart
de ces garçons s'accrochaient aux films hindis comme
à la seule île cartographiée dans un océan sans limites.
Ils retournaient inlassablement dans la matrice obscure du cinéma hindi pour se retrouver intacts. Avec

sa mythologie singulière, le cinéma hindi représentait la seule continuité puissante de leur vie. Aussitôt les lumières éteintes, ils étaient en territoire connu et à l'abri des regards scrutateurs.

Fizz, fidèle à elle-même, fréquentait les deux classes. Quand je fis sa connaissance, contrairement au reste d'entre nous, elle n'était pas nerveuse. Elle se mouvait dans son cocon de certitudes et d'innocence, et rendait les choses simples en les abordant avec simplicité.

Elle allait voir des films en anglais et en hindi, et ne laissait jamais le drame ambiant ternir son humeur.

Je l'accompagnais au cinéma hindi, une fois par semaine, mais continuais d'éviter la séance du dimanche matin. Au début, le cinéma fut pour nous également une activité de groupe, et il nous fallut plusieurs mois pour nous isoler et y aller de notre côté. Mais cela demeura une activité innocente. On ne se tenait même pas la main, on ne prononçait aucune parole intime. Pourtant c'était suspendu autour de nous, ça se précisait de façon criante.

Finalement, ce furent les histoires entendues et non les histoires vues qui nous servirent de révélateur.

Fizz était une véritable ventouse à histoires. Elle possédait une écoute exceptionnelle et suscitait chez moi une facilité d'élocution que j'ignorais posséder. Quand je lus les carnets de Catherine, vingt ans plus tard, je compris que l'éloquence de Syed venait de son auditoire : Catherine savait merveilleusement l'écouter. Je le compris parce que Fizz m'avait inspiré de la même manière.

Elle voulait entendre tout ce que j'avais à dire. Sur tous les sujets : littérature, cinéma, politique, art, sports, vie, idées. Elle voulait entendre toutes les farces de potaches dans lesquelles j'avais été impliqué au cours de la semaine, les extravagances qui ponctuaient ma vie. Elle raffolait des choses excentriques, originales, singulières. Elle avait été marquée, je crois, par son père et son volontarisme, et par la dramaturgie des films qui avaient bercé sa jeunesse.

Elle était fascinée par l'absurdité et l'intensité des choses, comme la plupart des gens sont fascinés par l'argent et le pouvoir.

Je pouvais philosopher, psychanalyser, angoisser, dramatiser, poétiser, elle se baignait dans mes paroles avec ravissement, comme dans une pluie d'été qui transforme la chaleur oppressante en une douceur magique.

Je me présentais chez elle, ou plus exactement chez sa tante, chaque samedi soir. Avec Miler, au début, puis seul, après son départ chez son oncle, propriétaire de vergers en Californie. Je posais ma bicyclette Atlas contre le mur gris, feignant (pour sa tante) de poursuivre un rituel amical. Je m'asseyais dans le salon, les pieds sur le tapis aux dragons, devant le Grundig muet et le Allwyn trépidant, avec, sur ma droite, le grossier paysage de montagne, et je commençais à parler.

Fizz était en jean, les cheveux tirés en queue-de-cheval, son visage à la beauté classique attentif, son sourire illuminant le monde. Le seul fait de la regarder m'était difficile. Me trouver dans le même espace qu'elle me grisait.

Elle n'imaginait pas, je pense, à quel point elle me modelait par son écoute. Je devins celui qu'elle voulait que je sois.

Je devins celui que, je pense, elle voulait entendre.

Peu à peu, je me mis à vivre pour lui raconter des histoires.

Je remplissais chaque semaine de ma vie avec une anecdote que je pourrais lui relater : mes amis et moi enlevant nos vêtements trempés dans le cinéma Neelam après avoir dû marcher sous la pluie battante, et contraints ensuite de sortir à moitié nus de la salle parce qu'un tremblement de terre secouait la ville ; Miler et moi suscitant une phobie bovine parmi nos camarades, obligeant tout le monde à se cacher derrière un arbre ou un buisson chaque fois qu'une vache apparaissait ; nous alimentant de bananes et de lait pendant une semaine entière – avec pour résultat final une belle constipation – parce que nous avions dépensé tout notre argent en livres ; cinq d'entre nous descendant à pied de Kasauli par les bois – à nouveau par manque d'argent – pour arriver quatorze heures plus tard à Chandigarh, couverts d'écorchures et les vêtements en lambeaux.

Je racontais, racontais, de façon vivante, avec des enjolivements, en ménageant des surprises. Tels les contes de Shéhérazade, mes récits me gardaient en vie aux yeux de Fizz. De la même façon que le père de ma mère était resté vivant à mes yeux en me racontant le Mahabharata ; lorsque ses histoires se tarirent, il disparut et je ne repris conscience de son existence qu'à sa mort. Il n'était plus alors que l'enveloppe diaphane du narrateur autrefois magnétique de contes captivants.

Je soupçonnai pour la première fois que l'histoire était toujours plus importante que le conteur. Ce n'était pas le conteur qui insufflait de la vie dans le récit, mais le récit qui maintenait le narrateur en vie.

Pendant longtemps, mes histoires parlèrent d'escapades et de gaffes, aventures cocasses qui séduisaient Fizz et la faisaient rire. Puis, lorsque la présence de Miler s'effaça lentement, mes histoires abordèrent d'autres thèmes. Plus intimes, plus intenses. Des scénarios entrecoupant les trajectoires de nos vies.

Deux décennies plus tard, dans une chambre d'hôtel de la 7ᵉ Avenue à Manhattan, alors que je passais au crible les débris de ma vie en attendant l'avion pour rentrer chez moi, je savais que, plus que n'importe qui d'autre, ce sont les amants qui ont besoin du talent de conteur. Ils ont besoin de se raconter des histoires en permanence pour s'empêcher de disparaître.

L'amour passionné n'a rien à voir avec les qualités visibles de la personne aimée : classe, intelligence, beauté, personnalité. Il repose essentiellement sur les histoires qu'elle peut raconter. Lorsque les histoires sont émouvantes, complexes, profondes – à l'image des grands romans, elles n'ont jamais besoin d'être grossièrement fidèles –, ainsi en va l'amour.

Lorsque les histoires sont inconsistantes – leur grammaire relâchée, leur force vitale médiocre, leur intrigue minable –, alors l'amour l'est aussi.

Les histoires que s'échangent les amants parlent d'eux-mêmes, de leur passé, de leur avenir, de leur caractère unique, inévitable, de leur invincibilité. De leurs rêves, de leurs fantasmes, des coins et recoins de leurs peurs et de leurs perversions. Ceux qui sont capables de raconter leurs histoires avec force créent un amour fort. Ceux qui en sont incapables ne connaissent jamais le sentiment amoureux.

L'amour est l'histoire, le vin dans la bouteille. Le narrateur est simplement la bouteille ; il n'a d'importance que jusqu'au moment où le vin est goûté. Les belles bouteilles meurent sur l'étagère si le vin est mauvais, si les histoires pataugent.

Nous connaissons tous des gens beaux qui n'ont jamais connu l'amour.

Comme les grands romans, les histoires que se racontent les amants peuvent traiter de n'importe quel sujet et être dites sur n'importe quel ton. Elles peuvent avoir l'exubérance de Dickens ou le laconisme de Hemingway ; elles peuvent fourmiller comme Joyce ou déconcerter comme Kafka ; elles peuvent être farfelues comme Lewis Carroll ou tristes comme Thomas Hardy. Elles peuvent être sombres, comiques, philosophiques, cinglées.

Mais elles doivent être vraies.

De cette façon singulièrement mensongère qu'ont les grands romans d'être vrais.

De cette façon singulièrement fausse qu'a le grand amour d'être vrai.

Embrasser donne des microbes.
Je hais les microbes.
Embrasse-moi vite, chéri.
Embrasse-moi, je suis vaccinée.

Elle avait appris cette chansonnette à l'école de Jorhat. Un jour, dans ma chambre, elle l'utilisa pour m'aiguillonner. C'était comme lancer un missile dans un barrage. Les eaux de mon désir se déversèrent, submergèrent tout.

C'était étrange car, pendant près d'un an, je m'étais satisfait de lui tenir simplement la main. Dans les mois qui suivirent le départ de Miler de Chandigarh, notre arène s'étendit peu à peu au-delà des cinémas et de ce lugubre salon. N'ayant plus ma bicyclette Atlas, volée devant un restaurant dans le Secteur 10, je m'étais mis à la marche à pied, et Fizz à mon pas. Elle venait à nos rendez-vous sur sa petite bicyclette bleue et la déposait dans un parking.

Nous marchions pendant des heures chaque jour, de secteur en secteur, de ma chambre dans le Secteur 9 à l'université dans le Secteur 14, aux librairies dans le Secteur 17, aux cinémas dans toute la ville, à sa maison dans le Secteur 35. Chandigarh était une ville idéale pour marcher, avec ses avenues larges, bordées de jolis arbres : arjuniers, cassiers, flamboyants, margousiers, kapokiers. Chaque soir, lorsqu'il était l'heure pour Fizz de rentrer, je cherchais à grappiller jusqu'à la dernière minute et la raccompagnais en poussant sa bicyclette jusqu'à sa porte.

Il n'est pas de meilleur protocole que la marche pour faire sa cour. En marchant, on apprend à aller au même pas. C'est l'occasion d'exprimer sa sollicitude : en prévenant d'un danger, en appelant à la prudence, en effleurant un coude. En marchant, on sent le sang qui court dans les veines, on a un sentiment de mouvement et d'objectif commun, l'impression d'être deux au milieu d'un tourbillon. Et, surtout, on peut parler tout son soûl, à l'air libre, sans avoir à affronter le regard attentif ou scrutateur de l'autre.

Ceux qui espèrent trouver l'amour devraient apprendre à marcher.

Tandis que nous marchions, Fizz m'encourageait à parler : bien et sans pause. Ce que Miler avait déclenché, elle le porta à son épanouissement. Sans le dire, elle décréta qui j'étais et qui j'allais devenir. Je lisais plus que jamais parce qu'elle voulait m'en entendre parler. Je parlais d'écrire plus que jamais parce qu'elle voulait me l'entendre dire. Chaque instant loin d'elle, je le passais dans ma chambre, captif entre des pages, me préparant pour elle, me préparant pour mon avenir.

Après le départ de Miler, je m'étais retiré de toutes nos autres amitiés, cessant en même temps de fréquenter l'université, et j'avais loué une petite chambre dans l'annexe d'un grand bungalow décrépi du Secteur 9, sans donner l'adresse à quiconque. La chambre était située au-dessus d'un garage ; des feuilles de manguier vert sale se pressaient contre la fenêtre. Il n'y avait pas de mobilier hormis un vieux fauteuil en rotin sur l'étroit balcon. Une natte de jonc couvrait le sol, et mon matelas était posé dessus, encalminé dans un océan de livres. Des piles et des piles irrégulières de livres, qui donnaient à la pièce l'air d'un quartier d'immeubles de différentes hauteurs dessinés par des architectes incapables de tracer un niveau. Chaque roupie envoyée par mon père servait à acheter des livres. Fizz en faisait autant et me les apportait dans des sacs en papier. Elle les achetait et les gardait quelques jours dans son armoire, au milieu de ses vêtements et de ses parfums ; le papier imprégné de son odeur me rendait fou.

Mes relations avec mon père s'étaient totalement dégradées. Il m'écrivait des harangues interminables sur mon plan de carrière, les écoles de management, les facultés de droit, les écoles préparatoires à l'administration. Je le trouvais plus stupide encore qu'avant. J'avais cessé de lui écrire et m'attendais à ce qu'il me coupe les vivres. Pourtant, les deux cent cinquante roupies arrivaient chaque mois, et je continuais de les claquer en livres.

Une fois par semaine, j'allais au marché et téléphonais à ma mère quand je la savais seule pour lui donner de mes nouvelles, mais à la moindre tentative de sa part pour amorcer un rapprochement, je coupais la communication. Parfois, après avoir discuté avec elle, je m'asseyais sur le rebord de la véranda du marché, à l'extérieur de l'épicerie de Guptaji, terrassé par une folle tristesse. Ensuite j'éprouvais le besoin désespéré d'être avec Fizz. Si ce n'était pas possible, je me mettais à marcher. Je marchais, marchais, marchais, les mains dans les poches, sans rien voir, jusqu'à ce que le chagrin se soit écoulé de moi.

Je ne remis pas les pieds chez mes parents pendant plus d'un an, même pendant l'été suffocant de Chandigarh. Je préférai rester allongé nu, dans la torpeur estivale, recouvert d'une épaisse pellicule de sueur sous le ventilateur paresseux, lisant lentement, dans l'attente du retour de Fizz de la lointaine Jorhat, dans l'attente du facteur apportant sa lettre quotidienne. Une lettre de plusieurs pages, pliées proprement, avec des feuilles de bambou pressées au milieu et son parfum, Madame Rochas, flottant à l'intérieur. Je les lisais plusieurs fois, dénichais le sens caché de chaque syllabe. Parfois je demeurais étendu sur le lit, la lettre sur le visage, m'enivrant de ses senteurs.

Si l'on considère ce qui se passa ensuite, on peut trouver étrange que je me sois contenté pendant si longtemps de lui tenir la main et de parler. Pourtant c'était ainsi. Il y avait quelque chose d'irréel, de virginal dans notre relation. J'étais simplement heureux de me trouver dans l'espace de Fizz, parce que ma maussaderie s'y transformait en paroles; c'était gratifiant. Quand j'étais loin d'elle, je ne vivais que pour l'instant où je serais avec elle. Et lorsque cet instant arrivait, je me prélassais dans le bien-être.

Vingt ans après, avec un peu d'effort, je peux encore ressentir ce bien-être.

Comme je n'allais pas au-delà de sa main, avec le naturel qui la caractérisait, Fizz décida d'agir. Nous étions assis sur le matelas, cernés par les gratte-ciel de livres, et je lui lisais quelques poèmes des *Préludes* de Conrad Aiken, lorsqu'elle m'interrompit et récita la chansonnette. *Embrasser…* Ma bouche était sur la sienne avant qu'elle eût terminé, et s'y attarda pendant des heures, jusqu'à ce que la nuit tombe et que l'heure vienne pour elle de rentrer.

À partir de ce jour, le 9 janvier 1981, le désir engloutit tout le reste.

Les promenades à pied, les conversations, la littérature.

Dès les premières heures de l'aube, je l'attendais, assis devant la porte du balcon, guettant la rue à l'asphalte éclaté, essayant vainement de lire. Sur le lecteur de cassettes Philips, passait *Mr. and Mrs. 55* ou *Barsaat* ou *Aar Paar*. J'ouvrais la porte dès qu'elle montait l'escalier de ciment en colimaçon. Ma bouche recouvrait la sienne avant même qu'elle soit entrée dans la pièce. Elle avait toujours l'air de sortir de son bain, elle sentait bon, pourtant elle venait de traverser la moitié de la ville à vélo.

Je découvris combien est rose vif la pointe des seins d'une jeune femme.

Et comment son visage prend la même teinte quand on lui suce les tétons.

Je découvris combien est infini le corps d'une femme.

Et combien on en découvre davantage à mesure qu'on le prospecte.

Je découvris comment, dans l'amour, il est aisé de poser sa bouche partout.

Je découvris que l'on n'aime jamais davantage une femme que lorsqu'on est en elle.

Je découvris en moi un désir que je n'avais pas imaginé. Je n'avais jamais assez d'elle. À peine arrivée, je commençais à l'aimer, et, le soir tombé, quand je la raccompagnais, mes mains caressantes ne quittaient pas ses bras et je l'obligeais à s'attarder devant le por-

tail jusqu'à la dernière limite, au risque d'éveiller les
soupçons.

En son absence, j'étais si assailli et tourmenté par
ses parfums et ses saveurs, que j'arrivais péniblement à
lire une page en une heure. Nous n'étions plus capables
d'aller au cinéma, au restaurant, ni de nous promener
dans les marchés, car ma soif d'elle était si forte que je
ne pouvais l'étancher en public.

Il est exact que, la première fois, une seule caresse
eut raison de moi. Et à peine plus la deuxième fois.
Mais ensuite, à mesure que passaient les semaines,
nous nous installions dans l'amour pendant des heures,
jusqu'à ce que la chambre soit tout imprégnée d'elle
et que ses gémissements silencieux l'aient remplie jusqu'à l'explosion. Je ne souhaitais voir personne, je ne
voulais aller nulle part, j'aspirais seulement à être avec
elle dans cette chambre minuscule, échoué au milieu de
livres, englouti dans son corps.

Quel monde je découvrais ! Quel monde de vie,
d'énergie et de plaisir sensuel !

Jamais je n'avais vécu avec une telle intensité. Une
femme peut être un univers à elle seule.

Les photographies ne rendent pas justice à la plénitude de Fizz. Elle était faite pour l'amour. Son corps
donnait autant qu'il recevait. Tout en elle éveillait
mes sens : chaque creux, chaque courbe, ses moiteurs
et son musc. Et ce voyage riche en découvertes allait
durer des années. Chaque segment de son corps m'en-
chantait, même ses jambes à la Renoir qu'elle détestait.
Souvent je rationnais mes plaisirs pour redonner un peu
de raison à mes égarements sensuels.

Et son visage, son visage. Son visage était une merveille, un lumineux portrait peint par un maître de la
Renaissance, qui, par son absence de duplicité, reflétait
toutes ses émotions. J'y lus son amour et ma folie décu-

pla. Père John avait raison : l'essentiel est le visage, car c'est son visage que l'homme voit lorsqu'il périt dans une femme.

Je vivais dans une frénésie. Parfois, quand nous venions de faire l'amour et que je respirais son odeur sur mon visage, l'excitation revenait. Et cela pouvait se répéter ainsi, heure après heure. J'en vins à garder des accessoires de ses vêtements chez moi, pour les nuits où je m'éveillais en sursaut, tendu et brûlant de désir.

Mon vocabulaire se réduisit à une vitesse alarmante. Fizz cessa de m'écouter merveilleusement. Je commençai à parler pauvrement. Je devins un pesant ramassis de clichés. Babillage et clichés. Mais aucun autre langage ne pouvait exprimer ce que je ressentais. J'avais été distillé et il ne restait que l'essentiel, pur, simple, élémentaire.

Je n'étais plus qu'une bête en manque, et même lorsque je lui parlais de livres, d'idées, de rêves, de fantasmes, c'était uniquement dans le but de lui arracher un nouvel élan de passion.

Avec les années, elle écouterait moins, et moins bien, et moi je parlerais plus, et plus mal, mais le désir ne cesserait de grandir. Et nous resterions attachés l'un à l'autre, bénis par le miracle du désir.

Je l'épousai en juillet 1982.

J'avais vingt-deux ans, Fizz presque vingt.

Je ne supportais plus notre séparation à la fin de chaque journée. Mon besoin d'elle était trop fort et ne cessait de croître. Ma mère bouda. Mon père dit qu'il n'avait jamais rien attendu de moi. Bibi Lahori me décocha un coup de pied dans les couilles.

Une musulmane ! Jamais tant que je vivrai !

Les parents de Fizz n'étaient guère plus ravis.

Leur désarroi venait moins de la religion que de mes piètres aptitudes de jeune marié. J'avais un banal diplôme en économie et en histoire, et un modeste profil de carrière. J'avais commencé à travailler comme secrétaire de rédaction stagiaire dans un journal de Delhi, et, six mois après, comme reporter stagiaire dans un quotidien régional de Chandigarh pour six cents roupies par mois, plus quatre roupies par service de nuit. Aux yeux de tous, je n'avais aucun avenir. Le jeune romancier n'était pas une catégorie figurant dans le paysage matrimonial indien. Fizz, pour sa part, était lumineusement belle et intelligente. Tout lui était donc permis.

Je m'en fichais. Je ne recherchais l'approbation de personne.

Ces six mois à Delhi avaient été les plus malheureux de ma vie. Chaque samedi, je sautais dans le car de nuit de Chandigarh, passais la journée avec Fizz, et rentrais le soir. Parfois, j'avais un tel besoin de la voir que je voyageais toute la nuit, arrivais à l'aube, passais deux heures avec elle, et reprenais le car pour mon service de l'après-midi. Je vivais dans une brume, dans l'attente de la prochaine lettre, du prochain coup de téléphone, du prochain trajet en car. L'odeur fétide des autocars de nuit envahit mes narines et me poursuivit pendant des années. À Delhi, je ne me fis qu'un seul ami : Philip. Mais je ne pouvais rien lui confier. Mes sentiments étaient trop noués à l'intérieur de moi pour que j'essaie de les exprimer.

Je compris, bien avant la fin des six mois, que j'allais totalement dépérir si je ne vivais pas bientôt avec elle.

Et je pris les devants sitôt que j'eus décroché cet emploi à Chandigarh. J'annonçai une date, au hasard, et résolus de m'y tenir. Avec le recul, en regardant vingt ans en arrière par le télescope du temps, c'était un acte remarquable.

Son père freina des quatre fers. Fiza, qui n'avait jamais contrarié ses parents, le regarda droit dans les yeux et resta inflexible. Sa mère dut s'interposer. Elle remémora à son mari leur propre histoire. Rizwan consentit à regret. Les rébellions de notre jeunesse ne nous arment pas contre nos angoisses de parents.

Pour apaiser les clameurs, je condescendis à me plier à une procédure de pure forme.

Il n'y eut pas de mariage civil, car je refusais la paperasserie. Pas non plus de mariage hindou ni musulman. On opta pour le Anand Karaj, la cérémonie sikh, qui pouvait s'expédier en une matinée, vite et simplement, tout en offrant la gravité qui sied à un tel rite de passage.

Les parents de Fizz et les miens y assistèrent, ainsi que quelques amis excentriques et collègues du journal. Ce fut assez lugubre et tout le monde parut mécontent de la cérémonie. Ensuite il y eut un déjeuner, avec des naans caoutchouteux et du poulet masala. Mon père portait son costume trois-pièces noir et sa cravate bordeaux dans la chaleur étouffante, et dévisageait tout le monde d'un regard sceptique. Le robuste Rizwan, en chemise à fleurs, avait l'air d'un homme qui s'est fait agresser en plein jour. Les deux mères se chargeaient tant bien que mal des mondanités, mais c'était une dure épreuve ; la transpiration faisait dégouliner leur épais fard à joues dans leur rouge à lèvres luisant.

Les serveurs, en veste blanche à liséré bordeaux et revers dorés, avaient de larges auréoles sous les aisselles. Une forte odeur de sueur flottait dans la salle. De grands ventilateurs sur pied brassaient l'air et le brouhaha. Tout était miteux et déprimant.

Je me sentais mal à l'aise dans mon pyjama kurta crème, et ma colère montait. Pourquoi avais-je accepté même cette mascarade minimale ?

De l'autre côté de la salle, Fiza vit ma colère.

Elle se dirigea lentement vers moi, incroyablement belle dans son ensemble salwar kamiz bordeaux, se planta devant moi, sourit pour illuminer le monde, et me dit : « J'ai une envie folle de faire l'amour dans la légalité. »

Ce soir-là, dans notre chambre d'hôtel, dont le lit à baldaquin était orné de guirlandes de soucis et de tubéreuses, nous fûmes plus heureux que jamais.

Nous n'avions besoin de rien. De personne.

La pensée qu'elle n'aurait plus jamais à partir m'emplissait d'un sentiment inégalable de sécurité et de contentement.

Étendue sur le dos, le visage brillant, ses cheveux répandus en boucles sombres autour d'elle, Fizz sourit et me dit : « Désolée de t'avoir fait subir tout ça.

– Pour toi, mon amour, je recommencerais. Pour toi, je ferais n'importe quoi. Tout ce que tu voudras.

– Tu danserais dans les rues ?

– Tout ce que tu voudras.

– Tu écosserais un millier de petits pois ?

– Tout ce que tu voudras.

– Tu m'emmènerais en Grèce ?

– Tout ce que tu voudras.

– Tu écrirais un chef-d'œuvre ?

– Tout ce que tu voudras.

– Tu veux bien m'embrasser ?

– Tout ce que tu voudras. Et plus encore. »

Et plus encore.

Je ferais tout ce que tu voudras. Pour toi, n'importe quoi. Pour toi, mon amour.

Pour toi.

Au Commencement

Pendant le vol de retour, je rêvai que j'étais devenu léger comme une plume.

C'était la seconde étape, entre Heathrow et Delhi. L'avion, aussi grand qu'un immeuble, était à moitié vide. J'avais annexé cinq sièges au dernier rang pour m'allonger, pressant durement sur ma joue gauche douloureuse : j'étais à mi-parcours d'un cycle d'élancements de douze heures. À mon troisième Jack Daniel's, le charmant sourire de l'hôtesse vieillissante s'était mué en un rictus féroce. N'étant pas d'attaque pour une querelle raciale, je préférai sombrer dans l'oubli.

Nous étions tous sur le terrain de foot de l'université. Sobers, Miler, Shit, d'anciens camarades d'école, mes cousins. J'avais un mal fou à rester près de la balle. Chaque fois que je faisais un pas, je m'élevais de deux mètres et passais par-dessus tout le monde. J'allais plus vite et plus loin que les autres joueurs, mais j'étais incapable de toucher le ballon. Mes coéquipiers me criaient de rester au sol, de coller au jeu.

Malgré tous mes efforts, je n'arrivais pas à demeurer sur la pelouse. En fait, je devenais de plus en plus aérien, et cette flottabilité était merveilleuse. De deux mètres, je passai à quatre. Les autres me regardaient bouche bée. À présent j'apercevais la cime des margousiers et des flamboyants, le gymnase et le hangar à vélos, les foyers d'étudiants et l'auditorium, les courts de tennis et Leisure Valley.

Je redescendais lentement, touchais le sol, et remontais souplement, de plus en plus haut.

Bientôt, toutefois, mon sentiment de liberté et de jubilation céda la place à la panique. Je montais trop haut. Je ne contrôlais plus mes mouvements et risquais de dériver. Le match s'était arrêté et tous mes camarades regroupés au centre du terrain criaient, la tête levée. D'autres sportifs les avaient rejoints : les basketteurs, les sauteurs, les catcheurs, les boxeurs, les athlètes, les hockeyeurs, et aussi les joueurs de cricket dans leurs pantalons de flanelle blancs. Tous levaient les yeux vers le ciel, gesticulaient et criaient.

De mon côté, je battais désespérément des bras et des jambes pour redescendre, du moins pour stopper mon ascension. Je hurlais à tous ceux qui étaient en bas de m'aider, de me tirer vers le bas, mais rien n'y faisait. La panique me rendait hystérique, j'étais submergé par la terreur. Bientôt je fus trop haut pour reconnaître les visages. Les voix s'estompèrent. Le groupe massé sur le terrain devint un point minuscule. Tout devint un point minuscule.

Puis la panique me quitta.

Je poursuivais mon ascension jusqu'à ce qu'il n'y ait plus rien au-dessous de moi, ni au-dessus.

Mon premier geste en arrivant à notre barsati de Green Park, au milieu de la nuit, fut de carillonner à la porte du propriétaire pour lui demander s'il avait des nouvelles de Fizz. Aucune.

Je montai sur la terrasse. Maître Ullukapillu hulula.

Jaan bachi so lakhon paye ; laut ke budhu ghar ko aaye.

Dieu soit loué, l'imbécile est de retour, sain et sauf.

Le lendemain matin, j'allai à la banque. Aucune transaction.

Je téléphonai à toutes ses amies sans exception. Jaya, Mini, Chaya. Elles se montrèrent surprises, polies, et d'aucune aide. Elles affirmèrent ne pas savoir où était Fizz, n'avoir aucune nouvelle depuis un temps fou. Je les crus. Fizz n'était pas du genre à se cacher, mais pas non plus à étaler ses blessures.

J'appelai chez ses parents à Jorhat. Sa mère répondit d'emblée que Fizz ne venait pas pour les vacances, puis elle reconnut ma voix et se mit à sangloter. Je patientai. Elle pleurait et reniflait sans pouvoir se contrôler. Le père prit le téléphone. Froid et mélodramatique. Il avait su que c'était une erreur dès l'instant où il m'avait vu.

Le monde est dur. Traiter tous les hommes comme des cigales.

« C'est urgent, insistai-je. J'ai vraiment besoin de la joindre.

— Une fois que la balle a quitté le barillet, elle ne revient jamais, répondit-il en hindi, prenant la voix d'un personnage des films qu'il projetait dans son cinéma.

— Je vous en prie, monsieur, aidez-moi.

— Rien ne peut vous aider, mon garçon. Pas même Dieu. »

Et il raccrocha.

J'eus envie d'ajouter : Et un coup de pied de Baba GoleBole sur la tête ? Ça m'aiderait ? Et un millier de coups de pied de Baba GoleBole sur la tête, ô sir Rizwan, père de la beauté des beautés ?

Je rappelai aussitôt.

Il répondit : « Mauvais numéro. Depuis toujours, c'est un mauvais numéro. Je l'ai su en vous voyant, que vous étiez le mauvais numéro. »

Cette fois, c'est moi qui raccrochai.

Noël était dans deux jours et il faisait nuit à six heures du soir. Je tirai la causeuse sur la terrasse, pris mon verre de whisky, m'enveloppai dans le grand châle que Fizz avait autrefois acheté au marché aux puces de Kasauli, et m'installai dehors. Pendant mon absence, le propriétaire avait élagué le flamboyant pour mieux profiter du soleil d'hiver. Sans la profusion des branches, je me sentis un peu dénudé.

Le bruit de la circulation était envahissant. Même notre rue, enclave de paix lorsque nous avions emménagé à Delhi douze ans auparavant, grouillait de voitures et de monde. On entendait surtout des voix d'hommes qui se préparaient aux réjouissances. Car c'était une période festive à Delhi. Une période où l'on faisait la fête, où l'on buvait, où l'on circulait. Les journaux regorgeaient de publicités annonçant les célébrations du jour de l'an. Dans toute la ville, les magasins, les voitures et les maisons retentissaient de musique.

Je me souvins de l'époque où, au cours des deux dernières semaines de décembre, Fizz et moi sortions avec des amis et rentrions pressés de faire l'amour. Ensuite, nous paressions au lit et revivions chaque année, énumérant les triomphes et les désastres. 1981, 1982, 1983, 1984, 1985, 1986, 1987, 1988, 1989, 1990, 1991, 1992, 1993, 1994…

Fizz disait : « Cette année sera parfaite. Un bébé, un livre, des vacances. »

À quoi je répondais : « D'abord le livre. Ensuite le bébé. Et enfin les vacances.

– Tu répètes ça tous les ans. Et rien n'arrive. Suppose que j'écrive le livre !

– Parfait. Dans ce cas je ferai le bébé.

– Bon, disait-elle. Mais, rassure-toi, je ne le dirai à personne. Je t'en laisserai tout le crédit.

– D'accord. C'est tout ce qui compte. »

Depuis l'élagage du flamboyant, il était possible de scruter les ombres du Parc aux daims où, déjà, des doigts de brume caressaient les arbres. J'attendais impatiemment les paroles de sagesse de Maître Ullukapillu, mais il était encore trop tôt pour les hululements. J'avais passé la matinée à déchirer et à jeter les centaines de feuilles d'imprimante du cybercafé. J'avais également demandé à la femme de ménage de venir nettoyer l'appartement. La quête était terminée, néanmoins, ce n'était pas cette impression qui dominait.

Soudain, une pensée m'assaillit. Je rentrai et téléphonai à l'épicerie du thakur. Puis je raccrochai, attendis dix minutes, et rappelai. Rakshas était tout essoufflé. « Vous l'avez trouvée ? Comment est-elle ? Elle se souvient de quelque chose ? Qu'a-t-elle dit ? Vous lui avez parlé de nous ? » Je l'interrompis. Du calme, Rakshas. Je te raconterai tout dès mon retour. Dis-moi d'abord s'il y a eu un…

Non, il n'y avait rien eu. Pendant un instant, j'avais imaginé qu'il se produirait un habile retournement de situation comme on en voit dans les films. Je dus rester assis là plusieurs heures, l'esprit absent, car Maître Ullukapillu se fit entendre.

Pauvre idiot, elle ne rentre pas chez elle pour les vacances.

Dans un éclair, je compris subitement où était Fizz.

Je fonçai à l'intérieur, enfilai mon épaisse parka de l'armée, fourrai ma brosse à dents dans la poche intérieure, éteignis les lumières, et me retrouvai dehors en moins de quinze minutes. Lorsque je garai la Gypsy sur le parking de la gare routière, il était un peu plus de dix heures. Le terminus avait été embelli depuis ma dernière visite, mais l'emplacement du bus pour Chandigarh était au même endroit que dix-huit ans plus tôt. Un bus Haryana Roadways était sur le départ. Je trouvai une place à l'avant-dernier rang, relevai mes genoux contre l'arrière du dossier en contreplaqué et métal noir devant moi, et m'affaissai en position de voyage.

En quelques minutes, mes jambes furent tout engourdies et l'odeur rance du bus m'imprégna les narines. Toutes les fenêtres grinçaient, beaucoup ne fermaient pas, et le vent froid s'engouffrait, obligeant les passagers à s'encapuchonner. La plupart avaient des couvertures et des châles ; j'avais ma parka. Nous ressemblions à une bande de saboteurs en mission. Quinze ans auparavant, à la grande époque du terrorisme sikh, le bus aurait empesté l'odeur de la peur. À présent, les gens ronflaient, affalés comme des poupées de chiffon.

Après minuit, le conducteur s'arrêta devant une dhaba, près de Murthal, pour dîner. Lorsque je pissai dans les pâles eucalyptus dressés dans leur flaque, mangeai mon dâl-roti sur une assiette en métal, activai le bras de la pompe pour asperger d'eau fraîche mon visage crasseux, fis quelques pas le long de la route hors des halos de lumière de la dhaba, je redevins le jeune homme de vingt ans ayant au cœur un chagrin si profond qu'il n'avait pas de fond.

À Chandigarh, je me brossai les dents sans dentifrice, avalai un petit pain au beurre avec plusieurs tasses de thé fumant, et marchai de long en large pour me dérouiller les jambes en attendant que le car Himachal Roadways effectuant la correspondance soit prêt. À neuf heures, après un dernier râle d'effort, le vieux bus grimpa la dernière côte et se gara derrière le centre commercial. Il faisait froid, âprement froid. Le soleil n'avait pas encore dégourdi la fraîcheur matinale. La place et le parking habituellement animés étaient quasiment déserts. Juste derrière, le bazar pavé semblait se réveiller lentement. La seule fois où j'étais venu en hiver à Kasauli avec Fizz, nous n'avions pas quitté notre lit avant midi pendant quatre jours.

Il me fallut moins de dix minutes, en quittant les Upper et Lower Malls, pour atteindre l'école. Au moment où je m'engageai dans l'allée ornée de drapeaux menant au couvent, mon moral chuta brutalement. La cour de récréation était silencieuse, pas un bruit de pas ne résonnait dans les corridors bordés de piliers, pas un murmure d'enfant ne filtrait des salles de classe en pierre. Les écoles sans élèves n'ont pas de professeurs.

La bonne sœur affable en habit marron et châle noir m'expliqua que Fiza était partie en même temps que tout le monde pour les vacances, la première semaine de décembre. Mais, oui, elle reviendrait avec les autres la dernière semaine de janvier. Et j'étais son… ?

J'étais son abominable ange vengeur…

Chinchpokli, le grand écrivain bouffon. Le chasseur de rêves. Le fornicateur de fantômes. Le nouveau pisteur du sentier entre raison et déraison. L'homme du pays du Commencement.

Sœur Graca, au teint si clair et au regard si bon, transmettez-lui mes espoirs, et puisse votre Seigneur abandonné sur la croix veiller sur elle.

En fin d'après-midi, j'étais de retour à Chandigarh. Ma molaire pourrie, béante comme un cratère, déclenchait une douleur telle que je pouvais à peine ouvrir les yeux. J'allai droit chez le dentiste qui se trouvait en face du terminus ; il imbiba le cratère d'un produit anesthésique et y posa une sorte de bouchon. Je dus rester assis une demi-heure dans la salle d'attente pour attendre que la douleur s'estompe. Après quoi j'avalai un comprimé de Combiflam et pris un rickshaw pour me rendre à la vieille maison grise du Secteur 35. La ville où nous avions aimé vivre vingt ans auparavant semblait avoir rétréci. Les distances que nous avions parcourues inlassablement paraissaient plus courtes ; la circulation grouillante avait repoussé la ligne des arbres ; les voitures et les motos avaient remplacé les cycles.

J'avais des souvenirs de silence et de conversations dans les rues. À présent, la clameur des moteurs et des klaxons ne désarmait pas. On pouvait marcher tant qu'on voulait, jamais plus on ne trouverait l'amour ici.

Les raccourcis menant à la maison grise, qui passaient autrefois par des terrains non bâtis que Miler et moi traversions chaque semaine, n'existaient plus. Le secteur était entièrement construit, d'un coin de rue à un autre. Mais la maison n'avait pas changé. Même grille en fer noir à lames, même muret bas et gris, même rince-bouteilles inclinant la tête en signe de punition sur le carré de pelouse. Le jardin de la taille d'un mouchoir, où parfois nous nous asseyions, était en bonne santé, tondu de frais, le massif d'hibiscus bien taillé. Je n'avais pas de bicyclette à poser contre le mur et mon instinct me souffla de demander au rickshaw d'attendre.

Une jeune femme ouvrit la porte de bois, mais laissa fermée la porte grillagée. Nous n'étions pas en 1979 mais en 1999, et la peur dominait toutes les autres émotions. L'Inde avait débouché la bouteille contenant tous ses fantômes – jadis si habilement maintenus enfermés par le grand fakir –, et ils couraient partout en nous flanquant une frousse bleue. La démence au pouvoir : tel était notre destin. Et nous nous y précipitions, protégés par une simple porte grillagée.

Il me fallut plusieurs minutes pour expliquer à la jeune femme qui j'étais. La tante était morte. Elle était l'épouse de son petit-fils et avait entendu parler de moi.

Visiblement, elle aurait souhaité voir une carte d'identité, mais je suppose que cela ne se demande pas, même à des parents bizarres qui poursuivent les défunts au milieu de la nuit dans les montagnes.

Dans la maison, le magnétophone Grundig avait disparu, un grand réfrigérateur rouge avait dévoré le petit blanc, des sofas opulents et des tables de verre avaient remplacé l'ancien mobilier, et au paysage de montagne avait succédé, sur le mur, un agrandissement d'un bébé baveur.

La jeune femme, l'air hésitant, debout près de la table de la salle à manger, me proposa du thé. Mais j'avais envie d'aller dans la salle de bains. Celle qui avait deux portes. Ce n'était plus le refuge blanc que nous avions si souvent recherché. Le carrelage, le lavabo, la cuvette, tout était nouveau, dans un camaïeu de vert. Le miroir était six fois plus grand que l'ancien.

Je m'y regardai, mais n'y vis pas le jeune homme que j'avais été.

J'avais vieilli.

Des taches grises parsemaient ma barbe, des mèches argentées sillonnaient ma queue-de-cheval. Dans mon ample parka de l'armée, j'avais l'air d'un soldat épuisé revenant de la guerre. Je plongeai dans mes yeux et me mis à pleurer.

Cela ne m'était pas arrivé depuis l'enfance. Je pleurai, pleurai, pleurai, jusqu'à ce qu'il ne reste plus rien au fond de moi.

Ni amour, ni nostalgie, ni souvenirs, ni désir.

Delhi, Hapur, Garhmukteshwar, Gajraula, Moradabad, Rampur, Bilaspur, Rudrapur, Haldwani, Kathgodam, Jeolikote, Gethia. Le mantra magique de notre vie. Je conduisais lentement, dans une sorte d'hébétude, et fus heureux d'atteindre les hauteurs. Malgré la densité de la circulation sur la route de Nainital en raison des vacances, je sentis une paix m'envahir dès que la Gypsy commença à grimper. À la fourche de la route Nº 1, j'eus la soudaine conviction que Fizz m'attendait là-haut. Un bonheur fou m'inonda. Je fonçai sur le vieux pont de Beerbhatti, devant les pis en fer de la vache de ciment à l'entrée de l'ashram, devant la rangée de vieux chênes argentés au pied du sanatorium, et pris le virage. J'étais chez moi.

« Elle est là ? lançai-je à Prakash qui refermait le portail derrière moi.

– Qui ? »

Derrière lui se profila Rakshas, le gardien des noirs secrets.

Je n'étais resté absent que quelques mois, pourtant il me semblait revenir après une très longue absence. Les arbustes de Fizz avaient grandi, le délabrement de la maison s'était propagé, les tas de sable et de gravier avaient totalement disparu. Je donnai à Rakshas la veste en daim bleue que je lui avais achetée en disant que c'était un cadeau de sa demi-sœur.

« Est-ce qu'elle est aussi belle que ses parents ?

– Oui, elle l'est. »

Ce soir-là, je restai sur la terrasse à boire du whisky et à observer la route jusque bien après minuit. La nuit était claire et l'on distinguait très nettement les lumières dans toute la vallée. Il y avait plus d'étoiles dans le ciel que jamais.

Tu peux les compter, monsieur ?

Oui, il y en a trois millions deux cent soixante-dix mille sept cent trente-deux.

Bravo ! Elle est à toi. Livrée à domicile. Sitôt vue, sitôt choisie.

Je me prêtai à un petit jeu de devinettes sur toutes les voitures montant de Jeolikote. Était-elle dans celle-ci ? Ou dans celle-là ? Le moteur passait en grondant sur la route, en bas, s'estompant en contournant l'éperon, réapparaissait quelques minutes après derrière moi, puis diminuait et mourait au loin. Ma dent se manifestait de nouveau et j'étais bien décidé à tuer la douleur avec le whisky.

L'engoulevent commença son soliloque en morse à la nuit. À mesure que les heures et le whisky s'écoulaient, sa voix augmentait de volume, devenait le battement de tambour de l'univers.

Toc toc toc.

Son martèlement finit par me fracasser le crâne, et l'envie me prit de sauter dans l'anfractuosité de la terrasse, de plonger dans le massif de lantana, et de lui tordre le cou.

Prakash me réveilla tard dans la matinée, avec des œufs et du thé. J'étais un peu groggy par le whisky et ne me souvenais pas de l'heure de mon arrivée. Je serrai mes cheveux dans un élastique et sortis. Le soleil était aveuglant. Je dus battre en retraite dans l'ombre de la porte, pris de nausée. Le ciel était haut et pâle.

Ma molaire battait toujours.

Après un bain chaud, je descendis m'asseoir sur le banc de pierre rouge sous Trishul. Il faisait froid sous sa voûte. Bagheera se prélassait au soleil, juste à la lisière de l'ombre. Je m'aperçus que l'illustre sentinelle de Shiva – l'arbuste offert par Carpetsahib – prenait de l'âge. Plusieurs branches, face au vent, étaient tombées ; d'autres paraissaient fragilisées, et sa peau avait la pâleur squameuse de la décrépitude. Vue d'en bas, la maison paraissait vieille elle aussi ; ses fenêtres sans vitres évoquaient les yeux aveugles d'un infirme, son toit rouge délavé le bonnet d'une vieille femme ratatinée.

Michaelpique arriva par le portail du bas, portant une petite boîte en plastique rose. C'était un homme séduisant, avec des cheveux et une moustache bien coupés, le pas vigoureux d'un officier, le sourire chaleureux d'un paysan. Ses patients lui étaient reconnaissants. La graine issue de BannoMary et de RamAasrePeter avait bien fleuri. Michael m'apportait un gâteau de Noël au rhum.

« Comment allez-vous, monsieur ? Si je peux me permettre, vous n'avez pas l'air en forme.

– Je vais bien, Michael, assurai-je. Pas assez de sommeil, c'est tout. Comment va Stephen ?

– Il récupère de Noël, monsieur. Vous connaissez mon père. Il récupère de Noël en permanence. »

Il s'empara de mon poignet pour me prendre le pouls. Puis il plaça le dos de sa main contre ma gorge.

« J'ai mal à une dent, Michael.

– Vous n'êtes pas bien, monsieur. Vous avez besoin d'une injection.

– Avez-vous quelque chose contre le profond chagrin ?

– Excusez-moi, monsieur.

– Faites-moi votre piqûre, Michael. Mais, ensuite, vous devrez me montrer la tombe de la dame. »

Je n'avais pas réussi à la trouver au milieu des pins et des chênes de l'éperon car la tombe était dissimulée dans un abri de tôle délabré derrière la maison de Taphen, à côté de la fosse à bouteilles de gnôle qu'il continuait de remplir assidûment. Lorsque Michaelpique poussa la porte pourrie, une débandade affolée se produisit à l'intérieur. La seule lumière provenait des déchirures de la tôle. Il n'y avait pas de fenêtre. On souleva la porte branlante pour l'ouvrir en grand et laisser pénétrer un grand carré de soleil, puis on déplaça un tas de bûches sur le côté. Il ne subsistait qu'une simple dalle de marbre. Le fils expliqua que le père avait enlevé le reste des ornements funéraires pour les vendre. Je sortis remplir d'eau une vieille boîte de conserve et laver la dalle. Je répétai l'opération jusqu'à ce qu'il ne reste plus trace de terre ni de poussière.

En épais caractères gothiques noirs, agrémentés de fioritures, était gravée cette épitaphe :

Qui peut saisir le feu ?
Qui peut connaître l'alchimie du désir ?

Et, dessous :

Catherine de Gethia, épouse de Syed, fille de John.
Morte en 1942.

Sa fleur a la forme d'une cloche, une belle cloche violette ou blanche. Comme toutes les plantes splendides, il ressemble aux hommes : doté d'humeurs diverses, capable du meilleur comme du pire.

On utilise ses feuilles et ses graines.

On peut le fumer dans un chilom, le mélanger à la nourriture, l'infuser dans le thé.

Lorsqu'il sourit aux hommes, il soigne les ulcères de la peau, les hémorroïdes externes, les crises rhumatismales, l'asthme, les hématomes et les blessures, et sert d'anesthésiant pour la réduction des fractures.

Lorsqu'il veut nuire aux hommes, il accélère leur pouls, assèche leur gorge, dilate leurs pupilles, contracte leurs muscles, enfièvre leur visage, liquéfie leur estomac, les fait sombrer dans la dépression et met leurs nerfs à vif. Il les rend « secs comme un coup de trique », « rouges comme la betterave », « fous comme le vent », « brûlants comme la braise ».

Lorsqu'il s'amuse avec les hommes, il les fait rêver, halluciner, oublier et pardonner, il les fait tanguer et sourire, transcender et prédire, il les fait bander et forniquer.

Les voleurs l'utilisent.

Les assassins l'utilisent.

Les docteurs l'utilisent.

Les sorcières l'utilisent.

Les amants l'utilisent.

Sa fumée grisante alimenta l'oracle de Delphes.

Avicenne commenta sa face de Janus, sa double action, au XIe siècle.

Il était vénéré en Chine car apprécié de Bouddha.

Aux Antilles, on s'en servait comme stimulant de l'érection.

En Inde, il était connu avant même que s'écrive l'histoire.

Il est tout pour tous les hommes, et il pousse à longueur d'année.

Joyeusement, sur le bord des routes, prêt pour la cueillette.

Il appartient au clan mortel des solanacées. On en extrait la scopolamine.

Certains l'appellent Jimson Weed. D'autres pomme épineuse, trompette du diable, pomme folle.

Mais en Inde, dans les montagnes, on l'appelle datura.

Il pousse au bord des routes. Gaiement.

Prêt pour la cueillette.

Les jours suivants, le battement dans ma molaire se mua en bang supersonique. J'avais beau avaler des Combiflam et du whisky, je ne parvenais pas à le noyer. Le soir, je m'attardais sur la terrasse jusqu'à ce que l'alcool m'efface entièrement. Douleurs, pensées, tout. Je comptais les étoiles, méticuleusement, jusqu'à la dernière, mais Fizz ne venait pas.

Rakshas rôdait en arrière-plan et me ramenait dans ma chambre avant l'aube, me tenant d'un bras.

Par chance, je n'étais plus assailli de rêves. Personne ne venait plus me séduire, me prendre, me menacer. Le matin, je m'éveillais affaibli par le whisky et le mal de dent. Prakash m'apportait des œufs et du thé.

Le quatrième jour, la souffrance devint insupportable. J'emmenai Rakshas avec moi dans la Gypsy et descendis à Haldwani, prenant les virages au ralenti, étourdi par la douleur. À Haldwani, il régnait un chaos inouï. Les véhicules et les piétons se croisaient dans tous les sens, Rakshas devait se pencher à la portière pour beugler des insultes afin de nous ouvrir un passage. Au premier étage d'un complexe commercial neuf mais délabré, au milieu d'une salle immense et nue se dressait un fauteuil de dentiste rouillé. Le dentiste portait des savates de caoutchouc sous son pantalon large en coton épais, mais il mit un temps record pour planter son harpon et pêcher le tampon dans le trou de ma molaire. Presque immédiatement, une vague de soulagement se déversa sur moi. Il m'expliqua que c'était la pression contenue sous le bouchon qui avait enflammé le nerf et causé l'algie. Il nettoya le cratère à l'antiseptique et plaça une petite bille de coton.

« Il faut parfois laisser les blessures ouvertes », me dit-il.

Sur le trajet de retour, les voitures filaient vers Nainital, stéréo hurlante, pour célébrer la fin de l'année.

Certaines étaient garées sur le bas-côté et des jeunes gens, parfois accompagnés de jeunes femmes, buvaient de la bière, le visage brillant d'excitation et de joie, riant et parlant fort.

L'air vif picotait la peau.

À mi-chemin, je reconnus l'énorme rocher et le pipal qui poussait sous lui, dont les racines l'enserraient comme les doigts d'un joueur de base-ball sur la balle pour lui donner de l'effet.

L'amour déplace les montagnes. Puis-je déplacer celle-ci pour toi ?

Emporte-le dans notre jardin, madame. Et plante-le comme un monument.

Le temps d'arriver à la maison, la douleur de ma dent avait totalement disparu. Pourtant, le soir venu, je n'en fus pas plus heureux. Désormais je devais penser à autre chose et mon esprit n'avait rien à quoi s'accrocher.

Je montai assez tôt sur la terrasse pour commencer à boire. C'était l'heure des dernières lueurs du jour. Les routes rubans bourdonnaient de circulation. Les bruits de moteurs croissaient et décroissaient, emplissant la vallée. La nuit tomba, les lumières éclatèrent une à une, à Jeolikote et à Nainital, et bientôt les flancs des montagnes témoignèrent de la propagation de leurs occupants. Le ciel était haut et gorgé d'étoiles dont je connaissais le nombre.

L'engoulevent n'allait pas tarder à entamer sa dispute avec moi, et je me demanderais de nouveau ce qui me retenait d'aller l'étrangler.

Pour une raison insoupçonnée, je songeai à ma mère – à la fillette sur la photo, queue-de-cheval au vent, bracelets étincelants –, et une bouffée de chagrin m'envahit. Puis, peu à peu, la fille de la photo devint Fizz.

Je bus et dénombrai d'autres étoiles.

Au Commencement.

Avant l'amour, avant le désir, avant Fizz.

Vers neuf heures, Prakash monta chercher Bagheera pour l'enfermer et me demanda ce que je souhaitais pour dîner. Je buvais déjà depuis plus de quatre heures. Je lui dis de préparer trois rotis et de les laisser au chaud.

Au même instant, l'engoulevent lança sa note d'ouverture. Toc.

Une heure plus tard, Rakshas gravit l'escalier de derrière – celui-là même que son père gravissait chaque nuit, soixante-dix ans plus tôt, pour rejoindre, après un murmure de tôle, son amante impatiente.

Il me dit : « Il y a eu un appel téléphonique chez le thakur. Voici le message : elle va bien et sera ici dans quelques jours. »

Le lendemain matin, je me levai tôt, avant le soleil, aussi léger qu'une plume.

La vallée s'étirait à mes pieds, peinte de rosée et parfaitement silencieuse.

Quelques volutes de fumée grise commençaient à s'élever.

C'était le dernier jour du millénaire. Le 31 décembre 1999.

L'Apocalypse d'Emily n'aurait pas lieu. Nous allions devoir chercher des saluts moins brutaux.

Je sortis la Brother de l'armoire, ôtai sa dure carapace noire et nettoyai son corps rouge. Je la descendis dans le bureau inachevé et la posai sur le large rebord de fenêtre en pierre de Jaisalmer. Quand je m'assis devant elle, ses touches noires flottantes se tendirent vers mes doigts.

Je savais désormais qu'il n'existait pas de biblioca-chot.

Tout ce qui était écrit sincèrement vivait à jamais.

Chaque mot vrai. Chaque histoire vraie.

Il fallait trouver ses propres mots. Sa propre his-toire.

Pas celle du pandit, ni de Pratap, ni d'Abhay.

Ni celle du jeune sikh et de son cheval bien-aimé.

Son histoire propre.

Et la vivre. Et, après l'avoir vécue, l'écrire.

Les touches noires se tendaient vers mes doigts. Un frisson me parcourut. Après si longtemps, mon désir enfla et grandit.

Les bulbuls à joues blanches commencèrent à agiter les chênes.

Le premier aigle de la journée s'élança dans la vastitude de la vallée, flottant sur rien d'autre que sa confiance en soi.

Je glissai une feuille de papier sous le rouleau lisse de la Brother, posai les extrémités frémissantes de mes doigts sur les touches noires et luisantes, et commençai à taper. Les claquements crépitèrent comme des coups de feu.

Le sexe n'est pas le ciment le plus fort entre deux êtres. C'est l'amour…

GLOSSAIRE

Aloo tikki : beignet de pomme de terrre.

Barsati : studio ou deux-pièces situé sur une terrasse.

Bichchoos : anneaux.

Burfi : carré au lait et au sucre.

Chinchpokli : nom d'un faubourg de Bombay, devenu célèbre pour envoyer des demandes de chansons à la radio nationale avant l'ère télévisuelle, et introduit dans le langage populaire comme un surnom moqueur, équivalent de ridicule, loufoque, excentrique.

Chirrimirri : comme Chinchpokli, endroit connu pour son goût en matière de chansons à l'eau de rose diffusées à la radio, auxquelles son nom est associé de façon moqueuse.

Chunni : longue écharpe.

Dacoits : bandes de voleurs armés.

Dâl : purée de lentilles.

Dalits : membres les plus inférieurs de la caste des intouchables. Littéralement : « les opprimés ».

Dâl-roti : pain sans levain et pois.

Datuns : bâtonnets de bois de neem (margousier) utilisés comme brosse à dents.

Dhaba : gargote, petit restaurant du bord de route.

Dharma : ensemble des règles et des phénomènes qui régissent l'ordre du monde et la loi sociale qui en découle, et comportement escompté de chacun (variable selon la naissance) pour contribuer à son maintien. Plus généralement : droit, justice, vertu.

Dhoti : pagne long traditionnel.

Dilliwalla : natif de Delhi. Expression peu élogieuse.

Dosa : crêpe à base de farine de riz et de lentille légèrement fermentée. S'accompagne d'une sauce au coco râpé et au piment et/ou d'une sauce aux lentilles et aux légumes frais (sambar).

Dupattas : longue écharpe portée sur la tête.

Ghurra : jarre en argile de forme sphéroïdale pour conserver l'eau.

Golgappa : galettes de farine (généralement de blé) frites dans l'huile bouillante.

Gurbani : littéralement « paroles de gourou » ; musique sacrée sikh.

Guru Granth Sahib : livre sacré du sikhisme.

Hookah : narguilé.

Jalebis : friandises ; sorte de pâte à crêpe frite trempée dans du sirop.

Jat : population du nord-ouest de l'Inde.

Karma : dans l'hindouisme, désigne l'ensemble des actions d'un individu au cours d'une vie qui détermineront son existence future. Plus généralement : destin.

Kulcha : oignon frit.

Kurta : tunique.

Laddoo : confiseries à base de sucre et de beurre clarifié, de farine de blé et de farine de pois chiches.

Lathi : matraque de bambou utilisée par la police.

Lunghi : pagne traditionnel de style sarong.

Mauli : bracelet porte-bonheur fait de fil rouge.

Mithai : desserts. Pâtisserie-confiserie.

Moksha : libération finale de l'âme.

Nawab : prince de religion musulmane.

Pâan : chique de bétel.

Rajput : membre d'une caste militaire hindoue se réclamant de la lignée des kshatriya.

Rama : incarnation de Vichnou, héros populaire du Râmâyana.

Rasgullas : boulettes de fromage dans du sirop parfumé à l'essence de rose.

Roti : pain non levé.

Sadhu : mystique errant.

Sagar manthan : légende mythologique contant le grand bouillonnement (manthan) des océans (sagar) provoqué par les dieux et les démons à la recherche de l'élixir de vie.

Salwar kamiz : pantalon bouffant et tunique longue.

Sambar : sauce épicée à base de lentilles et de légumes cuits qui accompagne notamment le riz et les dosas.

690 Loin de Chandigarh

Sardar : sikh du Pendjab. Religieux, ils portent un turban et la barbe.

Sird : diminutif de sardar.

Sirji : déformation indienne de l'anglais sir.

Thaal : plateau de métal, le plus souvent rond, à plusieurs casiers, où l'on sert le riz et ses accompagnements.

Thakur : caste, nom honorifique. Les thakurs sont des commerçants.

Trishul : trident, attribut de Shiva. Le trident symbolise les trois aspects de la Manifestation : Création, Préservation et Destruction. Il représente aussi les trois Guna, Râjas, Tamas et Sattwa, ou modalités d'être. Sous la forme de trois traits verticaux tracés avec de la cendre sacrée sur le front, le trident est porté par les dévots de Vishnu.

Uttapam : crêpe (riz, lentilles, légumes).

REMERCIEMENTS

Une petite armée de personnes nous ont aidés à survivre tout au long des années de l'écriture de ce livre, alors que nous subissions les assauts sauvages et incessants du gouvernement à la suite des révélations de corruption par *Tehelka*. Cette armée comptait des amis et de la famille, mais également des inconnus, et, parmi eux, une légion d'avocats. Aucun n'a un rapport direct avec ce livre, mais tous, de manières diverses, ont aidé l'auteur à continuer.

Neena et Minty, avant tous les autres, en mémoire du commencement des choses.

Tiya and Cara, au-dessus des autres, la promesse de toutes choses.

Les intimes, qui ont dispensé émotion, subsides et rires : Sanjoy et Puneeta, Shoma et Aditya, Nicku et Mike, Amit et Peali ; Manika, Gayatri et Yamini ; Satya Sheel, Rajdeep et Sagarika, Shobha et Govind, Patrick et Abe, Bilu et Roma, Rajeev, Smita, Bindu, Geena, Rahul, Annu, Padma, Karrukh, Charu, Sunil Khilnani, Renu, Pavan, Aniruddha, Philip George, Kabir Chawla, Mala et Tejbir, Bani et Niki, Amrit, Ashok, Bina, Shankar et Devina ; Karan et Kabir ; Gunjun, Chottu, Deepak ; Adarsh et Krishan.

Vidia et Nadira, inspiration et réconfort.

Les guerriers qui se sont dressés pour se faire entendre : Ram Jethmalani, Kapil Sibal, Prashant et Shanti Bhushan, Arundhati Roy et Pradip Krishen, Mahesh Bhatt, Alyque Padamsee, Tony et Rani Jethmalani, Vikram Lal, Anu Aga,

Vir Sanghvi, Shobhaa De, Manish Tewari, Meet Malhotra, Uma Shankar, Kavin Gulati, Siddhartha Luthra, Rajeev Dhawan, K.T.S. Tulsi, Madhu Kishwar ; Rajiv, Ranjan, Porus et Prabha de Erewhon ; Mark Tully, Kuldip Nayar, Madanjeet Singh, Shireen Paul, Niranjan Tolia, H.S.Vedi, Shahnaz et Carl Pope, Dushyant Dave, Malvika Sanghhvi, Dilip Cherian, Seema Mustafa, Nari Hira, Swami Agnivesh.

Les milliers d'Indiens, simples ou éminents, qui ont envoyé des chèques pour un abonnement anticipé à un journal feu follet, acte collectif d'idéalisme journalistique sans précédent. Raj-Priyanka et Taizoon-Fatima qui ont ensuite repris le flambeau.

Mes exceptionnels collègues de *Tehelka*, qui ont produit contre vents et marées un journal dont nous pouvons continuer d'être fiers : Sankarshan, Shoma, Shammy, Amit, Shobhan, et tous les autres, y compris Rajnish, Neena. Et aussi Brij, Prawal, Arnab, Kumar, Shashi, Mathew et Anand, qui ont survécu au désastre de nos premiers combats.

Pour finir, les éditeurs : Nandita et Andrew, pour leur étincelant œil éditorial ; Gillon et Ashok pour leur instinct de pilotage assuré ; Liz et Vatsala pour leur main correctrice ferme et exercée ; Winnie, pour le toit sous lequel tout cela a pu être réalisé.

Et pour cette édition française : Marc Parent, un éditeur de rêve, dont l'enthousiasme et le charme m'ont fait découvrir de nouvelles choses dans mon propre texte, et Annick Le Goyat, dont les questions incisives m'ont confirmé qu'elle apportait autant de concentration à traduire ce livre que moi à l'écrire.

Table

L'INDE
DANS LE LIVRE DE POCHE

Inderjit BADHWAR
La Chambre des parfums

Alors que son père se meurt, Tan quitte les États-Unis où il réside depuis de longues années pour revenir en Inde, dans sa province natale. Dans la chambre des parfums, où repose le corps de son père avant la crémation, Tan réalise combien il s'est éloigné de sa culture d'origine. Écartelé entre bouddhisme et christianisme, entre une société de castes et des sympathies d'extrême gauche, il devra apaiser le conflit intérieur qui, jusqu'alors, n'a cessé de le déchirer. Qualifié de « Philip Roth indien » par la critique, Inderjit Badhwar conjugue avec une rare maîtrise lucidité, humour et émotion. Premier roman en grande partie autobiographique, *La Chambre des parfums* s'est classé, dès sa sortie en Inde, dans les meilleures ventes, et a obtenu, en France, le Prix du premier roman étranger en 2004.
n° 30594 - 6,50 € - 416 p.

Kiran DESAI
Le Gourou sur la branche

D'un caractère rêveur et lymphatique, Sampath Chawla rate systématiquement tout ce qu'il entreprend. Jusqu'au jour où, lassé du monde, il décide de s'installer dans les branches d'un goyavier pour y trouver la paix. Il devient brusquement un ermite célèbre. Mais une bande de singes farceurs envahit les goyaviers et sème le trouble dans le verger. Kiran Desai a reçu le Booker Prize 2006 pour son deuxième roman *L'Héritage de la perle*. *Le Gourou sur la branche* est son premier roman.
n° 15334 - 5,00 € - 256 p.

Indrajit HAZRA
Le Jardin des délices terrestres

Calcutta – Hiren Bose est insomniaque et pyromane. Après avoir mis le feu à sa maison, il part vivre dans un foyer, lieu de rencontres des jeunes désœuvrés de la ville, où l'on passe l'essentiel de son temps à manger et à paresser, sous l'œil bienveillant du gourou Ghanada. Prague – Manik Basu est écrivain. Lassé d'attendre son nouveau roman, son éditeur engage des hommes de main pour le contraindre à écrire. Les destins d'Hiren et de Manik ne vont pas tarder à converger, de la façon la plus surprenante qui soit. Figure de proue de la jeune génération des écrivains indiens, Indrajit Hazra nous offre un petit bijou d'humour surréaliste, doublé d'une superbe réflexion sur les rapports de l'écriture et du mensonge.
n° 30794 - 256 p.

Rohinton MISTRY
L'Équilibre du monde

Voici le grand roman de l'Inde contemporaine, réaliste, foisonnant, inspiré, traversé par le souffle d'un Hugo ou d'un Dickens. L'histoire se déroule au cours des années 1970 et 1980. Dans le même quartier vivent des personnages venus d'horizons très divers : Ishvar et Omprakash, les deux tailleurs – des « intouchables ». Dina, la jeune veuve, qui, pour survivre, se lance dans la confection à domicile. Manek, descendu de ses lointaines montagnes pour poursuivre des études. Shankar, le cul-de-jatte, exploité par le maître des mendiants. Bien d'autres encore… À travers les heurs et malheurs de leurs existences, au gré d'épisodes tour à tour drôles, tendres ou cruels, sur la toile de fond d'une actualité politique tourmentée et souvent tragique, Rohinton Mistry, romancier anglophone né à Bombay, brosse une fresque qui est à la fois l'odyssée d'une nation et une parabole de la condition humaine. Un de ces romans-fleuves, qui nous emporte irrésistiblement.
n° 15086 - 8,50 € - 896 p.

Rohinton MISTRY
Un si long voyage

Révélé par le succès de son roman *L'Équilibre du monde*, l'écrivain Rohinton Mistry occupe une place de premier plan dans la littérature anglo-indienne d'aujourd'hui. On retrouve dans ce récit multiforme son exceptionnel talent de conteur, mêlant avec bonheur l'humour, la tendresse et le sens du tragique pour illustrer à travers l'histoire d'une famille ordinaire la grandeur et la misère de l'humaine condition. Bombay, 1971. Nous sommes à la veille du conflit au Pakistan qui va aboutir à la création du Bangladesh. Gustad Noble, un employé de banque modèle, bon père de famille et honnête citoyen, va voir sa modeste existence bouleversée par une série de tourmentes qui le laisseront pauvre comme Job. Des troubles familiaux d'abord, puis une lettre d'un vieil ami qui lui demande de l'aider à réaliser une mission qu'on pourrait croire héroïque… Des événements dont Gustad ne soupçonne pas l'ampleur et qui marquent pour lui le début d'un long voyage: celui d'un cœur vertueux dans un monde en pleine turbulence.
n° 15411 - 6,95 € - 448 p.

Rohinton MISTRY
Une simple affaire de famille

À travers le portrait pittoresque de la petite bourgeoisie parsie de Bombay, Mistry aborde, avec un regard tendre et humain, une réalité plus grave: celle du traditionalisme rigide et du fanatisme religieux. Comme dans ses précédents romans, l'auteur de *L'Équilibre du monde* met au service d'une vision sans complaisance de la société indienne son immense talent de conteur, son sens du cocasse et sa sympathie communicative pour des personnages naïfs, injustement malmenés par la vie.
n° 30548 - 7,50 € - 608 p.

Taslima NASREEN
Lajja

Parce que, de l'autre côté de la frontière, les fanatiques hindouistes ont détruit une mosquée, Sudhamoy Datta et sa famille, comme des milliers d'autres Bangladeshis hindous, vont subir violences et persécutions. Lors de l'indépendance du pays, ils avaient espéré construire une république où les deux communautés vivraient dans le respect mutuel et, pourquoi pas, l'amitié…Roman-document, roman-témoignage contre tous les «fondamentalismes», d'où qu'ils viennent, Lajja nous raconte l'écroulement de ce rêve. Chacun des personnages le vivra dans sa chair et son sang. Pour avoir écrit ce livre, best-seller en Inde et largement diffusé au Bangladesh malgré la censure qui le frappe, Taslima Nasreen connaît aujourd'hui l'exil et la menace quotidienne de la fatwa. Cette œuvre, dont la traduction a été saluée comme un événement dans les pays occidentaux, nous touche et nous concerne au plus près.
n°13924 - 5,50 € - 288 p.

Christian PETIT
Le Songe du Taj Mahal

En 1605, Augustin Hiriart, un jeune orfèvre de Bordeaux, a tout juste vingt ans. Un matin, il est enlevé par des soldats et traîné jusqu'à Paris. En route, on l'oblige à abjurer le protestantisme. À Paris, Henri IV lui confie la fabrication d'un bijou somptueux destiné au roi d'Angleterre et l'envoie à Londres, en pleine Conspiration des poudres. Hélas, la mission échoue. Craignant pour sa vie, Augustin s'embarque pour les Indes où, après bien des aventures, il échoue à la Cour de l'empereur moghol: devenu un personnage influent, Augustin construit pour Jahangir un trône fabuleux, des machines de guerre… À la mort de son épouse, le monarque fait édifier pour elle un immense mausolée, le Taj Mahal… Augustin a-t-il joué un rôle dans la conception de ce chef-d'œuvre? Pour le trois cent cinquantième anniversaire du Taj Mahal, Christian Petit a imaginé ce

roman d'amour et d'aventures, d'après les lettres d'un joaillier français du XVIIᵉ siècle, dont le nom fut associé à la construction d'un des plus célèbres monuments du monde.
n°30769 - 6,50 € - 384 p.

Salman RUSHDIE
Les Enfants de minuit

«Je suis né dans la maternité du docteur Narlikar, le 15 août 1947. (…) Il faut tout dire : à l'instant précis où l'Inde accédait à l'indépendance, j'ai dégringolé dans le monde. Il y avait des halètements. Et, dehors, de l'autre côté de la fenêtre, des feux d'artifice et la foule. Quelques secondes plus tard, mon père se cassa le gros orteil ; mais cet incident ne fut qu'une vétille comparé à ce qui m'était arrivé, dans cet instant nocturne, parce que grâce à la tyrannie occulte des horloges affables et accueillantes, j'avais été mystérieusement enchaîné à l'histoire, et mon destin indissolublement lié à celui de mon pays. (…) Moi, Saleem Sinai, appelé successivement par la suite Morve-au-Nez, Bouille-sale, Déplumé, Renifleux, Bouddha et même Quartier-de-Lune, je fus étroitement mêlé au destin – dans le meilleur des cas, un type d'implication très dangereux. Et, à l'époque, je ne pouvais même pas me moucher.» Saga baroque et burlesque qui se déroule au cœur de l'Inde moderne, mais aussi pamphlet politique impitoyable, *Les Enfants de minuit* est le livre le plus réussi et le plus attachant de Salman Rushdie. Traduit en quinze langues, il a reçu en 1981 le Booker Prize.
n°3122 - 8,00 € - 672 p.

Tahir SHAH
L'Apprenti sorcier

L'Inde est une terre de miracles, où «saints hommes» et mystiques hypnotisent leurs publics par de sidérants tours de magie. Dans les grandes villes comme dans les villages les plus éloignés, ces incarnations terrestres de la divinité transforment des baguettes en serpents, boivent de l'acide, mangent du verre, entrent en hibernation et pratiquent même la lévitation.

Né en 1966, Tahir Shah est un ethnologue déjà très connu pour ses travaux sur le Proche-Orient, l'Asie centrale, l'Amérique du Sud et l'Afrique. C'est lorsqu'il était enfant, dans la campagne anglaise, qu'il a appris, d'un magicien indien, les premiers secrets de l'illusionnisme. Plus de vingt ans plus tard, il est parti à la recherche de ce magicien, gardien traditionnel du tombeau de son arrière-grand-père, illustre chef de guerre afghan.

L'Apprenti sorcier est l'histoire de cette quête et de l'initiation de l'auteur au monde des «saints hommes» de l'Inde, des sadhus, des mages et des sages, tout au long d'un voyage qui l'a conduit de Calcutta à Madras, et de Bangalore à Bombay, à la recherche du monde magique, insolite et secret, qui se dissimule derrière l'Inde moderne.

n°15519 - 6,50 € - 448 p.

Guy SORMAN
Le Génie de l'Inde

L'Inde hante l'imagination de l'Occident. Il y a deux mille ans y surgirent la charité et la croyance en l'immortalité de l'âme; le christianisme en fut l'héritier. Au siècle des Lumières, nos philosophes y découvrirent la tolérance religieuse. Dans les années 1920, le Mahatma Gandhi révéla au monde l'efficacité de la non-violence dans l'Histoire. En 1968, l'écologie et le féminisme nous parvinrent aussi de l'Inde. Aujourd'hui, face à un Occident désenchanté par sa propre réussite matérielle, le voyage en Inde entrepris par Guy Sorman fait découvrir un continent mal connu et son véritable visage: l'Inde est-elle véritablement une démocratie? Que reste-t-il des castes et des gourous? Comment y a-t-on vaincu la faim? Pour Guy Sorman, de l'Inde au présent les Occidentaux peuvent rapporter le supplément d'âme et la fantaisie qui font tant défaut à la démocratie libérale et à l'économie de marché. «L'Inde qui apprend à vivre», en disait André Malraux. Ce qui, plus que jamais, reste vrai.

n°30753 - 352 p.

Tarun J. TEJPAL
Loin de Chandigarh

L'Inde du Nord à la fin des années 1990. Un journaliste et sa femme, Fizz, partagent, depuis quinze ans, une intense passion, très sensuelle, très charnelle. Jusqu'au jour où, dans leur maison, accrochée aux contreforts de l'Himalaya, le narrateur découvre soixante-quatre épais carnets, le journal intime et impudique d'une Américaine, Catherine –ancienne propriétaire des lieux–, dont la lecture va peu à peu détruire son couple…

n°30760 - 8,50 € - 704 p.

Et aussi

Mario Bussagli, *L'Art du Gandhara* (La Pochothèque)

Philippe Cavalier, *Le Siècle des chimères* t.1 *Les Ogres du Gange* (n°37176),

Kavita Daswani, *Mariage à l'indienne* (n°30669),

David Davidar, *La Maison aux mangues bleues* (n°30172),

Irène Frain, *Le Nabab* (n°6423),

Hermann Hesse, *Siddharta* (n°4204),

Gita Mehta, *La Maharani* (n°6867),

Kenizé Mourad, *Le Jardin de Badalpour* (n°14866),

Vikram Chandra, *Les Tigres d'Allah* (n°17282),

Yojana Sharma, *Les Jardins de Mardpur* (n°15601),

Indu Sundaresan, *La Vingtième Épouse* (n°30156)…

Kenizé Mourad
Le Jardin de Badalpour

VIKRAM CHANDRA

Les Tigres d'Allah

THRILLER

PHILIPPE
CAVALIER

LES OGRES DU GANGE
LE SIÈCLE DES CHIMÈRES

Yojana Sharma
Les Jardins de Mardpur

Indu Sundaresan
La Vingtième Épouse

kavita
daswani

mariage
à l'indienne

Hermann
Hesse

Siddhartha

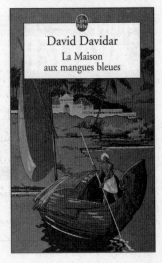

David Davidar
La Maison
aux mangues bleues

Gita Mehta

La Maharani

Irène Frain
Le Nabab

ENCYCLOPÉDIES D'AUJOURD'HUI

L'ART
DU
GANDHĀRA

par
MARIO BUSSAGLI

La Pochothèque

Composition réalisée par Asiatype

Achevé d'imprimer en juillet 2007 en Espagne par
LIBERDÚPLEX
Sant Llorenç d'Hortons (08791)
Nº d'éditeur : 91060
Dépôt légal 1re publication : mars 2007
Édition 05 - juillet 2007
Librairie Générale Française – 31, rue de Fleurus – 75278 Paris cedex 06
31/1801/5